KATHERINE SCHOLES

De nationalité anglaise et australienne, Katherine Scholes est née en 1959 dans une mission en Tanzanie où elle a passé une partie de son enfance. Elle a écrit des romans, des nouvelles, de la poésie et des récits pour la jeunesse, et a acquis une renommée internationale. Mariée, Katherine Scholes a deux enfants et vit aujourd'hui en Australie. Elle a publié *La Reine des pluies* (2003), *La Dame au sari bleu* (2005), *La Femme du marin* (2007), *Les Amants de la terre sauvage* (2010), *La Lionne* (2012), *Les Fleurs sauvages des bougainvilliers* (2015) et *Leopard Hall* (2017), tous parus aux éditions Belfond et repris chez Pocket.

Retrouvez l'actualité de Katherine Scholes sur:
www.katherinescholes.com

LES FLEURS SAUVAGES DES BOUGAINVILLIERS

DU MÊME AUTEUR
CHEZ POCKET

KATHERINE SCHOLES

LES FLEURS SAUVAGES DES BOUGAINVILLIERS

Traduit de l'anglais (Australie)
par Françoise Rose

belfond

Titre original :
THE PERFECT WIFE

Pocket, une marque d'Univers Poche,
est un éditeur qui s'engage pour la préservation
de son environnement et qui utilise du papier fabriqué
à partir de bois provenant de forêts gérées
de manière responsable.

ISBN : 978-2-266-30928-8

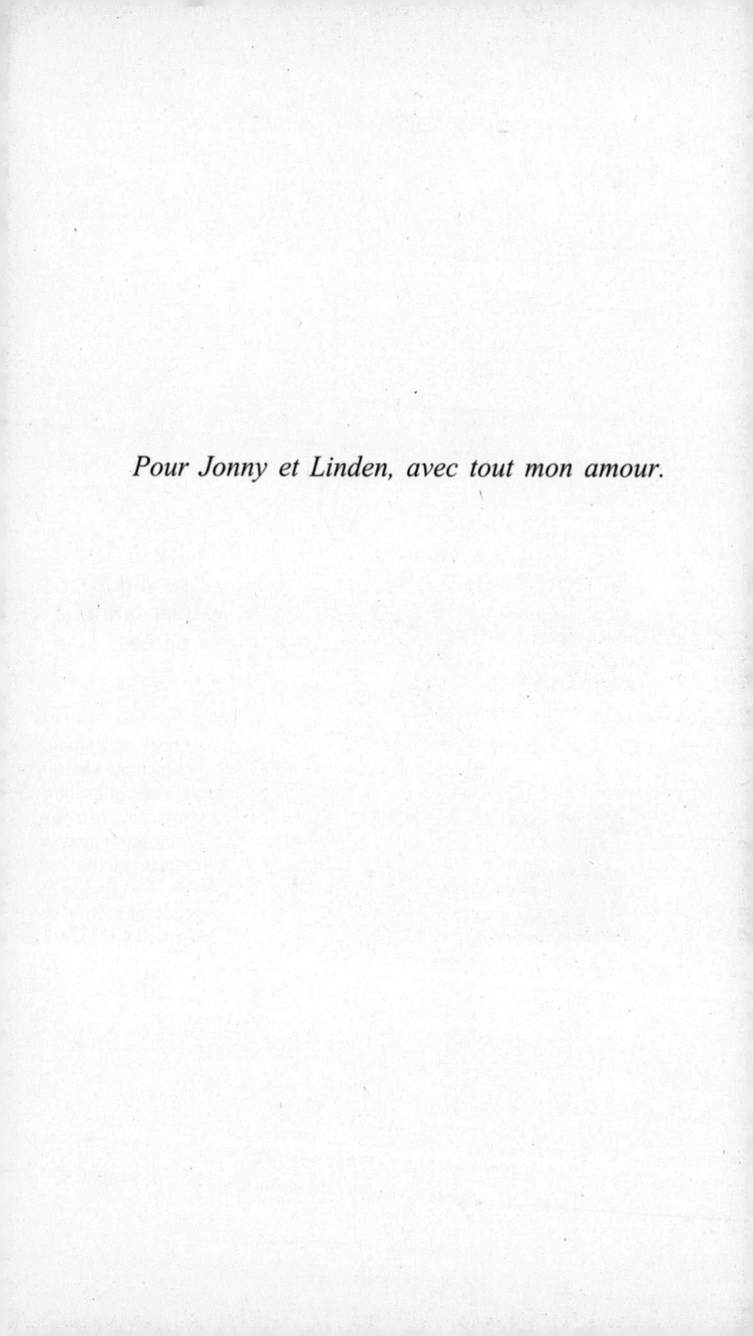

Pour Jonny et Linden, avec tout mon amour.

1

Kitty s'agita impatiemment sur son siège. Le voyage lui avait semblé interminable, mais il touchait à sa fin. Bientôt, elle allait retrouver son mari. Ils allaient prendre un nouveau départ, reconstruire leur couple. Ils oublieraient le passé et tout serait neuf, pur, intact. Elle avait hâte d'atterrir et de commencer sa nouvelle vie en Afrique.

Pour se donner une contenance, elle rajusta sa veste et épousseta sa jupe en lin crème. Puis elle appuya sa tête contre le dossier et ferma les paupières ; ses yeux lui paraissaient brûlants, comme remplis de sable, car elle n'avait pratiquement pas dormi depuis vingt-quatre heures. Quelque part entre Rome et Benghazi, l'équipage avait installé des couchettes pour les neuf passagers mais, malgré ce confort relatif, elle n'avait pas réussi à se détendre. Le vrombissement des hélices, qui lui parvenait directement à travers le mince fuselage, l'empêchait de trouver le sommeil. De plus, elle était gênée d'être allongée ainsi au milieu de parfaits inconnus, la seule femme dans ce groupe d'hommes. Et au moment même où elle avait commencé à s'assoupir, l'équipage était venu replier les lits et servir le petit déjeuner.

Rouvrant les yeux, elle se tourna vers son voisin. Paddy ne trahissait pas le moindre signe de fatigue. Assis bien droit, il lisait un livre de poche défraîchi aux pages tout écornées. Comme s'il avait senti son regard sur lui, il releva la tête.

« Il n'y en a plus pour longtemps. Je parie qu'il vous tarde de retrouver votre mari, hein ?

— Six semaines, ça semble une éternité, acquiesça-t-elle.

— C'est ça, l'amour », rétorqua-t-il en lui décochant un sourire espiègle.

Elle lui sourit en retour. Paddy n'avait pas les manières réservées des Anglais. Il n'était pas du genre à attendre que les dames se soient assises pour s'asseoir lui-même, ainsi que Theo le faisait toujours. À cet égard, l'Irlandais ressemblait un peu à un Australien, et c'était peut-être pour cela qu'elle se sentait tellement à l'aise en sa présence. Il y avait aussi le fait qu'il était petit et dodu et que son comportement évoquait celui d'un chiot affectueux. Il était impossible de voir en lui une menace quelconque.

« Il faut que je termine ça avant l'atterrissage, dit-il en montrant le livre. J'ai l'impression qu'on aura de quoi s'occuper, une fois sur place. »

Il reprit sa lecture, faisant glisser son doigt sur la page pour repérer l'endroit où il s'était arrêté.

Kitty se rappela l'aérodrome de la banlieue de Londres et le hangar empli de courants d'air où elle avait pour la première fois rencontré Paddy et les autres passagers de ce vol à destination du Tanganyika. La guerre était finie depuis trois ans, mais les hommes continuaient à se présenter en mentionnant leur grade dans l'armée. Tous étaient des ingénieurs ou des mécaniciens recrutés par l'atelier de réparation de tracteurs de Kongara. Leurs valises à leurs pieds, ils s'étaient regroupés et avaient commencé à parler du plan Arachide – ce qu'ils avaient entendu dire, ce qu'ils savaient… Elle avait tendu l'oreille, enregistrant précieusement la moindre bribe de renseignement. Elle tenait à s'informer, de manière à ce que, dès le début, Theo puisse discuter de son travail avec elle.

Paddy était arrivé en retard, rouge et haletant, un sac de toile accroché à l'épaule, ses documents de voyage froissés à la main. Le fonctionnaire du ministère du Ravitaillement[1] avait paru à la fois contrarié par ce manque de ponctualité et soulagé de pouvoir cocher le dernier nom sur la liste d'embarquement. Il avait aussitôt entrepris de les diriger vers les portes du hangar.

Dehors, elle avait resserré son col de fourrure autour de sa gorge ; une vague de froid s'était récemment abattue sur tout le pays. Le béton était recouvert d'une légère couche de glace et, en traversant la piste, elle avait prudemment gardé les yeux fixés sur ses pieds, si bien qu'elle avait entendu, plus qu'elle ne l'avait vu, l'homme qui l'avait rejointe à grands pas.

« J'm'appelle Paddy O'Halloran, avait-il déclaré avec un sourire jovial. Et je n'ai pas fait la guerre. »

Surprise par ces manières directes, presque agressives, elle avait haussé les sourcils et répondu :

« Je suis Mme Hamilton.

— J'suis au courant, avait-il rétorqué. Je sais tout de vous. »

Saisie de frayeur, elle avait ralenti le pas. En esprit,

1. Distinct de celui de l'Agriculture, ce ministère fut créé en 1939 pour gérer le rationnement des vivres et dura jusqu'en 1958. *(Toutes les notes sont de la traductrice.)*

elle avait entendu la voix de Theo, étranglée par la colère.

Ma femme est célèbre, dirait-on.

Puis le bruit sec d'un journal jeté sur la table, des tasses cliquetant contre leur soucoupe en porcelaine.

Elle avait dégluti, s'armant de courage en prévision de la suite. Mais, d'un ton désinvolte, Paddy avait poursuivi :

« Vous partez rejoindre votre époux, le lieutenant-colonel Theo Hamilton. Le directeur administratif. On nous a prévenus que vous seriez à bord, pendant la réunion d'information. » Il lui avait adressé un clin d'œil avant d'ajouter : « Je crois qu'ils voulaient s'assurer qu'on se conduirait comme il faut. Certains gars ne sont pas habitués à la présence d'une dame parmi eux. »

Avant d'avoir pu lui répondre, elle avait dérapé sur la glace. Paddy l'avait empoignée par le bras.

« C'est sacrément glissant. Faites attention. »

Quand ils s'étaient approchés de l'avion, il avait montré du doigt la rangée de hublots carrés.

« C'est un bombardier Lancaster reconverti, vous savez. Espérons simplement qu'ils ont pensé à ajouter des sièges, en plus des hublots !

— Mon mari pilotait un Lancaster.

— Combien de missions ?

— Quarante-neuf », avait-elle répondu avec fierté.

Paddy avait sifflé entre ses dents.

« Alors, il doit être immortel. »

Puis il s'était effacé devant elle pour la laisser gravir la passerelle métallique.

Elle s'était agrippée à la rampe et le froid lui avait glacé les doigts à travers ses gants en chevreau. Le Lancaster lui apparaissait comme une bête gigantesque sur le point de l'engloutir, et elle avait fait de son mieux pour ignorer cette impression. Des scènes de films d'actualités lui avaient traversé l'esprit. Elle avait entendu le cliquetis frénétique des moteurs enrayés. Vu des cockpits prendre feu et des traînées de fumée noire s'échapper d'avions pareils à des jouets, dégringolant du ciel pour s'abîmer dans la mer. Pendant les trois longues années où Theo avait servi dans l'armée, elle avait vécu dans la peur de le perdre de cette façon, tôt ou tard. Et cela avait bien failli arriver : son avion avait été touché au cours d'un raid nocturne en Allemagne. Il avait réussi à regagner l'Angleterre et s'était posé en catastrophe dans un champ, mais il avait été le seul membre de l'équipage à survivre aux flammes qui avaient dévoré l'appareil. Le lendemain, il était reparti en mission. Et le cauchemar avait recommencé ; tous ses amis étaient morts l'un après l'autre. Elle en était presque venue à se dire que l'arrivée du télégramme lui annonçant la funeste nouvelle serait pour elle un soulagement…

Parvenue en haut de l'escalier, elle s'était arrêtée et avait pris une longue inspiration pour se calmer. Contre toute attente, Theo avait survécu. La guerre appartenait désormais au passé. Et aujourd'hui, ce bombardier puissant était utilisé à des fins pacifiques.

L'équipage avait aidé les passagers à gagner leurs sièges et à ranger manteaux, sacs et journaux. Paddy s'était assis d'office à côté d'elle.

« C'est la première fois que je prends l'avion, avait-il expliqué. Je suis plus à l'aise sur un bateau. Et vous ?

— J'ai volé à plusieurs reprises à bord de petits appareils, mais ce n'est pas la même chose. »

Ce n'était pas seulement le fait que le Lancaster fût un avion de guerre qui la perturbait ; la taille même de l'appareil était intimidante. Le pilote et les commandes étaient hors de vue. Cela n'avait rien à voir avec le Tiger Moth, où Theo était assis juste à côté d'elle, à portée de sa main.

« Ne vous inquiétez pas, avait repris Paddy. Tout se passera bien. »

Elle avait eu le sentiment qu'il cherchait autant à calmer ses propres angoisses qu'à la rassurer.

Durant le trajet, il s'était produit quelques turbulences ; les passagers s'étaient cramponnés aux accoudoirs et on leur avait distribué des sacs en papier. Le calme revenu, les hommes s'étaient mis à raconter des histoires ou à plaisanter sur la nourriture. Il y avait eu des blagues au sujet des toilettes, même si elle savait qu'elle n'était pas censée y prêter l'oreille. Au cours des escales techniques en Libye, en Ouganda et au Kenya, ils avaient patienté dans d'anciens abris militaires reconvertis en salles de transit. Les poumons remplis d'une odeur d'essence, ils avaient bu du Coca-Cola tiède et du thé trop infusé. Lors de la dernière escale, à Nairobi, ils avaient mangé de délicieux petits beignets appelés *samosas*. Ils les avaient dévorés comme des gamins mal élevés, répandant des miettes partout et se léchant les doigts sans vergogne. Il n'était donc pas étonnant que la distance entre eux ait été abolie et qu'il se soit instauré à bord une ambiance de franche camaraderie.

Elle promena son regard autour de la cabine, contemplant les hommes qui l'entouraient. Ils allaient passer leurs journées dans les ateliers à réparer des machines et habiteraient dans des logements pour célibataires. Elle vivrait dans une vraie maison – les travaux de rénovation avaient pris du retard, c'était la raison pour laquelle elle n'avait pas pu partir en même temps que

Theo. Mais, en dehors de cela, elle ignorait totalement ce qui l'attendait. Et la joie qu'elle éprouvait à la perspective de revoir son mari se doublait d'une certaine appréhension. Pour se rassurer, elle se dit que Kongara n'était pas une grande ville, et qu'il lui arriverait certainement de croiser de temps à autre ses compagnons de voyage. Ce serait bon de voir des visages familiers dans ce lieu où tout serait pour elle étranger et nouveau.

Elle passa les doigts dans ses cheveux, repoussant les mèches qui lui balayaient le visage. Elle les avait fait couper au carré, à la dernière mode. Mais elle regrettait amèrement la longue crinière brune qui, d'aussi loin qu'elle s'en souvînt, retombait en cascade sur ses épaules. Elle n'y avait renoncé qu'à contrecœur : ce sacrifice faisait partie du marché qu'elle avait conclu avec Theo. Il ne voulait pas courir le risque que quelqu'un la reconnaisse. Et elle non plus, bien sûr. Mais en voyant dans le miroir sa longue chevelure disparaître peu à peu sous les coups de ciseaux, elle avait senti ses yeux se voiler de larmes. Elle savait que, en vérité, cette transformation était avant tout pour Theo une façon de réaffirmer son autorité sur elle, de se la réapproprier. En se pliant à sa volonté, elle reconnaissait tacitement qu'elle avait honte de ce qu'elle avait fait, de ce qu'elle avait été. Elle secoua la tête et ses cheveux lui chatouillèrent les joues. Cette nouvelle coupe était beaucoup plus pratique, se dit-elle pour se consoler. Elle serait mieux adaptée au climat chaud.

Ramassant son sac, elle l'ouvrit et sortit son poudrier. Elle s'apprêtait à soulever le couvercle quand elle suspendit son geste et, assaillie par un profond malaise, fixa le monogramme doré gravé en relief. Elle était censée laisser derrière elle tout ce qui la rattachait à Katya, mais ce poudrier était la seule chose dont elle n'avait pu se résigner à se défaire. Et elle commençait à penser qu'elle avait commis une erreur. Elle devrait s'en débarrasser au plus vite, avant que quelqu'un le voie. Toutefois, en caressant la surface lisse du boîtier en écaille, elle décida de n'en rien faire. Il y avait peu de chance que Theo le remarque. Quant aux autres… les initiales *Y K A* étaient tellement tarabiscotées qu'elles en étaient pratiquement illisibles.

Dans le petit miroir couvert de poudre rose, elle inspecta ses lèvres fardées de rouge mat couleur rubis, puis ses sourcils épilés et soulignés au crayon. Cela aussi, c'était nouveau ; elle n'y était pas plus habituée qu'à ses cheveux courts et elle avait l'impression de contempler une inconnue.

Son nez et son front brillaient légèrement, et elle s'empara de la houppette. Il lui sembla entendre la mère de Theo dire tout le mal qu'elle pensait des femmes qui se poudraient le nez en public – et ce n'était là que l'un des innombrables petits crimes contre lesquels Louisa l'avait mise en garde. Elle ferma brièvement les yeux pour chasser le souvenir de sa belle-mère et de ses sermons sur la nécessité d'éviter toute vulgarité.

Le nom d'une dame ne doit apparaître dans les journaux que trois fois au cours de sa vie : au moment de sa naissance, celui de son mariage et celui de son enterrement.

En raison de ce qui était arrivé par la suite, ces mots prenaient dans sa mémoire une résonance particulière. Comme pour faire amende honorable, et si dérisoire que fût le geste, elle renonça à se repoudrer. Se rendre au lavabo suivie par tous ces regards masculins aurait eu quelque chose d'inconvenant, lui semblait-il. Elle referma le poudrier et le rangea dans son sac.

À côté d'elle, Paddy reposa son livre, puis se leva pour regarder par un hublot. Malgré sa petite taille, il fut obligé de se pencher tant les fenêtres étaient basses.

« Voyez-vous quelque chose ? » demanda-t-elle.

Il secoua la tête.

Elle soupira. L'espace d'un instant, elle songea à sortir son manuel de swahili pour s'exercer à traduire quelques phrases. Janet, la missionnaire retraitée qui lui avait donné des cours avant son départ, l'aurait sans doute vivement approuvée : elle avait insisté sur le fait que chaque instant de loisir devait être consacré à apprendre des listes de mots usuels. Mais elle se sentait incapable de se concentrer. Machinalement, elle abaissa son regard sur ses souliers. Bien que poussiéreux, ils avaient toujours l'air aussi chic. Elle étudia la façon dont le cuir épousait le contour de ses pieds. Les talons hauts affinaient ses jambes ; elle espérait seulement que ces centimètres en plus ne la feraient pas paraître plus grande que son mari.

Brusquement, Paddy se redressa et cria par-dessus son épaule :

« Nous y sommes ! Venez voir ! »

Elle le rejoignit. Durant les quatre ou cinq dernières heures, il n'y avait eu en dessous d'eux que d'immenses étendues sauvages – le genre de paysage qui lui rappelait son pays natal. Mais en pressant son visage contre la vitre, elle étouffa une exclamation de surprise.

Ici, on avait déboisé une immense étendue, mettant à nu la terre rouge. Les terrains défrichés s'étiraient à perte de vue, quadrillés par un réseau de lignes droites. Des routes, présuma-t-elle, se remémorant celles qui traversaient les champs de l'immense propriété de son père, là-bas, en Australie. En observant plus attentivement, elle put distinguer les lignes ondulées formées par des andains. Elle se demanda s'ils avaient été placés là pour prévenir l'érosion par le vent ou par l'eau, ou les deux.

« Regardez-moi ça ! s'exclama Paddy, sifflant entre ses dents. Chacune de ces plantations fait cent fois la taille de la plupart des exploitations anglaises. J'ai écouté attentivement ce qu'on nous a dit pendant la réunion d'information, poursuivit-il avec un sourire. Le plan Arachide pour le Tanganyika doit englober plus d'un million d'hectares. La moitié du pays de Galles. Apparemment, ils ont déjà recruté cent mille ex-soldats. L'armée des Arachides, c'est nous ! »

Les autres passagers s'attroupèrent devant les hublots. L'immensité des terres défrichées les laissa eux aussi bouche bée.

« Vous savez comment tout a commencé ? »

Elle reconnut la voix de Billy, un ingénieur du régiment du Middlesex, qui boitait encore à cause d'une blessure causée par un éclat d'obus.

« Le ministre du Ravitaillement, M. Strachey, en a conçu l'idée pendant la guerre, en regardant des camions partir pour le front. Il rêvait de voir un autre genre de convoi, qui transporterait des charrues au lieu d'armes, à destination de l'Afrique. »

Tout le monde regardait Billy à présent. Il avait raconté toutes sortes de blagues au cours du voyage mais, en cet instant, son ton était presque révérencieux.

« C'est exactement ça, le plan, reprit-il. L'occasion de faire une bonne action pour compenser toutes ces morts, toutes ces destructions. C'est notre nouveau combat. La guerre contre la faim. »

Elle échangea un regard avec lui, puis avec Paddy et avec tous les autres – Nick, Jimmy, Jamie, Robbie,

Ralph et Peter. Leur sentiment d'être investis d'une mission commune était presque tangible. Elle sentit toutes ses inquiétudes se dissiper. Sa nouvelle vie allait être passionnante et active, elle allait pouvoir se rendre utile.

Les hommes la laissèrent débarquer la première. Dès qu'elle émergea sur la passerelle métallique, elle fut accueillie par une bouffée d'air sec et brûlant – aussi brûlant que celui de sa terre natale. Sous les vapeurs d'essence, elle perçut les odeurs familières de la brousse : poussière, bouse de vache, et un parfum musqué de feuilles. Son regard parcourut la petite foule massée en dessous d'elle, cherchant à distinguer la chevelure blond-roux de Theo, ou sa silhouette au maintien si particulier – le corps légèrement penché en avant comme pour résister à un vent contraire. Mais il n'était nulle part en vue. Elle fronça les sourcils, regarda à nouveau. Elle inspecta un petit groupe d'hommes élégamment vêtus – costume, cravate et chapeau. Puis d'autres Européens dont la tenue se composait d'une chemise kaki, d'un short ample, d'épaisses chaussettes et de grosses bottines. Aucun d'eux ne ressemblait à Theo.

Une main en visière au-dessus de ses yeux pour se protéger de l'éclat aveuglant du soleil de l'après-midi, elle dirigea son regard plus loin. Le seul autre homme blanc qu'elle vit portait un bleu de mécanicien et devait faire partie du personnel de l'aérodrome. La peur s'empara d'elle. Theo était-il malade ? Avait-il eu un accident ? Elle essaya de ne pas penser au sort de celui qu'il était venu remplacer ; il lui était arrivé quelque chose de si terrible que Theo n'avait même pas voulu le lui raconter. Elle savait néanmoins que ç'avait été un accident, un événement entièrement fortuit. Le travail de son mari ne comportait normalement aucun danger. Elle descendit les marches. Derrière elle, elle entendit résonner les pas lourds de Paddy. Elle leva haut le menton, déterminée à ne pas trahir son anxiété. Il devait y avoir une explication toute simple à l'absence de Theo.

À peine eut-elle posé le pied sur le tarmac que l'un des hommes en costume s'avança vers elle et lui offrit un bouquet de fleurs enveloppé de Cellophane.

« Bienvenue au Tanganyika, et à Kongara. »

Elle prit le bouquet et dévisagea l'homme, en se demandant s'il lui apportait une mauvaise nouvelle.

« Soldat Toby Carmichael, adjoint de votre mari, dit-il en lui tendant la main.

— Enchantée », répondit-elle.

En elle-même, elle s'étonna de la pâleur de son teint. Il ne devait pas passer beaucoup de temps dehors.

« Malheureusement, il a été retenu par une affaire urgente. Il lui a été impossible de se libérer. »

Toby avait l'accent des Midlands, mais son vocabulaire choisi dénotait l'influence de Theo.

« Il a dû se rendre dans les unités d'exploitation. Il sera de retour en fin d'après-midi », ajouta-t-il.

Il fit signe à une jeune fille portant une écritoire à pince. Kitty détailla le visage juvénile aux joues rondes, les lèvres rouges et la coiffure sophistiquée contrastant avec la simplicité de la jupe et de la blouse kaki.

« Lisa va vous conduire à votre maison. M. Hamilton vous rejoindra dès que possible. J'espère que le voyage n'a pas été trop fatigant, malgré sa durée.

— Où Theo est-il allé, avez-vous dit ? »

Maintenant qu'elle savait que son mari n'était pas

tombé malade et n'avait pas été victime d'un accident, elle se sentait vexée qu'il lui ait fait faux bond.

« Il y a eu un problème avec les terrassiers irlandais, là-bas, aux unités d'exploitation. » Toby baissa la voix, comme s'il lui livrait une information confidentielle. « Rien qui doive vous inquiéter. »

Elle s'efforça de chasser sa contrariété. Le travail avant tout. C'était pour cela qu'ils étaient ici. La guerre contre la faim.

« Les unités d'exploitation ? Qu'entendez-vous par là ?

— C'est ainsi que nous appelons les plantations. »

Elle enregistra le terme dans sa mémoire. Elle avait déjà appris que le sigle OFC correspondait à Overseas Food Corporation, la compagnie agro-alimentaire d'outre-mer. Que l'UAC, ou United Africa Company, était la société qui fournissait à l'OFC la main-d'œuvre sous contrat. Et, bien sûr, qu'« arachide » était un synonyme de cacahuète.

« Et maintenant, reprit Toby, laissez-moi vous présenter quelques-uns de mes collègues. »

L'énumération des noms et des titres, les échanges de sourires et de poignées de main parurent durer des heures. Kitty réprima un bâillement, se couvrant la bouche de sa paume. Mais soudain, un mouvement à la périphérie de son champ de vision attira son attention. Une automobile arrivait vers eux à toute allure. Une berline étincelante, du même bleu que le ciel.

Quand elle fut plus près, Kitty reconnut une Daimler – il y en avait deux à Hamilton Hall, dans les anciennes écuries transformées en garages. Celle-ci était d'un modèle plus récent, mais n'en possédait pas moins une allure imposante et un peu surannée, avec ses énormes garde-boue, son châssis large et bas.

La voiture s'immobilisa à quelques mètres d'elle. En s'approchant, Kitty constata qu'elle était conduite par un Africain dont le visage sombre était presque impossible à discerner derrière les vitres chatoyantes. Elle scruta l'arrière du véhicule, s'attendant à y découvrir Theo. Il avait réussi à échapper à ses obligations ! Il n'avait pas supporté l'idée de rater son arrivée…

Mais, sur la banquette arrière, elle n'aperçut qu'une femme aux traits dissimulés par des lunettes de soleil et un grand chapeau jaune citron.

Bondissant de son siège, le chauffeur alla ouvrir la portière ; bien qu'il parût âgé d'une quarantaine d'années, il était affublé d'un costume de marin, comme en portaient les petits garçons.

Un escarpin blanc à talon haut se posa sur le tarmac, bientôt suivi du second. Une paire de jambes gainées de bas de soie apparut. Enfin, la passagère émergea tout entière, vêtue d'une robe jaune assortie à son chapeau et de gants blancs assortis à ses souliers. Elle demeura un instant immobile, inspectant la scène, puis elle ôta ses lunettes.

« Bon sang ! Je savais que j'arriverais en retard ! » s'exclama-t-elle en jetant un regard de reproche à son chauffeur. Elle se tourna ensuite vers Kitty, dardant sur elle des yeux gris-vert soigneusement fardés. « Vous devez être la femme de Theo. Je suis Mme Richard Armstrong. Mon époux m'a demandé de venir vous accueillir, puisque Theo est retenu.

— C'est très aimable à vous », répondit Kitty.

Rien dans l'attitude de cette femme ne permettait de deviner si elle considérait cette tâche comme un plaisir ou comme une corvée. Elle accorda un demi-sourire au reste du groupe, avant de s'adresser à Toby, qui carra aussitôt les épaules, se mettant presque au garde-à-vous.

« Veuillez faire porter les bagages de Mme Hamilton jusqu'à sa maison. Nous les précéderons.

— Oui, bien sûr. »

Toby lança un regard à Lisa, la jeune fille à l'écritoire, qui parut infiniment déçue de se voir voler son rôle de manière aussi brusque.

Kitty fouilla dans sa mémoire pour tenter de se rappeler qui était Armstrong. Le supérieur de Theo, le directeur général ? Ou peut-être son subalterne, le directeur de l'agriculture ?

« Vous pouvez m'appeler Diana, reprit la femme en reportant son attention sur elle.

— Merci. Et appelez-moi Kitty, je vous en prie. »

Diana l'examina des pieds à la tête, et elle se félicita d'avoir transformé son apparence du tout au tout, ainsi qu'elle l'avait promis à Theo. Sous ce regard scrutateur, son tailleur lui parut soudain trop ordinaire, et ses nouvelles chaussures dépourvues d'élégance. Mais au moins sa coupe de cheveux et ses sourcils étaient-ils conformes aux exigences de la mode.

« Allons-y », dit Diana.

Kitty chercha Paddy des yeux. Il lui décocha un grand sourire d'encouragement et agita la main en guise d'adieu. Elle s'apprêtait à suivre Diana jusqu'à la voiture quand le vent se leva brusquement. Les hommes retinrent leurs chapeaux et se courbèrent pour se protéger de la poussière qui leur cinglait le visage. Des papiers s'envolèrent de l'écritoire de Lisa et se mirent à tourbillonner dans les airs. Les yeux mi-clos, Kitty observa Diana à la dérobée. Droite et impassible, celle-ci s'était contentée de baisser les paupières et ses cils fardés de mascara dessinaient des croissants noirs sur sa peau blanche. De sa main gantée, elle agrippait le bord de son chapeau jaune.

Au sortir de l'aérodrome, la Daimler emprunta une route de construction récente, un ruban de gravier traversant en ligne droite la savane déboisée. Les deux femmes étaient assises côte à côte sur la banquette arrière. Diana gardait les yeux fixés droit devant elle. Même de près, sa peau paraissait irréprochable, couverte d'une couche uniforme de poudre rehaussée d'une touche de rouge sur les pommettes.

« Vous êtes australienne », dit-elle tout à coup, sans tourner les yeux vers elle.

Kitty la regarda, mal à l'aise. Diana ne tenait certainement pas cette information de Theo ; elle avait dû reconnaître son accent. Le professeur de diction avait pourtant assuré à la mère de Theo que les origines de sa bru étaient devenues pratiquement indécelables. Le fait de bavarder avec Paddy avait sans doute fait resurgir son accent australien. Peut-être était-il remonté à la surface pendant qu'elle racontait à l'Irlandais son enfance dans l'*outback*.

« Oui, à l'origine, déclara-t-elle enfin. Mais je vis en Grande-Bretagne depuis des années. J'ai émigré juste avant la guerre, en fait. »

Diana s'abstint de tout commentaire. Elle se laissa aller contre le dossier, l'air épuisée, comme si elle venait d'accomplir une tâche exténuante. Comme le silence se prolongeait, Kitty regarda par la vitre pour se donner une contenance. La terre rouge semblait riche, mais la végétation était maigre, desséchée. Son père avait passé sa vie à batailler contre la sécheresse, s'éreintant à tirer d'un sol aride un revenu qui suffisait à peine à nourrir sa famille. Pourtant, c'était cette région que l'on avait choisie pour mener à bien l'un des projets agricoles les plus ambitieux qui soient. Peut-être était-on en pleine saison sèche ; elle ne connaissait pas encore bien le mécanisme des saisons sous les tropiques. Elle inspecta l'intérieur du véhicule, le bois poli, les accessoires en nickel scintillant, les sièges en cuir rouge foncé : il appartenait à un monde tellement différent de ce décor qu'il en paraissait incongru.

La route déboucha dans une zone parsemée d'affleurements rocheux. La Daimler zigzagua entre des monticules de pierre pâle hérissés de buissons avant de ressortir en terrain dégagé. C'est alors que la piste décrivit un brusque virage, et Kitty se redressa sur son siège, la bouche ouverte dans une expression de surprise. Devant elle, une chaîne de montagnes venait de surgir comme par magie. Elle ne l'avait pas aperçue de l'avion, pendant la descente vers l'aérodrome ; elle devait se trouver du côté opposé de l'appareil. Elle suivit du regard les contours des monts aux cimes aiguës. Ils formaient des pyramides parfaites, comme sur une image d'un livre pour enfants.

« Que ces montagnes sont belles ! murmura-t-elle en se tournant vers Diana.

— Ce ne sont guère plus que des collines, répondit celle-ci avec un petit haussement d'épaules. Pour moi, les montagnes, ce sont des endroits où l'on peut faire du ski. »

Le silence retomba, seulement troublé par le ronronnement régulier du moteur. Par contraste avec les montagnes, le paysage environnant avait l'air encore plus morne. Et puis, dans le lointain, Kitty discerna une sorte de campement. Elle plissa les yeux, tentant de comprendre de quoi il s'agissait. À mesure qu'ils s'en rapprochaient, les formes se précisèrent.

C'était une mer de tentes s'étirant à perte de vue, des triangles identiques, d'un blanc sale, disposés en rangées rectilignes.

« Qu'est-ce que c'est ? demanda Kitty. On dirait un camp militaire. »

Elle apercevait aussi de hautes clôtures de barbelés et des aires de stationnement délimitées par des pierres peintes en blanc.

« C'est Kongara. »

Kitty s'efforça de dissimuler son désarroi. D'après les lettres de Theo, elle s'était représenté une petite ville constituée de bâtiments rudimentaires, mais construits en dur. Il avait parlé d'un club équipé d'une piscine, d'une rue commerçante. *Tu aimeras notre nouvelle demeure*, avait-il écrit. *L'OFC a fourni tout le mobilier, y compris des serviettes roses pour la salle de bains.*

« Les Africains l'ont baptisée *Londoni*, Londres, en swahili, poursuivit Diana avec un rire bref. Et ce nom a remporté un vif succès. Nous l'utilisons tous, à présent. Pas pour tout le district, seulement pour la ville elle-même. »

Kitty répéta mentalement le nom, Lon-*do*-ni, en étirant la deuxième syllabe, ce qui conférait au mot une sonorité étrange et mélodieuse. Balayant du regard les rangées de tentes, elle remarqua parmi elles quelques huttes rondes aux murs de terre surmontés d'un toit de toile. Puis elle vit un bâtiment long et étroit pourvu d'une véranda et divisé en deux parties. L'une était peinte en blanc et une pancarte au-dessus de la porte indiquait : SALLE À MANGER. L'autre était faite de bois brut et portait l'inscription CANTINE. Devant chacune d'elles, des clôtures entouraient une parcelle de terre qui aurait pu être un jardin mais était vide de toute végétation. Kitty discerna aussi quelques baraquements en préfabriqué – ces longues structures en tôle, semi-cylindriques, étaient devenues une vision familière dans l'Angleterre d'après-guerre. Il y avait également un cinéma en plein air, avec un écran et des rangées de sièges.

La voiture ralentit et se mit à rouler au pas en arrivant dans un secteur où les tentes étaient d'une taille plus importante. Et tout à coup, les gens commencèrent à grouiller de toutes parts. Des Européens à la peau claire, des Africains, quelques Indiens, tous habillés de kaki, ce qui renforçait encore l'impression de se trouver dans un camp militaire. Les hommes étaient largement majoritaires, mais Kitty aperçut un petit nombre de jeunes femmes vêtues de jupes et de chemisiers identiques à ceux de Lisa. Tout le monde semblait pressé. Un homme en tenue tropicale consulta sa montre, puis se mit à courir.

« Et voici le bureau central », annonça Diana.

Devant la plus grande tente se dressait un mât au sommet duquel pendait mollement l'Union Jack. Une Rolls-Royce était garée à proximité. Un soldat africain portant une veste ceinturée et un fez marron montait la garde juste à côté. Kitty tendit le cou pour tenter de scruter l'intérieur de la tente. Tout ce qu'elle entrevit, ce fut un vaste bureau, une machine à écrire et une pile de dossiers en équilibre instable.

Le véhicule poursuivit sa route, passant devant des centaines d'autres petites tentes avant de pénétrer dans un quartier où s'alignaient des bungalows en bois tous identiques et de dimensions restreintes. Sur le côté de la plupart d'entre eux, on avait tendu des cordes à linge. La lessive qui y était accrochée se composait essentiellement de vêtements de travail kaki, avec çà et là une tache colorée – robe, corsage ou pyjama d'enfant.

« Et ça, expliqua Diana, c'est ce que nous appelons les "Cabanes à outils".

— Est-ce ici que vous… que nous habitons ? s'enquit Kitty d'une voix hésitante.

— Seigneur, non ! Ce sont les logements des assistants, du personnel médical et des gens de cette sorte. » Pointant le doigt, elle montra les montagnes au pied desquelles s'étirait un ruban de verdure. « Nous habitons là-bas, dans la rue des Millionnaires. Ce n'est pas son vrai nom, bien entendu. C'est Hillside Avenue. L'adresse la plus chic de tout le Tanganyika. »

Kitty détecta dans sa voix une nuance de moquerie. Elle essayait de trouver une repartie spirituelle, lorsque le visage de Diana se figea soudain. Elle posa une main sur l'épaule du chauffeur.

« Attention ! »

La voiture s'arrêta brutalement, projetant les deux femmes contre les sièges avant. Un lourd silence suivit. Puis on entendit un rire d'enfant.

« Dieu soit loué, dit le chauffeur. Je ne l'ai pas touchée. »

Une petite fille détala devant eux, ses tresses blondes tressautant dans son dos tandis qu'elle s'élançait à la poursuite d'une balle rouge.

Les deux femmes se renfoncèrent dans leurs sièges. Kitty poussa un soupir de soulagement. Mais à côté d'elle, Diana demeura rigide, les yeux agrandis d'effroi.

« Tout va bien, la rassura Kitty. Elle n'a rien. »

Diana hocha la tête sans rien dire. Elle semblait incapable de reprendre son souffle. Son front ruisselait de sueur. Elle arracha son chapeau, le jeta sur le sol, révélant des cheveux ondulés de couleur auburn. Puis elle cacha son visage derrière ses mains tremblantes. Kitty se détourna avec tact.

Dans le rétroviseur, elle rencontra le regard inquiet du chauffeur.

« Allons-y, lui dit-elle. Mme Armstrong a sans doute besoin d'un verre d'eau. »

Il relâcha la pédale de frein et redémarra. Les Cabanes à outils disparurent bientôt derrière eux et ils se dirigèrent vers la rue des Millionnaires.

Peu à peu, la respiration de Diana s'apaisa. Finalement, elle releva la tête, repoussant une mèche collée à son front.

« Les gens devraient mieux surveiller leurs enfants », déclara-t-elle en se penchant pour ramasser son chapeau.

Elle l'épousseta avec soin avant de le poser sur ses genoux.

Kitty acquiesça poliment et détourna de nouveau le regard. Elle était consciente d'avoir été témoin de quelque chose qu'elle n'aurait pas dû voir – Diana avait perdu son sang-froid et la scène avait été profondément gênante pour toutes les deux. Leur relation commençait mal.

2

La Daimler s'engagea dans une large allée, faisant crisser le gravier sous ses pneus. Kitty écarquilla les yeux, impatiente de découvrir la maison. Après avoir vu les tentes et les bungalows, elle se préparait à être déçue, mais la demeure qui lui apparut était vaste et d'aspect étonnamment moderne. La façade s'agrémentait d'une large véranda. Les murs en béton avaient été fraîchement repeints en blanc et le toit de tôle était élégamment pentu. Devant la maison s'étendait un grand jardin entouré d'une palissade blanche, où fleurissaient des bougainvilliers – la plupart d'un violet éclatant, comme ceux d'Australie, mais d'autres étaient d'une teinte pastel, rose, orange, mauve ou blanche. On avait visiblement essayé de courber les branches de façon à former une arcade, mais des pousses réfractaires jaillissaient dans toutes les directions.

Le chauffeur klaxonna. Un instant plus tard, deux Africains en chemise et short blancs surgirent sur le perron, bientôt rejoints par deux autres en uniforme kaki. Ils se placèrent de chaque côté de l'entrée, au garde-à-vous, pour former une haie d'honneur. Cette vue évoqua à l'esprit de Kitty des scènes identiques à Hamilton Hall, avant la guerre. Chaque fois qu'un membre de la famille rentrait de voyage, s'il avait été absent plus d'une semaine, le personnel au grand complet – soit une bonne vingtaine de personnes – se rassemblait pour lui souhaiter la bienvenue.

Diana descendit du véhicule, laissant son chapeau sur la banquette. Elle était redevenue parfaitement calme, à présent, comme si l'incident avec la fillette ne s'était jamais produit. Elle précéda Kitty sur la véranda au sol de ciment incrusté de petits cailloux et s'arrêta devant les Africains.

« Votre cuisinier, votre boy, le jardinier, le gardien. »

Elle regarda ce dernier avec insistance jusqu'à ce qu'il ôte sa casquette.

Pour tenter de contrebalancer ses façons méprisantes, Kitty adressa aux quatre hommes un sourire chaleureux et les salua en swahili.

« *Hamjambo.* »

Ils la contemplèrent fixement, comme s'ils n'avaient pas compris. Elle était pourtant certaine d'avoir employé la formule correcte. Il lui semblait entendre la voix ferme de Janet martelant : « *Hujambo* est le terme qu'on utilise quand on s'adresse à une seule personne. Pour saluer deux personnes ou plus, il faut dire *hamjambo*, à quoi l'on répond : *hatujambo*... »

Elle fit une nouvelle tentative.

« *Habari gani ?* » (Comment allez-vous ?)

Elle n'obtint pas davantage de réponse.

« Comme c'est gentil à vous d'avoir appris un peu de swahili ! dit Diana, étonnée. Mais ils parlent à peu près couramment l'anglais. Cynthia était très exigeante sur ce point. »

Kitty s'apprêtait à entrer dans la maison quand

l'homme que Diana lui avait présenté comme son boy tendit la main vers le bouquet de fleurs.

« Je peux les mettre dans un vasie, memsahib.

— Va-se, le reprit Diana en roulant des yeux. Ils ont la manie d'ajouter des "i" à la fin des mots. Tractori. Londoni… C'est terriblement agaçant. On a l'impression qu'ils se moquent de nous. »

Kitty aurait pu lui expliquer qu'en swahili tous les noms se terminaient obligatoirement par une voyelle non muette, mais elle préféra s'abstenir. Refusant de se laisser démonter par le peu de cas que l'on faisait de ses connaissances linguistiques, elle sourit aimablement à l'homme. Celui-ci s'était remis au garde-à-vous, le bouquet pendant au bout de son bras. Il devait avoir à peu près son âge, autour de trente ans. À Hamilton Hall, elle avait fini par s'habituer à être servie par des hommes adultes mais, d'une certaine manière, cela lui paraissait plus bizarre ici. Après tout, le Tanganyika était leur pays, pas le sien…

Diana l'escorta à l'intérieur de la maison, tout en ôtant ses gants, qu'elle rangea dans son sac. Ses talons résonnèrent sur le plancher quand elle pénétra dans un spacieux salon. Une légère odeur de peinture fraîche flottait dans la pièce, bien qu'on eût laissé les portes-fenêtres grandes ouvertes. On était en fin d'après-midi et le soleil jetait des flaques de lumière sur le parquet verni. Kitty posa son regard sur le canapé en velours vert et les deux fauteuils assortis. Les rideaux s'accordaient eux aussi à l'ensemble. Il y avait une bibliothèque garnie de livres reliés en cuir. Et non loin de celle-ci, un chariot à boissons chargé de bouteilles et de carafes, de verres et d'un siphon d'eau de Seltz en argent. Il n'y manquait pas même un palmier en pot, étendant ses feuilles déchiquetées au-dessus de la table basse. Un décor qui semblait tout droit sorti d'un magazine, tant il paraissait irréel, mais Kitty était néanmoins ravie et impressionnée.

Sortant de son sac un paquet de cigarettes, Diana le lui tendit.

« Une cigarette ?

— Non, merci. Pas pour le moment, répondit Kitty, jugeant préférable de ne pas déclarer d'emblée qu'elle ne fumait pas.

— Je pense que vous trouverez ici tout ce dont vous avez besoin, poursuivit Diana du coin des lèvres, tout en allumant sa cigarette. Dans le cas contraire, faites une demande auprès du service des fournitures. S'ils n'ont pas ce que vous voulez, insistez. Et si quelque chose ne vous plaît pas, renvoyez-le. »

Traversant le couloir, elle ouvrit une porte donnant sur une autre pièce, tout aussi vaste.

« La chambre principale, annonça-t-elle. Les maisons sont toutes semblables, donc j'en connais l'agencement par cœur. »

Un lit à deux places garni d'une couverture en chenille crème et entouré d'une moustiquaire suspendue à un baldaquin occupait le centre de la pièce. Parmi les autres meubles, le plus remarquable était sans doute une énorme coiffeuse ornée d'un miroir à bord festonné. Kitty inspecta la chambre, sourcils froncés. Theo était censé avoir emménagé ici depuis des semaines, sitôt les peintres partis. Pourtant, il était visible qu'il ne dormait pas dans cette pièce… Elle ressortit en hâte, se demandant si Diana s'en était également aperçue.

Un peu plus loin dans le couloir, elles passèrent devant une porte fermée, d'où émanait une odeur de kérosène et d'huile de table.

« Je ne mets jamais les pieds dans ma cuisine à moins d'y être obligée, mais Cynthia aimait effectuer des inspections régulières », dit Diana en regardant Kitty, comme pour s'enquérir de sa position sur ce sujet.

Kitty se contenta d'un haussement d'épaules ambigu. Elle n'avait aucune idée sur la question.

« Quoi qu'il en soit, reprit Diana, la bonne nouvelle, c'est que nous avons enfin des réfrigérateurs dignes de ce nom. Des Electrolux. Ils sont arrivés la semaine dernière. Nous allons pouvoir boire des gins tonics bien frais. Avec des glaçons. »

Elle lui lança un sourire par-dessus son épaule – le premier vrai sourire que Kitty ait pu voir sur son visage. L'une de ses incisives était un peu de travers, mais ce petit défaut ne faisait que rehausser la perfection de ses traits.

« Les toilettes. Le bureau, dit Diana en indiquant d'autres pièces. La salle de bains. J'ai bien peur que vous y trouviez des serviettes roses. Dieu sait d'où leur est venue cette idée. » Elle s'interrompit et inclina la tête d'un air pensif. « Certains croient que les gens de Londres ont choisi cette couleur à dessein, car tout ici finit par devenir rose, à cause de la poussière rouge dans l'eau. Mais ça me paraît assez improbable, ajouta-t-elle en secouant la tête. Les types de l'OFC ne sont pas aussi intelligents. »

Kitty se demanda quel sens pouvait avoir cette dernière remarque. Jusqu'à présent, tout ce qu'elle connaissait du fonctionnement de l'OFC (en se fondant sur ce que lui en avait dit Theo et sur sa propre expérience au cours de ce voyage) lui donnait une impression d'ordre et de précision, comme on était en droit de l'attendre d'un organisme employant essentiellement d'anciens militaires.

Diana secoua la cendre de sa cigarette dans le lavabo, puis ressortit de la salle de bains. Montrant une porte fermée, elle murmura :

« La chambre des enfants. Ils en avaient deux. »

Kitty crut qu'elle allait l'accompagner à l'intérieur de la pièce, comme elle l'avait fait pour les précédentes, mais Diana demeura dans le couloir, examinant ses ongles, repoussant une cuticule. Kitty décida de jeter quand même un rapide coup d'œil dans la chambre. En ouvrant la porte, elle tressaillit, effarée. Sur une petite table, elle reconnut la brosse à cheveux de Theo. Ses pantoufles étaient posées sur le sol, à côté d'un lit étroit. Sa robe de chambre bleue était accrochée au dossier d'une chaise. L'espace d'un instant, la joie qu'elle éprouvait en revoyant ces objets familiers fut assombrie par le désarroi. Il semblait étrange, inexplicable même, que son mari se soit installé dans cette pièce. Puis l'évidence lui apparut. C'était en fait une preuve de délicatesse de la part de Theo. Il avait attendu son arrivée pour dormir dans la chambre principale. Afin que, dès le début, ce soit leur chambre à tous les deux. La chambre conjugale.

Elle parcourut des yeux la pièce inondée de soleil. Et une autre pensée réconfortante lui vint. Un jour, ses enfants dormiraient ici. Ils seraient au moins deux, idéalement trois, mais pas plus de quatre. (Theo était fils unique et avait souffert de la solitude ; de son côté, elle avait vu sa mère épuisée par de trop nombreuses grossesses.) Ils espéraient devenir parents bientôt. Elle avait presque vingt-huit ans, et Theo un peu plus. Pendant la guerre, ils avaient connu de longues et fréquentes séparations. Quand ils se retrouvaient, ils prenaient des précautions, car le moment eût été mal choisi pour mettre un enfant au monde. Et, par la suite, les choses ne s'étaient pas révélées plus faciles. Mais maintenant, le temps était venu. Elle sourit en contemplant la chambre. Elle prendrait plaisir à choisir des rideaux et des couvre-lits aux couleurs gaies. Peut-être même ferait-elle repeindre les murs et les châssis des fenêtres. En jaune citron, une couleur qui conviendrait aussi bien aux filles qu'aux garçons…

Elle retourna auprès de Diana qui l'attendait dans une autre pièce. La jeune femme avait déniché un cendrier en verre qu'elle gardait à la main.

« Y a-t-il de bonnes écoles, ici ? » lui demanda-t-elle.

Diana tira sur sa cigarette avant de répondre :

« Ce n'est pas à moi qu'il faut poser la question. Je n'ai pas d'enfants.

— Oh, désolée. »

Kitty se mordit la lèvre, regrettant d'avoir parlé sans réfléchir. Mais elle ne lut aucune tristesse dans les yeux de Diana – celle-ci ne faisait visiblement pas partie de ces femmes qui ne peuvent pas avoir d'enfants et que la seule mention de ce mot bouleverse de chagrin. Au contraire, peut-être même se réjouissait-elle de ne pas en avoir. Rien de maternel n'émanait d'elle.

Dans le bref silence qui suivit, Diana aspira une nouvelle bouffée. Kitty déambula dans la pièce, contournant une lourde table en bois foncé entourée de chaises. Elle s'arrêta devant une armoire vitrée remplie de vaisselle. En plus des ustensiles habituels, assiettes, bols, tasses et soucoupes, le meuble contenait aussi un plat à gâteaux, un beurrier, une salière et une poivrière.

« Je pensais que l'on devait apporter sa propre vaisselle », dit-elle, étonnée.

Après avoir étudié le document envoyé par l'OFC, elle avait acheté un nouveau service, en faïence blanche, robuste et simple, qu'elle avait emporté dans ses bagages.

« C'est exact, répondit Diana. Mais Cynthia a tout laissé ici. Elle n'a pas voulu se donner le mal de l'emballer. » Arquant les sourcils d'un air interrogateur, elle s'enquit : « Vous savez de qui je parle ? Mme Wainwright ? »

Kitty acquiesça, baissant respectueusement les yeux. Cynthia était la veuve de l'ancien directeur administratif, le major Wainwright. Theo avait hérité à la fois de son poste et de sa maison. Cette situation la mettait mal à l'aise, car elle avait l'impression de profiter du malheur d'autrui. Elle releva les yeux vers Diana, se demandant si celle-ci allait faire un commentaire sur la tragédie. Mais la jeune femme s'était dirigée vers la table.

« Ceci lui appartenait également. »

En contemplant le bois patiné, Kitty présuma qu'il s'agissait d'un meuble ancien, transmis de génération en génération. Massif, doté de pieds épais et d'angles droits, il paraissait déplacé dans cet intérieur moderne, parmi ce frêle mobilier en pin clair.

« Cynthia l'avait acheté à un type des Affaires étrangères qui a fini par obtenir son transfert après être resté bloqué ici pendant toute la durée de la guerre, poursuivit Diana. Elle m'a demandé de vous remettre ceci en mains propres. »

Kitty déplia la feuille de papier qu'elle lui tendait. La recette d'une encaustique à fabriquer soi-même. *À appliquer deux fois par jour après les repas, sous votre surveillance*, était-il précisé en haut de la page.

Elle passa la main sur la surface de la table,

son bois à la riche couleur sombre, si doux au toucher. Le meuble était magnifique, mais il lui apparaissait déjà comme un fardeau, une responsabilité trop lourde, car elle imaginait d'avance les éraflures, les chocs, les taches et les traces d'eau.

Elle porta son regard vers le vaisselier, le service à thé de Cynthia, à motif de roses roses et bordure dorée. Les anses des tasses étaient délicates et ornementées. Elles ne devaient pas être faciles à tenir, surtout en levant le petit doigt à l'horizontale comme on le lui avait enseigné. La porcelaine paraissait si fragile qu'elle craignait de la briser entre ses lèvres. Et la base des tasses si étroite qu'il devait être impossible de les tendre aux invités sans les faire trembler et cliqueter sur leurs soucoupes.

Diana écrasa son mégot puis déposa le cendrier sur un meuble.

« Bon, je vous laisse vous installer. »

Kitty rassembla ses esprits, se rappelant brusquement ses devoirs de maîtresse de maison.

« Aimeriez-vous prendre une tasse de thé avant de partir ? Je peux aller voir…

— Non, merci. Je dois rentrer chez moi et me préparer pour ce soir. Je passerai vous prendre demain à dix heures. Nous irons au club. Il y a une matinée pour les dames, une petite réunion amicale autour d'un café. »

Elle descendit les marches d'un pas léger, ses souliers sonnant sur le ciment. Quand elle fut dans l'allée, elle marcha sur la pointe des pieds pour éviter que ses talons hauts ne s'enfoncent dans le gravier.

Sur le perron, Kitty regarda la Daimler s'éloigner. Puis elle fit demi-tour et se dirigea vivement vers la porte de la demeure – de *sa* demeure. Elle avait hâte de faire à nouveau le tour du propriétaire, d'inspecter à loisir chaque pièce. Theo et elle avaient une maison bien à eux, enfin ! Le logement qu'ils avaient loué près de la base aérienne de Skellingthorpe, après leur mariage, ne comptait pas vraiment ; ils n'y avaient vécu ensemble que lors des rares permissions de Theo. Et quand celui-ci avait été démobilisé, ils avaient été hébergés par ses beaux-parents, à Hamilton Hall. Kitty avait toujours eu l'impression qu'ils n'y étaient que des visiteurs de passage. L'appartement qu'on leur avait attribué portait l'empreinte non seulement de sa belle-mère et de ses goûts en matière de décoration, mais de plusieurs générations de Hamilton. Tous les objets avaient un caractère quasi sacré : la paire de chiens en porcelaine aux oreilles peintes à l'or fin ; la chaise haute pour enfant contenant un poupon grandeur nature avec des yeux de verre noir ; les médailles, les bicornes d'amiral et autres souvenirs militaires. Et puis, il y avait ce portrait d'une petite fille en robe rouge – une lointaine parente de Theo – dont le regard hanté semblait trahir la prémonition qu'elle mourrait avant d'atteindre son septième anniversaire. Chacune des pièces était chargée d'histoire. Theo appelait le salon la « salle de classe » parce que c'était là que son précepteur lui donnait des cours quand il était enfant. Et leur chambre était en fait celle de son arrière-grand-mère. Aucun endroit n'était neuf et intouché.

Mais ici, à Kongara, c'était différent. La maison avait été construite récemment. Elle n'avait rien à voir avec l'antique manoir où Theo avait grandi. En fait, Kitty avait du mal à l'imaginer vivant ici – mais il devait avoir conscience qu'en acceptant le poste qui lui avait été confié, il devrait s'adapter à de nouvelles conditions de vie. Elle sourit en promenant les yeux autour d'elle. La demeure était bien différente de la vieille baraque en planches où elle était née. Pour elle comme pour Theo, c'était un cadre complètement inédit. Il leur faudrait seulement en effacer le côté impersonnel et standardisé. Ranger la vaisselle de Cynthia dans des cartons, recouvrir la précieuse table d'une nappe. En franchissant le seuil, elle croisa les bras autour de son torse pour contenir un frisson de bonheur. Theo et elle étaient mariés depuis près de sept ans. Les cinq premières années avaient été perturbées par la guerre et les deux suivantes par… ce qui était arrivé ensuite. L'attente avait été longue. Mais aujourd'hui, son foyer était enfin là où son cœur aimait.

Elle se tint un instant immobile devant la porte close de la cuisine. Elle leva la main pour frapper, puis la laissa retomber : après tout, c'était *sa* cuisine. Mais elle poussa la porte lentement, pour prévenir les employés de son arrivée.

Le boy se leva d'un bond, éparpillant les cacahuètes qu'il était en train d'éplucher, assis sur le perron de la porte de derrière. Le cuisinier, debout devant son fourneau, tourna vivement la tête. Quelques secondes plus tard, tous deux se tenaient en face d'elle dans une posture rigide, tête haute, comme pour passer une inspection.

Elle les contempla d'un air embarrassé. Elle se sentait gauche et empruntée.

« Quel est ton nom ? demanda-t-elle au cuisinier.

— Eustace. »

Il avait les cheveux grisonnants, constata-t-elle, et de profondes rides autour de la bouche. Sans doute était-il assez vieux pour être son père.

« Et toi ? reprit-elle en se tournant vers le boy.

— Gabriel. »

Elle fut tentée de leur demander d'où ils tenaient ces prénoms anglais qu'ils devaient avoir du mal à prononcer. Mais elle se contenta de décliner le sien.

« Vous pouvez m'appeler memsahib Kitty. »

Ils ne réagirent pas. Elle prit une longue inspiration, bien résolue à utiliser les notions de swahili qu'elle avait acquises.

« *Chakula cha jioni pangu gani ?* » (Que comptes-tu préparer pour le dîner ?)

Les deux hommes échangèrent un regard, mais ne répondirent pas. Kitty s'apprêtait à répéter sa question quand Eustace déclara :

« Aujourd'hui c'est lundi. » Il s'exprimait en anglais, en articulant soigneusement ses mots, comme s'il craignait qu'elle n'ait du mal à le comprendre. « Nous préparons du corned-beef, de la purée de pommes de terre, de la sauce blanche et des haricots. Pour le dessert, il y aura une tarte à la frangipane. »

Il montra le mur, où était punaisée une page de cahier d'écolier. Même de loin, Kitty reconnut l'écriture qui la recouvrait. C'était la même que sur la recette d'encaustique. Elle s'approcha. Le menu du lundi était effectivement celui que le cuisinier venait d'indiquer. Pour mardi, c'était du bœuf froid qui était au programme, avec de la salade de pommes de terre et des légumes bouillis, suivis d'un riz au lait. Mercredi était le jour du poulet rôti. Jeudi, du pain de viande. C'était exactement le genre de nourriture que Theo appréciait, de même que tous les membres de sa famille. Yuri se moquait souvent d'eux en disant qu'ils n'avaient jamais réussi à se défaire des habitudes prises au pensionnat. Lui n'aurait jamais pu s'accommoder d'un menu fixe.

La plupart du temps, il ne faisait même pas de vrais repas. Il se contentait d'effectuer des incursions dans la cuisine, picorant du pain, du fromage, des pickles, de la saucisse fumée – ce que la gouvernante avait acheté à son intention. En esprit, Kitty le revit accroupi devant le réfrigérateur ouvert, ses cheveux argentés lui tombant sur le front. Nu jusqu'à la taille en dépit du froid, un chiffon taché de peinture émergeant de la poche de son pantalon. Le torse mince et musclé, pour un homme de soixante ans.

« Nous allons manger comme des paysans, Kitty », disait-il, tout en débouchant une bouteille de vin français remontée de la cave.

Puis il posait la nourriture en vrac sur la table éclaboussée de cire de bougie et encombrée d'un fatras d'objets – une maquette à moitié finie, une pile de vieilles lettres, un bocal rempli de fleurs fanées…

Chassant ces souvenirs, elle reporta son attention sur le cuisinier. Il lui fallut un moment pour trouver les mots idoines en swahili.

« Et bwana Hamilton ? Est-il content de manger chaque semaine la même chose ?

— Oui, memsahib. Le bwana est très content. »

Kitty n'en fut pas étonnée. Depuis la guerre, Theo était devenu casanier et détestait les imprévus. Qui aurait pu le lui reprocher ? Pendant des années, il avait constamment vécu dans l'idée qu'il serait peut-être mort le lendemain matin.

Elle fit le tour de la cuisine, en faisant semblant d'examiner les rangées de boîtes à farine, sucre, sel, flocons d'avoine et biscuits, étiquetées avec soin. Un pot de poudre de curry voisinait avec des bouteilles de sauce HP et de Tabasco. Elle sentait qu'elle aurait dû poser une question ou émettre une critique, pour affirmer son autorité en tant que nouvelle maîtresse des lieux. S'approchant du fourneau, elle souleva le couvercle d'une grosse marmite et écarquilla les yeux à la vue d'un énorme morceau de viande barbotant dans une mer de bouillon.

« D'où vient cette viande ? » demanda-t-elle en anglais, renonçant au swahili. Elle n'avait pas vu de pièce de bœuf aussi imposante depuis sa jeunesse en Nouvelle-Galles du Sud. En Angleterre, pendant la guerre, ce qui mijotait dans la marmite aurait représenté la ration hebdomadaire de plusieurs familles nombreuses – en admettant qu'elles aient pu se la procurer, tant la viande était rare.

« D'une vache », répondit le cuisinier.

Kitty le dévisagea, mais elle ne lut aucune trace d'ironie dans son expression. Elle se borna donc à hocher la tête en signe d'approbation. Au moment de quitter la pièce, elle s'aperçut qu'elle était assoiffée.

« J'aimerais prendre le thé.

— Où voulez-vous que je le serve ? s'enquit le boy.

— Dans le salon. Du thé noir, avec une rondelle de citron. Et des biscuits.

— Oui, memsahib.

— Et, Eustace... je crois que le feu sous la marmite est un peu trop fort. La viande risque de durcir.

— Oui, memsahib », répondit le cuisinier avec un large sourire, comme s'il était ravi que sa patronne se comporte enfin de manière appropriée.

Dans le couloir, Kitty se félicita de s'en être aussi bien sortie. Mais, après quelques pas, elle s'immobilisa. Des rires étouffés lui parvenaient à travers la porte de la cuisine. Elle reconnut la voix d'Eustace, prononçant son nom d'un ton théâtral : « Kitty ! Viens ici, petit chat ! »

Suivit un miaulement suraigu. D'autres rires retentirent tandis qu'elle s'éloignait d'un pas lent.

Une grosse valise en cuir était posée au milieu de la chambre. Quoique passablement usagé, couvert de taches et d'éraflures, c'était un bagage d'excellente qualité. Comme la malle, il lui avait été offert par la mère de Theo.

« Prenez les nôtres, avait-elle insisté. Mon fils n'aimerait pas que sa femme ait l'air d'une réfugiée. »

Sous son regard, Kitty avait sorti la valise de l'énorme armoire en teck de l'une des chambres d'amis. Des vignettes de grands hôtels aux couleurs fanées étaient collées autour des poignées ; des étiquettes de compagnies maritimes – Orient, Union Castle – ornaient les flancs et le couvercle. L'ensemble donnait une idée de la vie qu'avaient menée les Hamilton, du moins jusqu'au début de la guerre. Une des vignettes était frappée d'une grande couronne au centre et des mots « Ritz Barcelone » en lettres d'or. Une autre portait l'inscription « Cabine grand luxe, *Queen Mary* ». Il y avait même une étiquette où l'on pouvait lire « Aloha Hawaï » au-dessus d'un dessin représentant un homme à la peau brune chevauchant les vagues, debout sur une planche.

Louisa avait poussé un profond soupir avant de s'asseoir sur une chaise couverte d'une housse de protection. Elle avait l'air vieille et fatiguée, le corps décharné sous son cardigan en cachemire. Un lourd rang de perles ceignait son cou maigre. Kitty avait fait semblant d'examiner la valise, mais elle avait continué à sentir sur elle le regard accusateur de la vieille femme. Louisa avait failli perdre son mari à la suite d'une crise cardiaque provoquée par la tension nerveuse. Le nom de la famille avait été entaché de façon irrémédiable. Et maintenant, leur fils unique était parti pour le Tanganyika. Louisa tenait sa belle-fille pour responsable de toutes ces catastrophes. Et Kitty n'était guère en position de le contester.

Elle s'agenouilla sur le sol à côté du bagage. Les vignettes des hôtels et des paquebots avaient été recouvertes par les étiquettes plus sobres de l'OFC, en noir et blanc. Elle jeta un coup d'œil en direction de la porte de la chambre pour s'assurer qu'elle était bien fermée. Lorsque les bagages étaient arrivés, Gabriel les avait portés à l'intérieur de la maison. La malle se trouvait toujours dans l'entrée mais, à sa demande, il avait monté la valise jusqu'ici. Il s'était attardé dans la pièce, visiblement désireux de l'aider à déballer ses affaires, mais elle l'avait congédié. Elle n'avait aucune envie qu'il manipule ses effets personnels et s'en moque par la suite derrière son dos.

Après avoir débouclé les sangles de cuir, elle ouvrit les fermoirs métalliques et souleva le couvercle. Une odeur de lavande rancie et de camphre lui assaillit les narines. Et quelque chose d'autre aussi, qu'elle n'identifia pas tout de suite. Se penchant au-dessus de la valise, elle huma à pleins poumons. C'était la senteur puissante et résineuse de la térébenthine. Elle n'avait emporté ni peinture ni pinceaux, pas même un carnet à dessin, mais les effluves avaient dû imprégner ses vêtements, s'incruster dans les fibres comme autant de preuves de son crime.

Elle sortit une pile de corsages soigneusement pliés par les mains expertes de Lizzie, la femme de chambre de Louisa, puis quelques robes, jupes et vestes. Tout aurait besoin d'être repassé mais, dans l'immédiat, elle se contenterait de les ranger. Les portes de l'armoire étaient grandes ouvertes, ainsi que les tiroirs de la coiffeuse et de la commode. En prenant chacun de ses vêtements, elle l'inspecta d'un œil critique. Si toutes les dames de Kongara étaient aussi élégantes que Diana, elle allait faire tache. Sa garde-robe était soit démodée – de vieilles nippes données par sa belle-mère –, soit conforme au style strictement utilitaire imposé par le gouvernement durant la guerre : jupes étroites, manches ajustées, pas de poches supplémentaires ni de fanfreluches inutiles. Puis elle se rappela les femmes qu'elle avait aperçues à proximité du bureau central, marchant dans la rue d'un air affairé. Elles aussi portaient des vêtements simples et pratiques.

Fouillant dans la valise, elle finit par en extraire sa version personnelle de la tenue d'uniforme kaki. Le chemisier et la jupe étaient plus amples que ceux des employées de l'administration et comportaient plus de poches, mais ils seraient tout aussi utiles. Elle passa ses pouces sur l'étoffe assouplie par l'usage. Il y avait des reprises çà et là, ainsi que des taches anciennes ressemblant à du sang et d'autres qui pouvaient être du cambouis. Elle se souvint d'avoir vu une photo de Janet vêtue de cette même tenue, à l'époque de son premier voyage en Afrique. En dépit des ravages opérés par le temps, on reconnaissait sans peine, dans cette toute jeune missionnaire, la vieille dame qu'elle avait rencontrée à l'église du village, près de Hamilton Hall. Ses yeux étaient cachés derrière les verres de ses lunettes rondes, mais tout dans son maintien indiquait sa détermination, sa volonté farouche. Elle avait senti ce regard ardent la transpercer chaque fois qu'elle se trompait, durant ses leçons de swahili.

« Exprimez-vous correctement, la tançait Janet. Comment pouvez-vous prétendre exercer la moindre autorité si vous balbutiez comme un enfant de deux ans ? »

Elle disposa les vieux vêtements dans un des tiroirs, puis retourna à la valise. D'entre les dernières couches de linge, elle sortit un paquet plat de la taille de sa main. Devant la coiffeuse, elle déroula le satin glissant de la chemise de nuit, mettant au jour une photo dans un cadre en cuir. Le visage de Theo, formé d'ombres grises et noires, la contemplait. La photo avait été prise en studio, peu de temps après son incorporation dans la Royal Air Force. La lumière d'un projecteur accentuait ses traits, leur conférant une beauté plus saisissante encore que dans la réalité. Il se tenait bien droit, son torse bombé mettant en valeur les ailes brodées au-dessus de la poche de poitrine. Son regard était ferme et direct.

Louisa possédait également un exemplaire de cette photo. Elle l'avait placé sur la cheminée du salon, à distance convenable du portrait du père de Theo, l'amiral Hamilton, et de ceux de tous les autres hommes de la famille ayant servi dans la marine. Leurs casquettes étaient blanches avec des visières noires, leurs vestes croisées à double boutonnage. La casquette d'aviateur de Theo était grise, la visière assortie, et sa veste d'uniforme ne comportait qu'une rangée de boutons. Il avait l'air d'un intrus, d'appartenir à une autre tribu.

Elle caressa la photo du bout des doigts. Pendant des années, elle avait dormi avec ce cadre sous son oreiller, toutes les nuits où elle avait été séparée de Theo – d'abord durant sa période d'entraînement, puis quand il avait été en service actif. Étendue toute seule dans son lit, loin de lui, elle regardait le faisceau des projecteurs balayer la fenêtre obscurcie de sa chambre, en guettant avec anxiété le mugissement des sirènes annonçant un raid aérien. Elle glissait alors la main sous son oreiller et serrait le cadre entre ses doigts. Son seul contact suffisait à la rassurer. Et si elle le sortait pour contempler la photo, l'image de Theo, si vaillant et si fier dans son uniforme, lui procurait un réconfort immédiat.

En regardant ce portrait à présent, à des milliers de kilomètres de l'Angleterre, elle éprouva tout à coup un sentiment différent. Elle aurait préféré une photo du Theo d'autrefois, celui dont elle était tombée amoureuse ; celui qu'il redeviendrait, espérait-elle, dans ce nouveau décor. Avant la guerre, il était insouciant et drôle, la tête remplie de rêves et de projets. Il s'était engagé dans l'armée de l'air non pour servir son roi mais par amour du ciel et des nuages. Elle sourit pour elle-même en repensant au jour de leur première rencontre, il y avait presque dix ans de cela, dans la verte campagne anglaise. C'était en 1938, un an avant le début de la guerre…

Malgré l'éclatant soleil matinal, il y avait encore du givre dans les recoins ombreux sous les buissons de mûres. Kitty souffla sur ses mains, projetant de petits nuages de vapeur dans l'air, puis les frotta l'une contre l'autre pour les réchauffer. Son panier au bras, elle s'enfonça plus profondément dans l'enchevêtrement de feuilles, de ronces et de branches. Il était un peu tard dans la saison, mais il restait encore des fruits en abondance, des dizaines de petites sphères d'un noir violet luisant. Elle en cueillit quelques-uns, ronds et charnus, les déposa dans son panier. Puis elle en prit un autre qu'elle mangea, fermant les yeux de plaisir quand le jus coula sur sa langue. Elle ferait un crumble avec sa récolte, en y ajoutant des flocons d'avoine, du sucre et du beurre – une des rares recettes dont elle se souvenait par cœur, parmi toutes celles que lui avait enseignées sa mère.

Il faut mettre deux fois plus de farine que de matière grasse, sinon ce ne sera pas assez consistant...

Dans son enfance, les fruits qui se trouvaient sous la croûte craquante marquaient le passage des saisons : des pommes pendant la majeure partie de l'année, de la rhubarbe aussi ; des fraises en été seulement, des mûres jusque tard en automne. Chaque membre de la famille avait sa préférence... Elle serra les lèvres tandis qu'affluaient à sa mémoire les souvenirs des Sept Gommiers, intenses et douloureux. Ses parents et ses petits frères lui manquaient tellement ! Une année entière s'était écoulée depuis qu'elle avait quitté la ferme, d'abord pour Sydney, puis pour l'Angleterre, et elle aurait tant aimé recevoir des nouvelles de chez elle ! Jason allait-il toujours à l'école, ou avait-il arrêté ses études et pris un emploi ? Tim avait-il fini par guérir de sa fracture à la jambe, ou boitait-il encore ? Les chatons de Tabitha avaient-ils tous trouvé un foyer ? Sa mère avait-elle pu terminer les nouveaux rideaux ou attendait-elle toujours de trouver quelqu'un pour lui prêter une machine à coudre ? Elle avait écrit à plusieurs reprises en indiquant son adresse et, à ce jour, elle n'avait reçu aucune réponse. Mais qu'espérait-elle ? Son père lui avait clairement exprimé sa désapprobation. Et elle avait fait son choix.

Maladroitement, elle laissa tomber un fruit. En voulant en cueillir un autre, elle s'égratigna le doigt. Elle retira sa main d'un geste vif, mais l'épine s'enfonça plus profondément et la peau se déchira. La douleur cuisante vint se mêler à la tristesse et aux regrets. Pendant qu'elle suçait la plaie, les larmes lui montèrent aux yeux. Elle se força à se concentrer sur le paysage qui s'offrait à elle : le pré verdoyant avec un bouquet d'arbres dénudés. Les murs de pierre qui le délimitaient. Chaque pierre avait été ajustée avec précision, elles s'emboîtaient les unes dans les autres comme les pièces d'un puzzle. Elle tenta d'imaginer le temps qu'il avait fallu pour le construire. Mais cette pensée ne fit que raviver sa nostalgie. Elle se revit dans un pré à l'herbe rase, le soleil lui brûlant la peau à travers sa chemise. Elle appuyait la lourde tête d'une pioche contre un piquet de clôture, pour soutenir celui-ci tandis que Jason, de l'autre côté, enfonçait les crampillons. Certains des poteaux étaient si vermoulus que le barbelé tendu était la seule chose qui les maintenait debout. Pas question de construire des murs de pierre aux Sept Gommiers : la propriété s'étendait sur vingt-cinq mille hectares. Entretenir les clôtures était une tâche sans fin.

« C'est comme si on essayait de repeindre le pont du port de Sydney », aimait à dire son père.

Chassant ces souvenirs déchirants, elle reprit sa cueillette, étudiant la forme et la couleur des baies à la manière d'un peintre, notant les reflets lumineux, les différentes nuances de noir-violet. Voilà qui était mieux. Cela lui faisait penser à Yuri, en train de travailler dans son atelier, de l'autre côté du champ. Lui ne faisait pas partie de sa famille, elle ne le connaissait que depuis quelques mois, mais ils étaient déjà liés par une solide amitié. Il était presque assez vieux pour être son grand-père, pourtant il paraissait jeune et débordait de vitalité. Il lui avait déjà enseigné tant de choses, et il lui restait encore tant à apprendre… C'était pour cela qu'elle était ici, pour cela qu'elle avait déserté la ferme familiale.

Elle avait presque fini sa récolte quand elle perçut un léger bourdonnement. Il se fit de plus en plus fort, étouffant le murmure du ruisseau voisin. Scrutant le ciel, elle vit un corbeau traversant l'azur à tire-d'aile. Puis une autre forme noire apparut au loin, grossissant à mesure qu'elle se rapprochait. Elle discerna la silhouette d'un petit avion – un biplan. De plus près, elle constata qu'il n'était pas noir, mais rouge vif.

L'avion arrivait dans sa direction, perdant peu à peu de l'altitude. Puis le moteur changea de régime, ralentit, et elle comprit qu'il se préparait à atterrir ici, au beau milieu du pré. En promenant son regard autour d'elle, elle s'aperçut qu'on avait tondu une large bande d'herbe en guise de piste d'atterrissage. Elle ignorait si c'était récent ou si elle ne l'avait tout simplement pas remarqué jusque-là. Elle présuma que le pilote était une relation des habitants de Hamilton Hall, le manoir qui se dressait derrière la rangée de chênes centenaires. C'était à cette famille d'aristocrates, les Hamilton, qu'appartenaient les terres, les bois et les collines environnants, et même la petite maison qu'elle partageait avec Yuri. Aussi loin que portait le regard, tout était à eux.

Hâtivement, elle cueillit les dernières mûres. Le biplan rebondit sur l'herbe, puis décrivit une large courbe pour rouler droit vers elle. Le moteur toussota puis se tut ; on n'entendait plus que le bruit sourd de l'hélice. Subrepticement, elle mesura la distance entre le buisson de ronces et le mur de pierre. Il était trop tard pour s'esquiver – elle aurait eu l'air de s'enfuir comme une vulgaire voleuse. Et peut-être le pilote ne l'avait-il même pas aperçue. Du coin de l'œil, elle vit un homme s'extirper de son siège, puis se laisser glisser sur l'aile avant de bondir à terre.

Elle se courba au-dessus du buisson, dissimulant son visage derrière ses longs cheveux.

« Hé, là-bas ! » lança une voix masculine.

Elle feignit de n'avoir rien entendu.

« Vous cueillez des mûres. »

Elle se pencha davantage, comme absorbée par sa tâche. Elle ne voulait pas être obligée d'expliquer qui elle était. Elle ne savait pas au juste ce qu'elle devait raconter…

« Vous êtes sur une propriété privée. »

À contrecœur, elle se retourna et se trouva face à un jeune homme au regard amical et au sourire malicieux.

« Non, en fait, je… », commença-t-elle.

Puis elle déglutit, ne sachant que dire. Les yeux de l'homme étaient d'un bleu limpide, ses dents, blanches et régulières. Il avait le nez droit, le front large. Son casque en cuir encadrait un visage d'une beauté si classique qu'il aurait pu être celui d'une des toiles de Yuri. Se ressaisissant, elle montra le jardin clos de murs derrière le bâtiment principal du manoir. On entrevoyait à peine le pignon du petit pavillon tout au fond.

« Je vis là-bas.

— Dans ce cas, nous sommes voisins. Permettez-moi de me présenter, dit le jeune homme en ôtant ses gants de cuir. Theo Hamilton. »

Kitty mit quelques secondes à s'apercevoir qu'il

regardait sa main droite. Elle se souvint que Yuri lui avait expliqué que, en Angleterre, les dames devaient tendre la main les premières, sauf si elles voulaient garder leurs distances.

« Kitty », murmura-t-elle en avançant sa main.

Elle s'aperçut trop tard que son doigt saignait encore, et la retira vivement.

« Vous vous êtes coupée. »

Theo sortit de la poche de son blouson un mouchoir blanc et propre soigneusement plié en carré, et l'enroula autour du doigt blessé.

Kitty était comme pétrifiée. Il se tenait si près d'elle qu'elle respirait l'odeur de cuir huilé de son blouson d'aviateur et percevait la chaleur émanant de son corps.

« Merci », parvint-elle à balbutier.

D'un seul mouvement, il retira son casque et ses lunettes. Une mèche de cheveux blond-roux retomba sur son front. La repoussant d'une main, il examina le contenu du panier.

« Vous avez fait une bonne récolte, dirait-on. J'en cueillais moi aussi, quand j'étais enfant. » Il sourit de nouveau, puis fit un geste de la tête en direction du pavillon. « Notre ami russe aurait-il déménagé ?

— Non, répondit-elle. Je suis l'invitée du prince Yurievitch. »

Elle prononça ce nom avec son meilleur accent russe, en roulant le *r*. Elle espérait apparaître comme le genre de personne que l'on s'attend à trouver dans l'entourage d'un prince de sang royal – même si Yuri ne se comportait absolument pas comme tel, autant qu'elle pouvait en juger.

« Comment va-t-il ? s'enquit Theo.

— Très bien, merci. »

Ce n'était pas tout à fait vrai, puisque, en ce moment même, il était alité avec un gros rhume, après avoir passé toute la nuit à terminer une grande toile. Kitty, qui lui servait de modèle pour cette *Jeune fille au châle assoupie*, avait d'abord feint le sommeil, et s'était rapidement endormie pour de bon. Quand elle s'était réveillée, l'aube pointait et la peinture était presque achevée. C'était étrange de penser qu'elle était restée de longues heures inconsciente, perdue dans ses rêves, pendant que Yuri étudiait chaque détail de sa peau, de ses cheveux, des plis de sa robe en velours.

« Il y a des mois que je ne l'ai pas vu, reprit Theo. Je n'étais pratiquement jamais là.

— Où étiez-vous ? » ne put-elle s'empêcher de demander.

Elle n'imaginait pas qu'on puisse vouloir quitter une demeure aussi somptueuse.

« À Oxford. En lettres classiques. »

Elle répondit par un petit sourire incertain. Elle savait qu'Oxford était une ville réputée pour son université et elle supposa qu'il faisait référence à la matière qu'il étudiait. Préférant changer de sujet pour masquer son ignorance, elle se tourna vers l'avion.

« Et vous êtes venu d'Oxford à bord de cet appareil ?

— Ce n'est pas loin. Avez-vous déjà volé ? »

Elle secoua la tête. Quand elle avait décidé de partir pour l'Angleterre, elle s'était renseignée sur les différents moyens de transport et avait appris qu'il existait un vol entre Sydney et Londres. Mais le voyage en seconde classe à bord d'un paquebot était moins cher. Par conséquent, la seule fois où elle avait pu voir un avion de près, c'était à la foire agricole de Wattle Creek. Un monoplace flambant neuf s'était posé sur le terrain de football. Les fermiers l'avaient examiné avec intérêt ; avec un engin comme ça, disaient-ils d'un air d'envie, il ne leur faudrait que quelques heures pour inspecter leurs propriétés, au lieu de plusieurs jours. Mais était-il vraiment fiable ?

« Aimeriez-vous essayer ? »

Elle contempla son panier tout en réfléchissant à sa réponse. Elle ne savait pas si Theo parlait sérieusement ou s'il plaisantait. Quoi qu'il en soit, elle ressentit un soudain désir de paraître courageuse et expérimentée, comme il l'était sans aucun doute. Rejetant ses cheveux en arrière, elle le regarda bien en face et répondit :

« Bien sûr.

— Eh bien, allons-y », déclara-t-il d'un ton incrédule, comme surpris par sa propre audace.

Le pouls de Kitty s'accéléra.

« Vous voulez dire… tout de suite ? »

Elle considéra l'avion d'un œil dubitatif. Le nez reposait sur deux petites roues qui auraient pu appartenir à une brouette. Les ailes semblaient maintenues en place par du fil de fer.

« Pourquoi pas ? C'est une journée idéale, et je dois rentrer à Oxford dès demain. » Il sourit. « Venez donc. C'est un petit appareil très sûr, je vous le promets. »

Il avait déjà remis son casque et commençait à s'éloigner.

Elle resta où elle était, les doigts crispés sur son panier. Elle ne pouvait quand même pas monter dans cet avion avec lui ! Tout ce qu'elle savait de ce Theo, c'était qu'il était un Hamilton, un des habitants de Hamilton Hall. Il se montrait amical envers elle – peut-être un peu trop. Probablement était-il habitué à avoir du succès auprès des femmes en raison de sa richesse et de sa physionomie. Et de quoi aurait-elle l'air si elle acceptait une telle invitation de la part d'un parfait inconnu ?

« En fait, lui lança-t-elle, je crois que je ferais mieux de rentrer. Le prince Yurievitch va se demander où je suis passée. »

Theo se retourna. Elle décela dans ses yeux l'ombre d'une hésitation. Il parut tout à coup désemparé, et elle n'eut plus aucun mal à l'imaginer petit garçon, cueillant des mûres dans ce même champ.

« Je suis désolé, murmura-t-il. Je ne voulais pas paraître présomptueux. »

Il y eut alors un moment de flottement. Elle comprit que Theo avait le sentiment de s'être montré trop hardi ; à présent, il craignait de se voir rejeté. Elle ne savait toujours pas si elle devait accepter son offre. Mais elle avait l'impression qu'un courant irrésistible les poussait l'un vers l'autre.

« Ce ne sera pas long, reprit-il. Venez, je vous en prie. Cela va vous plaire. »

Sous son ton implorant, elle perçut une note de défi, comme s'ils étaient deux écoliers jouant au jeu de la poule mouillée. Et elle ne voulait pas avoir l'air d'une couarde.

« Bon, d'accord. »

Lâchant le panier, elle le rejoignit d'un pas vif, avant d'avoir eu le temps de se raviser.

Quand elle fut devant l'appareil, Theo lui prit la main et la hissa sur l'aile, puis la guida jusqu'au siège avant. À la vue du tableau de bord, elle hésita à s'asseoir.

« C'est un avion à double commande, expliqua Theo. Mais le pilote s'installe généralement à l'arrière. »

Il dénicha une deuxième paire de lunettes et un casque et l'aida à s'équiper. Puis il se pencha sur elle pour attraper le harnais de sécurité. Pendant qu'il l'ajustait sur son corps, qu'il resserrait la ceinture et fermait la boucle, elle évita de le regarder, de crainte qu'il ne voie à quel point elle était troublée. Même si elles l'effleuraient à peine, les mains de Theo lui faisaient l'effet de fers rouges s'imprimant sur sa peau.

Puis il s'installa sur le siège arrière et tourna la tête de côté et d'autre pour procéder aux vérifications. Elle n'arrivait même pas à s'imaginer comment il pouvait s'y retrouver parmi tous ces cadrans et ces boutons. Finalement, l'hélice se mit à tournoyer, de plus en plus vite, jusqu'à ce qu'on ne distingue plus qu'un mouvement confus. Il s'écoula un temps d'attente, plusieurs longues minutes, avant que l'appareil commence à rouler sur la piste, prenant de la vitesse.

Kitty sentit le nez de l'engin se soulever, puis les roues quitter le sol. L'avion oscilla et tangua dans l'air. Elle déglutit avec force, l'estomac noué par la peur face à l'immensité du ciel. Bientôt, elle s'habitua au roulis et fut capable de jeter un regard de côté, par-delà le pan d'aile rouge, vers le sol en dessous d'eux.

Ils survolèrent le manoir, la tour de l'horloge et les hautes granges entourant la cour de la ferme. En passant au-dessus du jardin clos et du petit pavillon baroque, Kitty aperçut sa lessive séchant sur la corde. Puis Hamilton Hall disparut derrière eux.

Ils arrivèrent au-dessus d'une rivière bordée d'arbres, qui serpentait à travers un paysage entièrement quadrillé de murs et de clôtures. Même les bois étaient cernés par des enclos. Au bout d'un moment, Theo attira son attention et lui désigna le côté droit de l'appareil. Suivant la direction de son doigt, elle vit un gros oiseau – une cigogne ou une aigrette – volant presque à leur hauteur.

Un lac apparut devant eux, forme argentée aux courbes régulières, flanqué d'une petite mare évoquant un enfant au côté de sa mère. Quand l'avion descendit, des oiseaux affolés se mirent à courir sur l'eau et à battre des ailes avant de s'envoler. Elle se tourna vers Theo, désireuse de partager avec lui cet instant magique. Quand leurs regards se rencontrèrent, il lui sourit. Il leur était impossible de se parler, le moteur était trop bruyant. Et les mots n'étaient pas nécessaires, de toute façon. Elle savait exactement pourquoi il l'avait amenée ici, ce qu'il désirait lui montrer.

La colline qui ressemblait à une femme étendue, les mains croisées sur le ventre.

La mousse verte recouvrant la roche, pareille à un tapis moelleux…

Elle éprouvait la sensation de liberté que procure le vol – la faculté de se déplacer dans les trois dimensions, de défier la pesanteur.

L'avion, Theo et elle ne formaient qu'une seule et même créature chevauchant le vent.

Tandis qu'ils regagnaient la piste d'atterrissage, elle contempla de nouveau le pavillon, en se demandant si Yuri avait levé la tête et aperçu l'avion. Et dans ce cas, que dirait-il en apprenant qu'elle se trouvait à bord ? Apparemment, Theo et lui se connaissaient. Peut-être même étaient-ils amis. Elle avait hâte de questionner Yuri, d'entendre tout ce qu'il pourrait lui apprendre sur Theo Hamilton, et ce qu'il pensait de lui…

Quand ils atterrirent, elle avait le souffle coupé par l'émotion. Lorsque Theo l'aida à descendre du cockpit, elle constata que ses jambes tremblaient. Elle fit quelques pas chancelants et faillit perdre l'équilibre. Theo surgit aussitôt à son côté et lui passa un bras autour de la taille pour la soutenir.

Petit à petit, le sol redevint ferme sous ses pieds et sa démarche plus assurée. Mais Theo demeura près d'elle.

« C'était merveilleux », dit-elle.

C'était un commentaire bien faible, mais aucun mot n'aurait su exprimer ce qu'elle ressentait.

« J'adore ce sentiment de liberté. On a l'impression de pouvoir échapper à tout », acquiesça Theo en tournant les yeux vers Hamilton Hall.

Elle faillit lui demander pourquoi il souhaitait échapper à la vie luxueuse du manoir. Du pavillon, elle avait entraperçu une véritable troupe de domestiques, des invités arrivant pour le week-end dans de longues automobiles d'un noir étincelant, un nombre impressionnant de chiens de différentes races, dont aucun ne semblait avoir une utilité quelconque. Les jardins à eux seuls devaient exiger autant d'entretien qu'une ferme.

Elle défit la bride sous son menton et retira son casque. Ses cheveux cascadèrent sur ses épaules. Theo s'empara d'une mèche qui lui balayait la joue et la repoussa derrière son oreille. Puis ils restèrent plantés l'un en face de l'autre, les yeux dans les yeux, et ils échangèrent un sourire aussi radieux qu'un rayon de lumière rapporté du ciel.

Kitty fit lentement le tour du salon, cherchant un endroit où poser la photo. Elle décida finalement de l'installer sur le buffet, dans le coin de la pièce. Elle savait que Theo serait content de la voir ici, à condition qu'elle soit placée de manière discrète. Il voulait bien faire état de son passé militaire, mais sans ostentation.

Quand elle l'eut mise en place, elle inspecta de nouveau la pièce, examinant chaque meuble fourni par l'OFC. Distraitement, elle se demanda si la compagnie avait fait appel à l'épouse d'un employé pour choisir le mobilier, ou si c'était un homme qui s'en était chargé. À moins qu'ils ne s'en soient remis aux marchands de meubles… Ses pas s'assourdirent quand elle foula le tapis occupant le centre du salon et retrouvèrent leur sonorité dès qu'elle regagna le parquet ciré. Quelqu'un avait arpenté celui-ci sur des talons trop pointus, constata-t-elle. Par endroits, le bois était profondément creusé. Peut-être était-ce Cynthia, ou l'une de ses invitées ; en tout cas, la femme avait déambulé tout autour du chariot à boissons et effectué de nombreuses allées et venues jusqu'aux portes-fenêtres.

En passant devant le canapé, elle effleura le dossier, laissant une trace sur le velours épais. Puis elle s'immobilisa et tendit l'oreille, guettant le vrombissement d'une automobile. Mais tout ce qu'elle entendit, ce fut le chant d'un coq au loin et un bruit de casseroles en provenance de la cuisine. Une fois de plus, elle regarda sa montre. Il était presque cinq heures et Theo n'était toujours pas rentré. Elle avait défait ses valises et transporté les affaires de son mari de la chambre d'enfant jusqu'à la leur. Ensuite, elle avait pris un long bain pour se détendre, avant de revêtir une robe à pois rouge et blanc avec une large ceinture qui mettait en valeur sa taille fine. Après quoi, elle avait essayé de lire un des romans rangés dans la bibliothèque, mais elle n'avait pas réussi à se concentrer.

En soupirant, elle passa sa main sur ses cheveux pour vérifier qu'aucune mèche ne dépassait. Elle porta son poignet à ses narines pour s'assurer que son eau de toilette n'était pas trop entêtante. Theo détestait les parfums trop capiteux, pas seulement dans la journée, mais aussi le soir. Elle prit la photo sur le buffet, la posa à un autre endroit pour voir ce que cela donnait, puis la remit à sa place initiale.

Elle alla sur la véranda. Par-delà la palissade, les arbres et les arbustes, elle pouvait contempler le campement de Kongara en dessous d'elle, dans la vallée. Malgré la disposition symétrique des tentes, il n'en présentait pas moins un aspect désordonné et assez hideux. Vues d'ici, les rangées de pierres blanches étaient toutes tordues. Les pistes de gravier pâle avaient des bords irréguliers ; les fossés d'écoulement creusés dans la terre rouge ressemblaient à de longues cicatrices. Les lignes électriques étaient semblables à des balafres noires, distribuées au hasard. Les quelques arbres survivants avaient l'air solitaires et maladifs.

Elle écouta de nouveau. Cette fois, elle perçut le faible ronronnement d'un moteur. Scrutant l'allée, elle discerna la forme trapue d'un petit camion, ou peut-être d'une Jeep, comme celles que conduisaient les soldats américains. Peut-être n'était-ce pas Theo, se dit-elle, ne voulant pas se réjouir trop vite. Ce pouvait être Toby, ou même Lisa, venant lui apporter un message.

Mais quelques instants plus tard, elle le vit, assis à la place du passager – ce profil, ces cheveux, qu'elle aurait reconnus entre tous. À peine le véhicule s'était-il arrêté qu'il ouvrit la portière à la volée et bondit à terre. Il portait la tenue de travail kaki qui semblait de rigueur ici : short ample, chaussettes montant jusqu'aux genoux. À sa vue, Kitty ressentit un frisson de fierté. Il avait l'air énergique et efficace. Ce n'était pas l'un de ces fonctionnaires qui ne quittaient leurs bureaux que pour se pavaner dans leur luxueuse voiture. Il revenait des unités d'exploitation où il avait dû résoudre un grave problème.

Un large sourire aux lèvres, il se dirigea à grands pas vers la maison, en agitant la main à l'adresse de Kitty.

Elle le salua en retour, puis croisa les mains contre sa poitrine pour essayer de contenir son impatience. Quand il arriva sur la véranda, elle remonta sa jupe et courut vers lui.

« Je suis couvert de poussière des pieds à la tête, dit-il en levant les mains pour la tenir à distance.

— Ça m'est égal », répliqua-t-elle en se jetant à son cou.

Quand elle se blottit contre lui, il l'étreignit avec force.

« Tu m'as tellement, tellement manqué..., dit-il d'une voix caverneuse, comme sortie des tréfonds de son être.

— Pas autant que, toi, tu m'as manqué. »

Ils s'écartèrent l'un de l'autre pour mieux se contempler. Elle plongea son regard dans celui de son mari. Ses yeux étaient clairs et lumineux. Son teint légèrement hâlé lui donnait bonne mine ; il avait l'air détendu et en pleine santé. Et elle constata également le changement qui s'était opéré en lui. Il était redevenu lui-même, insouciant et heureux.

Il promena les yeux sur son visage, sur ses cheveux courts, sans faire le moindre commentaire sur sa nouvelle apparence. Elle ne savait pas si c'était parce que, au fond de lui, il la préférait telle qu'elle était avant, ou s'il voulait éviter de penser aux raisons pour lesquelles il lui avait demandé ce sacrifice.

Chassant cette pensée importune, elle le suivit vers la

porte-fenêtre. Sur le seuil, il s'immobilisa, et elle crut qu'il allait l'embrasser de nouveau. Mais, au lieu de cela, il lui passa un bras autour des épaules et, de l'autre, la souleva du sol pour la porter à l'intérieur de la maison.

Elle enfouit son visage dans son cou, humant sous l'odeur de la poussière un léger parfum de savon. La joie et le soulagement la submergèrent. Theo l'aimait encore. Il lui avait pardonné.

Theo se tenait à côté du chariot à boissons. Il s'était lavé et avait échangé sa tenue de travail contre un costume en lin crème. Sa veste n'était pas boutonnée, mais il portait une chemise et une cravate. À côté de lui, Kitty avait l'impression que sa robe à pois ne faisait pas assez habillée. Il s'empara d'une petite sonnette et l'agita avec vigueur. Son tintement métallique rompit le silence de la pièce. Un court instant plus tard, Gabriel apparut, vêtu d'une longue robe blanche et coiffé d'un fez rouge.

« Oui, bwana.

— Sers-nous à boire, s'il te plaît. Un gin tonic pour la memsahib, avec des glaçons et du citron. Un whisky-soda pour moi. »

Gabriel se mit aussitôt à l'œuvre, décapsulant une bouteille de tonic et se munissant de pinces pour prendre des glaçons dans un seau en argent. Le cliquetis de la glace contre le verre avait quelque chose d'hypnotique. Le soleil couchant inondant la pièce ajoutait des reflets d'or aux couleurs ambrées du whisky, du cognac et du xérès dans les carafes.

Kitty fut la première servie.

« Merci », dit-elle quand Gabriel posa le verre sur

une petite table, en prenant soin de le placer sur un sous-verre.

Il retourna ensuite vers le chariot et d'un geste expert, inclina le siphon et appuya sur le levier. Puis il pêcha un glaçon dans le seau.

« Que fais-tu ? » s'enquit Theo d'un ton irrité.

Gabriel se retourna, le regard apeuré. Le glaçon dégoulina sur sa tunique.

« Je ne veux pas de glace, pour l'amour du ciel ! Et verse-moi une double dose de whisky.

— Oui, bwana. »

Quand le domestique fut parti, Kitty saisit son verre. Le citron était en fait du citron vert, comme celui qui avait accompagné son thé de l'après-midi. Elle regarda la rondelle de l'agrume danser au milieu des bulles. Elle était d'un vert très pur, presque transparent. Elle but une gorgée de la boisson, savourant son goût exotique et rafraîchissant. Theo vida son verre d'un trait et se releva pour s'en servir un autre.

« Comment s'est passé le voyage ? s'enquit-il.

— Il a été très long, évidemment, et très fatigant.

— Pas de problème avec les bagages ?

— Non, aucun. »

Elle éprouva une soudaine crainte que la magie de leurs retrouvailles ne disparaisse sous un flot de banalités. C'est alors qu'elle se rappela un détail intéressant.

« Nous avons survolé El-Alamein. Trois des passagers avaient pris part à la seconde bataille de cette campagne. Ils nous ont montré les endroits où ils avaient combattu. On pouvait encore y voir des tanks calcinés et les débris d'un avion. J'ai également aperçu une ligne sur le sol, peut-être une tranchée. Ça semblerait avoir un rapport avec les Australiens…

— La maison te plaît ? l'interrompit Theo avec un large geste balayant la pièce.

— Oui, elle est très agréable », répondit-elle en s'efforçant de dissimuler sa perplexité face à ce brusque changement de sujet.

En Angleterre, Theo parlait volontiers de la guerre. Il n'évoquait pas ses expériences personnelles, mais son goût pour l'analyse des stratégies militaires confinait à l'obsession. Il pouvait passer des heures à en discuter avec son père l'amiral. La brouille née de la défection de Theo au profit de l'armée de l'air était oubliée ; ils avaient désormais quelque chose en commun et s'accordaient à stigmatiser les atrocités perpétrées par l'ennemi et vanter la supériorité des Alliés dans tous les domaines. C'est pourquoi elle avait pensé que son anecdote sur El-Alamein intéresserait Theo. Mais peut-être avait-il décidé qu'il était temps d'enterrer le passé, s'ils voulaient repartir de zéro. Cela ne serait sans doute pas facile, dans la mesure où la majorité de ses collègues étaient eux aussi d'anciens combattants. Elle jeta un regard furtif à la photo sur le buffet. À la première occasion, elle l'en ôterait discrètement.

Theo contemplait fixement son whisky. Il secoua légèrement son verre, et le liquide clapota contre le verre.

« Diana m'a fait faire le tour du propriétaire, reprit-elle d'un ton enjoué, dans l'espoir de recréer l'allégresse des premiers instants. Elle m'a présenté le personnel.

— Diana ? répéta-t-il en haussant les sourcils.

— Elle est venue m'accueillir à l'aérodrome et m'a conduite jusqu'ici.

— Vraiment ? dit-il, l'air impressionné. Elle est

très occupée, tu sais. En tant que femme du directeur général, elle a un grand nombre de responsabilités.

— Elle est… très gentille », répondit Kitty, laissant sa phrase en suspens.

Elle ne savait pas si elle devait lui raconter l'étrange réaction de Diana lors de l'incident avec la petite fille, ou lui dire combien son attitude envers elle lui avait paru difficile à interpréter.

« Elle te sera d'une grande aide, déclara Theo. Si tu as besoin d'un conseil, d'un renseignement quelconque, tu n'auras qu'à lui demander. Elle est un exemple formidable pour chacun de nous. »

Kitty crispa les mains sur son verre. Cette dernière remarque contenait-elle un sous-entendu ? Ou n'était-ce qu'un éloge sincère ? Elle baissa la tête, regrettant de ne plus pouvoir se cacher derrière ses cheveux. Les mèches courtes retombèrent comme deux ailes cassées de chaque côté de son visage.

« Je suis tellement heureux que tu sois là ! »

En entendant ces mots, elle redressa la tête. L'émotion qu'elle perçut dans la voix de son mari la transporta de joie. Ici, dans leur nouvelle résidence, il était détendu et maître de lui. C'était un homme important avec une énorme tâche à accomplir. Et pourtant, il avait encore besoin d'elle.

Elle se leva pour l'enlacer. Elle l'attira à elle et, l'espace d'un instant, il s'effondra entre ses bras, la faisant chanceler. Mais il se reprit aussitôt et se redressa de toute sa taille. Elle blottit son visage contre son torse, relâcha lentement son souffle et ferma les yeux.

3

Émergeant peu à peu du sommeil, Kitty remua et s'étira. Elle fut d'abord surprise de ne sentir sur son corps qu'une légère couverture en coton. Entrouvrant les yeux, elle contempla avec stupeur le voile de gaze blanche qui l'enveloppait. Puis elle se rappela où elle était. À demi éveillée, elle prit conscience du bonheur incroyable qui était le sien. Theo dormait là, tout près d'elle. Elle tendit la main pour le toucher, sentir sous ses doigts la chaleur de sa peau. Mais la place qu'il avait occupée était vide.

Tournant les yeux vers la commode, elle vit que le tiroir du haut était ouvert. C'était là qu'elle avait rangé les chaussettes kaki de Theo – une douzaine de paires au moins, roulées en boule. La porte de l'armoire était elle aussi entrebâillée. Il avait dû se lever tôt et s'habiller sans faire de bruit pour ne pas la réveiller.

Elle demeura étendue un moment, se remémorant la soirée précédente. Ils s'étaient couchés tard, après avoir finalement réussi à échapper aux attentions zélées de Gabriel, qui avait insisté pour leur servir du café après le dîner bien qu'aucun d'eux n'en eût envie. Enfin seuls, ils avaient été tout à coup paralysés par la timidité, tels deux étrangers enfermés dans une chambre inconnue. Le mobilier moderne semblait trop imposant aux yeux de Kitty. Son pot de crème pour le visage et son unique flacon de parfum avaient l'air bien solitaires sur la vaste coiffeuse. Elle se sentait comme une enfant qui aurait pénétré sans autorisation dans une chambre d'adultes. Theo avait dénoué sa cravate, en renversant la tête en arrière comme il le faisait toujours. Puis, d'un haussement d'épaules, il avait retiré sa veste et l'avait posée sur la chaise. Elle s'était déchaussée et avait ôté ses bas. Chaque bruit qu'ils faisaient paraissait trop fort, chaque geste exagéré. À demi dévêtus, ils s'étaient regardés, comme s'ils ne savaient pas ce qu'ils devaient faire ensuite.

Theo avait éteint le plafonnier, ne laissant allumée que la lampe de chevet. L'abat-jour orange donnait à la lumière une couleur chaude. Le décor en avait été transformé. Des ombres camouflaient le mobilier, conférant du mystère à la pièce. La lueur orangée pareille à celle d'un feu faisait jouer sur leur peau des reflets d'or. Theo avait fait coulisser la fermeture de la robe à pois qui avait glissé à terre dans un murmure soyeux. Puis il avait abaissé les bretelles de sa combinaison et de son soutien-gorge. Il avait appuyé ses lèvres sur ses épaules, goûté sa peau du bout de la langue, lentement d'abord, puis avec une avidité croissante. Il lui avait arraché ses sous-vêtements, avec des gestes rendus brutaux par le désir. La prenant par la main, il l'avait entraînée vers le lit. D'un seul mouvement, il avait rabattu le couvre-lit et l'avait jeté en tas sur le sol…

Assise sur le lit baigné par la lumière du matin, Kitty sourit à ce souvenir. Elle croisa les mains sur son ventre en un geste protecteur. Qui sait ? Peut-être leur enfant était-il déjà là. Elle imagina son ventre s'arrondissant jusqu'à devenir énorme, la peau distendue. Un fœtus devenant bébé.

C'est alors qu'un bruit lointain de voix attira son attention. Elle se leva et tendit l'oreille. Elle reconnut le timbre grave de son mari, celui plus aigu de Gabriel. Et l'idée lui vint tout à coup qu'il était peut-être déjà l'heure pour Theo de se rendre au travail.

Hâtivement, elle prit une robe de chambre dans l'armoire – un kimono en soie que Louisa lui avait donné parce que l'ourlet était déchiré. Tout en nouant la ceinture, elle s'inspecta dans le miroir. Ses cheveux étaient un peu ébouriffés, mais ses yeux brillaient et sa peau était rose. Elle se mordit les lèvres pour en raviver la couleur. Puis, glissant ses pieds dans ses pantoufles, elle se précipita hors de la chambre.

Theo était assis à un bout de la précieuse table de Cynthia, qui avait été recouverte d'une nappe à la blancheur immaculée. Il était penché sur un journal. Kitty connut un bref moment de frayeur, puis elle se rappela que l'effervescence était retombée. Les journalistes ne s'intéressaient plus à elle. Elle s'avança dans la pièce. Au bout de quelques pas, elle réprima un tressaillement de surprise. La tasse et la soucoupe placées devant Theo appartenaient au service à thé de Cynthia. De même que la théière, le sucrier, le pot à lait, et même le petit pot de sel avec sa minuscule cuillère. Pourtant, la veille, lorsqu'elle avait supervisé le déballage de sa malle, elle avait bien dit à Gabriel de ranger la porcelaine Royal Doulton dans un carton et d'utiliser à la place le service en faïence blanche. Et il avait suivi ses instructions lors du dîner. Les assiettes blanches sur la nappe de même couleur conféraient à la table une élégante simplicité, rehaussée par un bouquet de fleurs d'hibiscus rouges et orangées cueillies dans le jardin. Kitty avait été déçue que Theo ne fasse aucun commentaire, mais ils avaient évidemment des choses plus importantes à se dire.

Le Plan se heurtait apparemment à de nombreux obstacles. Même si on avait déjà défriché des surfaces considérables, le travail était loin d'être terminé, et il s'était révélé beaucoup plus ardu que prévu. Les bulldozers ordinaires n'y suffisaient pas. Le meilleur résultat qu'ils avaient obtenu jusqu'à ce jour, c'était en tendant d'énormes chaînes entre deux tracteurs. Mais le procédé était beaucoup trop lent, et ils mettaient à présent tous leurs espoirs dans une nouvelle machine conçue spécialement pour le Plan : un tank Sherman converti en tracteur et baptisé Shervick. La première cargaison devait arriver d'Angleterre d'un jour à l'autre, mais les expéditions prenaient parfois du retard. Et la conversation s'était poursuivie sur ce thème pendant des heures. Il avait fallu la soirée entière à Theo pour lui décrire en détail toute l'énergie et l'ingéniosité qu'ils avaient dû déployer pour surmonter les problèmes innombrables.

À pas silencieux dans ses pantoufles, Kitty s'approcha de la table. Ses yeux se posèrent tour à tour sur le porte-toast en argent contenant des tranches de pain blanc grillées, la marmelade dans une jatte en verre, le rond de serviette. Ils étaient en Afrique, mais on aurait pu se croire à Hamilton Hall.

Theo leva la tête et se redressa en la voyant.

« Bonjour, ma chérie. »

Il ne s'était levé qu'à demi, indiquant par là qu'il comptait se rasseoir très vite. Elle se hâta de tirer une chaise et de prendre place face à lui.

« Bonjour, répondit-elle en souriant. Je n'arrive pas à croire que j'aie pu dormir aussi tard !

— Tu devais être fatiguée », dit-il d'un air bienveillant.

Puis il promena son regard sur elle, s'attardant sur l'encolure de sa robe de chambre. Kitty sentit le rouge lui monter aux joues. Sans doute repensait-il à la nuit passée. Ils avaient fait l'amour avec fébrilité, comme de jeunes mariés. Et ils avaient recommencé un peu plus tard, en prenant le temps de savourer mutuellement leurs corps, leur désir attisé par la certitude qu'il n'y aurait plus jamais de séparations, de tristesse ni de peur. Elle s'apprêtait à y faire allusion quand, indiquant du geste Gabriel sur le seuil de la pièce, Theo murmura :

« Normalement, on s'habille pour le petit déjeuner.

— Je craignais que tu ne sois déjà parti, répondit-elle en refermant plus étroitement son kimono.

— Tu t'es levée juste à temps. J'ai une réunion dans un quart d'heure. » Fermant le journal, il ajouta : « Demande au boy de t'apporter ton petit déjeuner. Dis-lui comment tu veux qu'on te prépare tes œufs. Ce n'est pas comme en Angleterre, à propos. Pas de rationnement ici. Évidemment, certains produits sont introuvables, mais les denrées de base – les œufs, le lait, la viande, les légumes –, on peut en avoir autant qu'on veut ! »

Sa voix était empreinte d'un enthousiasme puéril, comme celle d'un écolier évoquant un festin improvisé en pleine nuit dans le dortoir de l'école.

« Tu me donnes faim ! » déclara Kitty en lui adressant un nouveau sourire.

Il le lui retourna, son regard rivé au sien. Tendant la main par-dessus la table, il lui prit la sienne.

« Quel est ton programme pour aujourd'hui ?

— Ce matin, je dois aller dans je ne sais plus quel club avec Diana », expliqua-t-elle.

Elle retrouverait Theo pour le repas de midi mais, après cela, elle n'avait aucune idée de ce qu'elle ferait. Elle allait devoir trouver une façon d'occuper ses journées. La perspective de se lancer dans l'inconnu l'emplissait d'excitation. Elle se rappelait les paroles de Janet, l'ancienne missionnaire : *Les besoins sont si grands...*

« Parfait. Cela te plaira. » Il se leva et regarda sa montre. « Je ferais mieux d'aller voir si la voiture est prête. »

Il se dirigea vers la porte-fenêtre et Kitty le suivit à petits pas, la démarche entravée par son kimono. En atteignant la véranda, elle aperçut, garé dans l'allée, le véhicule kaki à bord duquel Theo était rentré la veille. Un homme en uniforme vert et casquette à visière époussetait énergiquement le capot au moyen d'un plumeau. La peinture étincelait sous le soleil matinal.

« Qu'en penses-tu ? s'enquit Theo. J'ai eu un coup de chance extraordinaire. Quelqu'un l'avait commandée en Angleterre, mais le temps que la voiture arrive, le commanditaire avait été muté à Londres. »

Kitty fronça les sourcils. Ainsi, il avait choisi lui-même ce véhicule ? D'habitude, ses goûts le portaient vers des voitures plus classiques, comme la Daimler. Ne sachant comment réagir, elle haussa les épaules et écarta les mains.

« Je n'avais encore jamais vu de Jeep neuve.

— Une Jeep ? s'exclama Theo d'un ton outré. C'est un Land Rover. Le premier qu'il y ait jamais eu en Afrique. » Lui passant un bras autour des épaules, il poursuivit : « C'est une réussite absolue. Vois-tu, l'idée était de fabriquer un véhicule tout-terrain destiné aux civils et qui puisse être produit dans les usines où l'on construisait les Spitfire pendant la guerre. La carrosserie est en aluminium, comme le fuselage des avions. »

Étonnée de le voir manifester un tel enthousiasme pour un engin aussi moderne, Kitty se contenta de hocher la tête.

« Il est équipé de deux jeux de vitesses – quatre en position basse et quatre en position haute. Tu peux voir la manivelle, là, à l'avant. Et les câbles électriques sont étanches, ce qui est idéal pour un endroit comme celui-ci. »

En l'écoutant, elle comprit que le choix de ce véhicule témoignait d'une réelle volonté de changement, d'un désir sincère de s'adapter à leur nouvelle vie. Elle lui adressa un sourire d'encouragement, cherchant quelque chose à dire pour montrer qu'elle avait compris. Indiquant la capote en toile, elle demanda :

« Je suppose que l'on peut l'abaisser ?

— Bien sûr. Le véhicule est entièrement décapotable. » Se tournant vers elle, il ajouta : « J'ai peur que tu ne puisses pas l'utiliser comme Diana le fait avec la Daimler. Richard passe toutes ses journées au bureau central, mais je suis fréquemment appelé sur le terrain. Au demeurant, je crois qu'elle ne sait pas conduire, donc elle a également besoin du chauffeur. »

Songeant à la longue route poussiéreuse qui s'étendait entre leur maison et le centre de Kongara, Kitty se demanda comment elle allait se rendre en ville.

« Je cherche à acheter une seconde voiture, que tu pourras conduire toi-même, poursuivit Theo, comme s'il avait lu dans ses pensées.

— Oh, merci ! s'écria-t-elle avec une expression ravie et emplie de gratitude.

— Rien de bien luxueux, la prévint-il. Une Hillman, peut-être. Ou une petite voiture dans le même genre. » Couvant le Land Rover d'un regard admiratif, il ajouta : « C'est la fin des Jeep. Elles sont complètement dépassées, à présent. »

Le chauffeur passa une dernière fois le plumeau sur le capot et les phares, puis s'installa au volant.

« C'est l'heure d'y aller, dit Theo en donnant à Kitty une petite tape sur l'épaule. Je te reverrai à midi.

— À tout à l'heure. »

Consciente que sa voix paraissait bien grêle, elle accompagna ces mots d'un large sourire pour lui cacher sa déception. Elle s'en voulait d'avoir dormi trop longtemps et manqué ainsi l'occasion de prendre le petit déjeuner de son premier matin ici avec lui.

Il l'embrassa furtivement sur la joue, puis s'éloigna à grands pas. Parvenu en bas des marches, il se retourna et agita la main avant de monter dans le Land Rover. Elle lui rendit son salut et, de l'autre main, caressa sa joue à l'endroit où il avait posé ses lèvres. Ce geste banal – le mari embrassant sa femme avant de partir au travail – avait suffi à dissiper son sentiment d'abandon. Elle avait déjà assisté à ce petit rituel, dans des films, à la télévision ou dans la vie réelle, mais c'était la première fois qu'elle y prenait part elle-même.

En Angleterre, Theo était resté sans emploi après sa démobilisation. Au début, il s'était donné pour tâche d'aider ses parents à rendre à Hamilton Hall sa splendeur d'antan, après les dommages provoqués par la guerre. Les réparations achevées, il avait semblé désemparé ; il ne parlait ni de retourner à Oxford ni de chercher un travail. Il passait des journées entières dans la bibliothèque du manoir, sortant des livres au hasard des étagères

– des titres surprenants, tels que *Tactiques navales* ou *Le Soldat britannique*. Il les lisait avec persévérance, jusqu'au bout, mais sans réel intérêt. Ou bien il s'endormait. Il était épuisé en permanence, comme si la guerre l'avait irrémédiablement vidé de toute force. Il avait fallu les événements consécutifs à la mort de Yuri – ce scandale qu'aujourd'hui encore il était interdit d'évoquer – pour le tirer enfin de sa léthargie. Mais cette flambée d'énergie était alimentée par la colère, l'humiliation et le sentiment d'avoir été trahi. Elle s'était vite consumée, et il n'en était resté que des cendres.

La lettre de son ancien camarade de la RAF lui proposant un poste d'administrateur en Afrique dans le cadre du plan Arachide leur était apparue comme un miracle. Une chance de nouveau départ dans un nouveau monde. Mais Kitty redoutait que Theo ne soit pas à la hauteur de sa tâche. Elle voyait aujourd'hui qu'elle avait eu tort de s'inquiéter. Manifestement, il était passionné par son travail et son moral était au plus haut. Et ce baiser matinal était le symbole de cette transformation. En regagnant la salle à manger, elle sourit à la pensée que ce rite se répéterait jour après jour, bâtissant l'édifice de leur vie à deux, des murs solides derrière lesquels ils seraient à jamais en sécurité.

Kitty disposa sur le lit une sélection de vêtements. Elle essaya de se concentrer pour arrêter son choix, mais ses pensées retournaient sans cesse vers la salle à manger où Gabriel était en train de débarrasser les reliefs du petit déjeuner qu'elle venait de terminer. La nourriture lui pesait sur l'estomac et elle serra les mâchoires en se remémorant leur échange. Elle avait attendu qu'il lui ait apporté ses œufs, son thé et ses toasts, puis l'avait regardé dans les yeux et s'était adressée à lui en anglais.

« Pourquoi as-tu sorti ces tasses et ces assiettes ? Je t'avais clairement dit d'utiliser les blanches. Tu dois m'écouter !

— Oui, memsahib », avait-il répondu en baissant la tête d'un air soumis, mais avec une expression étrange. Il avait fait semblant d'aligner les couverts, redressé un couteau. « Mais le bwana n'aime pas le service blanc. Il m'a dit de prendre l'autre. »

Il y avait eu un instant de silence, tandis qu'elle s'efforçait d'assimiler ce qu'elle venait d'entendre.

« Oh, avait-elle murmuré en passant machinalement son doigt sur le pourtour du coquetier.

— Le problème, c'est les tasses. Elles sont trop grosses.

— Trop grosses ? » avait-elle répété en relevant la tête.

S'emparant d'une des tasses de Cynthia, Gabriel lui en avait montré le bord. Fronçant les sourcils, il avait vainement cherché le mot approprié.

« *Maskini*. Mince.

— Je vois. »

Elle avait gardé une mine impassible, même si elle était furieuse que Theo ait sapé son autorité face aux employés en la contredisant de la sorte. Il devait pourtant en avoir eu conscience ! Mais elle avait commis une erreur en n'abordant pas le sujet hier soir. Après tout, il avait utilisé ce service pendant tout le temps où il avait vécu ici sans elle… Elle s'était massé les tempes du bout des doigts. Quelle importance cela avait-il, en fin de compte, qu'ils se servent de cette vaisselle ou de l'autre ? Elle s'était représenté Yuri roulant des yeux d'un air moqueur. Il buvait son thé dans le premier récipient qui lui tombait sous la main – pot à confiture, pichet, vieille tasse dépourvue d'anse. Il avait depuis longtemps banni les soucoupes qu'il considérait comme superflues.

Gabriel s'était hâté de regagner la cuisine, visiblement impatient de rapporter au cuisinier cet incident témoignant de la mésentente entre le bwana et la memsahib. Une fois seule, elle avait reporté son attention sur le journal. Il était temps de surmonter la quasi-phobie que lui inspirait la presse. Luttant contre son appréhension, elle parcourut des articles où il n'était question que des mesures d'austérité, du rationnement qui continuait et du nombre de chômeurs chez les anciens soldats. Ces sujets démoralisants étaient tempérés par des échos plus optimistes sur les jeux Olympiques de Londres ou les grands couturiers qui s'étaient donné pour mission de rendre le monde plus beau. Elle s'était forcée à poursuivre sa lecture, tournant les pages du quotidien jusqu'à ce que ce geste commence à lui paraître tout à fait normal et anodin. Elle avait alors quitté la table et était retournée dans sa chambre pour se changer…

Finalement, elle se décida pour la plus passe-partout des quatre robes – toute simple, bleue avec une ganse blanche au col et aux manches. Elle prit une paire de gants assortie dans la commode. En même temps, elle ne put s'empêcher de penser aux maillots de corps et aux caleçons de Theo dans les tiroirs du dessous. Il avait été surpris, presque contrarié, qu'elle ait transféré ses effets dans leur chambre à coucher. Apparemment, il aurait préféré les laisser dans la petite chambre jusqu'à ce que celle-ci remplisse une autre fonction. Il aimait l'idée d'avoir une pièce à lui, avec ses affaires à lui. De temps à autre, lui avait-il fait observer, il pourrait également préférer dormir seul.

En entendant cela, elle l'avait dévisagé avec effarement. Dans leur logement de Skellingthorpe, puis leur appartement de Hamilton Hall, il n'y avait toujours eu qu'une seule chambre, de sorte qu'il n'avait jamais été question de dormir séparément. Mais hier soir, Theo lui avait expliqué que, dans les familles anglaises des classes supérieures, il était tout à fait normal que mari et femme fassent chambre à part. Son père et sa mère avaient chacun la leur. Si le chauffage n'avait pas posé un problème à cause du rationnement du charbon, Louisa aurait sûrement mis deux chambres à leur disposition quand ils avaient emménagé au manoir. Dans une demeure aussi vaste, cela allait de soi. Les femmes aimaient remplir leurs chambres de vêtements, de parfums et de bibelots ; les hommes avaient des goûts plus simples. Et tout le monde avait besoin d'un peu d'intimité.

Elle avait acquiescé en silence, même si elle avait du mal à comprendre son raisonnement. Quand on aimait quelqu'un, on avait envie de rester tout le temps près de lui, non ? D'entendre sa respiration pendant qu'on glissait lentement dans le sommeil, de sentir la chaleur de son corps à côté de soi quand on se réveillait ? Évidemment, tous les gens mariés n'étaient pas amoureux. Louisa et l'amiral entretenaient des relations courtoises, mais elle n'avait jamais senti passer entre eux le moindre sentiment d'affection. Elle se demanda si le fait de dormir séparément était la cause ou l'effet de cette distance. Ses parents à elle avaient toujours partagé le même lit, tout au long des maladies, des grossesses et des tétées nocturnes. Les ronflements de son père, lorsqu'il avait un peu bu, étaient assez forts pour empêcher toute la maisonnée de dormir, et pourtant sa mère restait à côté de lui. (Elle n'avait d'ailleurs pas d'autre endroit où aller, à moins de se réfugier dans le lit d'un de ses enfants.) Cette promiscuité constante ne semblait pourtant pas avoir créé entre eux de liens plus étroits. Il y avait certes beaucoup de bébés mais, durant la journée, ils ne se témoignaient pas plus d'amour que Louisa et l'amiral.

Encore troublée – et même, elle devait le reconnaître, blessée et déçue – par ce petit accrochage avec Theo, elle contempla fixement la commode, comme pétrifiée. Puis elle se ressaisit et, prenant la robe bleue, l'enfila avec précaution pour ne pas déranger sa coiffure. Elle rentra le ventre pour remonter la fermeture à glissière, mit la dernière touche à son maquillage et, enfin, elle chaussa des sandales à talons hauts.

Face à son miroir, elle fut brusquement assaillie d'un doute. Avait-elle eu raison de choisir la robe bleue ? Elle portait déjà la main à la fermeture quand la sonnette de l'entrée retentit. Quelques secondes plus tard, la porte s'ouvrit. Les talons de Diana résonnèrent dans le vestibule, et Kitty laissa retomber sa main. Saisissant son sac fourre-tout, elle vérifia qu'elle avait bien pris son maillot de bain et une serviette, conformément aux instructions de Diana. Puis elle prit une profonde inspiration et sortit de la pièce pour aller à la rencontre de sa voisine.

« Bienvenue au Kongara Club », annonça Diana quand la Daimler s'immobilisa devant un bâtiment d'un gris terne. Ce n'était guère plus qu'un long demi-cylindre de tôle rouillée surmonté d'un mât au sommet duquel flottait un drapeau. Kitty s'efforça de cacher sa surprise : ce baraquement préfabriqué s'harmonisait mieux avec le campement de tentes et les Cabanes à outils qu'avec la rue des Millionnaires.

« C'est affreux, n'est-ce pas ? dit Diana. Nous nous en plaignons sans arrêt. Ils ont promis d'en construire un neuf. »

Dans un large espace recouvert de gravier, sur un des côtés du baraquement, des dizaines de voitures étaient garées en rangs serrés à l'ombre des arbres. Il y en avait de toutes les catégories, des Jeep jusqu'à d'énormes berlines, mais aucune n'égalait en somptuosité la Daimler des Armstrong.

Descendant de la voiture, Diana conduisit Kitty vers une porte rouge. Elle semblait d'humeur taciturne ce matin – pas au point de paraître impolie, mais visiblement distraite. Sa robe en toile rose unie était plus simple que celle de la veille, mais avec ses lunettes de soleil et son lourd collier en or, elle avait quand même l'air très sophistiquée. Kitty s'assura que l'ourlet de sa robe bleue tombait correctement avant de lui emboîter le pas.

Quand elles arrivèrent devant l'entrée, un jeune garçon se leva d'un bond, renversant le tabouret bas sur lequel il était assis. Sa peau sombre se fondait dans le noir de sa chemise et de son pantalon. Il leur ouvrit la porte et s'effaça pour les laisser entrer.

D'un pas vif, Diana s'avança sur le long tapis qui se déroulait jusqu'au milieu du bâtiment. Sa robe la moulait étroitement et elle ondulait des hanches en marchant. Kitty la suivit tout en examinant discrètement le décor. Le local spacieux était meublé de fauteuils et de sofas disposés autour de tables basses. Des palmiers en pots trônaient sur des sellettes en bois et des tapis persans étaient jetés çà et là sur le sol. Un homme en chemise et cravate tapotait malhabilement les touches d'un piano à queue ; elle reconnut l'air des *Blanches falaises de Douvres*. En dépit de tous les efforts qui avaient été faits pour l'égayer, l'endroit avait quelque chose de lugubre. Et les fenêtres, petites et trop hautes pour permettre de voir à l'extérieur, ne faisaient rien pour y remédier. Quand on se trouvait ici, on ne pouvait pas savoir si c'était le matin, l'après-midi ou le soir, se dit-elle.

L'air chaud et immobile était bleui par la fumée de cigarettes. Il y avait un nombre considérable de personnes dans la pièce, des hommes et des femmes de tous âges, rassemblés par petits groupes. Dans un coin se trouvaient des mères avec leurs enfants (la plupart accompagnées de jeunes Africaines en uniforme blanc et empesé, sans doute des nounous, présuma Kitty). À bonne distance de là, toute une section était occupée par des hommes seuls, le visage caché derrière leur journal. Ailleurs, des jeunes gens discutaient, assis autour des tables. La majorité portait un costume, quelques-uns la tenue kaki. Penchés les uns vers les autres, ils paraissaient absorbés dans leur conversation, mais relevèrent la tête à l'apparition de Diana. Ils jaugèrent également Kitty d'un air ouvertement appréciateur. Elle se demanda pourquoi ils n'étaient pas au travail.

Un peu plus loin, des jeunes femmes toutes vêtues de kaki, les lèvres fardées de rouge vif, bavardaient bruyamment, et elle repensa à Lisa et aux femmes qu'elle avait aperçues à proximité du bureau central. Elles ne s'interrompirent pas à leur passage, mais elle sentit leurs regards dans son dos. Elle se réjouissait à présent d'avoir mis une robe toute simple. Elle attirait déjà suffisamment l'attention comme cela.

Le bar se trouvait à l'arrière du bâtiment. Fait de bois

sombre et soigneusement poli, il lui évoqua la table de Cynthia. Ici au moins, les rangées de verres étincelants et de serviettes blanches parvenaient presque à créer une ambiance accueillante.

« Bonjour, memsahib. »

Le barman africain était un personnage imposant, à la fois par la taille et par le poids. Il portait une tunique blanche et un fez rouge.

« Bonjour, Alfred », répondit Diana avec un petit signe de tête, avant de se diriger vers un coin fermé par des paravents japonais, tout au fond de la pièce. Dans cette enclave, une demi-douzaine de femmes étaient occupées à lire des magazines et à fumer, buvant qui du thé, qui du café. L'apparition de Diana produisit un effet immédiat. Les tasses furent reposées, les magazines refermés. Tous les regards se tournèrent vers elle, attentifs et empressés.

« Mesdames, je vous présente Mme Theodore Hamilton », annonça Diana en montrant Kitty.

Puis elle lui présenta les femmes une par une, en commençant par la plus éloignée.

« Mme Nicholas Carswell. »

Kitty reconnut le nom du directeur de l'agriculture. Son épouse avait les cheveux blond cendré et un petit nez pointu. La suivante était une certaine Mme Neil Stratton, grassouillette mais jolie, avec une large bouche.

« Le directeur des unités d'exploitation », précisa Diana à mi-voix.

Suivit Mme Jeremy Meadows – le médecin-chef. Cheveux frisés, roux carotte.

Kitty tenta de mémoriser les noms et les visages, mais c'était une tâche impossible et la chaleur suffocante mêlée à l'odeur du tabac et aux parfums n'arrangeait rien. Quand Diana eut présenté la dernière épouse, elle agita la main en un geste désinvolte.

« Bon, maintenant que nous en avons terminé avec ces formalités… » Pointant le doigt, elle désigna chacune à tour de rôle. « Alice, Audrey, Evelyn, Sally, Eliza, Pippa. »

Alice fit un signe de tête poli, mais toutes les autres lui adressèrent des sourires chaleureux.

« Moi, c'est Kitty. Je suis très heureuse de faire votre connaissance à toutes.

— Kitty est arrivée hier d'Angleterre, expliqua Diana. Mais elle est d'origine australienne.

— Australienne ! s'exclama la femme du médecin-chef. Ma sœur vit à Melbourne. Peut-être la connaissez-vous ?

— Le pays est grand, répondit Kitty. Et je vivais dans une ferme à la campagne. »

Elle s'angoissait déjà à l'idée que la femme ne poursuive son interrogatoire. Elle savait d'avance comment cela se déroulerait. Elle finirait par dire que les terres de son père s'étendaient sur vingt-cinq mille hectares – superficie supérieure à celle d'une unité de production de Kongara. Qu'en plus du bâtiment principal, le domaine comportait des granges, des remises et des habitations pour les ouvriers agricoles. Ses auditrices se représenteraient un endroit comparable à Hamilton Hall. Et, comme cela s'était passé avec Theo et sa mère, elle n'aurait pas le courage d'avouer que la terre était aride, le bétail famélique, les moutons gris de poussière, leur laine sale et remplie d'œufs de mouche. Que la façade en bois de la maison était écaillée et fissurée, le toit de tôle, rongé de rouille.

Heureusement, cette conversation n'eut pas le temps de se développer. Saisissant un carnet dans le panier posé à ses pieds, Alice déclara, en jetant à sa montre un coup d'œil explicite :

« Maintenant que tout le monde est là, si nous commencions la réunion, mesdames ?

— Je dois absolument commander un café d'abord, rétorqua Diana. Et vous ? demanda-t-elle à Kitty. Il n'y a que du Nescafé. Apparemment, nous attendons la livraison d'un percolateur en provenance de Londres.

— Ma foi, si vous en prenez… oui, merci. Sauf que… je n'ai pas d'argent sur moi, avoua-t-elle en sentant ses joues s'empourprer.

— D'argent ? répéta Diana, interloquée. Grands dieux, personne n'en a ! Nous nous contentons de signer et de faire porter la note sur le compte de nos époux. Theo en a un ici, comme tout le monde.

— Oh, oui, bien sûr. »

Se tournant vers Alfred, qui se tenait déjà derrière elle, l'air empressé, elle ordonna :

« Du café pour deux. Et quelque chose à grignoter, léger et pas trop sucré.

— Oui, memsahib. »

De près, Kitty découvrit de profondes cicatrices violacées sur les joues de l'homme – des lignes et des rangées de points. Elle avait vu des scarifications du même type dans un des livres de la bibliothèque de Hamilton Hall, *Percy's African Sketches*. Ces marques donnaient au visage du barman un aspect primitif contrastant bizarrement avec son uniforme impeccable. Et son comportement soumis paraissait du même coup moins crédible. Elle songea à Eustace et Gabriel. Tout le personnel africain nourrissait-il à l'encontre des Européens la même hostilité voilée ? Ou cette impression était-elle seulement due à son manque d'expérience de ce pays et de ses habitants ? En tout cas, Diana ne semblait pas se préoccuper le moins du monde de cet homme. Elle le chassa du geste, aussi rudement que s'il avait été une mouche importune.

Alice tapota impatiemment son carnet avec la pointe de son stylo.

« Bon, commençons. Lors de la prochaine vente de charité, nous proposerons des plantes en pots. » À l'intention de Kitty, elle expliqua : « Nous collectons de l'argent pour les missionnaires. C'est sœur Barbara qui a cultivé ces plantes. Nous nous contentons de les vendre.

— Ou plutôt de les *acheter* », intervint Evelyn.

Alice lui décocha un sourire pincé, puis se tourna vers Diana.

« Accepteriez-vous de vous charger des étiquettes ? J'ai déjà distribué la plupart des autres tâches.

— Tout à fait. Rien ne me plairait davantage », répliqua Diana d'un ton suave.

Alice plissa les yeux d'un air suspicieux. Elle aussi devait avoir du mal à percer le comportement de Diana, se dit Kitty. La réponse de la jeune femme était celle qu'on attendait d'elle, mais son ton manquait de sincérité. Avec un léger soupir, Alice baissa de nouveau les yeux sur son carnet.

« Le stand sera installé juste devant la porte principale, de manière à attirer l'attention de toutes les personnes qui entrent ou qui sortent. Pour cela, il nous faudrait des affiches qui accrochent l'œil, avec des dessins de plantes et de fleurs… Vous ne seriez pas artiste, par hasard ? ajouta-t-elle à l'adresse de Kitty. Ce serait providentiel ! »

Kitty se raidit en tentant de déchiffrer son expression. Cette question n'était-elle qu'une coïncidence ? Elle secoua la tête, faisant bouger ses cheveux.

« Non. Non, pas du tout. Désolée.

— Je suis sûre que vous pourrez vous rendre utile d'une manière ou d'une autre », déclara Alice d'un ton bienveillant.

Une femme aux cheveux blonds empilés en un échafaudage compliqué sur le sommet de son crâne leva la main.

« Je serai sûrement capable de dessiner deux ou trois fleurs, proposa-t-elle avec un sourire timide.

— Merci, Pippa. »

La discussion se poursuivit tandis que les femmes sirotaient discrètement leur café, laissant des traces de rouge à lèvres sur le bord des tasses blanches marquées du nom *Kongara Club* en lettres écarlates. À l'autre bout de la salle, le pianiste entama un nouveau morceau. Diana s'agitait nerveusement sur sa chaise. Alfred reparut enfin, portant un plateau bien garni. En plus des deux tasses de café, il y avait une assiette chargée de pâtisseries recouvertes d'un glaçage luisant. Elles étaient énormes et avaient l'air très sucrées. Loin de paraître contrariée que le serveur n'ait pas tenu compte de ses instructions, Diana sembla au contraire se ragaillardir à cette vue. Elle disposa deux gâteaux sur une petite assiette qu'elle posa en équilibre sur son genou.

Alfred tendit à Kitty sa tasse de café. Même après qu'elle y eut ajouté une bonne quantité de lait, le breuvage lui parut toujours aussi fort. Elle ne s'était pas encore habituée à son goût âcre et n'en buvait que pour tenir compagnie à Theo. Depuis la guerre, il ne pouvait pratiquement plus s'en passer ; pour les pilotes volant de nuit comme de jour, le café avait été un réconfort indispensable. Elle porta la tasse à sa bouche en évitant de respirer son odeur. Quand ses lèvres se refermèrent sur le bord épais, elle comprit soudain pourquoi Theo ne voulait pas utiliser le service en faïence blanche ; une vaisselle aussi utilitaire était bonne pour un club ou un hôtel, pas pour une demeure de la rue des Millionnaires. Elle se sentit brusquement découragée ; il était si facile de se tromper...

Diana mangeait goulûment, éparpillant des miettes sur sa robe. Dès qu'elle eut englouti la première pâtisserie, elle s'attaqua à la seconde. Il y avait quelque chose d'embarrassant dans cette voracité, dans le léger tremblement qui agitait ses mains. Kitty remarqua que les autres femmes évitaient de la regarder ; chacune tenait les yeux baissés vers le sol ou sur sa tasse, ou encore rivés sur Alice.

« Lors de notre prochaine réunion, reprit celle-ci, nous commencerons à préparer l'événement majeur des mois à venir, le dîner de charité calédonien. »

Il fut ensuite question de haggis, de kilts et de cornemuses. Diana reposa enfin son assiette. Après avoir épousseté les miettes tombées sur sa robe, elle se redressa et concentra son attention sur Alice, telle une écolière modèle. Audrey leva la main pour s'enquérir si l'on pouvait changer de date – il ne fallait pas oublier qu'il y aurait également un anniversaire et un baptême la même semaine. Alice expliqua que c'était impossible. Kitty écoutait en silence, frappée par les accents raffinés et typiquement anglais de toutes les participantes et se demandant pourquoi elles voulaient organiser une soirée écossaise.

La réunion se poursuivit, ponctuée par le vrombissement intermittent d'un ventilateur électrique dont une des pales était tordue. Finalement, Diana leva une main manucurée pour se couvrir la bouche et bâilla bruyamment.

« Il faut que j'aille nager, sinon je vais m'endormir sur place. »

Un mouvement d'enthousiasme parcourut le petit groupe et, à contrecœur, Alice posa son bloc-notes.

Kitty ramassa son sac, partagée entre son envie de se rafraîchir et son appréhension à l'idée de se changer devant les autres. Elle était persuadée d'être ridicule dans son maillot de bain. Il était d'une jolie couleur fraise, mais l'élastique commençait à se détendre, la jupette avait perdu sa forme et elle avait été obligée de remplacer les bretelles par des rubans. Elle l'avait trouvé dans le vestiaire du pavillon de bain de Hamilton Hall, où une invitée avait dû l'oublier des années auparavant. Cela remontait à l'époque où, officiellement, elle fréquentait le manoir à titre d'invitée de Yuri. Louisa s'inquiétait un peu de l'amitié entre elle et son fils, mais n'avait pas encore commencé à redouter le pire.

« Vous savez nager, n'est-ce pas ? » demanda Diana.

Kitty acquiesça d'un signe de tête. Elle savait nager depuis sa plus tendre enfance, du moins en avait-elle l'impression. Voilà au moins une chose à laquelle elle excellait.

Kitty était seule dans la chaleur humide de la cabine de bain. Les autres étaient déjà parties – elles avaient enfilé leur maillot et rangé leurs vêtements avec la rapidité résultant de l'habitude. Diana avait été la dernière à se changer, car elle avait disparu un court instant après avoir quitté le bar.

Kitty accrocha sa robe à une patère et rangea ses sandales côte à côte sur le sol. Puis elle s'assit sur le banc étroit. Une vague d'émotion la submergea soudain, la prenant au dépourvu. Elle se sentait profondément seule et emplie de nostalgie – mais la nostalgie de quoi, ou de qui, elle aurait été incapable de le dire. Elle pressa les mains contre ses paupières pour refouler ses larmes. Elle prit brusquement conscience qu'elle était épuisée. Le voyage avait été long, et tout était si nouveau et si étrange… Relevant la tête, elle contempla fixement les recoins sombres du local dépourvu de fenêtres. Le bruit des voix et des rires au-dehors lui parut venir de très loin. Et elle fut tout à coup saisie du sentiment effroyable qu'elle pourrait rester enfermée seule ici pendant l'éternité.

Elle entendit des pas approcher – un claquement de sandales en caoutchouc. Elle redressa la tête lorsque Pippa entra, un grand sourire aux lèvres.

« J'ai oublié quelque chose, comme d'habitude. »

Elle fouilla dans son sac et se retourna, le nez chaussé d'énormes lunettes de soleil rondes.

Dès qu'elle fut ressortie, Kitty se leva. Les gens devaient commencer à se demander ce qu'elle faisait.

En émergeant de la cabine obscure, elle cligna des yeux, éblouie par la lumière éclatante. Il n'y avait personne dans la piscine ; le soleil se reflétait sur l'eau immobile et faisait scintiller les flaques sur le sol de ciment alentour. Elle parcourut du regard les rangées de tables et de fauteuils ombragés par des parasols à rayures vertes et blanches. Les gens lisaient ou buvaient, seuls ou avec des amis. Les femmes du groupe occupaient deux tables disposées l'une à côté de l'autre ; elles étaient assises sur des sièges aux dossiers droits en fer forgé, à l'exception de Diana, étendue sur un transat. Son maillot de bain rose mettait en valeur son hâle doré. C'était un deux-pièces découvrant audacieusement son ventre plat et musclé.

Les autres étaient toutes drapées dans des peignoirs en éponge, mais Kitty dut se contenter d'enrouler sa serviette autour de sa taille. La retenant d'une main, elle se dirigea vers ses compagnes. Le ciment était brûlant sous ses pieds nus. (Elle n'avait pas pensé à emporter des sandales et pouvait difficilement se promener en maillot de bain et talons hauts.) Durant les années passées en Angleterre, ses pieds étaient devenus plus tendres, à force d'être enfermés dans des chaussures. Elle pressa le pas, en passant dans les flaques d'humidité chaque fois qu'elle le pouvait.

Elle repéra un siège vide à l'une des deux tables et se dirigea vers lui. Mais, en se rapprochant, elle s'aperçut qu'il y avait un homme au milieu du groupe de femmes – un vieillard avec une longue barbe grise et une moustache de phoque. Il était coiffé d'un casque colonial et sa tenue de safari avait le même aspect suranné et usagé que l'uniforme de missionnaire de Janet.

Quand elle se trouva face à eux, Audrey fit les présentations.

« Kitty, voici Bowie. Bowie, je vous présente Kitty.

— Enchanté de faire votre connaissance », déclara l'homme avec un salut de la main, sans prendre la peine de se lever.

Lorsque Kitty se fut assise, Audrey reprit, en effleurant le bras tavelé de Bowie :

« Le mari de Kitty est le nouveau directeur administratif. Vous savez…, ajouta-t-elle en baissant la voix, c'est lui qui remplace le major Wainwright. »

Bowie secoua la tête.

« Une horrible tragédie. Quelle mort affreuse… J'aimerais mieux affronter un troupeau de buffles qu'un essaim d'abeilles africaines. C'est dire !

— Il a été tué par des abeilles ? s'exclama Kitty, interloquée.

— Eh oui. Il n'avait aucune chance. Elles se sont abattues sur lui par centaines et l'ont piqué à mort. On ne peut rien faire dans ce cas-là. Absolument rien. »

Kitty sentit son estomac se contracter en imaginant la scène – une forme titubant sous la douleur atroce, chaque centimètre de sa peau couvert d'insectes.

« Des travailleurs sont déjà morts de cette façon, poursuivit Bowie. Des conducteurs de bulldozer qui avaient fait tomber les ruches en déracinant des arbres. Mais le cas du major est nettement plus bizarre. Un fonctionnaire du bureau central venu inspecter les unités d'exploitation ne court pas ce genre de danger, normalement. On raconte que le vétérinaire l'aurait délibérément entraîné vers…

— Bowie est un chasseur professionnel, l'interrompit Alice d'un ton brusque. Quand le projet a démarré, l'OFC l'a recruté pour protéger les employés contre les bêtes sauvages », expliqua-t-elle à l'intention de Kitty.

La tactique se révéla efficace. Oubliant les abeilles, Bowie se redressa sur son siège et fixa sur Kitty un regard d'un bleu délavé.

« Difficile de croire que cela ne remonte qu'à

deux ou trois ans. Les choses étaient tellement différentes à l'époque… »

Il entreprit de lui décrire les plaines grouillantes d'animaux en tout genre. Personne n'était en sécurité, de jour comme de nuit. Puis les machines étaient arrivées.

« C'était un sacré spectacle, je peux vous le dire, de voir cette immense colonne de tracteurs – une soixantaine, peut-être plus – traverser les plaines comme une armée en marche. Les nuages de poussière soulevés par leur passage. Et toutes les bêtes affolées s'enfuyant à leur approche pour ne plus jamais revenir. Depuis, on aperçoit de temps à autre un éléphant solitaire et, une fois, un rhinocéros a chargé un bulldozer, mais je crois que celui-ci l'avait provoqué. On a également vu un ou deux lions, mais c'est à peu près tout. Alors, j'en suis réduit à passer toutes mes journées au club, à distraire ces dames. » Il lui décocha un sourire qui révéla des dents couleur de vieil ivoire. « Je n'en crois pas ma chance ! »

Il parlait d'un ton enjoué mais, en croisant son regard, Kitty y décela une tristesse sous-jacente. Sans doute aurait-il de loin préféré parcourir les plaines, sac au dos, un fusil en bandoulière. Mais cette vie oisive était tout ce qu'il lui restait.

Elle appuya ses coudes sur la table, faite du même ciment moucheté que le sol de sa véranda. Hier soir, Theo lui avait dit que cela s'appelait du « terrazo ». Un mot italien, lui avait-il expliqué lorsqu'elle avait émis un commentaire sur sa sonorité étrangère, avec ce ton patient qu'il employait chaque fois qu'elle dévoilait son ignorance. Elle prit son menton entre ses mains et chassa ce souvenir. En déplaçant sa chaise légèrement vers la gauche, elle s'était écartée de l'ombre du parasol et savourait à présent la caresse du soleil sur son dos et ses épaules nus. Il avait fait si froid en Angleterre qu'elle se sentait encore glacée jusqu'aux os. Elle leva son visage vers le soleil, le laissa jouer sur ses paupières closes. Elle entendit Bowie raconter à Pippa qu'il comptait se rendre sur la côte swahilie, mais elle devina à son ton qu'il ne partirait sans doute jamais. Elle essaya de situer son accent si particulier, en vain. Peut-être était-il sud-africain. Elle savait que ceux-ci avaient une manière bien à eux de prononcer les mots ; en Angleterre, on l'avait souvent prise pour une Sud-Africaine.

Son visage finit par ruisseler de sueur ; un filet s'écoula dans son dos. Ouvrant les yeux, elle vit que la piscine était toujours déserte. L'eau était tentante, mais personne ne semblait avoir envie de nager. Dans un coin du jardin, derrière une balançoire et un toboggan, se trouvait une piscine pour enfants, version réduite de celle-ci. Des glapissements de joie et des bruits d'éclaboussures lui en parvenaient, et elle se retourna pour la regarder. Une poignée d'enfants jouaient dans l'eau avec un anneau en caoutchouc et un ballon de plage rayé. À proximité étaient rangés deux ou trois landaus recouverts de moustiquaires blanches. Les seuls adultes en vue étaient quatre nounous africaines, leurs uniformes blancs détrempés par la sueur.

« Ces deux-là sont à moi, déclara Audrey en désignant un garçon et une fille dotés des mêmes cheveux roux et frisés que leur mère. Dickie et Fiona.

— Ils ont l'air adorables », répondit Kitty.

Flattée par cette remarque, Audrey sourit avant d'ajouter :

« Mais ils donnent parfois du fil à retordre à leur *ayah.* »

Kitty la regarda d'un air déconcerté.

« C'est ainsi qu'on appelle les nounous ici, lui expliqua Audrey. Apparemment, c'est le nom utilisé dans le Raj britannique – l'Inde. »

Kitty inscrivit le mot dans sa mémoire, tout en se demandant comment il s'épelait. Voyant la fille d'Audrey agiter la main, elle lui adressa un signe en retour.

« Oh, Seigneur, dit Audrey en se rembrunissant. Maintenant, elle va venir ici. »

Se levant en hâte, elle se précipita vers la petite piscine pour dissuader l'enfant de les rejoindre.

Kitty la suivit des yeux, intriguée par son comportement. Il lui paraissait étrange que les mères tiennent ainsi leurs enfants à distance. Sans doute les joies de la maternité finissaient-elles par s'émousser, avec le temps. Et ici, à Kongara, les services d'une nounou ne devaient pas coûter bien cher. Une chose était sûre : Theo et elle ne laisseraient jamais à d'autres le soin d'élever leurs enfants. Il lui avait dépeint un tableau navrant de son enfance solitaire : il avait vécu presque tout le temps confiné dans la nursery, puis dans la salle de classe. Louisa ne passait que très peu de temps avec lui et semblait toujours pressée de le renvoyer près de sa gouvernante. Il avait clairement exprimé sa volonté d'élever leurs enfants différemment. Ils mangeraient chaque soir avec eux. Ses fils pourraient fréquenter qui bon leur semblerait et choisir librement leur carrière.

Sa conception de la famille idéale avait été l'un de leurs sujets de conversation favoris, tout au début de leur relation. Ils semblaient avoir tellement de choses à se dire, à l'époque ! L'année qui avait précédé le début de la guerre, Theo s'échappait de l'université dès qu'il le pouvait et il l'emmenait voler à bord du petit avion rouge. Ils se posaient sur la piste privée de l'un ou l'autre de ses amis et marchaient jusqu'au sommet d'une colline ou tout autre endroit pittoresque. Puis ils étendaient sur l'herbe une vieille couverture de voyage brodée aux initiales d'un des ancêtres de Theo, et ils déballaient leur pique-nique. Tout en mangeant, ils se confiaient leurs rêves et leurs projets d'avenir. Ceux de Theo n'incluaient jamais Hamilton Hall. Il regrettait de devoir décevoir ses parents de la sorte, mais il était opposé à la transmission des privilèges. Chacun devait tracer lui-même son chemin, et tout le monde devait avoir des chances égales.

Le plus souvent, Kitty l'écoutait plus qu'elle ne parlait. Ses propres expériences étaient tellement différentes, et tellement limitées, qu'elle ne pouvait guère contribuer à la conversation. Parfois, elle lui parlait de sa famille et de son enfance en Australie. Mais, comme elle lui avait déjà raconté combien elle avait eu hâte de fuir la ferme, il ne comprenait pas très bien pourquoi elle l'évoquait à présent avec nostalgie. Elle essayait de lui décrire l'agitation matinale aux Sept Gommiers : sa mère criant sur ses frères afin qu'ils se lavent et s'habillent pour l'école, les chats se mettant dans leurs jambes, l'odeur du porridge mijotant sur la cuisinière. Le toast brûlé qu'on jetait par la fenêtre. Les chaussures égarées. Les chemises déchirées. Les boutons manquants. Son père revenant en hâte chercher quelque chose qu'il avait oublié, et administrant au passage une taloche à deux garçons en train de se battre. Tous ces menus détails qui avaient composé la vie familiale… Elle regrettait de ne plus en faire partie et, en même temps, elle n'avait aucune envie de retourner là-bas. C'était trop difficile à expliquer, aussi était-il plus simple de garder le silence et d'écouter Theo exposer ses idées sur le monde. Elle adorait la façon dont son visage s'éclairait tandis qu'il tentait de lui faire partager ses convictions. Cet enthousiasme presque puéril, associé à l'aplomb que lui conférait la certitude d'être dans le vrai, le rendait irrésistiblement attirant. Mais il avait tellement changé depuis, tant de choses s'étaient produites… En observant les nounous et les bambins, Kitty ressentit un pincement d'incertitude. Il y avait longtemps que Theo et elle n'avaient pas discuté de la manière dont ils élèveraient leurs enfants. Il avait peut-être changé d'avis sur la question – et si c'était le cas, elle savait qu'elle devrait engager une *ayah*, qu'elle le veuille ou non.

Tandis qu'elle regardait Audrey tenter de convaincre sa fille de rester près de sa nourrice, son attention fut attirée vers la haute clôture à l'extrémité du terrain. L'univers de ciment, d'eau et de parasols aux couleurs vives contenu à l'intérieur de ce périmètre contrastait fortement avec la brousse poussiéreuse s'étendant au-delà. Un arbre se dressait tout près de la clôture, non loin de la piscine pour enfants. Deux petits Africains perchés sur ses branches contemplaient celle-ci avec fascination.

« Pauvres gamins, commenta-t-elle. Ils aimeraient bien pouvoir nager, eux aussi. »

Alice appela un serveur planté près du bar de la piscine. Sans un mot, elle lui montra la clôture. L'homme se précipita aussitôt vers celle-ci en gesticulant et en criant pour chasser les enfants, qui descendirent précipitamment de l'arbre et s'enfuirent.

Ce fut le moment que choisit Pippa pour annoncer qu'elle allait nager.

« Moi aussi, déclara Sally en entreprenant de se coiffer d'un bonnet de bain.

— Vous venez, Kitty ? » s'enquit Pippa avec un sourire amical.

Kitty hésita. En songeant aux regards tristes et envieux des gamins que l'on venait d'expulser, elle ne pouvait s'empêcher de se sentir coupable.

« Allez, l'encouragea Sally. Jetez-vous à l'eau ! »

Elle se leva. Il faudrait bien qu'elle s'habitue à ce genre de situation. Cela faisait partie de la vie en Afrique.

Pippa et Sally se dirigèrent vers la partie la moins profonde de la piscine et descendirent les marches de béton pour s'immerger dans l'eau. Kitty s'avança jusqu'à l'autre extrémité du bassin. Elle préférait toujours plonger. Si l'eau était froide, elle aimait mieux éprouver un bref choc à son contact que s'y enfoncer progressivement. Par une température aussi élevée que celle-ci, la fraîcheur de l'eau serait délectable.

Elle plongea en produisant un plouf sonore, puis se propulsa sous l'eau d'un mouvement harmonieux. Remontant à la surface, elle se mit à nager un crawl vigoureux. Elle avait oublié quelle joie c'était de se mouvoir dans l'eau, de se concentrer sur le rythme de sa respiration : tourner la tête de côté, inspirer, puis souffler un jet de bulles. Elle ne s'arrêta qu'une fois arrivée à l'extrémité du bassin. Là, elle se redressa, repoussa ses cheveux en arrière, s'essuya les yeux. Au bout de quelques secondes, elle se figea soudain. Tout le monde la dévisageait. Elle vérifia que les rubans maintenant le haut de son maillot ne s'étaient pas détachés. Mais ils étaient toujours solidement en place. Que se passait-il ? Ne sachant que faire, elle parcourut une deuxième longueur de bassin, puis encore une autre.

À la cinquième, elle fit une nouvelle pause. Et c'est seulement alors qu'elle aperçut Pippa et Sally, nageant posément d'un lent mouvement de brasse en gardant soigneusement la tête hors de l'eau.

Elle se hissa sur le rebord du bassin et s'y assit, pantelante. Baissant les yeux, elle contempla son reflet déformé par les ondulations à la surface de l'eau. Elle prit conscience qu'elle s'était donnée en spectacle. De l'autre côté de la piscine, les gens continuaient à la regarder. Même les *ayahs* africaines en oubliaient de surveiller les enfants. Elle se retourna pour voir comment réagissait Diana. À sa grande surprise, elle constata que c'était la seule à ne lui prêter aucune attention : elle avait les yeux rivés sur Alice qui se tenait debout à quelques pas de là, la bouche pincée, les bras croisés sur la poitrine. Dans l'expression de Diana, Kitty ne décela aucune trace de la désapprobation ni de la consternation qu'elle s'attendait à y trouver. Au contraire, elle discerna dans les yeux gris-vert une lueur d'amusement et, sur les lèvres pourpres, un petit sourire de satisfaction. Diana paraissait se divertir de l'émoi qu'elle avait provoqué. Kitty baissa de nouveau les yeux, aussi intriguée que gênée à présent. Diana était l'épouse du fonctionnaire le plus haut placé et constituait, selon les mots de Theo, un exemple pour tous. Pourtant, en cet instant, elle ressemblait à une enfant espiègle se réjouissant des bêtises commises par d'autres.

Aux environs de midi, il y eut un soudain regain d'activité autour de la piscine. Femmes, enfants et *ayahs* se préparèrent à regagner leur foyer.

Diana se redressa sur son transat et s'étira langoureusement. Mais, au lieu de se lever, elle sortit un magazine de son sac.

« Je reste ici, annonça-t-elle en l'ouvrant. Je n'ai pas faim. De toute façon, Richard rentrera sans doute en retard. Il peut très bien se débrouiller sans moi. »

Kitty lui lança un regard alarmé. Theo l'attendait à la maison. Et elle avait hâte de le retrouver.

« Ne vous inquiétez pas, lui dit Diana, comme si elle avait deviné ses pensées. James vous ramènera avant d'aller chercher Richard.

— Merci, répondit-elle avec un sourire de soulagement.

— Je suis sûre que votre mari sera content de vous voir, murmura Alice d'un air guindé.

— Oui, nous avons beaucoup de choses à nous raconter », acquiesça-t-elle.

Diana haussa les sourcils, mais n'émit aucun commentaire. Hélant un serveur, elle lui demanda d'appeler son chauffeur.

En sortant du club, Kitty se mit à l'ombre d'un bougainvillier aussi grand qu'un arbre pour attendre la voiture. Plusieurs arbrisseaux s'étaient en fait associés pour former cette énorme masse de fleurs aux couleurs différentes – violet, abricot et blanc. Elle porta son regard vers le fond du parking et observa les gens qui regagnaient leur véhicule. Personne, apparemment, n'avait de chauffeur. En observant les femmes qui manœuvraient avec précaution et faisaient grincer les boîtes de vitesses, elle ne put s'empêcher d'éprouver un léger sentiment de supériorité. Elle avait su conduire avant même d'avoir fini l'école primaire. Elle espérait que Theo ne tarderait pas à acheter une seconde voiture. Puis elle secoua la tête, s'étonnant d'une telle pensée. Il ne lui avait pas fallu longtemps pour s'habituer à l'idée de posséder sa propre automobile !

James conduisit plus vite qu'il ne l'avait fait lorsque Diana était à bord. Tandis qu'ils filaient en cahotant sur la route criblée d'ornières, Kitty vit un objet rouler à ses pieds et se pencha pour le ramasser. C'était un petit flacon de verre rempli de pilules roses. Elle déchiffra l'étiquette portant une inscription à l'encre rouge, en lettres ornées de boucles, comme sur la vaisselle du Kongara Club. *Tonique sanguin du Dr Newman, efficace et sans danger*. Elle reposa le flacon sur ses genoux, ne sachant pas très bien ce qu'elle devait en faire. Si elle le laissait sur le siège, Diana comprendrait qu'elle avait vu le médicament et serait peut-être contrariée mais, au moins, elle n'aurait pas à le chercher partout… Finalement, elle le reposa sur le plancher.

Pendant tout le trajet, elle le sentit ballotter contre son pied. La couleur voyante des pilules et leur forme ronde leur donnaient quelque chose de sinistre. Elles ressemblaient à des bonbons destinés à tenter les enfants. Kitty savait que les problèmes de santé de Diana ne la regardaient pas ; cela relevait du domaine privé. Mais elle ne pouvait s'empêcher de songer à sa tante Madge qui, disait-on, souffrait des nerfs. Elle se comportait de façon étrange et imprévisible ; avec elle, on ne savait jamais sur quel pied danser, ni comment elle allait réagir. Madge prenait elle aussi un tonique pour le sang – pas des pilules, mais un sirop bleu évoquant un remède pour chevaux. Elle baissa les yeux vers le flacon. Tout s'expliquait à présent : la réaction de Diana quand ils avaient failli écraser la petite fille, son comportement bizarre ce matin. Diana n'allait pas bien. Elle souffrait de troubles nerveux. Elle avait pourtant l'air si robuste, éclatante de santé !

Ils arrivèrent bientôt en vue du campement grouillant d'activité. Aux abords du bureau central, elle chercha des yeux le Land Rover de Theo, angoissée à l'idée qu'il était peut-être rentré avant elle et avait trouvé la maison vide. Elle fut soulagée en apercevant la forme nette et trapue du véhicule devant la tente principale. Une Rolls-Royce noire était garée juste à côté. Quand elle fut plus près, Kitty l'examina avec attention. Elle était plus grosse que la Daimler, et les courbes de sa carrosserie encore plus extravagantes. Mais elle était aussi plus vieille, et sa peinture était ternie. Il y avait même une bosse sur le pare-chocs. Sans doute appartenait-elle au directeur de l'agriculture, le mari d'Alice. Elle commençait à se former une image plus précise du petit monde de Kongara – une sorte de diagramme en arbre. Diana, épouse du directeur général et résidant au 1, Hillside Avenue, se trouvait tout en haut de cet arbre, et elle-même sur la branche du dessous. Alice devait habiter à côté d'elle, au 3. Leurs maris occupaient sans doute des postes équivalents, ce qui signifiait qu'Alice et elle étaient situées au même niveau – à cette nuance près que le 2 était une adresse plus prestigieuse. Tout au fond d'elle-même, elle aurait préféré être une résidente ordinaire de Kongara, quelqu'un qui travaillait dur et qu'on remarquait à peine. Avec un serrement de cœur, elle songea à Paddy et aux autres mécaniciens, et se demanda s'ils s'habituaient à leur nouveau cadre de vie et si elle aurait l'occasion de les revoir.

Sans prévenir, James ralentit et, quittant la route, se mit à rouler au pas sur le bas-côté. Des broussailles raclèrent le châssis de la voiture. Avant qu'elle ait eu le temps de demander ce qui se passait, elle vit un véhicule arriver vers eux. Ce n'était ni une Jeep, ni un camion, ni un tracteur, mais une bizarre combinaison des trois, munie de pneus étroits à l'aspect suranné et de phares bulbeux et très rapprochés. La cabine ressemblait à un abri de planches ouvert sur deux côtés, et le volant était monté sur un piquet de clôture. Le capot cabossé, rouge à l'origine, était couvert d'une épaisse couche de poussière. Kitty écarquilla les yeux, effarée : un petit enfant nu y était accroupi, se cramponnant à deux mains. Ce spectacle choquant lui coupa le souffle. Puis elle s'aperçut que c'était un singe.

Le véhicule était tout près maintenant et le fracas de son moteur couvrait le ronronnement de la Daimler. Kitty examina subrepticement le conducteur. Il portait une vieille tenue de brousse assez semblable à celle de Bowie, mais pas de chapeau ; ses cheveux se hérissaient en tout sens sur sa tête. Et il était beaucoup plus jeune que le chasseur. Il agrippait le volant comme s'il avait du mal à en garder le contrôle. Fugitivement, leurs regards se croisèrent. Même à cette distance, il avait des yeux saisissants ; son expression était impénétrable et en même temps étrangement troublante. Il la salua au passage et elle leva vivement la main pour lui répondre, avant de la baisser tout aussi vite en comprenant que le geste ne s'adressait pas à elle : l'homme remerciait James de lui avoir cédé le passage.

Se penchant vers le chauffeur, elle s'enquit :

« Qui était-ce ? »

Elle se demandait pourquoi James témoignait une telle déférence à cet homme. Peut-être craignait-il simplement que celui-ci n'endommage la Daimler ?

Pour conduire un engin pareil, il fallait être un peu casse-cou.

« Bwana Tayla. »

Un nom peu courant, se dit-elle, avant de se rendre compte que c'était probablement « Taylor » et que la deuxième syllabe raccourcie sonnait comme une voyelle.

« Travaille-t-il pour l'OFC ? »

Au moment même où elle posait cette question, elle prit conscience que ce n'était guère vraisemblable. Taylor était trop débraillé. Et sa façon de conduire, ainsi que le salut échangé avec James, suggérait une longue expérience du pays.

« Non, répondit le chauffeur, confirmant cette intuition. Les gens de Londoni ne l'aiment pas.

— Pourquoi ?

— Je ne sais pas », dit James en secouant la tête.

Son ton indiquait qu'il n'était pas disposé à fournir d'autres explications.

Kitty jeta un regard derrière elle. Le véhicule était déjà loin. De la fumée noire sortait du pot d'échappement ; sans doute brûlait-il son huile, comme le vieux camion Chevrolet de son père. Le souvenir de la bonne vieille machine fit monter en elle un flot de chagrin et de culpabilité, et ses pensées se tournèrent vers le passé. Elle espérait que le camion marchait toujours – elle frémissait à l'idée de ce qui risquait d'arriver s'il avait rendu l'âme. Son père avait eu l'intention de remplacer le véhicule à la mort de sa belle-mère, grâce à l'héritage qu'elle leur laisserait. Il avait également prévu de construire de nouvelles cabanes pour les tondeurs. Pendant des années, il avait dû supporter les visites de sa belle-mère, ses airs prétentieux – elle insistait pour qu'on l'appelle Gloria, par exemple, et non mamie comme toutes les autres grands-mères –, et cela méritait bien une récompense. Toutefois, la vieille femme avait modifié son testament en secret. Elle laissait quelques bijoux à sa fille, et divers biens à répartir entre ses petits-fils. Mais elle léguait tout son argent à Kitty.

C'était seulement lors de la lecture du testament, dans l'étude du notaire à Sydney, qu'ils avaient appris la nouvelle. À la stupéfaction de sa famille, le notaire, M. Walker, avait requis la présence de Kitty. D'une voix calme et grave, il leur avait exposé la situation. Il avait reçu des instructions très claires. Le testateur avait le droit de disposer de sa fortune comme il l'entendait, et sa cliente avait désigné Kitty comme sa principale héritière. Assise dans son coin, elle avait serré avec force les bras de son fauteuil en écoutant les vociférations indignées et incrédules de son père. Sa mère avait elle aussi protesté, mais M. Walker était demeuré intraitable.

« Elle a fait ça par pure méchanceté, avait fini par déclarer son père. Mais ça ne changera rien à la façon dont l'argent sera dépensé.

— Bien sûr que non, avait renchéri sa mère. Ça reste dans la famille. »

M. Walker leur avait alors fait remarquer que la somme avait été déposée dans un compte en fidéicommis jusqu'à la majorité de Kitty, à vingt et un ans, âge qu'elle n'atteindrait que trois ans plus tard. Elle pourrait toutefois en disposer avant cette date, à condition de l'utiliser exclusivement pour étudier ou voyager.

« Étudier ? Voyager ? s'était exclamé son père, s'étranglant de rage. Qu'est-ce que ça signifie, bon sang ?

— Gloria voulait que j'aille en Angleterre, avait expliqué Kitty. Elle souhaitait que je devienne une artiste. »

Elle savait combien cette déclaration paraissait insensée. Mais c'était la vérité. Depuis qu'elle était sortie de l'enfance et donc à même de discuter avec sa grand-mère d'égale à égale, celle-ci lui avait raconté mille anecdotes sur sa jeunesse en Angleterre, les musées, les galeries d'art, les artistes qu'elle avait connus. Lorsque Kitty avait remporté le premier prix de la foire agricole pour son fusain d'un cheval, Gloria avait décrété que sa petite-fille possédait un don pour le dessin et qu'elle devait le cultiver.

« Un jour, tu iras en Angleterre et tu deviendras une artiste, avait-elle affirmé d'un ton catégorique. Cet endroit est trop petit pour toi. »

Kitty avait bu ces paroles flatteuses, sans imaginer un seul instant que cette prophétie deviendrait une réalité. En y repensant, elle se rendait compte que, au cours de ses visites, Gloria n'avait cessé de glisser des allusions à cet autre monde qui l'attendait loin du lieu rude et désolé que les Miller appelaient leur foyer, et de lui en vanter les merveilles. Kitty lui cédait toujours sa chambre et, après le départ de sa grand-mère, la pièce restait pendant des jours imprégnée de son parfum – pas une senteur banale comme la rose ou le muguet, mais une fragrance riche et épicée en provenance de Paris. Parfois, elle laissait aussi derrière elle une chemise en soie ou une paire de bas. Et toujours un roman. Pas un grand classique de la littérature, comme Kitty en empruntait quelquefois à l'un de ses professeurs, mais une nouveauté commandée à l'étranger – *Autant en emporte le vent*, *Les Neiges du Kilimandjaro*, *Tendre est la nuit*. Des histoires qui se déroulaient toujours dans des pays lointains, avec des personnages menant une vie passionnante et remplie de glamour. Le fait que les héroïnes aient fréquemment le cœur brisé n'empêchait pas Kitty de souhaiter ardemment échanger son existence contre la leur. Aujourd'hui encore, les livres demeuraient associés dans son esprit à l'odeur de la laine de mouton et du fumier. Elle lisait en cachette dans le hangar de tonte quand celui-ci n'était pas utilisé, dissimulant soigneusement les livres à ses parents, surtout dans les semaines qui suivaient chaque visite de sa grand-mère. Sa mère se prétendait ravie de recevoir Gloria et se montrait invariablement polie et souriante envers elle mais, après son départ, elle avait toujours les nerfs à fleur de peau, grondait Kitty et ses frères au moindre prétexte et se querellait même avec son mari. Dans ces moments-là, mieux valait accomplir avec zèle toutes les tâches qu'elle vous assignait et ne pas se faire prendre en train de gaspiller son temps avec un roman ou un carnet à dessin.

Par-dessus l'épaule de James, Kitty contempla la route qui s'étirait devant eux. Avec cette poussière rouge et ces broussailles desséchées par le soleil, elle aurait presque pu se croire revenue en Nouvelle-Galles du Sud. Elle tenta de se représenter la vie aux Sept Gommiers aujourd'hui. Au moins savait-elle que tous les siens avaient survécu à la guerre. Elle avait réussi à contacter une ancienne camarade de classe par l'intermédiaire de l'école de Wattle Creek ; un professeur avait obligeamment fait suivre la lettre, et Myra avait répondu. Myra ne connaissait pas très bien la famille Miller, mais elle avait cependant pu lui assurer que tout le monde était vivant et en bonne santé. Les agriculteurs étant considérés comme des travailleurs essentiels à la nation, son père n'avait pas été mobilisé. Jason s'était enrôlé dans la marine et avait combattu dans le Pacifique, mais il était rentré sain et sauf au pays. Tim avait été déclaré inapte en raison d'une insuffisance cardiaque due à un rhumatisme articulaire aigu. Les autres garçons étaient trop jeunes pour être recrutés. En lisant la lettre, Kitty avait failli pleurer de soulagement. Elle avait aussitôt envoyé une nouvelle missive à Myra pour l'implorer de lui envoyer davantage de détails, mais son courrier était demeuré sans réponse.

Avant de quitter l'Angleterre pour rejoindre Theo, elle avait écrit à ses parents pour leur annoncer son départ pour le Tanganyika, en leur indiquant sa nouvelle adresse – *Mme Theodore Hamilton, Kongara, territoire du Tanganyika, Afrique de l'Est.* Elle se doutait toutefois que sa lettre resterait ignorée, comme toutes les autres. Probablement n'ouvraient-ils même pas les enveloppes portant son écriture. À leurs yeux, elle avait fait preuve d'un égoïsme éhonté. Le fait qu'elle ait réussi à réaliser les rêves que sa grand-mère avait conçus pour elle n'avait aucune importance. Elle n'avait pas respecté leur volonté, elle avait trahi la famille, et elle savait qu'elle ne serait jamais pardonnée.

Appuyée à la balustrade de la véranda, Kitty contemplait Kongara. Theo se tenait à côté d'elle. Ils avaient emporté leurs verres et regardaient le soleil se coucher.

« C'est l'habitude, ici – prendre l'apéritif en admirant le crépuscule », avait-il expliqué en levant son verre.

Il avait renversé la tête en arrière pour boire et Kitty

avait observé son profil. Il lui paraissait à la fois familier et un peu étranger. Quand il était rentré pour le déjeuner – en retard et chargé d'une lourde mallette –, ils avaient échangé des saluts polis et presque gênés. Et ce soir, le malaise ne s'était toujours pas dissipé. Elle se sentait bizarrement éloignée de son mari, et elle le soupçonnait d'éprouver le même sentiment ; ils étaient physiquement proches l'un de l'autre, mais c'était comme si leurs cœurs ne s'étaient pas encore rejoints. Ils étaient réunis, et pourtant toujours séparés. Mais elle venait tout juste d'arriver, et ils avaient besoin d'un temps d'adaptation. Bientôt, elle en était persuadée, ils se seraient réhabitués l'un à l'autre et leur relation redeviendrait plus aisée.

Le disque rouge avait presque entièrement disparu au-dessous de l'horizon. Et tout à coup, la vue qui s'offrait à elle se métamorphosa. La laideur du campement se fondit dans le paysage. Au loin, l'immense balafre des plantations s'estompa sous la lumière rosée. Puis brusquement, le soir tomba, recouvrant la plaine d'une épaisse noirceur. Kongara n'était plus qu'un amas de petits points lumineux, nimbé de charme et de mystère. Plus loin, dans les unités d'exploitation, des lumières étaient également apparues.

« Ce sont les logements des chefs de chantier et des ouvriers, lui expliqua Theo, quand elle lui demanda ce qui se trouvait là-bas. Ils ont tout ce qu'il leur faut sur place, des magasins, des bars, des courts de tennis. Ils n'ont donc aucune raison de venir à Londoni. Il y a même un club équipé d'une piscine, et une église catholique. » Secouant la tête d'un air admiratif, il ajouta : « C'est une vaste entreprise. Les plantations elles-mêmes n'en représentent qu'une petite partie.

Nous devons fournir aux gens tout ce dont ils peuvent avoir besoin.

— C'est extraordinaire, acquiesça Kitty. Quand on considère l'ampleur de la tâche…

— Et nous avons un énorme travail à accomplir auprès de la tribu locale, les Wagogo. C'est ainsi qu'ils s'appellent, le croiras-tu ? Apparemment, quand on parle d'un seul individu, il faut dire "Mgogo". » Il sourit, visiblement fier d'étaler ses connaissances. « Quoi qu'il en soit, nous devons les faire passer sans transition de l'âge de pierre au vingtième siècle. C'est indispensable, si nous voulons leur faire adopter d'autres techniques agricoles.

— Les terres ont l'air assez arides, avança Kitty d'un ton circonspect. Elles semblent mieux adaptées à l'élevage de moutons qu'aux plantations. »

Il agita sa cigarette d'un geste dédaigneux.

« Avec du matériel et des méthodes modernes, nous pouvons les transformer du tout au tout. Mais il ne faut pas faire les choses à moitié – on a vu ce que cela a donné en Jamaïque. Si nous voulons fournir de la margarine aux ménagères européennes – et il s'agit là d'une planification à long terme, sur des décennies et non quelques années –, nous avons besoin d'une véritable révolution agraire. » Sa voix résonna avec force dans les ténèbres environnantes. « Et c'est exactement le but du plan Arachide.

— Les cacahuètes seront-elles toutes exportées vers l'Europe ? » demanda Kitty, se rappelant le discours de Billy, l'ingénieur du Middlesex, et son enthousiasme à l'idée de mener une guerre contre la faim. Ici aussi, la population devait avoir besoin d'huile végétale…

« Ma foi, oui. Toute la production est destinée

à l'exportation. Mais le Plan apportera aussi de nombreux bienfaits aux Africains, à commencer par des emplois, rétorqua-t-il en se tournant vers elle – le type même de l'Anglais civilisé, dans son élégant costume, avec son visage soigneusement rasé. Et un jour, ils hériteront de tout cela. Quand ils seront prêts, la Grande-Bretagne rendra le Tanganyika aux Africains. C'est l'objectif ultime de notre mission : leur permettre d'accéder à l'indépendance.

— Et l'Australie ? s'enquit-elle en levant vers lui un regard étonné. Cessera-t-elle également d'être une colonie ?

— Bien sûr que non ! répondit Theo en riant. Ce n'est pas pareil. Là-bas, la population est blanche.

— Et ici ? La population est-elle entièrement composée de Noirs ? » demanda Kitty. Elle avait conscience de ressembler à une écolière interrogeant le maître, mais elle ne pouvait pas refréner sa curiosité.

« Beaucoup d'Indiens vivent ici depuis des générations et se considèrent comme des citoyens de ce pays. Certains Européens sont également là depuis longtemps : des Allemands qui sont restés après la fin du protectorat, un petit nombre de Grecs et d'Italiens. On trouve même quelques Anglais qui sont nés et ont grandi ici – des individus assez bizarres, pour la plupart. »

Kitty se souvint de l'homme qu'ils avaient croisé sur la route, dans ce véhicule invraisemblable avec un singe sur le capot. Peut-être était-ce l'un de ces excentriques… Quand elle relata cette rencontre à Theo, il s'exclama d'un ton méprisant, comme s'il crachait le nom plus qu'il ne le prononçait :

« Taylor !

— Qui est-ce ?

— Il est *persona non grata* ici, c'est le moins qu'on puisse dire. L'exemple même de l'éternel mécontent. C'est un fermier du coin, si l'on veut. Il avait rédigé un rapport d'évaluation préalable sur le projet, mettant en doute sa viabilité. Mais il s'est révélé qu'il ne cherchait qu'à défendre ses propres intérêts. Bien sûr, il a été obligé de reconnaître son erreur. Un sale type », conclut Theo en secouant la tête.

Percevant de la tension dans sa voix, dans son attitude, Kitty regretta d'avoir mentionné Taylor.

« Ne t'inquiète pas, reprit-il, tu n'auras pas à le rencontrer. Il a été exclu du club. S'il ne tenait qu'à nous, nous le bannirions même de toute cette foutue région ! »

Elle posa une main sur son bras en un geste apaisant.

« Regarde toutes ces lumières… Elles donnent à Kongara un aspect féerique. »

Theo exhala lentement, puis son expression s'adoucit.

« Oui, c'est vrai. » Se tournant vers la maison, il poursuivit : « J'ai une faim de loup. Quel jour sommes-nous ? »

À travers les vitres, Kitty vit Eustace disposer sur la table des plats de service en porcelaine – ceux de Cynthia. Du bœuf froid, des légumes, de la salade de pommes de terre.

« Ce doit être mardi », répondit-elle en souriant.

4

En passant devant le potager pour gagner le fond du jardin, Kitty jeta un regard par-dessus son épaule. Aucun signe d'Eustace ni de Gabriel ; sans doute s'affairaient-ils toujours dans le cellier. C'était dans cette pièce qu'elle les avait trouvés après le petit déjeuner, penchés sur les coffres où l'on rangeait les légumes secs et les biscuits pour les mettre à l'abri des rats. Apparemment, ils effectuaient l'inventaire mensuel des provisions, selon une procédure compliquée mise au point par Cynthia. Deux semaines s'étaient écoulées depuis son arrivée, mais les deux employés se comportaient comme s'ils étaient toujours au service de l'ancienne memsahib. Le jardinier, en revanche, se conformait avec empressement à ses instructions. Mais il était tellement inefficace que les résultats n'étaient guère visibles. Lui aussi était hors de vue, occupé à tailler les bougainvilliers devant la maison.

À l'arrière, le jardin était fermé par une haute haie d'une plante grasse que le jardinier appelait *manyara*. Partout dans Kongara, on utilisait la même plante pour délimiter les espaces : en bordure des parkings, des routes, des jardins et même des petits champs dénommés *shamba*. Kitty longea la haie et finit par y déceler une brèche. En s'enfonçant dans le taillis, elle cassa une branche au passage. Une sève laiteuse suinta de l'extrémité brisée, et elle s'en écarta prudemment ; si on en recevait dans les yeux, lui avait-on dit, on risquait de perdre la vue.

Elle vérifia que le liquide poisseux n'avait pas taché sa chemise. C'était l'un des vieux vêtements donnés par Janet. Ce matin, sitôt Theo parti au travail, elle avait troqué sa robe contre cette tenue de brousse et chaussé une paire de bottes d'équitation rapportée d'Australie. Elle s'était sentie coupable de mentir à Theo, mais c'était plus facile que de lui expliquer qu'elle n'avait pas envie d'aller au club, ni sur le court de tennis ou dans les boutiques. Elle était lasse des conversations où il n'était question que des crèmes de beauté qui empêchaient la peau de briller et du sparadrap qu'il fallait se coller entre les sourcils, quand on était seule chez soi, pour éviter qu'un pli ne se forme. Elle en avait assez de Diana et de son comportement imprévisible. Elle voulait simplement être seule.

De l'autre côté de la haie, elle se retrouva sur un bout de terrain qui n'était ni cultivé ni sauvage. Elle aperçut les vestiges d'un carré de maïs abandonné, quelques tessons d'une poterie en argile et un tronc d'arbre dont toutes les petites branches avaient été coupées. Tout en se frayant un passage vers le sommet d'une colline basse, elle nota mentalement ses points de repère. Elle savait qu'il ne fallait jamais s'aventurer en territoire inconnu sans mémoriser soigneusement son itinéraire, afin de pouvoir retrouver son chemin sans peine. Dans son enfance, elle avait entendu quantité d'histoires sur des enfants qui s'étaient perdus dans le bush et que l'on n'avait jamais retrouvés. Janet lui avait affirmé que les lions, les éléphants, les rhinocéros et même les buffles ne s'attaquaient jamais aux humains à moins d'être surpris ou provoqués. Les serpents représentaient un danger bien plus grave. En zigzaguant entre les épaisses touffes d'herbe, Kitty gardait prudemment son regard fixé sur ses pieds. Ce ne fut qu'une fois parvenue au sommet de la colline qu'elle s'arrêta et leva les yeux.

Elle retint son souffle, émerveillée par la beauté du paysage qui s'offrait à elle. Une immense plaine s'étendait jusqu'aux avant-monts. Entre des morceaux de savane, on distinguait de larges parcelles de terre nue d'un profond rouge orangé, sur laquelle se détachaient quelques bouquets d'herbe dorée. Çà et là se dressaient de gigantesques baobabs aux larges troncs cannelés et aux branches bizarrement tordues et dénuées de feuilles. Ils étaient espacés les uns des autres, comme si leur majesté même exigeait la solitude. Portant son regard vers les collines, Kitty contempla un tapis vert tendre parsemé de rochers ocre et, au-delà, des montagnes au pic escarpé et rocailleux. Au-dessus s'étendait un ciel d'un bleu uniforme.

C'était un paysage propre à ravir n'importe quel peintre. Le ciel était du bleu outremer le plus pur. La couleur appelée « terre verte » aurait idéalement rendu le gris-vert des feuilles, dont les tons pastel lui rappelaient les gommiers et les acacias de la Nouvelle-Galles du Sud, résistants à la sécheresse. Les ombres sur les troncs étaient violet foncé. (Et non pas noires, bien entendu : le noir n'existe pas.) Pour obtenir cette teinte, il faudrait utiliser le même bleu que pour le ciel, avec une pointe de rouge – de l'alizarine cramoisie, par exemple. Même le nom de cette peinture était exotique. Le pigment était extrait de la racine de la garance, une plante de la famille des rubiacées utilisée depuis la plus haute Antiquité. Un fragment d'étoffe teinte avec de la garance avait été découvert dans la tombe de Toutankhamon. La teinture avait également servi à confectionner les célèbres tuniques rouges des soldats anglais. C'était Yuri qui lui avait enseigné tout cela.

« Tu dois comprendre tes couleurs, lui avait-il expliqué. Comment elles sont fabriquées, quels sont leurs différents usages. Le peintre doit connaître toute leur histoire. »

Elle secoua la tête, chassant cette réminiscence. Elle ne devait plus penser à Yuri, ni à sa vie d'artiste. Tel était le pacte qu'elle avait conclu avec Theo, et avec elle-même. Certaines parties de son passé ne devaient plus jamais être évoquées. Elle ne devait même plus s'en souvenir.

Elle fit quelques pas en direction d'un énorme rocher. Son sommet était aplati, un peu comme si on l'avait sculpté pour en faire un siège. Elle s'y installa, appuya ses coudes sur ses genoux et cala son menton entre ses mains. Tandis qu'elle promenait son regard sur les plaines, ses pensées recommencèrent à vagabonder. Dans la maison de la rue des Millionnaires, il lui était plus facile de garder ses souvenirs enfouis tout au fond de sa mémoire, enfermés sous clé. Et si jamais ils s'échappaient, elle parvenait sans peine à les maîtriser, car elle sentait en permanence autour d'elle la présence de Theo, et elle avait l'impression qu'il la surveillait même quand il n'était pas là. Mais ici, face à ces vastes étendues ouvertes, sans nulle part où se cacher, c'était différent. Confrontée à la puissance de ces montagnes, à la force de ces troncs massifs, à l'immensité des cieux, elle se sentait toute petite. Ce qu'elle était, ce qu'elle avait fait, n'avait plus aucune importance. Il ne semblait plus nécessaire, ni même possible, d'ériger des murs dans son esprit, de séparer le présent du passé.

Assise sur son siège de pierre, elle laissa libre cours aux souvenirs qui se pressaient aux portes de sa mémoire. Ils l'assaillirent avec force, aussi vivaces et précis que le paysage s'étirant devant elle, et la ramenèrent vers d'autres temps. Avant la guerre. Avant sa rencontre avec Theo. Elle venait tout juste de débarquer en Angleterre, jeune Australienne voyageant pour la première fois hors de son pays. Et l'une des plus grandes aventures de sa vie allait commencer…

Sur les marches de la National Gallery, un pigeon picorait des graines éparses. Il y en avait quelques-unes aux pieds de Kitty, et elle regarda l'oiseau s'approcher hardiment d'elle et pointer son bec vers le sol de pierre grise. Il était midi et le ciel était dégagé, mais la lumière du soleil chatoyant sur le plumage lustré du pigeon ne répandait aucune chaleur. Elle s'appuya contre l'une des puissantes colonnes ornant la façade de l'édifice. Le froid s'insinuait à travers son manteau et les semelles de ses souliers. Mais c'était à peine si elle le remarquait, tant son esprit foisonnait d'images et d'impressions. Elle était sortie du musée quelques instants seulement auparavant – l'air confiné du lieu emplissait encore ses poumons – et elle avait déjà hâte d'y revenir.

C'étaient les dimensions mêmes des tableaux qui l'avaient d'abord impressionnée – toutes ces toiles gigantesques dans leurs cadres dorés et ornementés. Et ensuite, les couleurs, si riches et profondes, comparées à celles des photos qu'elle avait pu voir dans les livres de Gloria. Mais ce qui l'avait captivée par-dessus tout, c'était la texture de la peinture. Elle avait examiné les œuvres d'aussi près qu'elle l'avait pu, s'attirant les regards soupçonneux du gardien. Elle avait constaté qu'elles étaient composées de milliers de petits coups de pinceau. Et pourtant, quand elle prenait du recul, tous ne formaient plus qu'une seule image. Cela tenait du miracle.

Le pigeon s'envola, attirant son regard. Il alla se poser quelques marches plus bas, non loin d'une jeune femme aux cheveux roux accompagnée de deux hommes. Kitty reconnut le trio qu'elle avait déjà aperçu à l'intérieur du musée. Eux aussi avaient examiné les peintures avec attention, en pointant le doigt vers des points précis. La femme avait même sorti un calepin et griffonné quelques notes. Kitty les avait observés du coin de l'œil, en se tenant parfaitement immobile, comme elle l'aurait fait en présence d'animaux sauvages prêts à s'enfuir au moindre geste de sa part. Elle étudiait leurs vêtements, leurs attitudes. La jeune femme était vêtue d'un manteau trop grand pour elle et qui donnait l'impression d'avoir été emprunté à son grand-père. Une étoffe rouge vif apparaissait par éclairs à l'encolure et aux manches. Ses cheveux étaient empilés sur sa tête en une masse désordonnée d'où retombaient des mèches folles. Les hommes portaient des vestes de tweed rapiécées aux coudes et des chemises à col mou. L'un d'eux avait le cou ceint d'une écharpe à impression cachemire bordée de quelques maigres vestiges de frange. Ils avaient semblé parfaitement à l'aise dans la galerie, parlant d'un ton modéré mais de façon ininterrompue, sans se préoccuper des coups d'œil désapprobateurs du gardien.

À présent, sur les marches du musée, ils paraissaient encore plus détendus et bavardaient en riant – et, les deux hommes du moins, en fumant des cigarettes. Tout à coup, l'expression de la jeune femme se fit grave, suggérant que la conversation avait pris un tour plus sérieux. Elle agita les mains pour souligner ses paroles. Ses compagnons acquiescèrent avec enthousiasme.

Kitty suivait la scène sans rien entendre des mots échangés, mais fascinée par la passion commune qui paraissait les unir. Un sentiment d'envie et de profonde solitude la submergea soudain.

Deux semaines avaient passé depuis qu'elle avait quitté la demeure des Harris. C'étaient de lointains cousins du notaire de sa grand-mère, M. Walker. En apprenant que les parents de Kitty, s'ils n'étaient pas allés jusqu'à l'empêcher de se procurer un passeport, lui avaient néanmoins déclaré que, si elle partait pour l'étranger, elle ne devrait compter sur aucun soutien de leur part, il avait endossé le rôle de mentor. Il lui avait indiqué où elle pourrait loger à Sydney en attendant de partir pour l'Europe et l'avait aidée à acheter son billet pour la traversée. Il l'avait même accompagnée sur le quai pour la saluer et avait souri du ravissement qu'elle avait manifesté en découvrant la cabine de deuxième classe qui allait devenir son logis pour six semaines.

M. Walker s'était entendu avec les Harris afin qu'ils l'hébergent à son arrivée à Londres, aussi longtemps que ce serait nécessaire. C'étaient des gens polis et bienveillants, et ils avaient l'air heureux de la recevoir. Mais la maison était beaucoup trop calme. M. Harris passait beaucoup de temps dans son club ; son épouse se reposait pendant la plus grande partie de la journée et, le soir, elle écoutait la radio. Kitty était allée faire quelques excursions : la tour de Londres, Piccadilly Circus et Big Ben. En dehors de cela, elle était restée de longues heures seule dans sa chambre. Elle avait entrepris quelques travaux de dessin – une écharpe drapée, une fleur fanée – et avait lu des livres empruntés à Mme Harris. La solitude à laquelle elle avait tant aspiré, après avoir vécu entourée de frères bruyants, ne lui paraissait plus être un luxe enviable. La fenêtre de sa chambre en sous-sol était munie de barreaux et placée juste au ras du trottoir. Quand elle s'asseyait en dessous et contemplait le défilé incessant des pieds des passants – souliers et bottines élégants ou robustes, neufs ou usagés –, elle avait l'impression d'être en prison. Et quand elle feuilletait les dessins et les peintures réalisés au cours de son voyage, impressions chaotiques du port de Bombay, aquarelles de couchers de soleil sur l'océan, sa situation présente lui semblait encore plus morne et ennuyeuse.

Lorsqu'elle ne put supporter davantage cette situation, elle se résolut à partir. Elle remercia M. et Mme Harris de leur hospitalité et leur offrit l'esquisse qu'elle avait faite de leur maison. Elle s'était installée dans le parc d'en face et avait appuyé son carnet à dessin contre la grille en fer forgé. Ombrant le dessin pour accentuer les contrastes, elle avait donné à la demeure un aspect spectaculaire, la distinguant des constructions voisines. Le couple avait eu l'air surpris et ravi. Elle n'aurait su dire s'ils étaient soulagés ou attristés de la voir partir. Elle ne leur avait donné que de vagues indications sur sa destination et, quand elle était montée dans le taxi, ils lui avaient souhaité bonne chance.

Quand le véhicule était arrivé dans le centre de Londres, elle s'était penchée en avant pour chercher à apercevoir le fameux Savoy Hotel. Et lorsqu'elle avait découvert la façade majestueuse, tout son corps avait été traversé par un frisson d'excitation. Un homme en uniforme impeccable lui avait ouvert la portière. En s'avançant vers l'entrée, elle avait réprimé un sentiment de panique. Venir ici était un geste insensé, une extravagance. Elle avait l'impression d'être un personnage de Francis Scott Fitzgerald – Bernice, Honoria ou Josephine – ou même Zelda, l'épouse de l'écrivain. Elles descendaient toutes dans des établissements comparables à celui-ci. Mais ce n'était pas pour cette raison qu'elle l'avait choisi. Le Savoy était l'hôtel préféré de Gloria, et Kitty était certaine que sa grand-mère l'aurait approuvée.

Suivie d'un porteur tenant sa vieille valise tout éraflée, elle avait marché tête haute, imitant l'attitude altière de Gloria. La vieille dame s'était toujours redressée de toute sa taille avant de faire son entrée dans un lieu quelconque – qu'il s'agisse du hangar de tonte, de l'église ou du bazar du village. Kitty craignait que les portiers, si élégants sous leurs hauts-de-forme, ne l'aient immédiatement identifiée comme une intruse, mais ils lui avaient témoigné une parfaite courtoisie. Quand on lui avait montré sa suite – la moins chère qui fût disponible –, elle était restée muette d'émerveillement.

« Quelque chose ne va pas, madame ? » s'était enquis le chasseur.

Elle avait secoué la tête, trop émue pour parler.

Elle était restée une semaine là-bas, prenant le déjeuner et le dîner dans la salle à manger et se faisant apporter le petit déjeuner dans sa suite. Dans le hall, elle bavardait parfois avec d'autres clients – les plus avenants d'entre eux. Leurs questions sur l'Australie l'amusaient et la déconcertaient tour à tour. Possédait-elle un koala comme animal de compagnie ? Savait-elle siffler dans une feuille de gommier ? Avait-elle déjà vu un aborigène ? Elle dut réfléchir un moment avant de répondre à cette dernière question. Elle était persuadée que ces Anglais, quand ils songeaient aux aborigènes, étaient loin de s'imaginer quelqu'un comme Gunja, l'ouvrier agricole itinérant qui venait travailler chez eux quand cela lui plaisait. Il avait la peau noire et les cheveux hirsutes, comme les aborigènes représentés dans les livres d'images, mais il était habillé comme tout le monde et armé d'un fusil au lieu d'un javelot. Elle s'était contentée d'une vague remarque sur les boomerangs et les *corroborees*, ces réunions accompagnées de danses et de chants rituels, en espérant qu'on ne lui demanderait pas plus de détails.

Tous les matins et les après-midi, elle allait se promener dans les rues avoisinantes. Tout l'intéressait, des boutiques de luxe jusqu'aux vendeurs ambulants, des dames parées de fourrures et de bijoux en pleine matinée jusqu'aux chats errants. Le British Museum n'était qu'à quelques minutes de marche. Elle poussait parfois jusque-là rien que pour contempler le bâtiment. Il ressemblait à un immense temple romain, avec sa rangée de colonnes doriques surmontée d'une frise de personnages de l'Antiquité vêtus de toges. Elle avait le sentiment qu'il existait un lien entre ce monument emblématique de Londres et la statue dorée d'un soldat romain surplombant l'entrée du Savoy. À force d'aller et venir d'un édifice à l'autre, elle avait fini par se sentir chez elle dans ce quartier.

Au moment de régler sa note, elle s'aperçut que le compte en banque ouvert pour elle par M. Harris était déjà presque vide. Portant elle-même sa valise, elle passa à toute vitesse devant les portiers, refusant d'un signe de tête les offres des taxis. Elle se dirigea vers un endroit qu'elle avait remarqué en se rendant au musée. Une pancarte placée derrière la vitre d'une maison encrassée de suie annonçait, en grosses lettres tracées à la main : *Chambres libres. Prix modique.*

Depuis qu'elle avait emménagé dans ce meublé, elle vivait dans la solitude la plus totale. La propriétaire ne se montrait que pour encaisser le loyer, et les autres locataires étaient pratiquement invisibles. L'un d'entre eux au moins travaillait la nuit et dormait toute la journée. La vie sociale de Kitty se réduisait aux sourires et aux brèves paroles échangées avec les gens qu'elle croisait – en déposant son manteau au vestiaire du musée ou en payant son addition dans le salon de thé où elle avait ses habitudes. À quoi d'autre pouvait-elle s'attendre, en entreprenant ce voyage ? Il était évident qu'elle s'exposait à souffrir d'isolement. Mais en vérité, elle s'était imaginé qu'elle connaîtrait ici la même expérience que Gloria – qu'elle vivrait dans un tourbillon de fêtes et de réceptions, rencontrerait des artistes et des romanciers, se ferait des amis et tomberait peut-être même amoureuse. Bien sûr, Gloria était une femme cultivée et sophistiquée qui savait comment nouer des relations. Kitty n'était qu'une fille de la campagne. Même vêtue des habits hérités de sa grand-mère, tels que le corsage en soie crème ou le tailleur qui, selon Gloria, était d'une élégance intemporelle, elle ne parvenait pas à faire illusion. Et quand elle portait les jupes et les blouses confectionnées à la maison, ou le cardigan tricoté à la main que Mme Harris lui avait offert, elle se trouvait terne et démodée…

Elle regarda la jeune femme rousse qui conversait toujours avec ses amis. Dans ce manteau trop grand, n'importe quelle autre femme aurait eu l'air d'une clocharde, et pourtant, sur elle, il paraissait presque chic. Peut-être l'élégance était-elle un don inné, songea Kitty. À moins qu'elle ne dépende du rang social et de l'adresse à laquelle on habitait. Dans un cas comme dans l'autre, elle n'avait aucune chance de faire bonne impression.

Sous son regard, la femme remonta la lourde manche du manteau et consulta sa montre. Les hommes éteignirent leurs cigarettes et écrasèrent les mégots sous leurs talons. Puis tous trois commencèrent à descendre les marches.

À mesure qu'ils s'éloignaient, Kitty crut sentir s'estomper l'aura chaleureuse qui émanait de leur camaraderie. Après un court instant d'hésitation, elle leur emboîta le pas. Elle n'avait pas l'intention de leur parler, elle voulait simplement les observer un moment de plus. S'ils entraient dans un salon de thé, elle les y suivrait peut-être. Ou alors, au bout de quelques minutes, elle ferait demi-tour. Mais elle n'était pas encore prête à regagner sa petite chambre glaciale où les rideaux, la literie, et même le papier peint sentaient le tabac froid, la saucisse frite et le moisi.

Se plaçant juste derrière la femme, elle observa ses souliers rouge sang, d'un style à la fois chic et pratique. Contrairement au manteau, ils semblaient flambant neufs.

Bientôt, le trio s'engagea dans une allée de ciment traversant une pelouse. D'autres jeunes gens les rejoignirent, seuls, à deux ou par petits groupes. Au bout de l'allée se dressait un grand bâtiment en pierre auquel des piliers et un portique arrondi conféraient un aspect majestueux. Kitty présuma que c'était un autre musée.

Gardant les yeux rivés sur les souliers de la jeune femme, elle gravit à sa suite une volée de marches et s'engouffra sous un large portail. Au milieu du vaste hall d'entrée, elle hésita. L'endroit ne ressemblait pas vraiment à un musée. Les gens marchaient trop vite, en parlant et en riant trop fort. Ils portaient trop de sacs et de livres. Il y avait bien quelques statues de marbre, des nus masculins et féminins d'aspect très ancien, mais elles étaient noires de poussière. Et l'une d'elles – une exquise sculpture d'éphèbe, dans une niche près de l'entrée – avait la taille ceinte d'une écharpe en tartan. Kitty vit les trois amis disparaître au bout d'un couloir. Un homme en uniforme était planté à côté d'un bureau. Elle fit semblant d'examiner une statue, tout en se demandant ce qu'elle devait faire. Sur le mur à côté d'elle se trouvait une vitrine renfermant un panneau d'affichage. Elle parcourut les annonces qui y étaient épinglées, notant au passage des expressions comme : *Rappel à l'intention de tous les étudiants* et *Avis de renvoi.* Un groupe de mots revenait sans arrêt, tantôt en capitales dans les intitulés, tantôt en petits caractères, et elle les contempla avec des yeux écarquillés, comme s'il s'agissait d'une formule magique : *École d'art Felix Slade.*

Sans plus hésiter, elle tourna les talons et se dirigea résolument vers le couloir, de l'air de quelqu'un qui sait exactement où il va.

Elle ne voyait nulle part les trois personnes qu'elle avait suivies jusqu'ici. Elle continua d'avancer, ses pas résonnant sur le sol nu. De chaque côté, le couloir était bordé de placards portant des numéros. Chacun d'eux devait appartenir à un étudiant, présuma-t-elle. Il devait y en avoir ailleurs, car ceux-ci étaient numérotés à partir de trois cents. D'autres statues poussiéreuses étaient disposées çà et là. Il flottait dans l'air un parfum léger, presque insaisissable, qui évoquait celui des aiguilles de pin.

En arrivant devant une porte entrouverte, elle ralentit l'allure, puis s'approcha sur la pointe des pieds. Jetant un coup d'œil par l'entrebâillement, elle aperçut une douzaine de personnes, en majorité des hommes, mais quelques femmes aussi, plantés devant des chevalets disposés tout autour de l'estrade occupant le centre de la pièce. Là, sur une chaise en bois, une femme était assise, complètement nue. Elle fixait sur la salle un regard vide tandis que les étudiants scrutaient attentivement son corps. Elle avait les seins lourds, avec de larges aréoles d'un rose sombre. Effarée, Kitty recula d'un pas. L'image d'un triangle noir de poils pubiens resta imprimée dans son esprit. Elle savait que les artistes travaillaient d'après nature – aujourd'hui même, au musée, elle avait admiré une huile représentant un peintre dans son atelier face à un modèle nu. Mais elle ne pouvait s'empêcher d'être choquée.

Prudemment, elle s'approcha de nouveau. Détournant soigneusement son regard du modèle, elle observa les étudiants. Vêtus de blouses amples maculées de peinture, tous tenaient une palette dans une main et un pinceau dans l'autre. Sur la toile en face d'eux, une œuvre était en cours de réalisation. Même à distance, Kitty put constater que toutes n'étaient pas de la même qualité. Sur certaines, le trait était malhabile, la silhouette de la femme lourde et informe. Sur d'autres, le tracé était trop timide, trop hésitant. Aucun d'eux n'avait réellement réussi à rendre le satiné de la peau, le relief des muscles en dessous de celle-ci, et la puissance de l'ossature soutenant la chair. Elle croisa les bras autour de son torse, comme pour contenir une joie secrète. Quelle immense tâche ce serait d'apprendre à maîtriser cette science ! Mais aussi, quelle quête exaltante !

Un homme aux cheveux argentés, au corps droit et vigoureux, déambulait parmi les élèves. Il impressionna Kitty au premier regard. Il émanait une telle autorité de chacun de ses gestes ! Et, bien qu'il eût dépassé la soixantaine, il était encore très beau. Les étudiants se raidissaient dès qu'il s'approchait d'eux et levaient les yeux de leur toile pour le regarder d'un air d'attente. Elle observa comment ils réagissaient à ses critiques : une femme d'un certain âge parut humiliée et désespérée ; un jeune homme arbora un sourire béat.

Elle examina chacun d'eux à tour de rôle, en se demandant qui ils étaient et comment ils avaient décroché la chance d'étudier dans cet établissement. En repensant à la rousse à l'attitude désinvolte et aux souliers excentriques, elle éprouva un pincement de jalousie. Ces gens-là avaient tout ce dont elle rêvait : des couleurs, des toiles, des chevalets, un modèle, un professeur. Ils avaient un endroit où travailler, et tout le temps de s'y consacrer.

Elle poussa la porte pour mieux voir l'atelier. Les gonds produisirent un grincement sonore, et le professeur se retourna. Quand son regard se posa sur elle, Kitty se pétrifia. L'espace d'une seconde, l'homme demeura également immobile. Puis il s'avança dans sa direction, et elle battit vivement en retraite. S'efforçant de marcher d'un pas tranquille, elle s'éloigna de la salle. Après tout, elle n'avait rien fait de mal. Mais elle accéléra l'allure en entendant la porte grincer de nouveau, des pas retentir derrière elle.

« Attendez ! S'il vous plaît. »

À contrecœur, elle s'arrêta. Elle n'avait aucune envie qu'il la poursuive jusque dans le hall d'entrée, ni que l'homme en uniforme ne l'intercepte.

Elle se retourna pour faire face à l'enseignant. Pendant un long moment, ils se contentèrent de se dévisager. Il portait une chemise en soie au col ouvert et un foulard de couleur brune. Son front commençait à se dégarnir, et ses longs cheveux se déployaient autour de ses oreilles comme une crinière argentée. Il ressemblait à un personnage surgi du passé ou d'une pièce de théâtre. Quand il leva la main pour se frotter le visage, Kitty entrevit une bague ornée d'une turquoise – la première qu'elle ait jamais vue portée par un homme. Cela lui répugna et l'intrigua en même temps.

« Ne partez pas, dit-il, d'une voix teintée d'un fort accent étranger. J'aimerais vous parler. »

Dans sa bouche, ces paroles ressemblaient davantage à un ordre qu'à une prière. Kitty le contempla sans rien dire. Il la fixa d'un regard intense. Ses yeux étaient d'un bleu vif dont l'âge n'avait pas atténué l'éclat. Il haussait légèrement les sourcils, comme sous l'effet de la surprise. Elle se demanda s'il ne l'avait pas prise pour quelqu'un d'autre.

« Êtes-vous une de mes étudiantes ? Je ne me rappelle pas vous avoir déjà vue.

— Non, je suis désolée. Je suis juste entrée pour… jeter un coup d'œil. »

L'homme lui tendit une main aux doigts longs et maigres, aux ongles incrustés de peinture.

« Je suis le prince Fiodor Yurievitch. Les gens préfèrent m'appeler Yuri. »

Kitty lui serra la main, en se demandant si elle avait bien entendu. Elle avait lu *Anna Karénine* et, à en juger par ses sonorités, le nom devait être russe, ce qui cadrait également avec l'accent du professeur. Mais pourquoi un prince enseignerait-il dans une école d'art londonienne ? Peut-être mentait-il. D'un autre côté, il émanait de sa personne quelque chose d'aristocratique. Les étudiants se montraient presque révérencieux à son égard. Il avait une telle présence que tout le monde à côté de lui semblait pâle et insignifiant.

« Je m'appelle Kitty.

— Kit-ty ? » Il répéta lentement le nom, en étirant les syllabes. « Kitty. Je veux peindre votre portrait. »

Elle le dévisagea d'un air offusqué, songeant à la chaise sur l'estrade, à la femme nue.

« Habillée, bien entendu, se hâta-t-il d'ajouter. J'aurais dû le préciser tout de suite. Seulement votre visage, votre cou et vos épaules. Rien de plus.

— Je ne pourrais jamais..., murmura-t-elle en secouant la tête.

— Pas ici. Vous viendrez chez moi. C'est dans la banlieue de Londres. J'enverrai une voiture. Faites-vous accompagner par un ami, si cela peut vous rassurer. »

Elle laissa échapper un rire incrédule, puis scruta son expression. Il paraissait on ne peut plus sérieux.

« Je ne vous connais même pas !

— Tout Londres me connaît, rétorqua-t-il, d'un ton trahissant plus d'agacement que de fierté. Vous pouvez voir mes tableaux à la Tate Gallery. Au palais de Buckingham. » Balayant du bras l'espace environnant, il poursuivit : « Je suis professeur émérite ici, à Slade. Les gens m'implorent de les laisser poser pour moi. »

Elle se borna à secouer une nouvelle fois la tête.

Yuri se mit à marcher de long en large, en lui jetant de rapides regards, comme s'il l'examinait sous tous les angles. Puis il s'immobilisa, comme frappé par une idée soudaine.

« Êtes-vous une artiste, vous aussi, Kitty ?

— Non, pas du tout », répondit-elle d'un ton ferme.

Puis elle pensa à sa pile de carnets dont chaque page, sur l'envers comme sur l'endroit, était couverte de dessins. Aux dizaines de peintures qu'elle avait décrochées des murs de sa chambre avant de partir. Ce déni était une injure à son travail, aux longues heures qu'elle y avait consacrées, clandestinement, dans le hangar de tonte. Aux larmes qu'elle avait versées, tachant ses dessins, aux traces de saleté laissées par la gomme, aux déchirures dans le papier bon marché. Regardant l'homme droit dans les yeux, elle avoua :

« Enfin si, un peu. »

Elle vit son visage s'éclairer.

« Je vais vous faire une offre. Si vous posez pour moi, je vous donnerai des cours. »

De surprise, elle ouvrit la bouche. Elle se vit vêtue d'une blouse, une palette à la main. Elle s'imagina pressant les tubes de peinture, mélangeant les couleurs. Dans la salle, tout à l'heure, elle avait aperçu un étudiant qui tenait son pinceau à la hauteur de ses yeux, comme s'il s'en servait pour mesurer les proportions du modèle. Elle avait tant de choses à apprendre... Elle fut envahie par un désir irrépressible, une intense soif d'apprendre. Mais en réfléchissant à la proposition de l'homme, elle revint à la réalité. Il voulait qu'elle aille chez lui, en dehors de la ville. Sans doute serait-elle seule avec lui : elle n'avait personne pour l'accompagner. Quel genre de fille envisagerait un instant d'accepter une telle proposition ?

« Je regrette, dit-elle. C'est impossible. »

Il secoua vigoureusement la tête, comme pour repousser ces mots.

« Je vous en prie. Je dois absolument vous peindre. »

Il joignit les mains avec tant de force que les jointures en devinrent livides.

Elle le contempla, indécise. Il paraissait au bord du désespoir. Elle tourna son regard vers l'atelier. Il y avait là-bas quantité de gens qu'il pouvait peindre. Probablement pouvait-il choisir pour modèle n'importe lequel de ses étudiants. Il était inconcevable qu'une paysanne australienne qui vivait dans une chambre minable et se nourrissait de tourtes à la viande et de purée puisse présenter un intérêt particulier à ses yeux.

« Pourquoi moi ?

— Pourquoi vous ? »

Yuri garda le silence un long moment, une main placée sur la bouche dans une attitude pensive. Il paraissait réfléchir aux mots qui pourraient le mieux la convaincre.

« Parce que… vous êtes parfaite pour le tableau que j'ai en tête.

— Mais pourquoi ?

— Vous avez l'air d'une jeune fille russe. »

Elle fronça les sourcils, perplexe. Elle n'avait pas la moindre idée de ce à quoi ressemblait une Russe.

« Je suis australienne, protesta-t-elle.

— Levez la tête, tournez-la vers la gauche », ordonna Yuri.

Docilement, elle s'exécuta.

« Ah, oui. Vous lui ressemblez tout à fait. »

Il avait l'air content, mais elle décela dans ses yeux une ombre de tristesse, ou peut-être de regret.

Elle recula et le dévisagea, mal à l'aise.

« À qui ?

— Pas à quelqu'un de réel, s'empressa-t-il d'expliquer. S'il s'agissait d'un personnage réel, je n'aurais aucun mal à trouver une vraie Russe. Ce que je cherche, c'est quelqu'un qui ressemble à l'idée qu'on se fait d'une jeune fille russe. C'est vous que je veux », déclara-t-il en dardant sur elle un regard presque féroce.

Un bruissement dans les broussailles proches ramena brusquement Kitty au présent. Elle promena les yeux autour d'elle, alarmée et intriguée : elle n'avait pourtant fait aucun bruit ni aucun geste susceptible de provoquer la fuite d'une créature quelconque. Quelques instants s'écoulèrent dans un silence total. Elle finit par se détendre et reporter son attention sur le paysage. Elle regarda un énorme oiseau – une sorte de corbeau géant avec une tache blanche sur la gorge – descendre en piqué vers un baobab pour s'y percher. Sa forme noire se fondait avec celle de l'arbre. Les branches avaient l'air rabougries, complètement disproportionnées par rapport au tronc colossal. Elles ressemblaient plus à des racines, en fait – comme si l'arbre avait été planté à l'envers.

Derrière elle, un craquement sec se fit entendre, et elle se retourna vivement. Les feuilles d'un buisson s'agitaient comme sous l'effet d'une brise, mais il n'y avait pas le moindre souffle d'air.

Elle inspecta les alentours. Entre deux hauts arbustes, elle entrevit un morceau de tissu ocre, une tête noire, un bras. Le blanc d'une paire d'yeux. Puis elle discerna la silhouette d'un homme tenant un javelot dans sa main. Il se tenait si immobile qu'il en était presque invisible. À côté de lui, elle apercevait à présent une vieille femme courbée comme un arbre sous la tempête. Non loin d'elle se trouvait un enfant.

Lentement, elle se leva. Elle avait été tellement absorbée dans ses pensées qu'elle ne les avait pas entendus approcher, se morigéna-t-elle. Le jeune homme s'avança. Comme à un signal donné, les broussailles se mirent soudain à grouiller de vie. Des hommes et des femmes, jeunes et vieux, des enfants et même des chiens en émergèrent. Rapidement, Kitty se trouva encerclée, et elle se sentit tout à coup bien loin de la sécurité de son jardin. Elle prit conscience que nul ne savait où elle était et sa gorge se serra.

« *Hamjambo* », lança-t-elle. (Salut à tous.)

Des sourires apparurent sur les visages. La salutation fut répétée de proche en proche, se propageant à travers la foule sous des murmures d'approbation.

« *Hatujambo, mama*, répondit la vieille femme.

— *Shikamu.* »

C'était la formule à employer lorsqu'on s'adressait à quelqu'un de plus vieux ou de plus important : « Je te baise les pieds. »

« *Marahaba.* » (Merci.)

Cet échange suscita de nouveaux murmures approbateurs. Kitty commença à se sentir plus rassurée. Elle promena son regard sur les gens qui l'entouraient. Tous étaient vêtus de la traditionnelle étoffe teinte, le torse nu, les femmes comme les hommes. Beaucoup avaient les oreilles percées, les lobes tellement distendus qu'ils leur tombaient sur les épaules. Les deux sexes arboraient des coiffures très élaborées. Des colliers de perles. Des peintures corporelles réalisées au moyen de boue rouge et de cendre. Leurs larges sourires révélaient des dents fortes et blanches, même si, remarqua-t-elle, il manquait une incisive à chacun des hommes. Et tous avaient également le front marqué d'une cicatrice ronde. Sans doute s'agissait-il des scarifications rituelles de la tribu mentionnée par Theo, les Wagogo.

La foule se rapprocha. Kitty se raidit quand des mains se tendirent vers elle pour toucher sa chemise, ses bras, ses cheveux. Des effluves de bouse de vache et de fumée de bois, mêlés à des relents d'urine et de sueur, assaillirent ses narines. Leur proximité intensifiait encore la chaleur accablante, et elle s'essuya le front.

Une jeune femme lui tendit un enfant et, instinctivement, Kitty eut un mouvement de recul. Les yeux du petit garçon étaient purulents, sa bouche couverte de croûtes. Sa tête pendait faiblement sur son cou enflé. La mère souriait comme si tout allait bien. Examinant plus attentivement l'assemblée, Kitty constata que beaucoup d'enfants présentaient des signes de dénutrition. Janet lui avait appris à en reconnaître les symptômes : cheveux décolorés, peau sèche et écailleuse, estomac ballonné. Elle vit même un adolescent dont la cicatrice frontale, bien que manifestement refermée depuis un certain temps, s'était infectée ; les bords de la plaie étaient à vif. Certains adultes paraissaient également en mauvaise santé, et quelques-uns même gravement malades. Un homme avait le visage couvert de nodules de chair et la moitié de son nez avait été rongée. Un autre tenait la tête penchée, le cou déformé par une énorme protubérance.

Elle réprima une nausée. Sa peau se hérissa. L'air satisfait de cette mère la mettait presque en colère.

« *Mtoto wako ni mgonjwa* », lui dit-elle. (Ton bébé est malade. Pourquoi ne l'emmènes-tu pas à l'hôpital ?)

Hôpital. Le mot circula parmi la foule, ne suscitant que des moues d'incompréhension.

Elle fit une autre tentative.

« *Daktari ?* » (Le docteur ?)

Cette fois, ils comprirent. La mère montra un petit sac de cuir attaché au cou de l'enfant. Il contenait sans doute des amulettes données par le sorcier, se dit Kitty. Janet lui avait parlé de ces pratiques. D'après elle, les méthodes employées par les guérisseurs, qu'elles relèvent de la superstition pure et simple ou des remèdes ancestraux, étaient au mieux inutiles et, au pire, mortelles.

L'homme au javelot, celui qu'elle avait aperçu en premier, s'approcha de la femme et de l'enfant.

« Je lui ai déjà dit, déclara-t-il à Kitty. Elle doit emmener son fils à la mission.

— Y a-t-il un docteur à la mission ?

— Pas de docteur. Mais la femme blanche, sœur Barbara, elle donnera médecine.

— Cet enfant doit être examiné par un vrai docteur », répondit Kitty en secouant la tête.

Elle songea à l'hôpital qu'elle avait vu à Londoni lors de la visite que Theo avait organisée à son intention. Lisa lui avait fièrement montré toutes les installations construites par l'OFC à l'intention des expatriés : le cinéma, la pharmacie, la clinique vétérinaire, la bibliothèque. L'hôpital se trouvait dans un vaste bâtiment neuf en béton. Il se composait de deux salles communes, d'une salle d'opération et d'un service de consultations externes. Au moment de sa visite, il y avait dans l'une des salles un enfant qui venait de subir l'ablation de ses amygdales. Le seul occupant de la seconde était un homme atteint d'une mauvaise toux. De chaque côté de lui s'étendait une rangée de lits vides, aux draps impeccablement tendus. Dans le service de consultations externes, un homme blond en combinaison de travail sale se faisait recoudre une entaille au bras. Le moins qu'on puisse dire, c'était que l'établissement ne débordait pas d'activité.

Kitty sentit sur elle le regard du jeune homme. Elle se demanda s'il avait entendu parler de cet hôpital. Sans doute les gens comme lui n'y étaient-ils pas les bienvenus. Peut-être existait-il dans les unités d'exploitation un dispensaire pour les travailleurs africains mais, comme elle ne savait ni où il se trouvait ni si les Wagogo pouvaient s'y faire soigner, elle préféra se taire. Elle fut soulagée quand une adolescente souleva une mèche de ses cheveux, distrayant l'attention des autres.

« *Maradadi* », dit la jeune fille d'un ton admiratif en laissant retomber la mèche. « Beau. »

« Merci », répondit Kitty.

Qu'auraient-ils dit si elle n'avait pas coupé la plus grande partie de la longue chevelure épaisse et soyeuse – si différente de leurs boucles crépues – qui faisait autrefois son orgueil ? Souriant à la jeune fille, elle lui demanda :

« Comment t'appelles-tu ? »

Avant que la gamine ait pu répondre, la vieille femme glapit quelque chose d'une voix fêlée. Kitty parvint néanmoins à en saisir la signification : « Ne dis pas ton nom à la femme blanche ! »

L'espace d'une seconde, elle se sentit vexée ; elle voulait simplement se montrer amicale. Puis elle se rappela que, selon les affirmations de Janet, beaucoup d'Africains croyaient que connaître un nom vous conférait un pouvoir sur celui qui le portait. On ne devait par conséquent le donner qu'à une personne de confiance.

« Excusez-moi », dit-elle à la vieille.

Elle aurait voulu ajouter qu'elle avait eu tort de poser cette question, mais sa connaissance limitée du swahili ne le lui permettait pas.

La femme eut l'air de comprendre. Elle inclina la tête pour montrer qu'elle acceptait ses excuses. Préférant éviter de commettre d'autres impairs, Kitty garda le silence et se contenta d'observer les Wagogo, qui l'observaient en retour. En détectant des signes évidents de maladies et de malnutrition, elle regretta de n'avoir aucune solution à leur proposer. Quelle que fût l'aide apportée par les missionnaires locaux, elle n'était pas suffisante. Janet avait dit vrai. Les besoins, ici, étaient immenses.

Bientôt, les Wagogo se mirent à bavarder entre eux, en adressant de temps à autre un commentaire à l'étrangère. Kitty commença à leur répondre d'un ton circonspect, puis de plus en plus décontracté, et le temps passa sans qu'elle s'en aperçoive. Et tout à coup, elle se rappela qu'elle devait absolument rentrer à la maison avant le retour de Theo.

« Je dois rentrer chez moi », expliqua-t-elle en indiquant le chemin par où elle était venue.

Elle s'éloigna en direction de la rue des Millionnaires. Sans hésiter, la tribu la suivit. Un enfant se faufila près d'elle et lui prit la main ; un deuxième l'imita. Au début, elle fut saisie d'appréhension ; n'allaient-ils pas lui transmettre des maladies de peau ou des poux ? Mais leurs mains étaient si petites dans les siennes, leurs gestes si confiants que, très vite, elle n'eut plus aucune envie de les lâcher. Quelqu'un se mit à chanter et bientôt d'autres voix se joignirent au chant. Le jeune homme marchait en tête, écartant de son pied nu les pierres aiguës sur le chemin de Kitty.

Tout en marchant, elle ne put s'empêcher de regarder les femmes qui l'entouraient – les vieilles aux seins flasques pendant sur leurs torses osseux ; les mères à la poitrine gonflée de lait ; et les jeunes filles aux seins fermes et parfaits qui oscillaient à peine au rythme de leurs pas. Toutes arboraient leur nudité avec le plus grand naturel, sans aucune trace d'embarras. Elles auraient pu être des modèles dans un atelier en plein air – des sujets rêvés pour un peintre comme Yuri, qui ne s'intéressait qu'à ce qui se trouvait sous l'enveloppe superficielle et cherchait à montrer la réalité de la chair et des os.

Les Wagogo l'accompagnèrent jusqu'à ce qu'ils arrivent en vue de la haie du jardin. Puis ils repartirent, aussi rapidement et silencieusement qu'ils étaient apparus, la laissant accomplir seule le reste du chemin.

« Tu ne le croiras jamais, Kitty, dit Theo en déployant sur ses genoux une serviette empesée, d'un blanc immaculé. Aux unités d'exploitation, aujourd'hui, j'ai entendu un homme demander à des Africains de déplacer une cargaison de brouettes qu'on venait de livrer, pour les ranger dans l'entrepôt. » Il laissa échapper un rire sec avant de poursuivre : « Les gars les ont soulevées et les ont portées sur leurs têtes ! Je n'ai jamais rien vu de plus absurde. »

Elle sourit tout en lissant sa serviette de table sur ses cuisses.

« Pourrais-je t'accompagner aux unités, un de ces jours ? J'aimerais voir ce qui se passe là-bas.

— Il n'y a pas grand-chose à voir, en dépit de tout le travail accompli. Mais je présume que je pourrais organiser ça – rien qu'une brève visite.

— Je ne verrais pas d'inconvénient à rester là-bas jusqu'à ce que tu aies terminé ce que tu as à faire.

— La question n'est pas là. Simplement, ce n'est pas un endroit pour une femme. Si tu voyais les individus qui travaillent là-bas, tu partagerais mon avis. Ces conducteurs de bulldozer irlandais… Ils partent au travail avec une bouteille de cognac dans chaque poche. Une pour le petit déjeuner, une pour le repas de midi. Toutes les six semaines, nous sommes obligés de les envoyer à Nairobi pour une cure de désintoxication. S'ils n'étaient pas si compétents, nous ne les tolérerions pas une minute de plus ! »

Elle le regarda découper un morceau de veau. Cynthia avait également établi une liste de menus pour le déjeuner et, aujourd'hui, c'était de l'escalope viennoise. Elle le laissa avaler la bouchée de viande avant de reprendre :

« Dans ce cas, pourrais-je visiter les ateliers de réparation des tracteurs ? Lisa m'a dit qu'ils se trouvaient à Londoni, mais elle ne les a pas inclus dans la visite.

— Qu'irais-tu faire là-bas ?

— Tu te souviens, ces mécaniciens dont j'ai fait la connaissance à bord de l'avion ? Ils m'ont dit qu'ils venaient enseigner aux Africains comment réparer les moteurs. Et j'ai pensé... que je pourrais peut-être les aider. »

Les mots se bousculaient sur ses lèvres et elle s'efforça de parler plus posément. Cette idée lui était venue après sa rencontre avec les Wagogo et, après y avoir mûrement réfléchi, elle avait décidé qu'elle devait absolument essayer de se rendre utile.

« Vois-tu, aucun d'eux ne parle un mot de swahili...

— C'est hors de question ! s'exclama Theo, l'air scandalisé. Ces types-là sont de vrais rustres. C'est un milieu entièrement masculin.

— Mais il y a des femmes qui travaillent à Londoni. Je les ai vues.

— Bien sûr. Des secrétaires, des infirmières, des coiffeuses et que sais-je encore. Mais ce sont des célibataires qui sont venues ici pour contribuer à notre projet. Et pour elles, ce n'est pas une partie de plaisir, crois-moi. Nous les logeons dans des *rondavels.* Tu les as sans doute aperçues – des cases en terre avec un toit de toile ? »

Elle acquiesça. Ces petites constructions rondes détonnaient au milieu des tentes, à proximité du bureau central.

« Il s'est produit des incidents. Des intrus ont tenté d'escalader les murs en pleine nuit. L'OFC a distribué des machettes aux dames afin qu'elles puissent se défendre si nécessaire. »

Elle fit de son mieux pour ne pas trahir son effarement.

« Il n'y a donc aucune femme mariée qui travaille, ici ? »

Cela paraissait surprenant. Pendant la guerre, des femmes de tous les milieux avaient suppléé au manque de main-d'œuvre ; ni l'âge ni le statut de femme mariée ni la classe sociale ne constituaient des obstacles. Elle-même s'était portée volontaire pour travailler en usine, et, pendant quelque temps, elle avait peint des motifs de camouflage sur des avions. La plupart des femmes avaient arrêté de travailler lorsque les hommes étaient revenus, certaines d'entre elles retournant à contrecœur à leurs tâches ménagères. Mais ici, à Kongara, il y avait un manque criant de personnel et une charge excessive de travail. Tout le monde paraissait surmené.

« Il y en a quelques-unes, concéda Theo. Des épouses de membres du personnel, sans enfants.

— Comme moi. »

Theo soupira.

« Non, pas comme toi. Tu es mariée au directeur administratif. Il serait absolument inconvenant que ma femme occupe un emploi – pire, un emploi qui l'oblige à passer ses journées dans les ateliers. Je ne comprends pas que cela ne te vienne pas à l'esprit ! »

Baissant les yeux sur son assiette, elle découpa son escalope en tout petits morceaux, son couteau éraflant sans ménagement la porcelaine de Cynthia.

« Et comment ta journée s'est-elle passée ? » s'enquit son mari.

Elle ne répondit pas tout de suite. En rentrant de sa promenade, elle s'était sentie coupable d'avoir laissé renaître ses sentiments artistiques en contemplant le paysage et de s'être abandonnée à ses souvenirs. Elle avait résolu de taire sa rencontre avec les Wagogo. Mais, après ce que Theo venait de dire, elle sentit monter en elle un sursaut de rébellion.

« Je suis allée me promener. Toute seule.

— Où cela ?

— Dans les montagnes.

— Comment es-tu allée là-haut ? »

D'un geste, elle lui indiqua le jardin de derrière.

« Tu veux dire que tu t'es aventurée seule dans la brousse ? s'exclama Theo, incrédule.

— J'ai grandi dans la brousse.

— Mais ici, ce n'est pas l'Australie ! Il y a des animaux sauvages.

— Je n'en ai vu aucun. Mais j'ai rencontré des gens du coin. Tout un groupe. Ils avaient l'air de se promener sans but. Comme moi. »

Theo posa sa fourchette et son couteau.

« C'était fort imprudent de ta part, Kitty. Certains des indigènes n'ont jamais eu aucun contact avec la civilisation. Qui sait ce qu'ils auraient pu te faire ?

— Ils se sont montrés très amicaux, en fait.

— Promets-moi que tu ne recommenceras pas !

— Mais alors, que vais-je faire de mon temps ? »

Elle regarda ses mains, enserrant le bord de la table de chaque côté de l'assiette à motifs de roses. Elle n'avait pas besoin de lui rappeler qu'il l'avait forcée à renoncer au seul passe-temps qu'elle aimait, à la seule chose qu'elle avait jamais su faire.

« Va au club, fais du shopping. Ce que font les autres femmes. Ce n'est sans doute pas trop te demander ? »

Elle ne répondit pas.

« Bientôt, nous commencerons à donner des réceptions. C'est ce qu'on attend de nous, tu sais. Cela te fournira une occupation. »

Il croisa son regard et lui sourit tout en mastiquant sa viande.

Elle but une gorgée d'eau et s'aperçut qu'elle avait du mal à l'avaler. Déprimée, elle imagina son avenir – une morne succession de journées passées à batailler contre Eustace et Gabriel à la maison et à rester constamment sur ses gardes au-dehors.

Theo mangea encore deux ou trois bouchées, puis reposa de nouveau ses couverts.

« Kitty, tu penses peut-être ne pas jouer un rôle important ici, mais, d'une certaine façon, il l'est tout autant que le mien. Tu te dois de montrer l'exemple aux autres femmes. Kongara est un petit monde où chacun a sa place à tenir. Si l'un des rouages ne fonctionne pas, tout le projet en souffrira. Tu crois en notre mission, n'est-ce pas ? » demanda-t-il en la dévisageant d'un regard intense.

Elle sourit d'un air penaud. Il parlait d'un ton si gentil et si raisonnable... Elle se rappela l'homme à bord de l'avion et son ardent discours sur « la guerre contre la faim ».

« Oui. Oui, bien sûr, j'y crois.

— C'est bien », murmura-t-il en se renfonçant dans son siège d'un air satisfait.

5

Le soleil de fin de matinée diffusait une faible lueur à travers les moustiquaires suspendues au dais du lit ; derrière cet épais rideau de gaze, on aurait pu croire que c'était encore la nuit. Étendue sur le matelas, Kitty mit un bras devant ses yeux. Sa jupe était entortillée autour de ses jambes et elle envisagea fugitivement de se lever pour enfiler une chemise de nuit. Mais cela lui aurait demandé trop d'effort et elle se contenta de rouler sur le côté.

Elle se représenta la nouvelle Hillman rouge garée dans l'allée et la poussière qui devait s'y accumuler. Il y avait au moins deux semaines que Theo avait conduit le véhicule jusqu'ici et lui en avait cérémonieusement remis les clés.

« L'auto de madame.

— Oh, merci ! s'était-elle écriée en se jetant à son cou. Merci beaucoup ! »

Bras dessus bras dessous, ils avaient contemplé la voiture en échangeant des commentaires admiratifs sur sa forme, sa couleur, son éclat. Kitty trouvait qu'elle ressemblait à une version en miniature de la Daimler de Diana, mais Theo soutenait que c'était un modèle tout à fait différent. Elle n'était pas neuve, mais l'ancien propriétaire l'avait consciencieusement entretenue. Elle avait été expédiée d'Angleterre par bateau, puis transportée de Dar es Salam jusqu'ici par le rail. Depuis lors, elle n'avait pas circulé ailleurs que dans les rues de Londoni.

Kitty avait ouvert la portière côté conducteur ; les charnières étaient montées à l'arrière, de sorte qu'elle s'ouvrait en sens inverse de celle des autres voitures. Prenant place sur le siège conducteur, elle avait mis le contact ; le moteur avait démarré presque instantanément. Elle avait levé les yeux vers Theo et lui avait souri tout en faisant vrombir la machine.

« Veille à ne pas rouler trop vite, l'avait-il avertie. Avec les routes que nous avons ici, il faut conduire prudemment. »

Elle s'était abstenue de lui rétorquer que, de toute sa vie, elle n'avait jamais conduit sur des routes asphaltées ; en fait, elle avait passé plus de temps à rouler à travers champs que sur des routes de quelque nature qu'elles fussent. Elle n'avait jamais passé son permis, mais n'en était pas moins une conductrice chevronnée. Elle était capable de manœuvrer un camion si lourdement chargé qu'elle ne pouvait rien voir derrière elle. Elle était capable de garer un van ou une remorque en marche arrière dans un espace étroit, et du premier coup. Ici, apparemment, pour obtenir le permis, il suffisait de descendre la rue principale sans renverser personne.

« Regarde ça, avait repris Theo, en lui montrant comment abaisser le pare-brise pour laisser entrer l'air. Et si jamais le moteur des essuie-glaces tombe en panne, tu peux utiliser le système manuel. » Il avait tourné un bouton sur le tableau de bord et les essuie-glaces s'étaient mis à balayer le pare-brise parfaitement sec.

« C'est difficile d'imaginer qu'on puisse en avoir besoin ici, avait-elle fait observer.

— Tu verras à la saison des pluies. On dit que, du jour au lendemain, la région change du tout au tout. »

Elle avait essayé la marche arrière, puis vérifié les feux. Tout fonctionnait impeccablement. Même si elle n'avait pas conduit une seule fois quand elle vivait en Angleterre, elle se sentait tout à fait à l'aise au volant.

Trop vite, elle avait dû verrouiller les portières et regagner la maison. Theo avait eu une dure journée et il était impatient de déguster son apéritif. Elle avait passé l'anneau du trousseau autour de son doigt et s'était dirigée vers la véranda en faisant tinter joyeusement les clés au bout de son bras.

Devant les portes-fenêtres, Theo s'était arrêté et s'était retourné vers elle.

« Tu devras faire très attention aux portières, vu la façon dont elles sont montées. Si l'une d'elles s'ouvrait pendant que tu conduis, elle se rabattrait aussitôt avec violence.

— Ne t'inquiète pas. Je serai vigilante, avait-elle répondu, touchée par cette marque de sollicitude qui lui rappelait le Theo d'autrefois, si prévenant.

— Bien entendu, avait-il ajouté, il n'est pas question de l'utiliser pour te rendre aux ateliers de réparation ni en dehors de Londoni. Et il va sans dire que tout le reste de Kongara, y compris les unités d'exploitation, est interdit d'accès. En fait, tu ne devras t'en servir que pour aller dans le centre-ville et en revenir. »

En entendant ces mots, elle avait ralenti le pas, mais elle n'avait rien dit. Après tout, cela n'aurait pas dû la surprendre. Il lui avait déjà expliqué qu'il serait imprudent – voire inconvenant – d'aller dans certains quartiers de Londoni. Elle aurait dû lui être reconnaissante de l'autonomie qu'il lui accordait. Avec une voiture à elle, elle pourrait se rendre au club ou dans les magasins à l'heure qui lui conviendrait, et rentrer chez elle quand elle le déciderait. Elle ne dépendrait plus de Diana ni d'Alice. Elle n'aurait plus à supporter les silences gênés ni les questions insidieuses, enfermée dans un véhicule avec l'une ou l'autre de ses voisines. Mais lorsqu'elle avait suivi Theo à l'intérieur de la maison, sa joie avait déjà fait place à un sentiment de déception et de frustration – comme si on avait fait miroiter devant ses yeux un objet merveilleux pour le lui retirer aussitôt.

Les jours suivants, elle était allée dans le centre-ville presque chaque matin, en roulant lentement pour faire durer le trajet. Un jour, elle avait même fait plusieurs fois le tour du rond-point, en s'étonnant de ses dimensions : la large voie semblait avoir été conçue pour une circulation intense. Au milieu, on avait planté un grand panneau avec l'injonction : CÉDEZ LE PASSAGE. Elle doutait fort que deux véhicules se soient jamais croisés à cet endroit.

Elle avait aperçu d'autres panneaux indiquant la direction des unités d'exploitation, de la gare et de Dar es Salam. Elle s'était arrêtée près de celui qui portait l'inscription : *Ateliers de réparation des tracteurs* – mais rien qu'un bref instant. Partout où elle allait, dans cette voiture à la couleur criarde, elle avait le sentiment d'être épiée. Si Theo le voulait, soupçonnait-elle, il pouvait faire en sorte qu'on lui rapporte ses moindres faits et gestes…

Elle se tourna une fois de plus dans son lit, enfouissant son visage dans l'oreiller. Elle se sentait insatisfaite et désemparée. Pour Theo, Londoni représentait peut-être un nouveau départ – il voulait contribuer au progrès de ce pays, il ouvrait son esprit à des idées novatrices – mais, en ce qui la concernait, son point de vue n'avait manifestement pas évolué. Il lui avait clairement signifié qu'elle devait se conformer en tout point aux règles de la petite société de Londoni. Il voulait faire d'elle une autre Diana.

Elle se remémorait les premiers temps de leur relation, avant leur mariage, quand Theo était encore à l'université. Après ce jour où ils avaient volé dans son avion pour la première fois, il était revenu chez lui tous les week-ends à bord de son appareil, en trouvant chaque fois un prétexte pour lui rendre visite dans le pavillon. Il paraissait apprécier le désordre de l'atelier et ne se souciait pas des taches de peinture sur ses vêtements. Il disait préférer les repas pris sur le pouce dans leur cuisine aux dîners solennels dans sa propre demeure. Il adorait la longue chevelure de Kitty, la manière dont elle flottait librement sur ses épaules. Quand elle portait de vieilles nippes données par les modèles de Yuri – une veste en soie rouge, un béret en velours, une écharpe d'homme à impression cachemire –, il la complimentait pour son originalité et son sens de l'élégance. L'admiration qu'il lui témoignait la transportait de joie. Il était tellement différent de tous les hommes qu'elle avait rencontrés ! Il savait tellement de choses… Il parlait musique, théâtre et littérature en toute familiarité, comme si c'étaient des amis proches. Chacun de ses effets, chacun de ses objets personnels, de son portefeuille à son agenda et même son chausse-pied, était d'un raffinement extrême. Quant à son visage, à son corps… Ils lui évoquaient ceux d'une statue d'un dieu grec vue au

British Museum. Elle l'aimait et le désirait de chaque fibre de son être. Cependant, elle avait du mal à croire qu'il puisse éprouver les mêmes sentiments à son égard. Theo Hamilton, de Hamilton Hall. Un étudiant d'Oxford. Il avait sans doute l'embarras du choix entre des dizaines de jeunes filles d'un niveau social et intellectuel plus en rapport avec le sien.

Un jour, elle lui avait demandé :

« Qu'est-ce qui te plaît en moi ? »

Il avait souri en lui caressant le menton d'un doigt.

« Le fait que tu sois différente de toutes les personnes que je connais. »

Qu'elle fût différente des gens de leur milieu, c'était aussi l'opinion de la mère de Theo, visiblement. Elle ne manquait pas une occasion de souligner à quel point la petite amie de son fils était « australienne », si peu pareille à « eux ». Louisa avait peut-être cru qu'en s'y prenant de cette manière, elle finirait par le détourner de Kitty, le faire revenir à la raison. Mais elle se trompait. En fait, Theo semblait prendre un malin plaisir à la contrarier. Quand il présentait Kitty aux amis de ses parents, il prenait soin de préciser qu'elle était artiste peintre et fille d'un éleveur de moutons australien. Une campagnarde qui avait grandi au fin fond du bush. Il disait cela avec une note de fierté dans la voix, en la couvant d'un regard protecteur. Elle avait le sentiment que, si nécessaire, il la défendrait jusqu'à son dernier souffle contre toute critique.

Il avait bien changé depuis. Pendant la guerre, ses idées sur le monde s'étaient peu à peu modifiées et le processus s'était poursuivi une fois la paix revenue. Puis s'était produit le scandale qui les avait durement ébranlés, lui et sa famille. Il s'était replié plus profondément encore dans le giron familial. Mais elle en était responsable et n'était donc pas en droit de se plaindre.

Elle soupira. Roulant l'oreiller en boule, elle le jeta par terre et s'étendit à plat sur le dos. Il régnait dans la pièce une chaleur étouffante. Les moustiquaires drapées autour d'elle auraient aussi bien pu être les murs d'une prison.

En entendant frapper à la porte, elle se redressa sur un bras, mais garda les yeux clos pour se protéger de la lumière.

« Oui ?

— Memsahib ? fit la voix de Gabriel. Désirez-vous quelque chose ?

— *Kwenda mbali* », répondit-elle rudement. (Va-t'en.)

Elle lui avait déjà dit que ce n'était pas la peine de préparer le repas de midi. Theo ne rentrerait pas – des visiteurs importants étaient arrivés de Londres et il les emmenait déjeuner au club – et elle n'avait pas faim.

Elle écouta s'éloigner les pas du domestique, puis poussa un profond soupir. Ouvrant les yeux, elle promena autour de la pièce un regard morne. La robe de chambre de Theo suspendue à un cintre. La sienne, en tas sur le sol. La plante en pot achetée à la vente de charité. Une étiquette était accrochée à la tige principale, mais le nom de la plante, griffonné par la main impatiente de Diana, était à peine lisible. Une demi-douzaine d'autres étaient disséminées un peu partout dans la maison. Elle avait acheté toutes celles qui n'avaient pas trouvé preneur à la fin de l'après-midi, pour contribuer à cette généreuse initiative en faveur des missionnaires. Quand elle lui avait demandé de veiller à les arroser quotidiennement, Gabriel avait roulé des yeux. Il ne comprenait pas pourquoi on devait se donner du mal pour entretenir des végétaux non comestibles.

Brusquement, elle se redressa sur le lit, en considérant la plante d'un regard neuf. Elle se rappelait ce que lui avait dit le jeune Mgogo à propos de sœur Barbara. Elle savait que la mission ne se trouvait pas très loin du centre ; Audrey avait effectué plusieurs allers et retours pour collecter les plantes.

Repoussant le drap, elle sauta à bas du lit. Tout en cherchant sa tenue de brousse dans la commode, elle tenta de se représenter sœur Barbara. La missionnaire n'était pas venue à la vente de charité – sans doute était-elle trop occupée. Elle imagina une femme assez semblable à Janet, avec des lunettes à monture épaisse et des manières directes.

En enfilant sa jupe, elle jeta un regard à son reflet dans le miroir. Ses cheveux étaient en bataille et elle n'était pas maquillée. Elle n'avait même pas fait sa toilette. Mais cela n'avait pas d'importance : les gens qui travaillaient dans une mission ne se souciaient guère des apparences. Janet lui avait inculqué quelques notions de base en matière de premiers secours et de soins, en plus du swahili.

« En Afrique, avait-elle déclaré, tout le monde est infirmier et parfois aussi médecin. »

Elle lui avait montré comment poser un bandage, nettoyer une coupure, soigner une brûlure et autres gestes élémentaires. Et Kitty ne rechignait pas à travailler dur ; enfant, elle avait aidé ses parents dans le hangar de tonte où le temps était compté et les journées particulièrement longues. Et où il n'était pas question de se plaindre.

Une fois prête, elle hésita un instant sur le seuil de la

chambre. En songeant à la réaction de Theo quand elle lui ferait part de son projet, elle fut prise d'un doute. Mais il n'y verrait sûrement pas d'objection : contribuer à une œuvre charitable, ce n'était pas la même chose que travailler. Louisa elle-même apportait son soutien aux bonnes œuvres. C'était un devoir qui incombait aux privilégiés, avait-elle affirmé à maintes reprises.

Kitty tendit néanmoins l'oreille pour s'assurer que Gabriel ne rôdait pas dans les parages avant de longer le couloir sur la pointe des pieds, ses bottes à la main. Dehors, elle se sentit dangereusement exposée aux regards – le jardinier ou le gardien pouvaient surgir à tout moment. Elle dévala les marches en chaussettes, la clé à la main. Ouvrant la portière à la volée, elle bondit dans sa voiture. En toute hâte, elle enfila ses bottes, puis, se tassant sur son siège, elle mit le contact et démarra sans bruit.

Dès qu'elle eut quitté la rue des Millionnaires, elle se mit en devoir de chercher quelqu'un qui pourrait lui indiquer le chemin. En s'approchant d'un groupe de femmes marchant sur le bord de la route, elle ralentit. Elles formaient un tableau bariolé, avec leurs *kitenge* imprimés de motifs aux couleurs vives. La plupart portaient des bébés accrochés dans leur dos, les petites têtes brunes oscillant au rythme de leur marche.

« *Samahani !* » les interpella-t-elle. (Excusez-moi !)

Elles s'enfuirent aussitôt, pour se dissimuler dans les buissons environnants. Kitty soupira, avec le sentiment bizarre d'avoir été rejetée. Un peu plus loin, elle aperçut un vieil homme assis à l'ombre parcimonieuse d'un *manyara.* À ses pieds était posée une cage en vannerie contenant des poulets. Elle lui cria :

« *Iko wapi misheni ? Na taka kwenda kule.* » (Où est la mission ? Je voudrais y aller.)

L'homme se leva d'un bond et ramassa sa cage avant de courir vers la voiture.

« *Naenda, sasa hivi !* (Je vais avec toi !) déclara-t-il.

— Non, non, je ne veux pas vous déranger. J'aimerais seulement que vous... »

Ignorant ses protestations, il ouvrit la portière arrière sans hésitation, comme si ce geste lui était familier, et déposa la cage sur la banquette avant de s'y installer lui-même. Kitty le contempla d'un air hésitant. Elle était convaincue que la présence de l'homme à bord de la voiture constituait une infraction au protocole en vigueur dans le pays, mais il semblait déterminé à rester où il était. Confortablement adossé au siège, il souriait d'un air ravi.

« Euh... merci, dit-elle. Est-ce loin ?

— Non, tout près, répondit-il en secouant la tête.

— Eh bien, allons-y », reprit-elle en se forçant à sourire.

Elle avait hâte de sortir de Londoni (en espérant ardemment que personne ne l'apercevrait entre-temps) et d'arriver à la mission.

Tout en redémarrant, elle observa son passager dans le rétroviseur. Il portait un veston noir taché et élimé par-dessus un pagne ocre rouge. Son torse maigre était nu. À côté de la scarification rituelle des Wagogo au milieu de son front, elle vit une autre cicatrice laissée par une brûlure. L'expression de l'homme était ouverte et amicale, sans aucune trace du cynisme ou du ressentiment – voire de l'hostilité pure et simple – qu'elle percevait parfois chez ses domestiques.

Ils avaient presque atteint les premiers bungalows

des Cabanes à outils quand l'homme se pencha soudain en avant et pointa dans l'air un doigt noueux.

« Par là. »

Il indiquait un embranchement à droite. Elle engagea le véhicule sur l'étroite voie bordée d'une végétation maigre. Rapidement, elle arriva en vue d'un terrain clôturé, un peu en retrait du bord de la route. De gigantesques machines y étaient entassées, telles des bêtes parquées dans un enclos trop étroit. Elle ralentit pour les examiner. Il y en avait au moins une vingtaine, toutes identiques, munies d'un gros rouleau à l'avant et de deux plus petits à l'arrière. Elle fronça les sourcils, intriguée. Elle avait vu des engins semblables en Australie et en Angleterre ; on les utilisait pour aplanir les chaussées asphaltées. Mais à Kongara, toutes les routes étaient faites de gravier et de terre, donc ils ne pouvaient servir à rien. Elle regarda l'herbe haute qui avait poussé entre les rouleaux et le châssis, les lianes s'enroulant autour du moteur. Les machines devaient rouiller ici depuis un certain temps, à l'abri des regards.

Elle accéléra, pressée de fuir cette vision désolante. Elle s'était plu à croire que, sous la responsabilité de Theo, Kongara était administré avec méthode et efficacité. Et pourtant, toute une cargaison de machines inutiles avait été expédiée d'Angleterre par bateau, déchargée à Dar es Salam puis transportée jusqu'ici par chemin de fer. Cela n'avait aucun sens. Elle se souvint d'une anecdote relatée par Diana : tout récemment, on avait livré au Kongara Club des caisses d'angustura en quantité suffisante pour aromatiser les cocktails de tous les Anglais du Tanganyika pendant cinquante ans. À côté de cela, selon Pippa, il y avait une liste interminable d'équipements et de fournitures de première nécessité qui demeuraient introuvables. Bien sûr, se dit-elle, dans une entreprise d'une telle envergure, les erreurs étaient inévitables. Ce qui comptait, c'était le résultat. Et, à en croire Theo, les travaux de défrichage commençaient enfin à progresser. À ce rythme, ils auraient bientôt rattrapé leur retard. Elle se demandait si, une fois cet objectif atteint, Theo passerait moins de temps à parler du Plan. De quoi discuteraient-ils alors ? Ni l'un ni l'autre ne se risquerait à aborder des sujets susceptibles de les ramener vers le monde qu'ils avaient quitté. L'art, la littérature, la poésie – la vie en général – étaient inaccessibles. Ils devraient se cantonner aux événements locaux. Le pique-nique dans les collines organisé par le club – une réunion très sophistiquée, avec une grande tente pour abriter les convives et des seaux à glace en argent. La représentation théâtrale à l'école. L'incident à la piscine, où une *ayah* avait giflé un enfant. Ou encore, qui avait dit quoi et à qui à la sortie de l'église le dimanche… Elle se rembrunit à cette pensée. Elle préférait encore écouter Theo se plaindre des problèmes qu'il rencontrait dans son travail, même si elle trouvait cela extrêmement frustrant. En rejoignant son mari à Londoni, elle avait espéré que, chaque soir, il lui ferait le récit de sa journée et qu'ils en débattraient ensemble. Qu'il lui ferait part de ses soucis et qu'elle l'aiderait à trouver des solutions. Après tout, elle avait grandi dans une ferme et en savait plus que lui sur l'agriculture. Mais déjà, il était devenu évident que Theo n'avait que faire de son avis ou de ses conseils. Il voulait seulement se décharger de ce qu'il avait sur le cœur, sans toutefois lui livrer les précisions qui lui aurait permis d'émettre un commentaire utile. Son rôle consistait à murmurer des paroles de sympathie ou d'encouragement, rien de plus…

Un peu plus loin, le vieil homme lui dit de tourner à droite. Elle laissa le moteur tourner au ralenti en contemplant d'un œil dubitatif la piste étroite et accidentée. Elle était sur le point de lui demander s'il était vraiment sûr de lui avoir indiqué la bonne direction quand elle aperçut un petit panneau en bois à demi caché par une touffe d'herbe sèche. L'inscription à la peinture rouge était pratiquement effacée, mais elle parvint à déchiffrer le mot MISSION et la forme d'une croix.

Tout en tournant le volant, elle essaya de se représenter l'endroit qu'elle découvrirait bientôt. Janet lui avait montré une photo de son ancienne mission : un bâtiment long et bas, avec des murs épais blanchis à la chaux. Pas de fleurs devant le seuil, pas de rideaux aux fenêtres. Une véranda en ciment propre et nue. Le décor parfait pour une vie simple et altruiste, où seul comptait l'essentiel.

C'était le pasteur du village qui l'avait présentée à Janet, quand la nouvelle du départ de Theo et de son épouse en disgrâce pour les colonies avait été portée sur la place publique. Janet était l'une des rares paroissiennes qui ne se souciaient pas de savoir qui était Kitty ni comment elle avait réussi à s'introduire dans la famille Hamilton. Rien dans son comportement n'indiquait même qu'elle fût informée du scandale provoqué par l'intruse. Sa seule préoccupation, c'était de la préparer à sa nouvelle vie au Tanganyika. Elle avait travaillé au Kenya, lui avait-elle expliqué, mais les deux pays avaient beaucoup de points communs.

Kitty avait accepté d'aller prendre le thé chez elle. Elle n'avait pas l'intention de devenir amie avec la vieille dame ; elle espérait simplement glaner quelques informations utiles. Jusqu'à tout récemment, elle n'avait jamais entendu parler du Tanganyika ; elle avait dû consulter un atlas pour pouvoir le localiser. L'OFC leur avait bien communiqué quelques données de base – population, températures maximales et minimales dans la capitale, Dar es Salam, liste des articles à emporter. Mais elle avait très envie de rencontrer quelqu'un qui avait vécu en Afrique et pourrait lui faire part de son expérience.

Janet l'avait fait entrer dans un salon exigu au mobilier suranné. Les fenêtres poussiéreuses étaient garnies de lourds rideaux vert olive et le sol couvert d'un tapis fané, mais des étoffes africaines aux couleurs éclatantes, jetées sur le dossier des fauteuils, apportaient à la pièce une touche de gaieté. Il y avait également une collection d'art africain. Kitty s'était assise à côté d'un énorme tambour en peau de vache. Non loin de là se trouvait un trépied massif qui semblait avoir été sculpté d'un seul tenant dans un tronc d'arbre.

Pendant que Janet mettait l'eau à bouillir dans la cuisine, Kitty était allée examiner une carte de l'Afrique de l'Est accrochée au fond de la pièce. Elle avait été dessinée à la main, et les noms des pays y étaient inscrits en lettres capitales : KENYA, OUGANDA, CONGO, TANGANYIKA. Sur ces trois derniers n'apparaissait aucune autre mention. Seul le Kenya avait été ombré de crayon rose et on y avait porté les noms des villes et des villages. Des brins de laine bleue maintenus en place par des punaises reliaient certaines localités à des photos collées sur les bords de la carte. La plupart étaient des portraits d'hommes en tenue de clergymen, mais on dénombrait également plusieurs femmes et quelques Africains. Kitty avait scruté ces visages, en quête de signes caractéristiques d'une existence aventureuse. Mais ils étaient aussi banals que ceux des fidèles de la paroisse.

Sur le buffet, un objet avait attiré son attention, et elle l'avait pris dans ses mains pour l'examiner. C'était une petite maquette d'une hutte indigène. Les mots : *Société missionnaire anglicane* étaient peints sur le toit percé d'une fente. Elle l'avait secouée légèrement et entendu tinter des pièces de monnaie à l'intérieur. La tirelire était étonnamment légère, et Kitty s'était rendu compte qu'elle était en papier mâché. Yuri lui avait montré comment réaliser une sculpture en n'utilisant rien d'autre que du papier journal, de la farine et de l'eau. Cette méthode ne permettait pas de modelage aussi précis et délicat qu'avec de la glaise, du plâtre et de la cire, mais elle était économique, et l'œuvre était facile à transporter.

« Et si votre création ne vous plaît pas, ma chère, avait ajouté Yuri, vous pouvez toujours vous en servir pour allumer un bon feu. »

Elle avait contemplé fixement la petite hutte au creux de sa main. Le souvenir de Yuri lui serrait douloureusement le cœur. En elle avaient afflué des émotions confuses – mélange de chagrin, de colère et de culpabilité. Mais, par-dessus tout, un profond sentiment de perte.

La porte s'était ouverte et Janet était reparue. Kitty avait regagné son siège. Après avoir posé son plateau chargé d'une énorme théière émaillée et de tasses et de soucoupes en faïence blanche des plus ordinaires, la vieille dame s'était assise face à elle. Ôtant ses lunettes à verres épais, elle avait braqué sur elle un regard intense et direct.

« Bon, madame Hamilton..., avait-elle déclaré en se penchant vers elle. C'est très simple, en fait. Il faut que vous soyez en mesure, d'une part, de vous débrouiller seule et, de l'autre, d'aider votre prochain. Et pour cela, avait-elle poursuivi, énumérant sur ses doigts, vous devez, premièrement, apprendre le swahili ; c'est la langue la plus répandue en Afrique de l'Est. La connaissance d'un dialecte tribal pourra peut-être également vous être nécessaire, mais vous verrez cela sur place. Deuxièmement, vous devez absolument posséder quelques notions de base en matière de soins médicaux. Et troisièmement… »

Elle s'était interrompue en voyant Kitty lever les mains comme pour repousser ses paroles.

« Mais je ne pars pas là-bas en tant que missionnaire ! Je vais simplement y vivre…

— Ma chère, avait rétorqué Janet d'un ton bienveillant, quand vous serez en Afrique, vous comprendrez. Peu importe qui vous êtes ou le motif de votre venue. Vous aurez du travail. »

Au bout de la deuxième tasse de thé, il avait été convenu que Kitty viendrait tous les matins prendre des cours de swahili et de médecine de brousse. En échange, elle ferait un don à la société missionnaire. Janet lui avait donné son vieux manuel de swahili afin qu'elle puisse le potasser entre les cours. C'était une langue très facile à apprendre, affirmait-elle : l'orthographe était phonétique et la grammaire extrêmement logique. Kitty avait décidé de ne pas en parler à ses beaux-parents. Dès qu'il était question de leur départ pour le Tanganyika, l'atmosphère se chargeait de tension. Même si Theo devait s'embarquer dans moins d'un mois, nul ne faisait allusion à ce voyage, à moins d'y être obligé. Elle n'en parlerait pas davantage à son mari. Ce serait son secret. Elle imaginait déjà combien il serait impressionné de constater, quand elle arriverait à Kongara, qu'elle parlait presque couramment le swahili ! Heureusement, à Hamilton Hall, ses absences ne susciteraient aucune question, car elle avait pris l'habitude de faire de longues promenades solitaires tous les matins après le petit déjeuner.

Un brusque virage l'obligea une fois de plus à ralentir et elle se concentra sur la conduite, se penchant sur le volant pour mieux voir la piste. Franchissant une profonde ornière, elle réussit à éviter que le pare-chocs ne racle le sol. Elle se mit à rouler au pas, en scrutant attentivement les broussailles de chaque côté de la route. Elle aperçut une case en terre abandonnée – les murs à demi écroulés, le toit détruit – mais aucun autre signe de présence humaine. Pointant le doigt droit devant elle, elle demanda au vieil homme :

« *Safi sana ?* » Ce qui signifiait littéralement « très propre », mais pouvait également vouloir dire « parfaitement correct » ou « exact ».

« *Ndiyo*, répondit-il avec un vigoureux hochement de tête. *Na swahili yako safi sana !* ajouta-t-il avec un large sourire dénudant ses gencives grises. *Safi sana sana !* »

Touchée par ce compliment, elle lui rendit son sourire. Elle lisait sur le visage du vieillard qu'il pensait sincèrement ce qu'il venait de dire : que son swahili était très, très correct ! Puis elle fronça le nez en humant un relent de fiente de poulet – une odeur qu'elle connaissait bien, car, dans sa ferme natale, c'était elle qui était chargée de ramasser les œufs dans le poulailler. Elle espéra de tout son cœur qu'elle aurait le temps de nettoyer les sièges avant que la tache verte s'incruste dans le tissu.

La piste se mit à grimper en pente raide. Kitty réduisit encore la vitesse de manière à pouvoir détacher ses yeux de la route. Elle se rendit compte qu'ils se trouvaient à présent dans les collines.

« *Hapa ! Hapa !* » s'écria l'homme, en lui montrant le sommet de la colline voisine.

Une croix blanche apparut à sa vue, surmontant une haute flèche en tuiles d'argile. En se rapprochant, elle put voir le clocher dans sa totalité, puis le pignon d'une église. L'édifice blanchi à la chaux se découpait avec netteté sur le ciel bleu vif, et elle écarquilla les yeux de surprise : cela ne ressemblait en rien à l'humble chapelle d'une mission.

Quelques instants plus tard, elle découvrit une autre construction tout aussi grande et blanche, et elle s'arrêta pour contempler la façade imposante, haute de deux étages, ornée d'une rangée d'arcades au rez-de-chaussée. Devant les deux bâtiments s'étendait une vaste cour pavée de pierre pâle, au milieu de laquelle se dressait le plus gros baobab que Kitty ait jamais vu. À proximité, des parterres soigneusement entretenus, garnis d'arbres en fleurs et d'arbustes ; elle aperçut également des carrés de légumes. Le rose et le violet éclatants des bougainvilliers se détachant sur les murs blancs et le ciel d'azur composaient un tableau saisissant, qui rappela à Kitty des photos que les Hamilton avaient rapportées de leurs voyages en Europe. Exception faite de l'arbre typiquement africain, ce décor aurait pu être situé en Italie ou en Espagne. Les lieux semblaient déserts ; il en émanait une profonde impression de tranquillité. Hormis une troupe de pigeons picorant dans les fissures des pavés, sous une longue table sur tréteaux installée devant l'église, on ne décelait aucun mouvement.

Kitty rangea sa voiture sous l'ombrage d'un jacaranda et descendit. Tout en défroissant sa jupe, elle remarqua que l'air était beaucoup plus frais ici ; on sentait même une légère brise. Le vieillard descendit à son tour, sortit sa cage à poulets et la déposa contre le tronc de l'arbre. Faisant signe à Kitty de le suivre, il se dirigea vers l'église, puis continua vers l'autre bâtiment. D'un pas résolu, il longea la galerie à arcades et s'arrêta devant une pièce dont la porte était grande ouverte ; seul un fin rideau jaune masquait l'entrée.

« *Hodi !* » appela-t-il. (Peut-on entrer ?)

Bien qu'aucune réponse ne leur parvînt, il écarta le rideau et disparut à l'intérieur de la pièce. Kitty le suivit et battit des paupières pour accommoder son regard à la pénombre. Elle promena les yeux sur la vaste salle autour de laquelle s'alignaient des fauteuils et des canapés d'un style très sobre – des cadres en bois sombre, des coussins pour les sièges et les dossiers. Certains étaient garnis de couvertures multicolores faites de petits carrés au crochet assemblés les uns aux autres – exactement comme celles que confectionnait sa grand-tante autrefois. Sur les murs étaient accrochées des photos et des reproductions de tableaux anciens.

« Regarde bien », l'invita son compagnon, en désignant les images d'un geste fier, comme pour lui faire admirer des œuvres rares et de grand prix.

Elle reconnut le beau visage de Jésus jeune homme, pour avoir vu des représentations semblables dans son enfance, au catéchisme. Mais ici, il était entouré d'un large halo jaune et sa poitrine était bizarrement transparente : une lumière dorée émanait de son cœur rouge encerclé d'une couronne d'épines. À côté se trouvait une photo en noir et blanc jaunie par le temps ; on y voyait un personnage frêle, au visage pâle et émacié, doté d'une barbe neigeuse et vêtu d'une longue robe noire.

Dans le silence résonna un bruit de pas, lent et traînant. Un vieillard voûté, presque identique à celui de la photo, entra dans la pièce. Il échangea avec l'Africain des salutations amicales en swahili ; manifestement, ils se connaissaient. Puis il se tourna vers Kitty et s'adressa à elle dans une langue qu'elle ne put identifier. Devant son air déconcerté, il revint au swahili.

« Bienvenue, ma fille. Je suis le père Paulo. En quoi puis-je vous être utile ? »

Il avait un accent prononcé, et elle eut du mal à comprendre ces mots pourtant simples.

« *Mimi nataka* sœur Barbara. »

Il arqua ses sourcils blancs en broussaille. Son visage était creusé de rides profondes et sa voix tremblait. Pensant qu'il était peut-être atteint de surdité, Kitty répéta sa phrase d'une voix plus forte.

Le père Paulo parut perplexe, puis marmonna quelque chose au vieil Africain, qui acquiesça et se précipita dehors.

« *Momento* », dit le prêtre avec un sourire affable à l'adresse de Kitty.

Du geste, il l'invita à s'asseoir, avant de s'installer en face d'elle, les mains croisées sur les genoux.

Ils n'échangèrent pas un mot, mais ce silence n'avait rien de gênant. Du jardin leur parvenaient les roucoulements satisfaits des pigeons et le frottement rythmique d'un balai sur le sol.

Bientôt, des pas retentirent sur le pavé de pierre. Kitty se leva au moment même où le rideau s'ouvrait, tiré par une main impatiente. Un homme entra d'une démarche vive, sa soutane voltigeant autour de ses jambes, ses sandales claquant sur les dalles. Avec un effort visible pour ralentir son élan, il s'immobilisa devant elle.

« Bonjour. Je suis le père Remi. »

Son anglais était teinté d'un léger accent étranger.

Elle lui donna une quarantaine d'années ; ses cheveux courts et bouclés grisonnaient aux tempes et sa peau olivâtre commençait à se rider. Mais ses yeux sombres étincelaient de vitalité, lui conférant un air juvénile. Sans attendre qu'elle en prenne l'initiative, il lui tendit la main.

« Je suis Mme Hamilton », dit-elle en la lui serrant.

La paume calleuse du prêtre lui évoqua les mains de son père, qui avait la peau durcie par le labeur. Elle remarqua un écusson sur sa soutane : un cœur surmonté d'une croix, brodé en blanc sur fond noir et renfermant des lettres et des symboles. L'insigne était cousu à grands points maladroits à l'emplacement du propre cœur du père Remi.

« Vous avez déjà fait connaissance avec le père Paulo. Il ne parle que l'italien et le swahili. Et un peu de français. »

Après ces brèves paroles, le prêtre se tut. Bien qu'il eût paru pressé lorsqu'il était entré, il accordait à présent toute son attention à Kitty. Elle eut le sentiment qu'il attendait qu'elle lui explique la raison de sa visite.

« Je cherche sœur Barbara.

— Sœur Barbara ? répéta-t-il, l'air perplexe. Ah, vous voulez parler de l'infirmière[1]. »

Kitty ouvrit la bouche, mais aucun son n'en sortit. Elle comprenait à présent pourquoi les bâtiments étaient si différents de ce à quoi elle s'attendait, et pourquoi ces religieux se donnaient le nom de « père ». Il s'agissait d'une mission catholique.

Le père Remi se tourna vers l'Africain.

« Pourquoi es-tu venu ici ? »

1. En Grande-Bretagne, le terme « sister », sœur, s'applique aussi bien aux infirmières qu'aux religieuses, d'où la méprise de Kitty.

L'homme haussa les épaules et écarta les mains.

« La femme blanche m'a demandé de l'amener à la mission. La mission, c'est ici. »

Durant cet échange, les yeux de Kitty se posèrent sur le crucifix en bois au-dessus de l'entrée. Le corps du Christ, nu à l'exception d'un pagne, y était accroché, cloué par les mains et les pieds, la tête affaissée sur la poitrine. Cette image lui était vaguement familière. Elle avait jadis exploré le cimetière de l'autre église de Wattle Creek, celle qui se trouvait tout au bout de la rue principale. Parmi les tombes lourdement ornementées, elle avait vu plusieurs de ces effigies. Mais c'étaient surtout les statues d'anges qui l'avaient fascinée. Dans le cimetière anglican, il n'y avait que des pierres tombales toutes simples ou des croix de pierre nue. Elle avait eu l'intention de retourner là-bas pour faire des croquis des statues, mais quelqu'un l'avait aperçue et elle avait dû promettre à ses parents de ne jamais y remettre les pieds. À la façon dont ils parlaient du cimetière catholique, on aurait pu croire qu'il se trouvait en pays étranger.

« Vous êtes à la mission catholique, déclara le père Remi, confirmant ainsi ses soupçons. Ce que vous cherchez, c'est la mission anglicane », poursuivit-il en indiquant la direction qu'ils avaient suivie avant d'atteindre le dernier tournant. Inspectant la tenue de brousse usagée, il reprit : « Êtes-vous une nouvelle missionnaire ? Une nouvelle infirmière ? »

Elle secoua la tête en riant.

« Non, je suis simplement… l'épouse d'un des fonctionnaires de Londoni. J'ai pensé que je pourrais peut-être apporter mon aide à sœur Barbara. Elle est venue au club, voyez-vous… »

Sa voix s'éteignit. Brusquement, l'idée de prétendre

aider de vrais missionnaires dans leur travail lui paraissait aussi ridicule que présomptueuse. Elle repensa à l'étal de plantes en pots, à la nappe raffinée couvrant la table sur tréteaux et à la boîte métallique gaiement colorée où elles avaient rangé pièces et billets. Les dames avaient présidé à la vente à tour de rôle, et l'une d'elles avait veillé en permanence sur leurs sacs à main alignés sur une autre table, derrière la première. Après que la dernière plante avait été vendue, chacune était épuisée mais satisfaite du devoir accompli, et impatiente de savourer un gin tonic bien mérité. C'était ce que les épouses britanniques entendaient par « œuvre de charité ».

« Sais-tu où se trouvent les anglicans ? demanda le père Remi à l'Africain.

— Cette mission, ici, est une très bonne mission, rétorqua celui-ci. Pourquoi lui en faudrait-il une autre ? »

Ses paroles suivantes furent couvertes par le tintement d'une cloche, sonore et insistant. Peu après, comme en réponse, un cliquetis métallique s'éleva à proximité.

« Je regrette, madame Hamilton, de ne pouvoir vous inviter à prendre un rafraîchissement. » Le père Remi se dirigeait déjà vers la porte. Sans cesser de parler, il écarta le rideau. « Enchanté de vous avoir rencontrée. »

Il leva la main, dans un geste qui pouvait être aussi bien une bénédiction qu'un banal salut.

La cloche se tut. Dans le silence revenu, Kitty entendit un grincement d'embrayage. Elle s'approcha des fenêtres et aperçut un camion gravissant la colline. Des Africains vêtus à l'identique de chemises et de pantalons en toile grossière étaient entassés à l'arrière, en compagnie de gardes indigènes semblables à ceux qui étaient postés devant le bureau central, que Theo appelait askaris, des soldats aguerris qui avaient servi dans le King's African Rifles, le régiment des fusiliers africains. Eux étaient sanglés dans des uniformes impeccables, avec de gros ceinturons et des fez rouges ; ils étaient armés de matraques et de fusils à baïonnette. Quand le camion s'arrêta, elle put lire l'inscription sur la portière de la cabine : *Services pénitentiaires de Sa Majesté.* Au-dessus de ces mots était peint un emblème – la tête d'une girafe, avec des taches noires sur fond jaune, dans un cercle blanc.

Le vieux prêtre se leva et s'adressa à elle dans un swahili incompréhensible. À ses gestes, elle devina qu'il voulait qu'elle s'en aille. Mais, au lieu de lui indiquer la porte par laquelle le père Remi venait de sortir, il lui montra la porte intérieure par laquelle il était lui-même entré. Sans doute jugeait-il préférable qu'elle emprunte une autre issue. Les prisonniers étaient en train de descendre du camion. En surgissant dans la cour, elle risquerait pour le moins de s'attirer une attention déplacée.

« Merci », dit-elle.

L'Africain qui, de toute évidence, n'entendait pas renoncer à lui servir de guide, la suivit dans le couloir, le vieux prêtre fermant la marche.

Elle arriva dans une salle à manger meublée d'une longue table. Un vase d'hibiscus orange attira son regard ; dans l'air flottait une bizarre odeur de levure qu'elle ne parvint pas à identifier. Elle se dirigeait vers la porte du fond quand le père Paulo tira une chaise et l'invita du geste à s'y asseoir.

« Vous devez d'abord boire un peu d'eau », déclara-t-il en swahili.

Il alla jusqu'au buffet où trônait une carafe couverte

d'un cercle de tulle alourdi par des perles multicolores. D'une main tremblante, il remplit trois verres et les porta un à un jusqu'à la table. Le gobelet de Kitty était usagé, le verre rayé ; elle se demanda si l'eau avait été filtrée et bouillie. Mais après une seule petite seconde d'hésitation, elle but à longs traits – elle ne s'était pas rendu compte, jusqu'à maintenant, combien elle avait soif. Puis, dégustant le reste de l'eau à petites gorgées, elle promena son regard autour d'elle. Sur le mur, derrière la table, il y avait un tableau représentant un moine entouré d'animaux, et d'autres photos de prêtres, dont un à la peau noire. Intriguée, elle s'attarda sur une image étrange, en noir et blanc – un visage barbu aux yeux clos. L'image était floue, imprécise, comme le souvenir d'un rêve.

« Le suaire de Turin, expliqua le père Paulo. Le visage du Christ après sa mort.

— Très intéressant », répondit-elle poliment.

Elle avait hâte de se retrouver à la mission anglicane où, elle en était convaincue, la mort ne serait pas si omniprésente.

Comme elle reposait son verre sur la table, elle sentit de nouveau cette odeur étrange et huma l'air pour essayer de l'identifier.

« Nous faisons du vin, dit le père Paulo en attirant son attention vers une armoire vitrée remplie de verres en cristal taillé et de bouteilles dépourvues d'étiquettes. Aimeriez-vous le goûter ?

— Non, merci. Il faut que je parte, à présent. »

Elle vida son verre et se leva. Le père Paulo lui désigna la porte au fond de la pièce, mais demeura assis. Elle le salua d'un sourire et s'éloigna, talonnée par son guide.

Dès qu'elle franchit la porte, une odeur de nourriture assaillit ses narines ; plusieurs énormes marmites bouillonnaient sur un fourneau noirci. L'air était brûlant et empli de buée. Un jeune Africain, grand et maigre, vêtu seulement d'un tablier blanc et d'un short, allait et venait entre l'évier, le fourneau et un établi. Il prit le torchon posé sur son épaule nue pour s'essuyer le visage mais, en apercevant Kitty, il suspendit son geste. Son compagnon dit quelque chose qu'elle ne saisit pas, et le cuisinier hocha la tête. Puis, sans préambule, il fourra dans la main de Kitty une sorte de louche – une tasse en fer émaillé montée sur un bâton recourbé. Dans le même mouvement, il s'empara d'une des marmites, en entourant les anses de serviettes à thé pour ne pas se brûler, et sortit dans la cour.

Kitty s'arrêta sur le seuil, serrant la louche dans sa main crispée. À demi dissimulée derrière le rideau de l'entrée, elle observa la scène. Le cuisinier se dirigea vers la table à tréteaux installée devant l'église. À un bout de celle-ci étaient empilés des tasses et des bols en fer-blanc. Deux autres camions étaient rangés dans la cour et les gardes s'employaient à en faire descendre les prisonniers. Les premiers arrivés étaient déjà assis en tailleur sur les dalles. En tout, ils devaient y avoir près d'une centaine d'hommes. Des chiffres étaient tracés à la peinture noire sur leurs chemises, à l'emplacement du cœur, comme l'écusson du père Remi. De leurs rangs s'élevait un murmure étouffé. Kitty jeta un coup d'œil vers sa voiture, garée à faible distance de là. Elle n'aurait qu'à passer devant la table, y déposer la louche et poursuivre son chemin. Personne ne songerait à le lui reprocher. Certains des prisonniers roulaient des yeux et secouaient la tête à la façon des déments. D'autres avaient le regard vide, comme mort. Un homme assis non loin d'elle portait une large et profonde cicatrice tout le long de la jambe. Elle ne pouvait que s'imaginer le genre de vie qu'avaient menée ces hommes, quels crimes ils avaient commis.

Prenant une longue inspiration, elle s'avança dans le soleil.

À sa vue, la foule fut parcourue d'un mouvement de surprise, et le silence se fit. Elle aperçut le père Remi penché sur un homme portant un bandage sale sur la jambe. Un instant plus tard, il se dirigea vers elle. Quand il l'eut rejointe, il regarda la louche, puis leva vers elle un regard interrogateur. Ensuite, il hocha la tête comme pour lui-même avant de la conduire vers l'extrémité de la table.

« Mettez-vous là. Je reviens tout de suite. »

Elle ouvrit la bouche pour expliquer qu'elle partait, mais il avait déjà tourné les talons. Les gens l'interpellaient au passage pour attirer son attention, les prisonniers comme les askaris.

Elle se retrouva devant une marmite de ragoût de légumes fumant, son fidèle guide à son côté.

« Je m'appelle Tesfa », annonça-t-il avec solennité.

Elle lui sourit, comprenant qu'il avait décidé de lui accorder sa confiance.

« Et moi, Kitty.

— Kitty, tu dois faire ce travail avec soin, lui conseilla-t-il en montrant la louche. Remplis ça jusqu'en haut, une seule fois. Chaque homme doit manger. Tu ne dois pas te trouver à court.

— C'est toi qui as dit au cuisinier que je voulais aider les pères ?

— C'est vrai, je l'ai dit », reconnut-il d'un ton grave, sans fournir d'autres explications.

Le cuisinier reparut, portant cette fois un chaudron rempli d'une épaisse bouillie blanchâtre. Après l'avoir déposée à côté du ragoût, il tendit un tablier à Kitty. Une Africaine en longue robe, similaire à celle des prêtres, mais de couleur bleu pâle, arriva ensuite, portant un pain de savon rouge, une serviette et une bassine d'eau.

Kitty plaça ses mains sous le mince filet d'eau et les savonna. La mousse rose sentait la lessive de soude et le désinfectant. Elle inclinait la tête et ses cheveux lui tombaient dans les yeux, mais elle sentait peser sur elle les regards insistants des hommes. L'air était chargé de tension. Tout en s'essuyant les mains, elle balaya la foule du regard, en essayant de ne le poser sur personne en particulier. La cour était maintenant remplie de prisonniers. La majorité d'entre eux étaient dans la fleur de l'âge, avec des bras et des jambes fuselées aux muscles saillants. Certains étaient plus vieux, d'autres n'étaient encore que des adolescents. Leurs visages bruns luisaient de sueur, mais leurs membres étaient couverts de poussière rouge. Plusieurs d'entre eux parcouraient les rangs en versant aux autres de l'eau pour se laver les mains. Les askaris surveillaient attentivement les opérations. L'un d'eux tapotait l'extrémité de sa matraque contre sa paume.

Le père Remi revint se placer à côté d'elle. Après lui avoir accordé un bref sourire, il se tourna face à la foule. Tout le monde s'immobilisa et se tut. Le prêtre fit le signe de la croix, comme Paddy l'avait fait à bord de l'avion avant chaque repas, ainsi qu'au moment du décollage et de l'atterrissage. Courbant la tête, il se mit à parler dans une langue qu'elle devina être de l'italien, même si elle ne comprenait pas pourquoi il s'adressait à des Africains dans sa langue maternelle. Ces sonorités étrangères conféraient à son discours plus de poids et de mystère, mais sans doute récitait-il simplement le bénédicité – comme son père à elle le faisait tous les soirs, débitant les phrases immuables qui suspendaient toute activité dans la pièce jusqu'à l'« Amen » final où couteaux et fourchettes se mettaient à cliqueter avec entrain.

Sa prière terminée, le père Remi prit un ustensile en bois – une sorte de grande cuillère à l'extrémité aplatie.

« Nous pouvons commencer à présent », annonça-t-il en plongeant la spatule dans la bouillie épaisse, tandis que le premier prisonnier s'avançait vers la table.

Au cours de l'heure qui suivit, Kitty travailla sans relâche. Le ragoût se composait de haricots, de tomates, d'oignons et de patates douces. Heureusement, les légumes étaient découpés en petits cubes réguliers et il n'y avait pas à se soucier de les répartir équitablement ; chaque louchée était identique à la précédente. Apaisée par la cadence de ses gestes répétitifs, Kitty finit par se détendre un peu et commença à lever les yeux vers les prisonniers qui lui tendaient leurs bols. Au début, elle eut l'impression que seuls leur âge et leur stature les distinguaient les uns des autres mais, au bout d'un certain temps, elle prit conscience de la diversité des visages, des physionomies. Celui-ci était manifestement un comédien, cet autre, un timide. Elle décela tour à tour dans ces expressions la sagesse, la colère, la résignation, et même l'espièglerie. Beaucoup d'entre eux arboraient les marques rituelles des Wagogo – la cicatrice au milieu du front, l'incisive manquante – mais certains appartenaient de toute évidence à une autre tribu. Tous, à de rares exceptions près, la remercièrent après avoir été servis.

« *Asante. Asante sana. Asante sana.* »

Ces sons sifflants recouvraient presque le bruit des pas et le cliquetis des bols en fer-blanc.

Quand la première marmite fut vide, le cuisinier en apporta une autre. Du dos de la main, Kitty essuya son front trempé de sueur.

« Êtes-vous fatiguée ? s'enquit le père Remi. Vous pouvez vous arrêter. D'autres prendront le relais », ajouta-t-il avec un large mouvement de spatule englobant les prisonniers les plus proches, la femme en bleu – sans doute une religieuse – et d'autres Africains vêtus d'une sorte d'uniforme ocre qui venaient de se joindre à la foule.

« Non, ça ira », répondit-elle, reprenant sa distribution avec une vigueur renouvelée pour cacher son désarroi.

Elle comprenait très bien qu'elle n'était pas indispensable – comment aurait-elle pu l'être, alors qu'elle était venue ici par erreur ? Et pourtant, elle n'avait pas la moindre envie de céder sa place. Toute autre considération mise à part, elle se rendait compte que, durant la dernière heure, elle n'avait pas eu le temps de songer un seul instant à ses problèmes. Elle percevait le changement dans son esprit et dans son corps, tournant ses pensées et ses émotions vers le monde extérieur au lieu de les concentrer sur elle-même. Ses jambes étaient lasses, son estomac tenaillé par la faim, sa gorge desséchée et, cependant, elle débordait d'énergie. Elle se sentait légère et vive, libérée d'elle-même. Elle aurait aimé pouvoir rester ici à jamais.

6

Assise sur la véranda, les chevilles sagement croisées, sa jupe en coton fraîchement repassée couvrant ses genoux, Kitty contemplait Londoni dans le lointain. Comparée au lieu qu'elle venait de quitter, la ville lui paraissait encore plus morte et déserte que d'habitude. Tandis qu'elle caressait pensivement le collier de perles à son cou, des images de la journée écoulée défilèrent dans son esprit. Le potager où légumes et herbes aromatiques poussaient en rangs serrés. Les massifs de fleurs multicolores qu'on avait plantés à côté, comme si la couleur comptait autant que la nourriture. Les poulaillers spacieux. L'enclos enfermant deux cochons bien gras. La mare aux canards.

« Pourquoi tout est-il si vert ici ? » avait-elle demandé au père Remi pendant qu'il lui faisait visiter la mission. Le fait qu'elle soit située dans les collines n'expliquait pas à lui seul cette végétation luxuriante.

« Il y a une source permanente sur ce versant, avait-il répondu en pointant le doigt derrière lui. Nous la canalisons jusqu'ici. Nous avons ainsi toute l'eau qu'il nous faut. »

Tesfa les avait accompagnés, ainsi que deux petits

enfants qui gloussaient timidement chaque fois qu'elle les regardait. Le père Remi paraissait plus détendu maintenant que les prisonniers étaient partis et que le plus gros de son travail était accompli. Il s'était arrêté pour caresser un chaton assoupi au soleil et cueillir un brin de thym qu'il avait frotté entre ses doigts pour en libérer l'essence aromatique.

Elle avait courbé la tête en passant sous un frangipanier chargé de fleurs crème et jaune, et respiré leur parfum entêtant à pleins poumons pour chasser l'odeur de sang et d'antiseptique qui ne la quittait pas. Avant que les askaris les fassent remonter dans les camions, certains prisonniers s'étaient regroupés près d'une des portes sous l'arcade. Le prêtre les avait fait entrer dans une vaste pièce et avait ouvert une armoire métallique contenant des flacons de médicaments, des boîtes de comprimés, des bandages et autres articles médicaux. Avec l'assistance de la vieille religieuse africaine, qu'il lui avait présentée comme « sœur Clara », il avait entrepris de soigner les coupures et les plaies des prisonniers, d'examiner leurs yeux et de prendre leur température.

Quand elle lui avait proposé son aide, il lui avait remis du Dettol, un bocal rempli d'un onguent quelconque et un rouleau de coton hydrophile. Il lui avait indiqué où elle pouvait remplir sa bassine d'eau, puis il avait fait signe à l'homme qu'elle avait remarqué un peu plus tôt, celui qui portait un pansement souillé sur la jambe.

« Retirez le bandage et nettoyez la blessure. Avant de poser un nouveau pansement, appliquez un peu d'onguent. Je le fabrique moi-même, et il est efficace. Appelez-moi si vous avez besoin d'aide. »

Le prisonnier s'était assis sur une chaise et elle s'était agenouillée en face de lui. Quand elle avait déroulé le bandage, une odeur aigre était montée jusqu'à ses narines. La dernière partie de la bande de gaze adhérait à la blessure et elle avait dû la décoller avec de l'eau tiède. Elle avait senti que le père Remi l'observait tandis qu'elle dévoilait un ulcère de la taille d'une grosse pièce de monnaie.

Elle avait examiné la plaie. Une grosse croûte la couvrait en partie, mais du pus suintait sur les bords. Elle avait froncé les sourcils, se remémorant ce que Janet lui avait enseigné. *Une blessure doit cicatriser de l'intérieur vers l'extérieur. Une croûte peut cacher une infection en train de s'aggraver…*

Prenant une pince à épiler dans la cuvette à instruments, elle l'avait pointée vers la plaie.

« *Samahani* », avait-elle dit en levant les yeux vers le prisonnier. (Excusez-moi.)

« *Si neno* », avait-il répondu. (Ce n'est rien.)

Il n'avait même pas grimacé quand elle avait commencé à détacher la croûte, et elle s'était demandé à quel degré de souffrance et d'inconfort il était habitué depuis qu'il était en prison, ou même avant cela. Finalement, elle avait décollé complètement la croûte, exposant la chair à vif, rose pâle sur la peau noire. Un fluide sombre s'en écoulait, et elle avait réprimé une nausée.

« *Vizuri* », avait-elle dit au prisonnier d'une voix rassurante. (Bien.)

Il avait hoché la tête, ne doutant visiblement pas de sa parole. Kitty était consciente que le père Remi n'avait rien perdu de la scène. Elle s'était mise en devoir de nettoyer et désinfecter la plaie béante.

Cette tâche accomplie, elle l'avait enduite du baume à l'odeur musquée, en se servant d'un tampon de coton hydrophile, avant de poser un bandage neuf. Combien de temps resterait-il propre, et dans combien de temps le pus recommencerait-il à suinter ?

« Avez-vous des ciseaux ? » avait-elle demandé au père Remi.

Il lui en avait donné une paire et l'avait regardée couper l'extrémité de la bande en deux de manière à former un lien qui maintiendrait le pansement en place.

« Vous avez dit que vous n'étiez qu'une épouse de fonctionnaire, mais vous êtes aussi infirmière ! avait-il dit en guise de commentaire.

— J'ai quelques notions de base, rien de plus, avait-elle répondu en secouant la tête.

— Et vous parlez aussi le swahili, je vous ai entendue…

— Un peu, avait-elle acquiescé avec modestie.

— Sœur Barbara sera enchantée de vous voir. »

Le regret perçait dans sa voix. Elle avait baissé la tête pour cacher le plaisir qu'elle ressentait. Il avait besoin d'elle ! Elle aurait voulu pouvoir lui dire, là, tout de suite, qu'elle reviendrait avec plaisir, chaque fois qu'elle le pourrait. Mais elle avait gardé le silence, et la remarque du prêtre était restée en suspension dans l'air. Il lui plaisait beaucoup ; elle appréciait ce mélange d'énergie et de gentillesse qui émanait de lui. Et elle avait senti aussi une profonde douceur chez le père Paulo. Sœur Clara était aimable et serviable, comme tous ceux qu'elle avait rencontrés à la mission. Sans oublier Tesfa. Elle n'avait passé que quelques heures là-bas, pourtant elle s'était sentie parfaitement à l'aise parmi eux. Mais c'étaient des catholiques. Et tous les gens que Theo et elle avaient rencontrés – au club, sur les courts de tennis, autour du bureau central ou lors des deux dîners auxquels ils avaient été conviés dans la rue des Millionnaires – étaient protestants. Ils se rendaient tous les dimanches matin à l'église anglicane de St. Michael et s'asseyaient sur les bancs par ordre hiérarchique. Richard et Diana sur celui du devant, ainsi que les directeurs de l'OFC en visite, éventuellement. Derrière eux, Theo et elle, sur la même rangée qu'Alice et son époux Nicholas. Venaient ensuite les médecins, les directeurs des unités d'exploitation et autres cadres subalternes, et ainsi de suite.

L'église catholique se trouvait à l'autre bout de Londoni, à proximité des ateliers de réparation. En net contraste avec l'église anglicane, un imposant bâtiment de pierre construit sur une hauteur dominant tout le campement, le lieu de culte des catholiques était un hangar militaire reconverti, assez semblable à celui qui abritait le Kongara Club, en plus petit. Kitty ne savait pas au juste qui le fréquentait. Paddy, sûrement. Et peut-être ses autres compagnons de voyage. Semaine après semaine, elle avait guetté leur venue, mais elle ne les avait jamais aperçus à St. Michael. En fait, il devait y avoir plusieurs centaines de personnes dans les Cabanes à outils, les tentes et les cases, qui ne venaient jamais à l'église anglicane. Et apparemment, il y avait une seconde église catholique, plus grande, non loin des unités d'exploitation ; les terrassiers irlandais et la cohorte des Italiens formaient l'essentiel de ses paroissiens. Il lui vint tout à coup à l'esprit que les catholiques devaient être beaucoup plus nombreux que les protestants, à Kongara. Pourtant, c'était à peine si on mentionnait leur existence. Mais il en allait ainsi, ici : les dirigeants et les cadres étaient tous anglais et protestants. Ils restaient entre eux. Les catholiques occupaient des positions inférieures. Elle savait, sans avoir besoin que Theo le lui dise, qu'il ne serait pas plus convenable pour l'épouse du directeur administratif de consacrer du temps à la mission catholique que d'enseigner le swahili aux mécaniciens des ateliers.

Quand elle eut fini de nouer le bandage, le prisonnier s'était levé pour faire place au patient suivant.

« Quand cet homme pourra-t-il de nouveau être soigné ? avait-elle demandé au père Remi. Une blessure comme la sienne a besoin d'être désinfectée quotidiennement.

— Il reviendra demain. Ne vous inquiétez pas. Je veillerai à ce qu'on s'occupe de lui.

— Ces hommes viennent-ils ici tous les jours ?

— Du lundi au samedi. Ils travaillent comme ouvriers agricoles à la ferme voisine, avait expliqué le prêtre tout en cherchant quelque chose dans l'armoire à pharmacie. La prison est trop éloignée pour qu'ils retournent manger là-bas. Et de toute façon, la nourriture est meilleure ici. De plus, comme vous le voyez, nous pouvons aussi les aider d'une autre façon. »

Elle avait ôté un sparadrap sur la main d'un prisonnier, révélant une entaille récente. Tout en y appliquant un antiseptique, elle avait rétorqué au père Remi :

« Mais n'est-ce pas au fermier de leur fournir des repas, puisqu'ils travaillent pour lui ? »

Elle avait pris un ton indigné. Il fallait être un bien triste individu pour exploiter ainsi des détenus et s'enrichir grâce au labeur d'une main-d'œuvre gratuite, dont des hommes en mauvaise santé et des adolescents qui auraient dû être à l'école.

« Bwana Taylor paie leur nourriture, et il nous rétribue pour la préparer. Nous utilisons cet argent pour financer l'œuvre de notre mission. C'est un arrangement qui convient à tous.

— Taylor, avez-vous dit ? »

Elle avait reconnu le nom de l'homme qu'elle avait croisé sur la route l'autre jour, celui que Theo avait décrit comme un éternel mécontent. L'autochtone blanc qui avait tenté de faire capoter le plan Arachide afin de protéger ses propres intérêts.

Le père Remi avait acquiescé.

« Vous le connaissez ? s'était-il enquis tout en appliquant de l'onguent sur les yeux infectés d'un prisonnier.

— Pas du tout », avait-elle répliqué en secouant vigoureusement la tête.

La conversation s'était arrêtée là. Mais le nom de Taylor avait de nouveau été mentionné plus tard, alors qu'ils visitaient les jardins. Le père Remi les avait emmenés, Tesfa et elle, jusqu'aux limites du domaine, d'où ils avaient pu contempler un flanc de colline entièrement planté de vignes.

« C'est là que travaillent les prisonniers », avait-il expliqué.

Les plants étaient disposés en rangs aussi rectilignes et impeccables que les tentes de Londoni. Mais alors que Kongara n'était qu'un patchwork crasseux de gris et de blanc interrompu par des routes de gravier pâle, le versant de la colline était parsemé de touches d'un vert lumineux – vert Winsor, avec un soupçon de jaune de Naples – que faisait encore ressortir la terre rouge. Les plants paraissaient sains et promettaient une belle récolte. Cependant, en portant son regard plus loin, Kitty avait discerné d'autres vignes réduites à des sarments gris.

« Pourquoi certains plants sont-ils en bonne santé, et d'autres morts ?

— Ceux qui ont l'air morts ont déjà produit leurs fruits et ils ont été élagués après la cueillette. Les autres n'ont même pas encore fleuri. Nous obtenons trois récoltes par an, grâce à une irrigation contrôlée. Il est donc logique d'étaler les vendanges sur toute l'année. »

Kitty avait promené son regard sur les vignobles. C'était le rêve de tout agriculteur : avoir du soleil et de l'eau tout au long de l'année. Ne pas dépendre des saisons. Elle avait regretté de ne pouvoir décrire cet endroit à son père. Elle pouvait bien sûr lui écrire mais, tant que le fossé entre eux ne serait pas comblé – et, après tout ce temps, il était peu probable que cela se produise jamais –, elle n'obtiendrait pas de réponse.

« C'est le père Paulo qui a rapporté les premières boutures d'Italie, où il était allé rendre visite à sa sœur, avait ajouté le père Remi. Nous avons commencé à fabriquer du vin pour la communion, et aussi, bien sûr, pour notre table. C'était il y a vingt ans.

— Vous êtes ici depuis si longtemps ?

— J'avais vingt-sept ans quand je suis arrivé d'Italie. »

Elle l'avait dévisagé d'un air incrédule.

« Retournez-vous souvent là-bas ?

— Je ne prends plus de congés. Je n'ai plus aucune famille en Italie depuis la mort de ma mère. De même que le père Paulo. Alors, nous restons ici. C'est ici qu'est notre patrie, désormais », avait-il conclu tout en parcourant des yeux le paysage.

Puis il avait entrepris de ramasser des légumes, afin d'en remplir un panier à son intention. Il y avait mis des tomates charnues et plusieurs épis de maïs doux encore enveloppés dans leurs balles, y avait ajouté quelques betteraves et des carottes, après les avoir secouées pour en ôter la terre rouge. Sur un arbre grêle, il avait cueilli une grosse papaye qu'il avait portée à son nez pour s'assurer qu'elle était bien mûre. Enfin, il avait posé sur le tout un bouquet d'herbes aromatiques, parmi lesquelles elle avait pu identifier du persil et de la menthe, du thym et de la sauge.

Ils s'apprêtaient à quitter le jardin – il était temps pour elle de regagner Londoni – quand le père Remi s'était soudain immobilisé. Il s'était penché sur une grande plante dont les feuilles ressemblaient à celles du trèfle ; elle devait mesurer une trentaine de centimètres de haut et le double en largeur.

« Savez-vous ce que c'est ? » lui avait-il demandé.

À son ton, elle avait compris que cette question devait avoir une signification particulière.

« Un plant d'arachide ? avait-elle répondu intuitivement. Je n'en avais encore jamais vu.

— C'est une plante étonnante », avait-il repris en promenant ses doigts le long des tiges, faisant bruisser les feuilles.

Elle avait souri poliment. Elle la trouvait plutôt quelconque, pour une plante sur laquelle on fondait tant d'espoirs et d'attentes.

« La pousse est déjà bien avancée, avait-elle fait observer. En bas, dans les unités d'exploitation, ils en sont encore au labourage.

— Ils vont devoir attendre les pluies. Ils ne pourront jamais irriguer des champs de cette taille, avait-il répondu en s'agenouillant à côté du plant d'arachide. Quand elle arrive au terme de sa croissance, avait-il poursuivi, des fleurs jaunes apparaissent. Chacune d'elles ne vit qu'un seul jour, mais il en vient sans cesse de nouvelles, et cela dure pendant un mois environ. Cette plante est capable de se féconder elle-même, mais les abeilles ont aussi leur rôle à jouer. Après la fécondation, les pétales tombent. Il ne reste que l'ovaire. »

Tout en parlant, le prêtre examinait l'arachide, et Kitty était contente de ne pas voir son visage. Les mots qu'il employait, prononcés avec son accent italien si mélodieux, avaient quelque chose d'intime, comme s'il lui confiait un secret, et elle se sentait presque gênée.

« L'ovaire se transforme en une cosse dure renfermant deux ou trois graines. Cette cosse a une extrémité pointue tournée vers le sol. Le moment venu, la tige se courbe et la cosse s'enfonce dans la terre. »

Il avait écarté le feuillage pour exposer le sol nu, et Kitty avait senti ses joues s'empourprer. Cela n'avait rien à voir avec la présence du père Remi. L'attitude de celui-ci n'avait rien d'ambigu. Sa soutane, le blason brodé sur sa poitrine et son statut de prêtre faisaient de lui un être à part, différent des autres hommes. Pourtant, ses paroles faisaient naître en elle des images chargées de sensualité, tout un monde palpitant de vie. Le parfum des fleurs, la caresse du soleil sur ses épaules, et même le chant des oiseaux dans les arbres – tout cela en faisait partie. L'air lui-même semblait murmurer à son oreille des mots évocateurs de maturation, de fertilité, de sexualité… Ses pensées avaient dérivé vers la chambre blanche de la rue des Millionnaires. Le corps de Theo chevauchant le sien.

Le gémissement de plaisir s'échappant de ses lèvres. Sa langue lui titillant délicieusement les seins…

Cela remontait à la semaine précédente. Le souvenir de cette nuit avait été depuis obscurci par la déception et la frustration qui avaient suivi l'arrivée de la voiture, mais il lui revenait à présent avec force. Theo était rentré tôt du travail, l'avait embrassée sur les lèvres et lui avait offert une boîte de chocolats. Le couvercle en carton était cabossé et les chocolats avaient pris un aspect blanchâtre indiquant qu'ils avaient fondu au moins une fois durant leur voyage de Suisse jusqu'à Kongara. Mais ce geste attentionné lui avait fait monter les larmes aux yeux. Toute la soirée, Theo avait fait des efforts pour entretenir la conversation. Il lui avait demandé de lui raconter sa journée en détail, au lieu de ne parler que de la sienne. Il l'avait complimentée sur sa tenue. Elle avait réagi à sa gentillesse comme une plante fanée sous une pluie printanière. La plupart du temps, depuis son arrivée, Theo était épuisé en fin de journée et d'humeur maussade. Quand ils se couchaient, il lui donnait un bref baiser, puis se tournait de côté et s'endormait. Certaines nuits, après s'être montré distant et préoccupé pendant tout le repas, lui prenait tout à coup l'envie de faire l'amour. Et elle avait alors du mal à répondre à son ardeur. Mais ce soir-là, quand il l'avait entraînée vers leur chambre, son corps était prêt, enflammé de désir pour le sien.

Sur les draps jonchés d'emballages froissés et maculés de chocolat, ils s'étaient aimés plusieurs fois, tour à tour tendres et passionnés, et cela lui avait rappelé la période insouciante d'avant leur mariage. Ils s'échappaient ensemble de Hamilton Hall, parfois même avant la fin du dîner, ou bien ils laissaient Yuri seul dans son atelier. Ils s'étendaient sur le carrelage froid du pavillon de bain, le clair de lune irisant leur peau nue, la nuit les dissimulant dans ses plis veloutés. Ici, à Londoni, dans leur propre maison, leur propre chambre, leur union avait été plus parfaite encore. Leurs corps avaient fusionné pour n'en former plus qu'un seul.

« Les cacahuètes continuent à mûrir sous terre pendant trois à cinq mois, avait repris la voix du père Remi, ramenant Kitty au présent, et elle avait hoché la tête pour indiquer qu'elle écoutait. Puis elles sont prêtes à être récoltées. Il suffit d'arracher le plant, et de les ramasser. »

Il s'était tu et avait levé les yeux vers elle avec un sourire teinté de fierté, comme s'il était en partie responsable du miracle qu'il venait de décrire.

Elle lui avait rendu son sourire, touchée par son enthousiasme – mais plus encore par le souvenir que ses paroles avaient réveillé en elle. En se rappelant combien Theo s'était montré tendre et aimant cette nuit-là, elle reprenait espoir. Elle devait cesser de se plaindre de son sort et se réjouir de ce qu'elle avait. Si seulement elle pouvait voir les choses de façon positive, se montrer plus chaleureuse, plus aimable et plus heureuse, tout irait bien. Il y aurait d'autres cadeaux, d'autres soirées romantiques, d'autres étreintes…

Le bruit du Land Rover de Theo interrompit ses réflexions. Se levant d'un bond, elle se précipita vers la porte-fenêtre ouverte et cria à Gabriel que le bwana était rentré.

Puis elle se rassit et se prépara à accueillir son mari, en s'efforçant de chasser le sentiment de culpabilité qui la tenaillait. Elle n'avait jamais eu l'intention de se rendre à la mission catholique, après tout. C'était une simple méprise qui ne valait pas la peine d'être mentionnée. Si quelqu'un l'avait aperçue quittant Londoni et avait déjà rapporté ce fait à Theo, elle serait bien obligée de lui fournir une explication, mais pas nécessairement de lui dire où elle était allée. Sur le chemin du retour, elle s'était arrêtée près du rond-point pour demander aux petits laveurs de voiture de débarrasser sa Hillman de l'épaisse poussière rouge récoltée sur la piste. À présent, sa voiture ne portait plus qu'une fine couche de poudre blanche provenant des routes en gravier de Londoni. En déposant Tesfa devant le *manyara* où elle l'avait trouvé, elle lui avait donné le panier de légumes et de fruits, car elle s'était rendu compte qu'elle ne pouvait pas le rapporter chez elle. Il lui avait fallu un certain temps pour persuader Tesfa de l'accepter ; il estimait que c'était offensant envers le père Remi et s'étonnait d'une telle impolitesse. Elle aurait aimé pouvoir lui expliquer que ce cadeau susciterait des questions auxquelles elle n'avait pas envie de répondre ; il était impossible de trouver des légumes de cette qualité dans les *duka* – les échoppes – de la ville. En transférant les légumes dans un filet à provisions pris dans le coffre, Tesfa avait trouvé un canif à manche d'os, celui que le père Remi avait utilisé pour couper les herbes. Le panier était à présent soigneusement caché dans le coffre de la voiture, et le canif dans la boîte à gants. Une petite tache de fiente de poulet sur le siège arrière était la seule trace visible des événements de ce jour.

Theo claqua la portière du Land Rover derrière lui

et gravit les marches de la véranda à la hâte. Effleurant d'un baiser rapide la joue de Kitty, il s'exclama :

« Bon Dieu, quelle journée ! J'ai vraiment besoin d'un remontant. »

Elle le suivit à l'intérieur de la maison. Theo attendit fébrilement près du chariot à boissons tandis que Gabriel préparait un gin tonic et un whisky-soda.

« Tu ne le croiras pas, dit-il tout en desserrant sa cravate et en déboutonnant son col – un geste qu'il trouvait incorrect en temps ordinaire. Les problèmes que je dois résoudre… Une cargaison d'engrais qu'on attendait depuis des mois est enfin arrivée. On l'a envoyée aux unités d'exploitation pour en répandre sur un champ récemment défriché. Les gars chargés du boulot n'avaient encore jamais vu d'engrais. »

Theo haussa le ton et se mit à marcher nerveusement de long en large, sans adresser un regard à Kitty.

« En fait, c'était du ciment. Les sacs ont été mélangés au dépôt de marchandises et personne ne s'en est rendu compte. Imagine le résultat, quand les pluies viendront ! »

Elle porta son verre à ses lèvres pour dissimuler un sourire. Elle comprenait le dépit de Theo, mais l'histoire était assez comique.

Theo arracha son verre des mains de Gabriel et but une grande rasade.

« Le sol est déjà assez dur comme ça. Il est presque impossible à labourer. On était censés trouver de la terre sablonneuse, mais tout ce qu'on a, c'est cette saloperie de glaise ! »

Elle reposa son verre, déconcertée par cette explosion de colère. La situation n'avait rien de comique, effectivement. Non sans un certain malaise, elle se rappela les rouleaux compresseurs rouillant dans un enclos sur le bord de la route, envahi par les mauvaises herbes.

« Si seulement l'OFC avait recruté quelques agriculteurs et pas seulement des soldats et des marins ! reprit Theo d'un ton amer. La plupart des gars à qui j'ai affaire n'ont pas la moindre idée de ce qu'ils fabriquent ! »

S'interrompant brusquement, il se tourna vers Gabriel et pointa le doigt vers la cuisine.

« Va-t'en ! »

Le domestique demeura immobile, visiblement blessé par son ton cassant. Theo fit un pas vers lui.

« Va-t'en ! hurla-t-il. Immédiatement ! »

Gabriel s'éclipsa précipitamment, et Kitty dévisagea son mari, médusée. Elle comprenait qu'il s'en veuille d'avoir critiqué l'OFC devant un employé africain – le faire devant son épouse était déjà une marque de déloyauté envers la compagnie. Mais elle était néanmoins choquée par son comportement ; hurler contre un membre du personnel aurait été inimaginable à Hamilton Hall.

Tandis qu'il se versait un autre whisky, elle se dirigea vers la fenêtre, lui tournant le dos avec tact pour lui laisser le temps de retrouver son sang-froid. Elle l'entendit s'affaler dans un fauteuil et poser bruyamment son verre sur la table basse.

« Pardonne-moi, finit-il par déclarer. Je me suis conduit de manière inexcusable. »

Elle ne répondit pas tout de suite. Il aurait dû rappeler Gabriel et lui dire qu'il était désolé. S'il était vrai que l'attitude du boy envers elle frôlait parfois l'insolence, il n'avait rien fait pour mériter pareil traitement. Mais, pendant qu'elle cherchait les mots appropriés, elle se rappela la résolution prise dans le jardin de la mission, et ses pensées se reportèrent vers l'article que Pippa leur avait lu à voix haute l'autre jour, alors qu'elles prenaient un bain de soleil au bord de la piscine.

« Comment être une épouse modèle », avait-elle annoncé d'un ton grave. Chacune avait tourné la tête vers elle pour écouter la suite – même Diana.

« Il va sans dire qu'elle doit être ravissante à voir et sentir délicieusement bon. Mais cela ne suffit pas. L'épouse modèle doit être toujours là pour rassurer et réconforter. Elle n'émet jamais de critiques et s'abstient de donner des conseils. Son foyer est un sanctuaire pour l'époux qui a travaillé dur toute la journée… »

Elle se rapprocha de son mari. Se postant derrière le fauteuil, elle posa les mains sur ses épaules et se pencha pour effleurer son crâne d'un baiser.

« Pauvre Theo, murmura-t-elle. Je suis sûre que tout ira mieux demain… »

Elle sentit les muscles de ses épaules se décontracter ; puis il posa ses mains sur les siennes et les agrippa comme quelqu'un qui aurait peur de tomber. Elle les serra avec vigueur. Elle se sentait forte, penchée ainsi au-dessus de lui, lui apportant le soutien dont il avait besoin. C'était son rôle, se souvint-elle. La raison de sa présence ici. Se tenir aux côtés de Theo, être son épouse.

7

Debout devant le comptoir, Kitty regardait Alfred et un autre serveur s'affairer autour du moulin à café. Le percolateur était enfin arrivé de Londres et les clients du club avaient hâte de goûter du café fraîchement moulu. Les deux employés avaient déjà essayé de mettre le moulin en marche et avaient eu un mouvement de recul à cause du vacarme qu'il avait produit ; puis, effarés, ils avaient contemplé la machine avancer en tressautant le long du comptoir sous l'effet des vibrations, comme si elle était animée d'une vie propre.

Non loin de Kitty, deux hommes étaient assis à une table. Ils l'avaient saluée, mais ne s'étaient pas présentés. À leurs costumes en lainage épais et leurs visages ruisselants de sueur, elle devina que c'étaient des visiteurs venus de la métropole.

« C'est un vieux renard plein d'astuce, dit le plus grand des deux, tout en piochant des cacahuètes dans le bol en face d'eux. Il faut lui reconnaître cette qualité.

— Qu'a-t-il encore fait ? »

Kitty les entendait distinctement, et elle se demanda si elle ne ferait pas mieux de s'éloigner pour ne pas paraître indiscrète. Elle n'était pas censée se trouver ici, devant le comptoir ; sa place était à la table des dames, derrière le paravent japonais. Mais elle avait voulu s'échapper un instant du groupe, sous prétexte d'aller voir pourquoi le serveur tardait tellement à lui apporter son café. Ses compagnes étaient d'humeur passablement tendue, aujourd'hui. Depuis près d'une semaine, Diana était alitée en raison d'un accès de malaria. Au début, son absence avait paru alléger l'atmosphère ; en dépit des efforts d'Alice pour assumer à sa place le rôle de memsahib en chef, les femmes se sentaient plus libres, sans personne pour les surveiller. Eliza commandait un gin tonic dès le matin et le buvait tout en faisant ses travaux de crochet. Un matin, Audrey avait rejoint ses enfants et leur *ayah* à l'autre bout de la salle. Une autre fois, elle était venue en pantalon. Pippa et Evelyn avaient laissé libre cours à leur penchant pour les commérages. Elles avaient même eu l'audace d'exprimer des doutes sur la cause réelle de l'absence de Diana sans, toutefois, être en mesure de s'expliquer la raison de sa brusque disparition. Quoi qu'il en soit, cette phase initiale, emplie d'un sentiment de liberté et d'allégresse, n'avait pas duré longtemps ; à présent, l'atmosphère s'était alourdie, et des disputes éclataient régulièrement.

« L'un des conducteurs de bulldozer a déraciné un baobab à l'unité numéro trois, poursuivit le plus grand des deux hommes. Tu sais, ces arbres bizarres avec un tronc énorme ?

— J'en ai vu, oui. Monstrueux.

— Un crâne en est tombé. »

Quelqu'un se mit alors à jouer du piano, couvrant la conversation. Curieuse d'entendre la suite, Kitty se rapprocha subrepticement des deux hommes, en gardant les yeux fixés sur le comptoir.

« C'était un véritable désastre. Apparemment, ces baobabs sont souvent creux et les indigènes les utilisent comme sépultures, en particulier pour les gens qui sont morts dans des circonstances déplaisantes, expliqua l'homme en écartant les mains. Les ouvriers africains ont catégoriquement refusé de laisser les travaux se poursuivre. Ils affirmaient que l'esprit d'un ancêtre avait été dérangé. Alors, on a fait venir le vieux Stratton pour qu'il trouve une solution. » Il marqua une pause pour ménager ses effets. « Il est allé voir le chef du village, et il lui a expliqué que c'était une bonne chose que la tombe ait été ouverte, car, maintenant que l'esprit de l'Ancêtre inconnu avait été tiré du sommeil, il pourrait leur dispenser sa sagesse. Brillante idée, n'est-ce pas ? »

Il s'interrompit de nouveau, pris d'un rire irrépressible.

« Continue, le pressa l'autre.

— Alors, désormais, quand le vieux Stratton a une réunion avec les Africains – il tient conseil sur la colline, derrière le quartier général des unités –, il apporte le crâne. Il le pose sur une chaise à côté de lui et le crâne lui chuchote ses sages paroles à l'oreille. Les Africains acquiescent à tout ce que dit l'Ancêtre inconnu ! »

Le plus petit s'essuya le front avec un mouchoir et secoua la tête.

« Dieu, quel pays ! Je sais bien qu'ils sont primitifs, mais quand même… »

En relevant les yeux, Kitty découvrit que les deux serveurs n'avaient rien perdu de cet échange. Ils gardaient une mine impassible, mais quand elle croisa le regard d'Alfred, elle y décela une lueur de colère.

Les Anglais, de leur côté, paraissaient ignorer totalement leur présence ; le plus grand reprit :

« Un jour, un des collègues s'est rendu dans un village pour recruter des ouvriers. Ça devait être dans une région assez éloignée, parce qu'il a été obligé d'y passer la nuit, ajouta-t-il, avec un frisson théâtral. Le chef a fait défiler devant lui une douzaine de vierges. Il croyait qu'il voudrait en choisir une pour l'emmener dans sa case ! Bien entendu, il a décliné l'offre. Quelle abomination ! »

Alfred empoigna le moulin à café et le posa le plus près possible des Anglais, en étirant au maximum le cordon électrique. Puis il le mit en marche. Quand le grincement strident troua le silence, les deux hommes contemplèrent la machine avec des yeux ronds. Le plus grand parut sur le point d'ordonner au serveur d'enlever l'objet infernal, mais il dut lui aussi lire quelque chose dans son expression, car il préféra se lever et s'éloigner, suivi de son collègue.

Kitty rencontra de nouveau le regard d'Alfred. Elle savait qu'elle aurait dû lui exprimer sa désapprobation devant cet acte d'insubordination. Mais en repensant à l'air surpris et outragé des deux Anglais, elle ne put s'empêcher de sourire. Le serveur lui sourit en retour. Mais bien vite, cette marque de complicité se dissipa, et ils reprirent leur sérieux. Le geste de défi d'Alfred était une peccadille, comparé à l'irrespect dont les Anglais avaient fait preuve envers son peuple. Kitty aurait voulu lui présenter des excuses au nom de ses compatriotes. Alfred la dévisageait d'un air d'attente.

« Mon café, murmura-t-elle finalement. J'aimerais savoir quand il sera prêt.

— Tout de suite, memsahib. Retournez vous asseoir, je vous en prie. Je vous l'apporte. »

En regagnant sa table, elle constata qu'Alice s'était retirée dans les toilettes. Pippa était en train de décrire une soirée à laquelle elle avait assisté, tout au bout de la rue des Millionnaires.

« C'était une soirée vraiment bizarre. »

Sa voix s'était réduite à un chuchotis, et ses auditrices se penchèrent avidement sur leurs sièges.

« Pourquoi ? Que s'est-il passé ? s'enquit Evelyn en haussant les sourcils.

— À la fin, tous les hommes ont déposé leurs clés de voiture dans un saladier. C'était comme une espèce de jeu. Visiblement, ce n'était pas la première fois qu'ils y jouaient. Puis on a bandé les yeux des épouses et, chacune à leur tour, elles ont pêché un trousseau au hasard. Ensuite, elles repartaient avec le propriétaire des clés. » Pippa s'interrompit et promena sur l'auditoire un regard entendu avant d'ajouter : « Ils devaient passer la nuit ensemble.

— Tu veux dire que… ? »

Pippa acquiesça.

Un silence abasourdi tomba sur la pièce. Kitty s'efforçait de percer le sens de ce qu'elle venait d'entendre. Jadis, aux Sept Gommiers, dans le hangar de tonte, elle avait entendu des ouvriers parler d'un homme qui aurait offert une nuit avec sa femme en paiement d'une dette de jeu. Mais elle n'arrivait pas à imaginer que ce genre de chose puisse se dérouler dans une résidence de la rue des Millionnaires – dans une maison identique à la sienne en tout point, y compris les serviettes roses dans la salle de bains.

« Et est-ce que tu as…, reprit Evelyn, en jetant un regard inquiet en direction des toilettes.

— Bien sûr que non, rétorqua Pippa. Nous sommes

rentrés chez nous. Mais tous les autres sont restés. Les Carruther, les Bennet, les Wilson… »

Un nouveau silence choqué suivit ces révélations. Kitty connaissait les couples en question ; Theo et elle avaient dîné chez les Wilson. Mme Wilson était obèse, et son visage maquillé à outrance, comme pour détourner l'attention de son corps. Malgré elle, Kitty se demanda avec lequel des maris elle avait passé la nuit.

« Gerald voulait-il que tu le fasses ? » questionna Evelyn dans un souffle.

Les joues de Pippa s'enflammèrent.

« Non. Non, pas du tout, répondit-elle, les mots se bousculant sur ses lèvres. Et même s'il avait voulu, je ne l'aurais pas fait. C'est dégoûtant, d'échanger les épouses de cette façon… »

Elle avait pris un ton défensif, et Kitty soupçonna qu'elle regrettait de leur avoir fait cette confidence.

Evelyn secoua la tête d'un air pensif.

« Pourquoi les autres l'acceptent-elles ?

— Peut-être qu'elles en ont envie, rétorqua Eliza avec un petit rire espiègle. Peut-être qu'elles sont lasses de leurs maris. Elles pourraient…

— Il n'y a pas de quoi rire, l'interrompit Audrey d'une voix forte. Certains peuvent trouver l'adultère acceptable, mais, personnellement, je ne sais pas quelle sorte de femme il faut être pour coucher avec le mari d'une autre. »

L'atmosphère se tendit brusquement. Audrey regardait fixement Sally, assise en face d'elle. Sally courbait la tête, mais ses courts cheveux bruns ne dissimulaient pas son visage ; elle pinçait étroitement les lèvres, les yeux rivés sur le sol.

« Pourquoi une femme chercherait-elle à détruire

la vie d'une autre ? » reprit Audrey en s'adressant directement à Sally cette fois, son teint empourpré formant une combinaison peu harmonieuse avec ses cheveux roux.

Sally agrippa les bras de son fauteuil avec des doigts aux jointures blêmes. Kitty observait la scène, les yeux écarquillés de stupeur. Se pouvait-il que Sally ait une liaison avec le mari d'Audrey ? Le médecin-chef, le père de Dickie et Fiona… Elle contempla Sally, ses épaules maigres et voûtées. De toutes les femmes qui se réunissaient au club, c'était celle qu'elle connaissait le moins. Sally était mariée au vétérinaire en chef, Alan Carr, et possédait ce que Theo appelait un « accent régional ». Elle ne fréquentait le club que par intermittence, et quand elle venait, elle parlait peu, ne nageait jamais et rentrait toujours déjeuner chez elle.

Soudain, Sally se leva d'un bond et s'éloigna d'une démarche chancelante. Au passage, elle heurta le paravent japonais et le frêle écran de bambou se mit à vibrer tandis qu'elle disparaissait.

« Oh, Seigneur », murmura Evelyn en se mordant la lèvre.

Sans manifester le moindre signe de contrition, Audrey répliqua, avec un reniflement de dédain :

« Ce n'est pas un secret. Pauvre Cynthia.

— Au moins, elle est veuve, et pas divorcée, renchérit Pippa en frémissant. Imaginez un peu, si son mari l'avait quittée, s'il s'était enfui avec Sally ! »

Kitty dévisagea tour à tour les femmes qui l'entouraient, prenant subitement conscience qu'elle en savait bien peu sur elles. Il y avait maintenant deux mois qu'elle était au Tanganyika et elle avait passé d'innombrables heures en leur compagnie ; pourtant, elle n'avait pas la moindre idée de ce qui se passait réellement dans leur vie. Il semblait que Sally ait eu une liaison, non pas avec le mari d'Audrey, mais avec celui de Cynthia, le major Wainwright ! Était-ce la raison pour laquelle Sally paraissait si sombre ? Pleurait-elle la perte de son amant, sa mort horrible ? Elle se demanda si Theo était aussi ignorant de ces faits qu'elle-même. Mais elle ne se risquerait pas à l'interroger sur ce sujet. Elle ne voulait pas paraître naïve, ou, pis encore, cancanière.

Un calme embarrassé flotta dans la pièce jusqu'au retour d'Alice. Celle-ci sortit son calepin et se prépara à leur lire le compte rendu de la dernière réunion, qui avait eu pour thème la création d'un bulletin d'information intitulé *En bref.* Dès qu'elle se mit à parler, l'atmosphère parut se détendre. Toutes les femmes buvaient ses paroles, comme si, tels des enfants, elles étaient soulagées que quelqu'un les prenne enfin en charge.

Il régnait une chaleur suffocante à l'intérieur de la *duka* arabe. Kitty déambulait lentement dans les allées étroites entre les rayons surchargés, contournant les sacs pansus et évitant les angles aigus des malles en fer-blanc. Ici on trouvait tous les articles qu'on aurait pu trouver dans un magasin anglais typique : poudre à laver, crème à raser, brosses à dents, cirage, etc. Mais, çà et là, parmi les marchandises, on voyait des objets plus exotiques – bracelets multicolores, tapis de prière en soie, bouteilles d'eau de rose ou de sirop de grenade.

Kitty n'était à la recherche d'aucun article spécifique ; elle n'avait simplement pas envie de rentrer chez elle tout de suite. Il lui restait plus d'une heure à tuer jusqu'au déjeuner et, ensuite, l'après-midi s'étirerait interminablement. Elle songea avec nostalgie à l'époque d'avant son mariage, où les journées étaient toujours trop courtes à son goût, tellement elle avait de choses à faire. Elle travaillait dans l'atelier jusqu'à une heure avancée de la nuit, souvent en compagnie de Yuri. Les heures passaient comme des minutes, tant ils étaient absorbés par le plaisir tranquille de la peinture, ou dévorés d'enthousiasme créatif. Elle ferma les yeux, se rappelant la sensation éprouvée en étalant la gouache sur la toile, en effleurant doucement la surface tendue du bout de son pinceau. Ou en traçant de longues lignes fluides évoquant la grâce d'une danseuse…

Elle chassa résolument ces souvenirs – ils appartenaient à une époque révolue. Concentrant son attention sur un rayon de boîtes de conserve et de bouteilles, elle entreprit de déchiffrer les étiquettes poussiéreuses. Mais, bien vite, ses pensées recommencèrent à vagabonder. Elle se représenta ce qui se passait en ce moment même à la mission. Les camions devaient être arrivés et les prisonniers étaient en train d'en descendre sous la surveillance des askaris. La cuisine devait ressembler à une ruche, tout le monde s'activant autour des énormes marmites bouillant sur les fourneaux…

Mais elle n'avait pas davantage sa place dans ce monde-là.

Elle s'empara d'un chapeau de soleil à large bord mou, le reposa. Elle sentait qu'Ahmed l'observait, accoudé à son comptoir, toute une panoplie de fusils accrochée au mur derrière lui. C'était un personnage impressionnant, avec ses yeux aux lourdes paupières, son nez en bec d'aigle et sa peau tannée pareille à du cuir fin. Son turban noir drapé lâchement autour de sa tête semblait toujours sur le point de tomber, sans que cela n'arrive jamais. Une dague en argent à lame courbe était glissée dans la ceinture nouée par-dessus sa longue tunique. Chaque fois qu'elle était venue dans son échoppe, elle l'avait trouvé en train de fumer une pipe qui ressemblait à un haut chandelier muni d'un tuyau. Aujourd'hui encore, il ne dérogeait pas à cette habitude. Il aspirait la fumée à travers un récipient empli d'eau, en produisant des gargouillis qui lui parvenaient jusqu'au fond du magasin. L'odeur du tabac aromatisé se mêlait dans ses narines à celles des épices, du cuir et du savon.

Comme elle fouillait des yeux la pénombre, son regard fut attiré par un scintillement de broderies d'or, de verre coloré. S'approchant, elle découvrit un ornement en bronze percé de trous à sa base. Elle n'avait pas la moindre idée de ce que cela pouvait être.

« Madame Hamilton. »

Se retournant, elle vit Ahmed lui faire signe de le rejoindre.

« J'ai quelque chose de spécial à vous montrer. Je l'ai mis de côté rien que pour vous. »

Il prit un rouleau de soie sous le comptoir.

L'étoffe était d'un orange profond et lumineux. Il la déroula en partie, et elle s'amassa sur le bois du comptoir en plis somptueux.

« Elle est très belle. »

Kitty palpa le tissu. Il avait la légèreté et le toucher un peu collant de la soie pure.

« Vous pourriez en faire une belle robe. Ou peut-être un corsage ? »

Elle le gratifia d'un sourire distrait. Une image avait surgi à son esprit, mais ce n'était ni une robe ni un corsage : c'était un pantalon de harem, et les contours sculptés d'une jupe bouffante.

« Combien en voulez-vous ? s'enquit Ahmed en s'emparant d'une paire d'immenses ciseaux.

— Je vais réfléchir », répondit-elle en levant la main pour l'arrêter.

Ignorant son soupir d'exaspération, elle retourna dans les rayons et fit semblant de s'intéresser à une collection d'animaux en porcelaine. Mais pendant qu'elle contemplait un chien vêtu d'une jupe à volants et tenant une balle en équilibre sur son nez, il lui semblait encore voir chatoyer devant ses yeux le rouleau de soie orange…

En esprit, elle revit Yuri brandir tour à tour la jupe et le pantalon, les tenant sous la lumière avant de les étaler sur la méridienne. Il y avait ajouté un corselet ajusté et deux ou trois écharpes en mousseline. Des touches d'or, de violet et de vert se combinaient désormais aux tons orangés. Sous l'odeur de la naphtaline, elle avait perçu des effluves voluptueux lui évoquant le parfum français de sa grand-mère.

« Ces couleurs ont été choisies par des artistes, lui avait expliqué Yuri tout en caressant la soie de ses mains fraîchement lavées mais encore tachées de peinture. Pour les costumes du ballet *Schéhérazade*. »

Elle s'était contentée de hocher la tête. Ses seules connaissances sur la danse classique lui venaient d'une amie qui avait suivi quelques cours ; elle lui avait montré comment tenir la tête bien haute, les épaules droites, et lever les bras en un élégant arrondi.

« C'était quelque chose de complètement nouveau.

Avant que Bakst dessine les costumes des Ballets russes, les danseurs étaient voués au rose pâle, au lilas et au vert menthe. Il utilisa des couleurs fortes et les associa entre elles : bleu et violet, rouge et jaune, vert et orange. Bien sûr, avait-il poursuivi en prenant la jupe, ces vêtements-là n'ont pas été conçus pour la scène. Regarde les points, les finitions. Ils ont été confectionnés par Anna Chernova, une couturière de Moscou. » Il avait montré à Kitty une étiquette cousue à la ceinture du vêtement et portant le nom du fabricant tracé à la main. « Elle a été l'une des premières à s'inspirer des Ballets russes, bien avant Coco Chanel. La tsarine Alexandra, dernière impératrice de Russie, a porté ses robes. »

La voix de Yuri s'était éteinte. Il avait levé la soie jusqu'à ses narines, enfoui son visage dans ses plis. Kitty l'avait observé en silence, consciente qu'il était perdu dans ses souvenirs – des souvenirs d'un monde totalement étranger et exotique pour elle, de personnages célèbres, de lieux et d'événements dont elle ignorait tout.

Elle ne lui avait pas demandé comment ces vêtements étaient arrivés en sa possession. À cette époque, elle ne vivait pas avec lui depuis très longtemps – c'était avant que Theo fasse irruption dans sa vie, à bord du petit avion rouge. Elle préférait grappiller des informations ici et là plutôt que de l'interroger directement et de dévoiler son ignorance abyssale. Elle ne voulait rien faire qui puisse remettre en cause leur cohabitation. Les hommes tenaient à leur vie privée, elle le savait. Son père gardait jalousement des informations totalement dénuées d'importance, comme si c'étaient des trésors qu'il fallait mettre en sûreté. Il lui arrivait parfois de parler de ses projets concernant la ferme ou un prochain voyage vers la ville, ou de raconter des histoires sur son enfance, mais uniquement quand, et si, il en décidait ainsi. Elle avait appris dès son plus jeune âge qu'il était imprudent de se montrer indiscrète.

Réintégrant le présent aussi brusquement qu'il en était sorti, Yuri lui avait tendu la jupe en soie. Puis il lui avait passé les autres vêtements et l'avait poussée vers le paravent afin qu'elle se change. Dissimulée à sa vue, elle avait ôté ses propres habits, simples et bon marché, sans même prendre la peine de les suspendre au crochet. Elle entendait le vent gémir à travers les persiennes. L'hiver était là, mais il faisait chaud dans le pavillon. Yuri avait toute une batterie de radiateurs électriques qu'il branchait chaque fois qu'un modèle venait poser pour lui. Elle s'était penchée pour ramasser un mouchoir gisant sur le sol. Il était bordé de dentelle et brodé de l'initiale *L* dans un des coins. Sans doute appartenait-il à Lucinda. Il y avait des semaines que celle-ci n'était pas venue ici, mais son portrait dominait l'atelier, et elle évitait de le regarder. Il y avait quelque chose de troublant dans la manière dont Lucinda était allongée sur la méridienne ; bien qu'elle fût confortablement installée, son long corps svelte paraissait raide et tendu. Sa tête formait un angle bizarre avec son cou. Mais le plus dérangeant, c'était l'expression dans ses yeux noirs. Elle avait l'air tourmentée, hantée – transie de froid aussi, malgré les tons rosés de la peinture. Yuri n'était pas satisfait de son œuvre. Il ne l'était jamais.

« Peindre un tableau, c'est comme essayer de capturer un rêve, lui avait-il dit. Il évolue et se transforme sous tes yeux. Tes mains ne t'appartiennent plus.

Tu ne peux plus maîtriser le processus. Et pourtant, il t'est impossible de renoncer. » Le désespoir perçait dans sa voix, comme si, à l'instar du corps de Lucinda, ces séances l'avaient mis au supplice. « À la fin, tu dois pourtant t'y résigner. Tu as fait un tout petit pas, et peut-être es-tu plus proche de ce rêve, ou de ce cauchemar, que tu ne l'étais avant. Tu ne peux rien espérer de plus. »

Jean-Jacques, le courtier de Yuri, devait passer d'un jour à l'autre pour prendre le portrait qui allait être exposé à Londres, ou peut-être à Paris. Kitty serait soulagée de ne plus l'avoir sous les yeux. Et Yuri aussi, elle le savait. Il semblait trouver ses propres œuvres pénibles à contempler. Excepté celles qui la représentaient. Ces toiles-là, il ne les donnait jamais à Jean-Jacques ; elles étaient toutes dans l'atelier, amassées contre le mur et recouvertes d'une housse de calicot. Il y avait maintenant trois mois que Kitty résidait dans le pavillon de jardin. L'amas devenait de plus en plus imposant – au moins quinze tableaux rangés dos à dos. Elle éprouvait une sensation bizarre quand elle pensait à toutes ces images d'elle-même, chaque version différente des autres et pourtant identique. Il était rare que Yuri peigne le même modèle plus d'une fois. Quand il avait exploré le mystère d'un corps, il passait à un autre. Mais avec elle, il voulait persévérer jusqu'à ce qu'il ait capturé ce qu'il avait vu en elle le premier jour. La jeune fille russe.

Yuri n'avait aucun scrupule à gratter la peinture d'une toile, détruisant ainsi des jours entiers de travail. Ses modèles devaient revenir jusqu'à ce qu'il soit satisfait – du moins, suffisamment content – du résultat. Elles n'y voyaient pas d'inconvénient, même si elles n'étaient pas rémunérées : Yuri choisissait des visages et des corps qui l'intéressaient plutôt que de faire appel à des professionnels. Lucinda était une étudiante des beaux-arts qui s'était sentie honorée de poser pour lui, et espérait grâce à ces séances en apprendre un peu plus long sur la technique du peintre. Edward, un jeune homme qui posait parfois pour Yuri, étudiait également à Slade. Amelia arrivait dans une voiture de sport, une longue écharpe en soie flottant derrière elle ; c'était une riche héritière célibataire. Yuri avait sculpté un buste d'elle ; il l'avait représentée plus corpulente qu'elle ne l'était au naturel, avec des traits plus grossiers, mais elle n'avait pas paru s'en offusquer. Un autre des modèles que Kitty avait rencontrés était l'épouse d'un célèbre auteur dramatique. Tous se dévêtaient sans la moindre gêne et laissaient Yuri disposer leur corps dans l'attitude voulue, plaçant leurs mains, leurs bras et leurs jambes là où il le souhaitait, arrangeant leurs cheveux de telle ou telle manière. Amelia ne prenait même pas la peine d'enfiler un peignoir quand elle faisait une pause ; elle se promenait dans la pièce en buvant une tasse de thé, ses seins lourds se balançant à chacun de ses pas. La gouvernante de Yuri ne mettait pas les pieds dans l'atelier quand les modèles s'y trouvaient et déposait le plateau devant la porte ; mais c'était pour préserver sa propre pudeur, pas la leur.

Quand il avait estimé que Kitty s'était suffisamment exercée à dessiner Boris, le squelette planté sur un socle dans l'entrée, ou Claudius, la statue romaine empruntée à Hamilton Hall, Yuri lui avait proposé d'installer son chevalet à côté du sien et de se servir de ses modèles. Au début, elle avait trouvé cela atrocement éprouvant – devoir non seulement exposer ses faibles talents au regard froid des modèles, mais aussi surmonter son embarras face à leur nudité. C'était à peine si elle avait pu se résoudre à dessiner Edward. Dans l'atelier, les modèles masculins ne portaient pas de caleçon comme c'était la règle à Slade ; le jeune homme avait posé complètement nu, jambes écartées. Kitty n'avait même pas voulu tenter de capter avec son fusain la manière dont son pénis pendait contre sa cuisse. Mais Yuri avait insisté pour qu'elle essaie. Les règles infondées de la société ne s'appliquaient pas dans son atelier, lui avait-il expliqué. Un corps nu n'avait rien de honteux, ni même de personnel : il traduisait l'essence de l'être humain. Il avait parlé avec une passion sincère – son dévouement à son travail en était la démonstration. Peindre le nu était le plus grand défi, avait-il poursuivi, l'accomplissement ultime. Toute l'histoire de l'art en apportait la preuve, des peintures rupestres jusqu'aux maîtres modernes. De même que les œuvres accrochées dans les plus belles demeures anglaises. À Hamilton Hall, un grand nombre de tableaux, de dessins et de gravures étaient des nus. Il devait y avoir également une dizaine de statues dénudées, des petits chérubins sur le bureau de Louisa à la Vénus installée au milieu du bassin aux nénuphars et à l'homme dans le hall d'entrée, ne portant pour tout vêtement qu'une couronne de laurier.

Les modèles de Yuri s'attardaient toujours après la séance, pour partager avec lui une bouteille de vin, du pain et du fromage. Toutefois, il ne les invitait jamais à passer la nuit dans le pavillon – les étudiants étaient reconduits jusqu'à la gare dans sa Morris ; les deux autres repartaient dans leur propre véhicule. Kitty voyait bien qu'ils avaient envie de se montrer condescendants envers elle, mais qu'ils s'en abstenaient, ne sachant pas très bien quel était son statut. Même si Yuri la présentait comme une amie, ils se rendaient compte qu'elle était également son élève et son invitée. Elle ignorait s'ils savaient qu'elle posait aussi pour lui, si l'un d'eux avait soulevé la housse et découvert ses portraits. Si c'était le cas, que pensaient-ils du fait qu'il l'avait peinte un si grand nombre de fois ? Et qu'au lieu d'être nue comme eux, elle portait de précieux costumes qu'ils n'avaient même jamais vus ?

Finalement, un jour, Amelia lui avait demandé si elle était une lointaine parente du prince, comme pour tenter d'expliquer de cette façon la raison de sa présence prolongée dans le pavillon. Kitty lui avait raconté comment elle avait rencontré Yuri et comment il l'avait invitée à venir vivre chez lui. Elle avait bien vu que cette histoire ne convainquait pas plus Amelia qu'elle-même. Elle avait toujours le sentiment que Yuri s'était trompé, qu'il avait vu en elle quelque chose, ou quelqu'un, qui ne s'y trouvait pas réellement. Quand il s'apercevrait de son erreur, il la renverrait sûrement.

À cette perspective, tout son être se glaçait. Elle voulait désespérément rester près de lui. Fidèle à sa promesse, il lui avait donné des cours de dessin, de peinture, d'anatomie, de sculpture, et même d'histoire de l'art. Et il s'était montré impressionné par ses progrès, allant même jusqu'à affirmer qu'elle possédait un talent inné. Si elle travaillait dur, elle pourrait devenir une artiste accomplie. La foi qu'il avait en elle paraissait rendre ses mains plus habiles, son œil plus averti, sa concentration plus intense.

Mais ce n'était pas seulement à son enseignement qu'elle attachait du prix, ni même au privilège de travailler aux côtés d'un artiste célèbre. Pendant toute son enfance, elle avait dû se battre pour attirer l'attention. Ses frères semblaient toujours avoir la primauté. Ils étaient plus jeunes, plus bruyants. Peut-être étaient-ils plus intéressants. Après tout, dans une famille de fermiers, des garçons étaient plus utiles qu'une fille. Ici, dans le pavillon, elle avait Yuri pour elle seule. Dans le domaine de l'art, c'était un maître exigeant, qui ne décernait de louanges que si elles étaient méritées. Mais dans tous les autres, il ne ménageait pas ses encouragements. Quand elle arborait une nouvelle robe ou une nouvelle coiffure, il la complimentait sur son goût, et elle avait acquis plus de confiance en elle-même. Elle commençait à croire que, un jour, elle posséderait peut-être même un style bien à elle, comme la jeune femme rousse aperçue à la National Gallery.

Sous le regard de Yuri, elle se sentait belle. Il y avait dans ses yeux davantage d'admiration qu'elle n'en avait jamais lu dans ceux des garçons de Wattle Creek, même dans ceux du tondeur irlandais qui l'avait courtisée deux saisons de suite, mais n'avait pas reparu la troisième année. Toutefois, Yuri ne flirtait pas avec elle, il ne la mettait pas mal à l'aise. Bien sûr, il était beaucoup trop vieux pour elle. Mais en fait, il ne flirtait jamais avec personne. Toutes les femmes essayaient de le séduire – les modèles, les amies qui lui rendaient visite et même l'une des dames du village. Et puis, il y avait lady Hamilton. Lorsque Yuri l'avait présentée à celle-ci, en annonçant simplement qu'elle vivrait désormais avec lui – sans demander l'autorisation des propriétaires pour héberger cette locataire supplémentaire –, elle s'était rendu compte que la maîtresse des lieux était attirée par le peintre. Mais il était aussi indifférent à ses charmes qu'à ceux des autres. C'était sans doute ce qui le rendait aussi séduisant – cette façon qu'il avait de garder ses distances.

D'autres parties de sa vie étaient également enveloppées de mystère. Elle avait supposé, au début, qu'il tirait tous ses revenus des toiles vendues. Il réussissait toujours à trouver de l'argent quand il en avait besoin, même si cela lui prenait parfois une semaine ou plus. Mais un jour, il lui avait révélé qu'il disposait d'une autre source financière. Quand il avait fui la Russie pendant la révolution, parce que les bolcheviques tuaient tous ceux qu'ils accusaient d'avoir soutenu le tsar, il avait emporté une valise remplie de biens de famille. Des ornements incrustés de diamants, des bijoux de prix, des montres rares, des figurines en or massif. Depuis son arrivée en Angleterre, il avait sacrifié ce patrimoine pour payer ses factures, vendant, l'un après l'autre, des trésors qu'il admirait depuis son enfance. Mais cela lui était égal, du moment que cela lui permettait de travailler en toute liberté. Elle ne savait pas s'il lui restait encore beaucoup d'objets à vendre. Il semblait n'avoir ni budget établi ni plans pour le futur. Elle se demandait si sa vie dans cette petite maison en location n'était pas une réaction perverse à la perte de son ancien monde – où il jouissait de privilèges si extraordinaires qu'elle avait du mal à se les imaginer, même quand il égrenait ses souvenirs. Ses descriptions des bals à la cour impériale et des réceptions dans les propriétés campagnardes faisaient paraître le mode de vie des Hamilton bien terne et ennuyeux par comparaison. Et pourtant, à présent, Yuri se contentait de vieux meubles récupérés dans les remises du manoir – des fauteuils éventrés aux ressorts apparents ; une armoire à laquelle manquait un gond et dont la porte pendait de guingois ; une table bancale. Mais par ailleurs, il employait une gouvernante et buvait des vins fins. Il y avait dans tout son comportement quelque chose de fou et d'insouciant. D'un côté, il vivait comme l'artiste reconnu qu'il était. De l'autre, il se conduisait comme quelqu'un qui ferait pénitence pour quelque crime noir et obsédant.

Kitty était ressortie de derrière le paravent, le costume enfilé mais pas boutonné. Sans un mot, elle s'était avancée jusqu'à Yuri et lui avait présenté son dos. Elle avait senti ses doigts remonter le long de sa colonne vertébrale tandis qu'il refermait la longue rangée de boutons. Elle avait écarté les bras, comme une enfant qu'on habille. Yuri avait ajusté le corselet, puis drapé l'écharpe de mousseline sur ses épaules. En baissant les yeux, elle avait contemplé la jupe qui s'évasait en abat-jour au niveau des genoux. En dessous, les jambes amples du pantalon de harem tombaient en plis souples avant d'être enserrées dans les anneaux encerclant ses chevilles. Yuri lui avait attaché les cheveux en chignon sur le dessus du crâne, et cela avait éveillé en elle le souvenir nostalgique de sa mère la coiffant, quand elle était enfant. Souvent, elle était pressée et maniait la brosse sans douceur pour démêler sa chevelure avant de la nouer en une tresse épaisse. Mais parfois elle se montrait plus douce et prenait son temps ; c'étaient, dans sa mémoire, les seuls moments d'intimité qu'elles avaient partagés. Les doigts de Yuri, légers comme des papillons, la ramenaient vers le passé, en un rappel doux-amer de ce qu'elle avait à jamais perdu.

Quand elle avait été entièrement habillée, avec un long collier de perles chatoyantes à son cou, un turban orné d'une aigrette sur la tête, Yuri l'avait longuement observée. Pendant qu'il la détaillait d'un regard intense, elle l'avait dévisagé à son tour, suivant des yeux le dessin des rides qui se déployaient en éventail au coin de ses yeux. Passant ensuite à la longue chevelure grise et indisciplinée qu'il rejetait souvent en arrière d'un geste de la main. Ses lèvres étaient minces, sans dénoter toutefois la moindre méchanceté. Il avançait souvent la lippe et ressemblait alors à un enfant obstiné. Elle avait tenté de comprendre comment ces différents traits se combinaient pour former la physionomie généreuse et bienveillante qu'elle associait toujours à son image. Mais peut-être voyait-elle simplement sur son visage le reflet de toute la bonté qu'il lui avait témoignée.

Quand il avait enfin hoché la tête d'un air satisfait – après avoir lissé la jupe et repoussé une mèche de cheveux derrière son oreille –, il lui avait dit de s'asseoir sur la méridienne. Elle avait croisé les mains sur ses genoux, attendant qu'il lui indique la pose qu'elle devait adopter.

« Ne bouge plus, avait-il déclaré. Je veux te peindre exactement comme ça. Attendant quelque chose. Attendant la vie. »

Son visage avait alors pris cet air de profonde concentration qu'elle connaissait si bien. Il mettait toute son énergie dans sa peinture, travaillant comme un forçat. C'était un perfectionniste – s'il ne l'avait pas été, il n'aurait jamais pu peindre comme il le faisait. Mais elle sentait que cette fois, l'enjeu était encore plus important pour lui : sous son désir de capturer sur la toile son visage, sa personnalité, se cachait quelque chose de sombre, de douloureux. Elle avait souvent l'impression que, lorsqu'il la regardait, il voyait quelqu'un d'autre. Une amante, une épouse ou une fille, peut-être ; une femme qu'il avait aimée et perdue, une histoire qu'il préférait garder secrète. Un jour, il avait même employé un autre nom en s'adressant à elle.

Katya.

Il n'avait pas corrigé son erreur, comme s'il espérait qu'elle passe inaperçue. Après tout, les deux mots étaient assez proches. Mais Kitty avait soigneusement enregistré ce prénom, tel un indice précieux.

Katya était celle à qui le cœur de Yuri appartenait toujours, elle en était persuadée.

Parfois, quand elle était assise face au chevalet de Yuri et qu'il scrutait avec attention son visage et son corps, elle ressentait un certain malaise. Peut-être n'aurait-elle pas dû le laisser se servir d'elle pour évoquer le souvenir d'une autre. Peut-être n'aurait-il pas dû le lui demander. Puis elle se rappelait qu'ils étaient dans un atelier d'artiste. Ici, il n'existait pas de règles. Rien n'était mal. Tout était bien.

Elle s'était figée dans sa pose. Elle se formait une image mentale d'elle-même, comme si elle se regardait de loin, et la gravait dans sa tête ; de la sorte, quand elle devait se dégourdir les jambes, elle pouvait ensuite reprendre exactement la même position. Mais elle interrompait rarement Yuri dans son travail. Elle avait appris à relâcher tour à tour chaque série de muscles et à en contracter d'autres de manière à rester immobile. Quand il avait commencé à travailler, elle avait laissé le frottement du pinceau sur la toile emplir sa tête. Elle avait oublié tous ses soucis – le chagrin tenace que lui causait le silence de sa famille, la peur de ce qu'elle deviendrait quand Yuri lui demanderait de partir. Elle se sentait tellement en sécurité ici, tellement bien ! Elle aurait voulu que le temps se fige, comme son corps l'était dans sa pose. Que rien ne change jamais.

Au volant de sa voiture, Kitty s'éloigna du quartier des *duka*, gardant les yeux fixés sur la route de crainte qu'un poulet, une chèvre, voire un enfant laissé sans surveillance ne se jette sous ses roues. Du coin de l'œil, elle apercevait, posé sur le siège du passager, un paquet enveloppé dans un journal et entouré de ficelle. Elle se représenta la soie orange sous cet emballage grossier. Elle n'avait pas pu résister à la tentation. Peut-être, un de ces jours, se ferait-elle confectionner une robe dans ce coupon, ou même un pantalon, si elle en avait le courage. Mais pas tout de suite. Cela lui aurait trop rappelé Yuri. Pire, cela pourrait également faire resurgir chez Theo le souvenir du peintre russe.

Theo avait vu la série de portraits intitulés *Schéhérazade*. Quand il avait commencé à leur rendre visite dans le pavillon – ils étaient follement amoureux l'un de l'autre à cette époque et voulaient partager chaque instant –, Yuri avait décidé de les lui montrer. Il avait expliqué à Kitty qu'il entendait lui prouver ainsi que ces tableaux n'avaient rien de scandaleux. De cette façon, Theo pourrait défendre la réputation de Kitty, si jamais quelqu'un lui posait des questions. Elle avait accepté. Elle savait parfaitement ce qu'on disait d'elle dans le village. Tout le monde savait qu'elle vivait seule avec le peintre russe. Bien sûr, le fait que Yuri soit assez vieux pour être son père et qu'il soit célèbre – un prince, pensez donc ! – rendait ces ragots moins crédibles. Néanmoins, quand elle croisait des gens au bureau de poste ou à l'épicerie, elle sentait peser sur elle leurs regards désapprobateurs autant que curieux. Parfois, elle avait l'impression qu'ils la déshabillaient en esprit, s'imaginant qu'elle était l'un des modèles nus de Yuri, ou même sa maîtresse. Elle redoutait que l'amiral et lady Hamilton ne finissent également par douter de sa moralité. Yuri avait déclaré que les Hamilton étaient plus cultivés que les villageois, qu'ils avaient des vues plus larges. C'étaient des collectionneurs d'art, des mécènes. Néanmoins, montrer ces peintures à Theo semblait une précaution utile. Il pourrait voir combien elle avait l'air pudique et modeste, en dépit de son costume exotique – une danseuse classique surprise en coulisses. Il saurait qu'il n'y avait rien de sexuel dans la manière dont Yuri la représentait : elle paraissait seulement innocente et sans défense, un simple instrument attendant de s'animer grâce au talent du chorégraphe.

Yuri avait choisi un soir où ils venaient de déguster un gigot d'agneau préparé par la gouvernante. Ils avaient mangé sur la table de la cuisine, après que le peintre en eut ôté le cadavre desséché d'un rat qu'il avait trouvé quelque part et rapporté afin que Kitty puisse le dessiner. Bien qu'elle eût soigneusement lavé l'endroit où le rat avait été posé, Theo s'était assis à l'autre bout de la table. Maintenant, il rêvassait d'un air repu, le menton au creux de la main, le col déboutonné. Elle avait remarqué qu'il avait saucé son assiette avec un morceau de pain. Elle ne l'avait jamais vu aussi simple et décontracté.

« J'ai quelque chose à vous montrer », avait dit Yuri en lui faisant signe de le suivre dans l'atelier.

Avec un peu d'appréhension, elle les avait

accompagnés. Elle n'avait jamais dit à Theo qu'elle posait pour Yuri – elle ne savait pas s'il s'en doutait, s'il avait entendu des rumeurs. Elle lui avait expliqué que sa relation avec le prince était celle d'une étudiante avec son professeur. À l'appui de ces propos, elle lui avait fait voir quelques-uns de ses travaux : dessins, peintures et esquisses. Il l'avait couverte d'éloges si extravagants qu'ils en devenaient absurdes et, pourtant, elle ne l'en avait aimé que davantage.

Elle avait laissé les hommes la précéder dans le couloir. Leurs pas résonnaient sourdement sur le tapis usé. En entrant dans la pièce, Theo s'était arrêté net, et elle avait vu son dos se raidir. Dès qu'elle eut franchi le seuil, elle en avait compris la raison. Yuri avait sorti tous les tableaux et les avait disposés sur des chevalets, les buffets, ou accrochés aux murs. Elle avait promené son regard autour de l'atelier, rencontrant partout son propre visage. Le costume théâtral métamorphosait son corps, mais ses mains, ses cheveux et ses yeux étaient distinctement reconnaissables. Elle avait vu les portraits un par un, à mesure qu'ils étaient terminés. Mais à présent qu'ils étaient exposés tous ensemble, elle se sentait toute petite face à la puissance qui en émanait.

Le souffle suspendu, elle avait observé l'expression de Theo. Yuri fumait en silence, étudiant le jeune homme avec attention, comme s'il envisageait de le prendre pour sujet d'un prochain tableau.

Pendant très longtemps, Theo était demeuré muet. Puis il avait hoché la tête, comme s'il était parvenu à une décision.

« Impressionnant. Ils sont excellents », avait-il déclaré en donnant à Yuri une tape sur l'épaule.

Kitty avait souri, submergée par le soulagement.

« Évidemment, avait poursuivi Theo, d'un ton mi-ironique mi-galant, vous ne lui avez pas rendu justice ! Elle est plus belle en réalité.

— La beauté est dans l'œil de celui qui la contemple, avait rétorqué Yuri. N'est-ce pas un adage anglais ? Vous et moi, nous ne pouvons pas la voir avec les mêmes yeux. »

Les deux hommes avaient fait lentement le tour de la pièce, passant d'un tableau à l'autre. Kitty sentait la tension grandir entre eux, comme s'ils disputaient une espèce de combat. Sous la politesse affectée et le badinage enjoué affleurait l'antagonisme. En diverses occasions, elle avait entendu chacun d'eux émettre des critiques à l'encontre de l'autre. Yuri estimait que Theo la détournait de son art. Theo trouvait que le peintre exerçait trop d'influence sur elle. En cet instant, cette animosité remontait à la surface, semblait-il. Elle se prit à regretter que les portraits ne fussent pas restés dans leur coin, cachés sous le calicot.

Mais, en fin de compte, la stratégie de Yuri s'était révélée judicieuse. Après qu'un domestique du manoir l'eut aperçue à travers la fenêtre posant pour le peintre dans l'un des costumes des Ballets russes, Theo avait pu mettre les choses au point et parer à toute critique. L'amiral n'y avait rien trouvé à redire. Une dame pouvait fort bien apparaître sur un tableau – Hamilton Hall regorgeait de portraits de famille exécutés par des peintres célèbres. La réaction de Louisa avait été moins facile à cerner. Kitty avait cru y déceler une certaine animosité, dont la raison lui était apparue lorsque Yuri lui avait expliqué qu'il avait refusé de peindre le portrait de lady Hamilton. Quels que soient ses sentiments personnels, Louisa approuvait en public l'attitude de son mari, qui ne voyait aucun inconvénient à ce que Kitty continue à poser pour Yuri. Celui-ci leur avait assuré que les tableaux ne seraient pas mis en vente, et cette déclaration avait également contribué à les apaiser. À cette époque, apparemment, ils considéraient que rien de bien important n'était en jeu. Comme on pouvait s'y attendre, Louisa et l'amiral avaient insisté pour voir les portraits ; mais si cette visite suscita en eux une grande contrariété, ce fut uniquement parce que Yuri avait abîmé les murs. Quand il n'avait pas de chiffon sous la main, il essuyait ses pinceaux sur la surface la plus proche, et Louisa avait été scandalisée de voir que tout un pan de mur à côté du chevalet était couvert de traces de peinture de toutes les couleurs, sur plusieurs couches d'épaisseur. Ces touches brutales et hâtives traduisaient, dans leur forme et leur texture, l'impatience de l'artiste absorbé dans sa quête. Pour Kitty, c'était une œuvre d'art en soi. Mais les Hamilton n'y voyaient rien de plus qu'un mur endommagé. Yuri avait promis de repeindre entièrement l'atelier à la fin du bail. Au milieu de toute cette effervescence, ils en avaient presque oublié les portraits de Kitty.

À vitesse réduite, Kitty se dirigea vers un immense hangar devant lequel étaient alignées d'énormes machines. Elle découvrait enfin l'atelier de tracteurs de Kongara. Elle examina l'endroit avec intérêt, en essayant d'ignorer le sentiment de culpabilité qui la taraudait. Elle savait qu'elle n'aurait pas dû venir ici. Sa décision de passer outre aux consignes de Theo était liée en quelque sorte à l'achat de la soie orange, comme si le fait d'avoir commis une première faute l'autorisait à en commettre une seconde. De la même manière que, lorsque l'on est au régime et qu'on se laisse tenter par une part de gâteau, on se dit que, tant qu'à faire, on peut oublier de se surveiller pendant le reste de la journée.

Elle vit quelques Africains maniant des soudeuses, les yeux protégés par des masques rudimentaires. Deux Européens au teint basané fumaient des cigarettes, assis sur un baril d'essence vide. Un groupe d'hommes à la peau claire se tenaient autour d'un moteur en pièces détachées posé sur une bâche. Elle scruta leurs visages, mais n'en reconnut aucun. Elle s'apprêtait à reprendre sa route, mi-déçue de ne pas avoir trouvé ses amis, mi-soulagée de pouvoir repartir sans avoir commis d'infraction grave, quand elle entendit des voix psalmodier une sorte de chant. Elle suivit ce bruit jusqu'à sa source, près d'un autre hangar. Là, elle s'arrêta, laissant le moteur tourner au ralenti.

Un homme de haute taille aux cheveux blond cendré brandissait une pièce de moteur, face à des Africains assis sur des bancs.

« Qu'est-ce que c'est ? demanda-t-il en anglais.

— Un vili-brequini ! » répondirent en chœur ses élèves.

Kitty réprima un rire. Ils ne pouvaient s'empêcher d'ajouter cette voyelle à la fin des mots ! Elle contempla le professeur d'un air d'envie. Comme s'il avait senti son regard, l'homme tourna la tête dans sa direction. L'instant d'après, il s'avançait vers elle avec un sourire amical.

« Je peux vous aider, m'dame ? s'enquit-il, s'accoudant au toit de la voiture et se penchant vers elle. Vous cherchez quelqu'un ? »

Il avait le même accent que les Irlandais qu'elle avait rencontrés à bord de l'avion.

« Oui, en effet – Paddy O'Halloran. »

Quand elle prononça ce nom, un flot de nostalgie monta en elle. Elle s'était sentie tellement à l'aise en compagnie de ce petit homme rondouillard, qui s'était montré si sympathique avec elle, si positif…

« Le connaissez-vous ?

— Oh, oui, je connais ce vieux Paddy ! Il travaille à Dar es Salam. »

Elle fronça les sourcils. Peut-être existait-il un autre homme portant le même nom ? Il se pouvait que ce patronyme soit aussi répandu en Irlande que John Smith en Australie.

« Je suis certaine qu'il a été affecté ici. Ils étaient tout un groupe de mécaniciens et d'ingénieurs arrivés ensemble d'Angleterre.

— Ils ont tous été transférés. Ça ne servait à rien de réparer les tracteurs ici. De la merde pure et simple, tous ces engins. Pardonnez-moi, mais il n'y a pas d'autre mot.

— Ils sont défectueux ? » demanda Kitty, étonnée.

Elle examina ceux qui se trouvaient non loin de là : la peinture était flambant neuve ; les pneus paraissaient en excellent état. Ces tracteurs avaient bien meilleur aspect que celui de son père, à la ferme. Les hommes étaient-ils aussi difficiles en matière de tracteurs que les femmes en matière de vêtements ?

« Ils proviennent des stocks de l'armée. Le dernier lot a passé toute la guerre sur une plage des Philippines. Ce bon vieil OFC les a achetés sans les avoir inspectés et expédiés directement ici. Il nous en faut dix pour en construire un qui marche. » Il secoua la tête avant de reprendre : « Le métal était tellement rouillé sous cette peinture qu'on pouvait y creuser des trous avec le doigt. Alors, maintenant, les mécaniciens vérifient les tracteurs dès qu'on les débarque des bateaux. S'ils en trouvent un de valable, ils l'envoient ici. C'est plus logique. Enfin, un peu plus logique ! » ajouta-t-il avec un petit sourire.

Kitty se força à lui sourire en retour, dissimulant de son mieux une déception qui, elle le savait, était disproportionnée au vu du lien ténu qui la rattachait à ses compagnons de voyage.

« Bien, je vous remercie. Comment cela se passe-t-il, avec vos élèves ? » ne put-elle se retenir d'ajouter.

Il sourit de nouveau et haussa les épaules.

« Aussi mal que le reste. »

Elle lui adressa une petite grimace de commisération, puis un rapide salut de la main.

« Je dois m'en aller. Merci encore ! »

En s'éloignant, elle vit dans son rétroviseur l'homme la suivre des yeux d'un air intrigué. Sans doute se demandait-il qui elle était et pour quelle raison elle voulait voir Paddy. Elle envisagea de faire demi-tour pour lui expliquer comment elle l'avait rencontré, et éviter ainsi de donner lieu à des rumeurs qui pourraient se propager jusqu'au bureau central. Mais elle poursuivit sa route. En attirant l'attention sur elle, elle risquait d'aggraver les choses. Et si elle reparlait à cet homme, sans doute ne pourrait-elle pas s'empêcher de le supplier de l'autoriser à donner des cours à sa place…

Kitty se renfonça dans son siège tandis que Gabriel déposait un bol de soupe devant elle. Elle savait qu'elle n'avait pas à changer de position pour faciliter le service, mais c'était un mouvement instinctif. Elle s'empara aussitôt de sa cuillère : Theo n'avait pas beaucoup de temps pour déjeuner et il ne commencerait pas avant elle.

Dès la première bouchée, elle se raidit. La soupe était épicée, on y sentait même une pointe de piment. À quoi songeait donc Eustace ! Elle ne détestait pas ce goût, ni même la légère brûlure du piment sur sa langue – Yuri l'avait initiée à la cuisine exotique. Mais ce plat ne correspondait pas aux goûts de Theo et ne faisait certainement pas partie du menu habituel. Avec appréhension, elle regarda son mari se pencher sur l'assiette et humer son fumet.

« De la soupe au curry ! s'exclama-t-il. La préférée de mon père.

— Oui, c'est très bon », répondit-elle en s'efforçant de ne pas montrer sa surprise ; après tout, elle était censée savoir ce que son cuisinier allait servir.

En même temps, elle ressentait un peu de dépit. Elle avait beau se donner du mal pour déchiffrer les règles et comprendre leur fonctionnement, il y avait toujours une exception pour la prendre de court.

« Connais-tu l'histoire de ce mets ? » Theo n'attendit pas sa réponse, tant il était certain de l'entendre avouer son ignorance. « Il a été élaboré au temps de l'Empire, quand nous gouvernions l'Inde. Les cuisiniers locaux ne comprenaient pas le principe consistant à servir de la soupe avant le plat principal. Ils ne savaient même pas ce qu'était une soupe. Les officiers britanniques leur ont expliqué comment en préparer, en utilisant du bouillon, de la viande, et autres ingrédients. Bien entendu, les Indiens ne cuisinent rien sans y ajouter des épices. Et voilà le résultat.

— Fascinant », murmura Kitty.

Elle eut conscience que sa voix sonnait faux – la

pédanterie de Theo commençait à la lasser – mais il ne parut pas s'en offusquer.

Il dévora goulûment sa soupe, ainsi que quelques tranches de pain, puis repoussa d'un geste le plat suivant.

« Il faut que j'y aille. »

Il lui adressa un petit signe de tête – il ne l'embrassait que le matin. Quelques instants plus tard, elle entendit le Land Rover démarrer et s'éloigner dans un crissement de gravier.

En se levant de table, elle se promit de demander à Eustace la recette de cette soupe. Puis elle passa dans le salon et s'affala dans un fauteuil. De la cuisine lui parvenait un bruit de casseroles et de plats s'entrechoquant dans l'évier. Elle avait presque envie d'aller aider les employés à faire la vaisselle, pour ne pas rester désœuvrée. Elle ne put contenir un sourire sarcastique. Peut-être devrait-elle se mettre à fumer, ou apprendre une activité manuelle ? Le crochet. Le tissage. Ou n'importe quelle autre occupation qui ne puisse être considérée comme artistique…

Faute de mieux, elle se rendit dans la chambre et sortit le paquet confectionné par Ahmed. Elle voulait voir quel effet produisait la soie drapée sur son corps, comment sa couleur chaude s'harmonisait avec sa peau. Il n'y avait sûrement aucun mal à cela ? Quand elle ouvrit l'emballage, un parfum de santal s'en échappa. Au début, elle crut que c'était seulement l'odeur d'encens de la boutique qui avait imprégné le tissu, puis elle aperçut, nichée entre les plis, une petite forme oblongue – une savonnette. Elle l'avait totalement oubliée ; elle l'avait achetée pour Diana, sur une brusque impulsion. Cette idée lui était venue tandis qu'elle déambulait dans les allées de la *duka* en essayant de décider si elle allait ou non acquérir le rouleau de soie orange. À présent, elle s'étonnait elle-même d'avoir envisagé pareille démarche. Aller chez sa voisine pour lui apporter un petit cadeau et lui souhaiter un prompt rétablissement pouvait paraître impertinent de sa part, voire indiscret. D'un autre côté, elle se rappelait comment Diana était venue l'accueillir à l'aérodrome à la place de Theo, comment elle l'avait accompagnée à sa nouvelle demeure et présentée aux membres du club. À sa façon, Diana s'était montrée tout à fait aimable envers elle, même si elle ne l'avait fait que par obligation.

Elle soupesa pensivement le savon dans sa paume. Peut-être les autres femmes commentaient-elles déjà le fait qu'elle n'avait pas rendu visite à Diana, alors qu'elle habitait juste à côté. Le mieux était peut-être de passer lui dire bonjour et de lui remettre ce petit présent, sans s'attarder.

Craignant que son courage ne la quitte, elle sortit immédiatement. Tout en traversant l'allée de gravier sur la pointe des pieds pour ne pas abîmer les talons de ses souliers, elle se demanda si elle n'aurait pas dû emballer son cadeau. Peut-être cela aurait-il paru prétentieux pour une simple savonnette ? Elle s'obligea à frapper dès qu'elle fut devant la porte ; si elle hésitait, elle savait qu'elle risquait de faire demi-tour.

Des pas s'approchèrent, puis la porte s'ouvrit. De surprise, Kitty fit un pas en arrière. Elle s'attendait à voir un domestique, mais c'était Richard, le mari de Diana qu'elle avait en face d'elle. C'était le début de l'après-midi – l'heure du déjeuner était passée depuis longtemps. L'espace d'un court instant, il lui parut tendu, presque hagard, puis son visage s'éclaira d'un sourire poli.

« Kitty ! Comme c'est gentil à vous de nous rendre visite ! »

Elle ouvrit la bouche pour expliquer la raison de sa venue, mais il ajouta aussitôt :

« Malheureusement, je ne puis vous proposer d'entrer. Diana n'est pas en état de recevoir des visiteurs. »

Il émanait de lui une autorité surprenante, pour un homme aussi petit et frêle.

« Oui, bien sûr. Je comprends, bredouilla-t-elle en lui tendant la savonnette (elle regrettait à présent de ne pas l'avoir emballée). J'imagine qu'il faut un certain temps pour se remettre de la malaria. J'espère que son état s'améliore petit à petit ? »

Richard hésita. C'est alors que Kitty entendit s'élever un long gémissement en provenance de la chambre principale. Richard se crispa, mais se reprit immédiatement.

« Elle est en voie de guérison. Je lui dirai que vous êtes passée. Elle sera touchée. Enchanté de vous avoir vue. »

Il referma la porte. Un bref moment, Kitty demeura plantée sur le seuil, les plaintes lugubres résonnant encore dans sa tête. Ce n'était pas son imagination, elles étaient bien réelles. De l'autre côté de la porte, elle ne perçut aucun bruit de pas. Richard devait être tapi derrière le battant, guettant son départ.

Elle fit demi-tour. Il était évident que Diana était en proie à une profonde détresse et que Richard ne voulait pas que cela se sache. Cette idée la mit mal à l'aise. Elle songea à retourner là-bas et exiger de voir Diana. Mais ce serait extrêmement impoli, et Theo en serait horrifié. Elle se souvint que Diana se comportait parfois de manière théâtrale, hystérique même. Le jour où son chauffeur avait failli renverser cette petite fille, sa réaction avait été pour le moins excessive. Et puis, il y avait ce petit flacon de pilules roses sur le plancher de la voiture… Pour quelqu'un comme Diana, qui souffrait de troubles sanguins – et probablement aussi de troubles nerveux –, un accès de malaria devait être difficile à surmonter.

Quand elle se retrouva devant chez elle, son inquiétude s'était dissipée. Ce pauvre Richard était sans doute épuisé par les crises d'hystérie de Diana. Pas étonnant qu'il se soit comporté bizarrement : il se faisait du souci à son sujet. Sa réserve toute britannique lui interdisait de parler de la maladie de son épouse, mais le fait même qu'il soit chez lui à cette heure de la journée était une preuve de son dévouement envers elle. Elle l'imagina retournant en hâte dans la chambre de Diana pour lui éponger le front, lui caresser les cheveux. En tant que directeur général, il avait encore plus de responsabilités que Theo et devait être très pris, mais sa femme passait avant tout.

Elle s'immobilisa, la main sur la poignée de la porte. Que se passerait-il si elle tombait malade ? Theo resterait-il à la maison pour s'occuper d'elle ? Si elle était honnête envers elle-même, cela semblait peu plausible. Depuis le jour où il lui avait offert la boîte de chocolats, il y avait eu épisodiquement d'autres démonstrations d'affection : une étreinte plus prolongée que de coutume, une petite tape sur les fesses, un compliment accompagné d'un sourire. Un soir, il était rentré avec un bouquet acheté au club, à l'occasion d'une vente de charité. Une autre fois, il lui avait rapporté un morceau du gâteau qu'ils avaient partagé au bureau pour fêter l'anniversaire d'un collègue. Elle voyait bien qu'il faisait des efforts. Mais elle gardait néanmoins le sentiment que ce qui comptait le plus pour lui, c'était son travail ; tout le reste était secondaire.

Jetant un regard vers la maison voisine, elle sentit une douleur sourde lui étreindre le cœur. Elle ne pouvait s'empêcher de penser que, si Richard était là et non à son bureau, c'était parce qu'il aimait plus Diana que Theo ne l'aimait, elle. Mais pouvait-on comparer un mariage à un autre ? Tellement de facteurs entraient en jeu… Peut-être Richard et Diana avaient-ils eu une vie sans histoires, en dépit de ses problèmes de santé. Richard avait fait la guerre, mais l'expérience ne l'avait peut-être pas affecté autant que Theo. Et même si c'était le cas, il existait différents degrés de traumatisme. De toute manière, il était possible que cela n'ait rien à voir avec Richard, et tout avec Diana. Malgré son comportement étrange, Diana avait toujours l'air parfaite. Elle était drôle et intéressante. Et bien sûr, elle était la fille d'un gentleman anglais. Elle connaissait les usages, même si elle ne s'y conformait pas toujours. Elle savait, sans avoir besoin de réfléchir, quelle attitude adopter – quand elle le voulait.

Kitty se remémora le pique-nique désastreux du week-end précédent. Une sortie en amoureux, rien que Theo et elle et un petit panier de provisions. Elle avait préparé elle-même la plus grande partie du repas. Ignorant les regards désapprobateurs du cuisinier et du boy, elle avait cuisiné la spécialité de sa mère, une tourte aux œufs et au bacon. Pendant que celle-ci refroidissait sur la table de la cuisine, son odeur évocatrice avait fait monter à ses yeux des larmes de nostalgie. Cet endroit dont il lui avait tellement tardé de s'enfuir lui apparaissait à présent comme un havre de simplicité et d'intimité… Pour compléter ce pique-nique, elle y avait ajouté des bananes et une bouteille de limonade. Elle avait choisi un endroit juste en dehors de Londoni, près du château d'eau. De là, on avait une belle vue sur les plaines et elle savait que Theo serait rassuré par la présence du gardien africain en uniforme kaki surveillant le bâtiment, un fusil en bandoulière sur une épaule, un arc et un carquois sur l'autre. Après avoir trouvé un coin tranquille, elle avait étendu sur l'herbe la vieille couverture de voyage, celle qu'ils utilisaient en Angleterre, brodée aux initiales de l'arrière-grand-père de Theo. En la regardant, elle s'était presque imaginé le petit avion rouge posé non loin de là. Mais son optimisme avait été de courte durée. Ils avaient dû déménager en toute hâte, car Theo avait aperçu une colonne de fourmis légionnaires se dirigeant vers eux. Le nouvel emplacement s'était révélé jonché de cosses piquantes qui s'étaient accrochées à leurs vêtements. La tourte, qui avait transpiré dans sa boîte en fer-blanc, présentait un aspect peu appétissant. Kitty s'était rendu compte qu'il aurait fallu emporter des sièges pliants. Elle aurait dû demander à Eustace de préparer ce que Cynthia emportait habituellement pour ce genre d'expédition, et aller plutôt sur le site de pique-nique aménagé par l'OFC. Peut-être même aurait-elle dû inviter un autre couple, pour donner à cette sortie une atmosphère de fête. En y repensant, elle secoua rageusement la tête. Comment avait-elle pu se fourvoyer à ce point ?

Elle devait se donner davantage de mal. Il était

injuste de rejeter la faute sur Theo. Elle ferait mieux de réfléchir à ce qu'elle pourrait faire pour qu'il ait envie de passer plus de temps près d'elle. Elle n'avait pas besoin des magazines de Pippa pour savoir qu'un mari heureux était toujours impatient de rentrer chez lui à la fin de la journée.

Theo était visiblement satisfait de la nourriture, il n'était donc pas nécessaire d'y changer quoi que ce soit. Mais peut-être, en lui offrant ce bouquet de fleurs l'autre jour, voulait-il lui suggérer de s'intéresser davantage à la décoration de leur intérieur ? Quand il lui disait qu'elle devrait occuper ses journées de la même façon que les autres femmes – aller chez le coiffeur ou la couturière, ou même jouer au tennis –, cherchait-il à lui faire comprendre que son apparence laissait à désirer ? Peut-être avait-elle pris du poids. Son teint était trop hâlé. Et son accent australien commençait à revenir.

Elle commettait des erreurs qu'elle ne pouvait pas se permettre, et il était temps d'y mettre un terme.

En poussant la porte, elle releva la tête, rentra le ventre et redressa le dos. Tandis qu'elle traversait le hall d'entrée, elle imagina qu'une ficelle attachée au sommet de son crâne la tirait avec force pour lui faire adopter un maintien parfait.

8

Theo utilisa son pain et son couteau à beurre pour découper au sommet de son œuf à la coque une calotte régulière qu'il ôta ensuite d'un geste précis. À l'autre bout de la table, Kitty l'observait tout en jouant avec le sien, dont la coquille était toute déchiquetée. Il portait une chemise blanche impeccablement repassée, avec le pantalon de son plus beau costume – trop sombre pour le climat, mais très élégant. Cela faisait longtemps qu'elle ne l'avait pas vu dans la tenue kaki qu'il revêtait pour se rendre sur le terrain ; ces dernières semaines, il avait passé tout son temps au bureau central. Les pluies arriveraient bientôt et le labourage avait pris du retard. Dans les unités d'exploitation, les ouvriers irlandais et indigènes travaillaient jusqu'à des heures tardives, mais les socs des charrues se brisaient constamment sur le sol rugueux. Les cadres du bureau central et un flot continu de visiteurs venus de Londres tenaient des réunions d'urgence pour tenter de résoudre le problème.

« Qui doit arriver aujourd'hui ? s'enquit-elle. Quelqu'un d'important ?

— Le CD a convoqué une assemblée, répondit Theo

en soupirant. Comme si nous n'avions pas déjà suffisamment à faire…

— Le commissaire de district ? » répéta-t-elle.

Elle voulait que Theo se rende compte qu'elle avait retenu la signification des initiales et qu'elle écoutait avec attention tout ce qu'il lui disait.

Il acquiesça.

« Il faut bien qu'il vienne mettre son grain de sel de temps à autre, pour ne pas se sentir exclu. Le ministère des Colonies accepte mal que le Plan soit dirigé par le ministère britannique du Ravitaillement et non par le gouvernement du Tanganyika.

— Ça ne paraît pas très normal, en effet », fit-elle observer.

Il balaya ce commentaire d'un geste de la main.

« L'administration coloniale est simplement trop lente, trop… vieille. Le ministère du Ravitaillement est un organisme moderne, rapide, efficace, sensible aux idées novatrices. »

Elle s'efforça de cacher sa surprise en entendant ce discours. Elle n'était plus habituée à l'entendre exprimer des opinions aussi progressistes. Ce qu'il avait vécu pendant la guerre l'avait incité à se tourner vers le passé, à se forger la conviction que tout ce qui était ancien était supérieur au moderne. Vieilles familles, vieilles demeures, vieux livres et vieux tableaux… Elle regarda la main gauche de Theo posée sur la table. L'auriculaire était orné d'une chevalière en or gravée aux armes de la famille Hamilton : le lion, la feuille et le livre, symboles omniprésents du pouvoir de l'histoire et de la tradition. Quand elle l'avait connu, il ne portait pas cette bague. Il l'avait retirée, dans un geste de rébellion contre le principe de la transmission héréditaire des privilèges.

Dans la cuisine du pavillon, il avait souvent eu de longues discussions, des disputes même, avec Yuri jusque tard dans la nuit. Le peintre essayait de défendre la cour impériale et la cause des Russes blancs. À cette époque, Theo tenait des discours enflammés sur la justice et l'égalité. Mais la guerre avait apparemment tout remis en question. Il y avait d'abord eu la terrible catastrophe au cours de laquelle son Lancaster s'était écrasé au sol et dont il avait été le seul rescapé. Puis il avait vu presque tous ses amis mourir les uns après les autres. Durant cette guerre, plus de la moitié des aviateurs britanniques avaient été tués. Il avait vu tellement de ses compagnons rédiger leur dernière lettre, manger leur dernier repas, écraser leur dernière cigarette… Ils étaient morts en combattant pour défendre les valeurs britanniques, profondément ancrées dans la tradition. Ils s'étaient battus pour leur roi – et il n'existait pas d'affirmation plus forte du principe de transmission des privilèges que la monarchie. À la fin de la guerre, la chevalière gravée brillait de nouveau à son doigt.

La paix revenue, ce nouvel intérêt de Theo pour son héritage avait trouvé à s'investir dans la restauration de Hamilton Hall. Le bâtiment principal avait été réquisitionné par l'armée peu après le début de la guerre. Kitty était là, le jour où l'ordre de réquisition était arrivé. Theo et elle étaient déjà mariés et vivaient dans un appartement en location près du terrain d'aviation. Elle était venue rendre visite à ses beaux-parents – et surtout à Yuri. Il continuait à travailler sur sa série de portraits d'elle, en se servant d'esquisses réalisées antérieurement, maintenant qu'elle ne posait plus pour lui. Une voiture noire et parfaitement ordinaire s'était arrêtée devant le manoir. Un homme en uniforme avait salué l'amiral avant de lui remettre un document dactylographié. Quand le vieil homme avait eu fini de le parcourir, le papier avait été affiché sur la porte. Louisa l'avait lu à voix haute, les yeux écarquillés d'incrédulité. *Ordre de réquisition des lieux par la RAF... Décret de l'état d'urgence (Défense nationale), 1939.* Une fois remis du choc, l'amiral avait déclaré que la famille devait accomplir son devoir de bon gré, et le manoir avait été vidé de son beau mobilier ancien, de sa collection d'œuvres d'art, de ses tapis et tapisseries murales. Tout avait été entreposé dans la loge du gardien, tandis que l'amiral, son épouse et trois domestiques allaient s'installer dans le pavillon de jardin. Tout s'était passé si soudainement que Yuri n'avait pas eu le temps de repeindre le mur de l'atelier barbouillé de peinture. Kitty se disait parfois que sa vie aurait peut-être suivi un cours différent, si la maison n'avait pas été réquisitionnée. Si Yuri n'avait pas été contraint de déménager vers le cottage à la lisière du village, ce lieu minuscule et isolé, coupé du monde extérieur...

Le manoir avait été rendu à ses propriétaires peu après la fin de la guerre. Sitôt le dernier véhicule militaire parti, Theo était passé à l'action. Déterminé à recréer le cadre familial tel qu'il l'avait connu, il avait dirigé le déballage des caisses et le transport des meubles, attentif aux moindres détails ; chaque bibelot ou fragment de broderie encadré devait être remis à sa place exacte. Il avait même engagé un tailleur de pierre pour réparer les cheminées en marbre que les soldats avaient endommagées en tisonnant les bûches. Kitty l'avait aidé de son mieux ; elle n'avait pas grand-chose d'autre à faire, maintenant qu'elle résidait à Hamilton Hall. Elle avait participé à l'effort de guerre en tant que travailleuse volontaire, mais son rôle était terminé ; désormais, elle était l'épouse d'un gentleman campagnard. Parfois, en se promenant dans le jardin, elle poussait jusqu'au pavillon et errait dans les pièces vides qui résonnaient sous ses pas, y cherchant des traces du passage et du travail de Yuri. Mais les Hamilton en avaient effacé presque tous les souvenirs. C'était à peine si, çà et là, on voyait encore une petite tache de peinture à l'huile que les peintres décorateurs avaient omis de gratter. Des éraflures que les pieds du chevalet avaient laissées sur le parquet. L'entaille que Yuri avait faite sur la vitre de la cuisine, quand il avait voulu lui démontrer que les vrais diamants pouvaient couper le verre. Un jour, elle avait trouvé un rat momifié – pas à l'intérieur du pavillon, mais dans les écuries. Cela lui avait rappelé celui que Yuri lui avait donné pour qu'elle le dessine, et sa satisfaction devant le résultat. Il lui semblait encore entendre sa voix, sentir sa main lui tapoter l'épaule en guise de félicitations… Theo l'avait surprise agenouillée devant la carcasse desséchée, le corps secoué de sanglots. Il s'était montré gentil au début, puis s'était irrité qu'elle verse autant de larmes sur un rongeur, alors qu'il y avait tant d'autres raisons de pleurer, beaucoup plus justifiées.

Elle évitait de se rendre au village. Elle savait que, tel un toxicomane irrésistiblement attiré vers son poison, elle finirait par marcher jusqu'à la limite de l'agglomération, dépasser le moulin, et se retrouver devant la chaumière où vivait Yuri – respirant son odeur de créosote, contemplant les fenêtres, suivant du regard le contour des taches brunes sur l'envers des rideaux fermés. Il ne servait à rien de se torturer, elle le savait bien. Aucun acte de contrition ne pourrait inverser le cours du temps. Et même si cela avait été possible, quel autre choix aurait-elle pu faire ?

La restauration de Hamilton Hall occupait Theo à plein temps. Il se levait tôt et travaillait jusqu'à la tombée de la nuit ; mais l'énergie qu'il mettait dans ce travail avait quelque chose de désespéré. Sa tâche achevée, il avait sombré dans l'apathie. Aujourd'hui, le plan Arachide l'accaparait tout autant, et le soulagement qu'elle avait éprouvé à son arrivée, en le voyant si détendu et enthousiaste, commençait à faire place au malaise. Theo accomplissait-il simplement un travail difficile, dans cette guerre contre la faim ? Ou ce projet était-il devenu sa nouvelle obsession ? Elle espérait que son discours sur la nécessité de se détourner de l'ancien système au profit de la modernité était un bon signe. Que cela voulait dire qu'il se libérait peu à peu du passé, qu'il recommençait à voir le monde comme le jeune homme dont elle était tombée amoureuse. Mais ce changement trop soudain et trop radical faisait naître en elle une crainte insidieuse.

Theo versa du lait dans sa tasse avant de remplir celle-ci de thé.

« Alors, pourquoi le commissaire de district veut-il te voir ? demanda-t-elle.

— Cette fois, expliqua-t-il, c'est au sujet des conditions de logement de la main-d'œuvre indigène. C'est vrai qu'il y a eu un peu d'agitation dans le camp. L'eau y est assez saumâtre. Ils disent aussi que les rations de vivres ne sont pas suffisantes. Mais le problème majeur, apparemment, c'est que les Africains pensaient qu'ils pourraient faire venir leurs femmes et leurs enfants. C'est totalement irréaliste. Un grand nombre de travailleurs européens attendent encore qu'on leur attribue des logements décents pour que leurs familles puissent les rejoindre. Les Africains devront patienter aussi. »

Kitty se demanda si elle devait lui révéler qu'elle en connaissait certains qui avaient quand même fait venir leurs épouses à Kongara. Pippa avait scandalisé les autres femmes du club, l'autre jour, en parlant du campement de fortune qui prenait des proportions de plus en plus importantes de l'autre côté de la ville, au-delà des ateliers. C'était là que vivaient les femmes des ouvriers africains, ainsi qu'une population croissante de prostituées.

« J'en ai vu une, avait raconté Pippa. Elle se tenait devant le poste de police. Elle avait l'air horrible, avec son rouge à lèvres voyant et son fard bleu sur les paupières. Ça jurait affreusement avec sa peau noire ! »

Il y avait eu un long silence tandis que chacune essayait de se représenter la femme qu'elle venait de décrire. C'était une image défiant l'imagination.

Kitty préféra s'abstenir de tout commentaire. Manifestement, Theo connaissait l'existence de ce campement. Si elle lui révélait qu'elle en avait également entendu parler, il en profiterait pour lui démontrer qu'il avait eu raison de lui déconseiller de s'aventurer hors du centre de Londoni.

« L'as-tu déjà rencontré, ce commissaire ? s'enquit-elle en posant sur le beurre un regard appuyé, avec l'espoir qu'il s'en aperçoive et le lui passe.

— Deux ou trois fois. C'est un type plutôt raisonnable, qui vit ici depuis longtemps. Très expérimenté. Mais il n'est pas vraiment en odeur de sainteté. Il a été mêlé, il y a quelques années de ça, à une sombre histoire dans laquelle un fermier blanc était impliqué.

Taylor, cet horrible individu que tu as aperçu l'autre jour, tu te rappelles ? »

Elle acquiesça d'un signe de tête, renonçant au beurre et feignant de concentrer son attention sur son œuf. Elle éprouvait la crainte irrationnelle que cette conversation ne l'amène, d'une façon ou d'une autre, à avouer qu'elle était allée à la mission catholique, qu'elle avait vu le vignoble de Taylor, distribué de la nourriture à ses ouvriers et soigné leurs blessures.

« Taylor devait aller en prison – pour quel crime, je l'ignore. C'est une histoire assez confidentielle. Mais là où je veux en venir, c'est que le commissaire de district l'a autorisé à purger sa peine dans une sorte de prison particulière au lieu de l'envoyer à Dar es Salam. » Il leva les yeux vers elle et émit un rire bref avant d'ajouter : « Sais-tu comment on appelle une prison, ici ? *Hoteli ya mfalme*. "L'hôtel du roi". »

Elle lui répondit par un faible sourire. Il avait l'air tout fier de son swahili, mais les mots étaient à peine reconnaissables, tant il les prononçait mal.

« Bien entendu, il serait épouvantable pour un Blanc d'être enfermé dans une prison africaine, reprit-il. Néanmoins, les décisions de justice doivent être respectées, et à plus forte raison dans nos colonies. Il ne fait aucun doute que le CD a pris des risques en venant en aide à Taylor. C'est à se demander, poursuivit-il en fronçant les sourcils d'un air pensif, quel lien pouvait bien exister entre eux. Étant donné ce que nous savons de Taylor, cela ne nous donne pas du commissaire une image très favorable. »

Elle but une gorgée de thé, en espérant que rien dans son expression ne trahissait son ardent intérêt pour cette histoire. Quel crime Taylor avait-il commis ? Combien de temps avait-il été emprisonné, et où ? Elle n'arrivait pas à décider si cette incarcération – même dans une cellule particulière – rendait encore pire le fait qu'il exploite aujourd'hui des détenus, ou si c'était le contraire.

Theo prit la salière de Cynthia et utilisa la minuscule cuillère en porcelaine pour déposer un petit tas de sel sur le bord de son assiette à côté du morceau de beurre. Puis il prit un triangle de pain grillé sur le porte-toast.

Kitty se remit à piocher dans son œuf. Et brusquement, elle se figea en découvrant un caillot sanglant dans le jaune. L'ébauche d'un embryon. Elle n'en fut pas aussi écœurée que Theo l'aurait sans doute été ; elle avait grandi dans une ferme où les coqs et les poules s'ébattaient en liberté. La plupart des œufs qu'ils ramassaient étaient fécondés, mais cela ne se voyait pas si on les mangeait sitôt pondus. Sa mère utilisait parfois des œufs qui n'étaient pas de première fraîcheur, particulièrement quand les poules pondaient moins, et une tache de sang par-ci par-là ne dérangeait personne. Mais ici, cela ne se justifiait en aucune façon. Les villageois étaient toujours pressés de vendre leurs œufs. Eustace aurait dû vérifier la fraîcheur de ceux qu'il achetait en les déposant dans une cuvette remplie d'eau pour voir s'ils ne flottaient pas. Elle devrait lui dire de faire plus attention à l'avenir. Il aurait mieux valu qu'elle mette son œuf sur le côté avant que Theo constate cette preuve de la négligence du cuisinier, mais elle demeura pétrifiée, contemplant fixement le jaune, comme fascinée par la tache rouge. Cela lui rappela que ses règles étaient en retard ce mois-ci, et elle ne put s'empêcher de nourrir un faible espoir d'être enceinte.

Prétextant la surcharge de travail, Theo avait fait installer un bureau dans la petite chambre et y passait de longues heures le soir à rédiger des rapports, vérifier les textes dactylographiés et lire les documents reçus de Londres. Tard dans la soirée, quand il avait terminé, il allait se détendre dans le salon en sirotant un whisky ou deux. Ensuite, il lui arrivait souvent de dormir dans cette même chambre, sous prétexte qu'il ne voulait pas la réveiller, même si elle ne s'était jamais plainte qu'il la dérangeait. Vers le milieu du mois, il avait dormi là-bas cinq nuits d'affilée – juste à la période cruciale de son calendrier. Plusieurs fois, elle avait failli le rejoindre dans la pièce et lui déclarer tout de go qu'ils devaient faire l'amour. Là, immédiatement, cette nuit ; et de nouveau la nuit prochaine, qu'ils en aient envie ou non. C'était le moment propice. Mais les hommes ne voulaient pas entendre parler de règles ou d'ovulation – cela risquait de les gêner atrocement et de détruire tout romantisme, affirmait le magazine de Pippa à ses lectrices. Pour une épouse, c'était une démarche périlleuse. Adoptant une tactique différente, Kitty avait essayé de séduire Theo, de le détourner de sa paperasserie en venant se planter à côté de lui dans une chemise de nuit en soie diaphane et en pressant sa cuisse contre son bras. Et pas seulement parce qu'elle voulait un enfant ; elle s'accrochait aussi à l'espoir de ranimer la passion entre eux, comme ce soir où il lui avait offert des chocolats. Elle se penchait vers lui, offrant ses seins à son regard. Mais il se contentait de tourner vers elle des yeux distraits avant de se replonger dans ses papiers…

Theo se leva pour aller s'habiller avant de se rendre au bureau. Elle resta seule à table, face à son petit déjeuner presque intact. Devant elle s'étirait une longue journée vide et ennuyeuse. Elle enfouit son visage entre ses mains, en proie à un profond accablement. Peut-être ferait-elle mieux de se recoucher, comme elle l'avait fait tant de fois. Peut-être resterait-elle dans son lit toute la journée, en faisant semblant d'être malade…

« Je ne rentrerai pas pour le déjeuner, lança Theo par la porte ouverte, interrompant le cours de ses pensées. À ce soir. »

Elle releva la tête sous l'effet d'une brusque flambée de colère. Son mari ne se donnait même plus la peine de lui expliquer ce qui le retenait au bureau. Ni de lui indiquer vers quelle heure il reviendrait. Il se félicitait sans doute que les maisons de la rue des Millionnaires ne soient pas encore équipées de téléphones. (Un nouvel exemple, selon Pippa, de l'incapacité de l'OFC à établir une liste cohérente des priorités.) De cette manière, il n'avait pas à l'appeler pour la prévenir qu'il serait en retard. C'était comme si elle était devenue invisible à ses yeux – un point minuscule à la lisière de son horizon. Se demandait-il parfois si elle était heureuse à Kongara ? S'en souciait-il seulement ? Pourquoi était-ce toujours elle qui devait l'écouter et le réconforter ? Elle se donnait du mal pour se comporter comme une bonne épouse. Ne pouvait-il pas faire un petit effort de son côté ? Elle entendit ses pas s'éloigner vers la porte d'entrée. Il partait sans même l'avoir embrassée ! Sa colère céda la place à la panique. Mais les pas résonnèrent de nouveau, et Theo reparut. Il lui sourit, et ses dents blanches étincelèrent dans son visage bronzé. La veste bleu marine qu'il avait revêtue mettait en valeur la blancheur immaculée de sa chemise et la blondeur de ses cheveux. Il était d'une beauté à couper le souffle. Elle sentit sa colère fondre comme neige au soleil. Quand il se pencha vers elle pour l'embrasser sur la joue, elle huma avec délices son odeur de dentifrice et de lotion après-rasage.

« Je t'aime », murmura-t-elle. Puis elle répéta plus fort, en tentant de réprimer la note implorante dans sa voix : « Je t'aime. »

Il lui lança un regard déconcerté et lui ébouriffa les cheveux.

« Moi aussi. Passe une bonne journée, ma chérie. »

Sur ces mots, il lui tapota l'épaule et s'en alla.

Quand elle sortit, elle cligna des yeux, surprise par cette clarté à laquelle elle n'était plus habituée. En s'approchant de sa voiture, que le jardinier venait de nettoyer, elle s'aperçut qu'elle avait oublié d'emporter le sac contenant ses affaires de natation. Mais elle continua d'avancer. Elle avait eu le plus grand mal à se contraindre à se vêtir et à se maquiller. Si elle retournait dans sa chambre, elle serait tentée d'y rester.

Une fois assise dans sa voiture, elle ouvrit la boîte à gants, cherchant ses lunettes de soleil. Sa main se referma sur un objet qu'elle n'identifia qu'après l'avoir extrait. Le canif du père Remi – celui que Tesfa avait trouvé en vidant le panier de légumes. Elle ne se rappelait plus l'avoir rangé là. Elle fit courir ses doigts sur l'étui en os ; sa surface lisse et tiède lui fit penser à l'écaille de tortue du poudrier de Katya. Le canif était vieux et usé, le manche fendillé. Dépliant la lame, elle la passa sur son pouce, en prenant soin de la tenir de biais pour ne pas se couper. La lame était droite et bien affûtée.

Le couteau était maculé de terre séchée ; d'un revers de la main, elle balaya la poussière ocre tombée sur sa robe à pois. Des traces rosâtres demeurèrent visibles sur les pois blancs. Cette vue lui rappela sa promenade dans les jardins de la mission en compagnie du père Remi, le sol gras et rouge, presque entièrement recouvert de verdure bien qu'on fût encore à la saison sèche. Perché au-dessus des plantations désertiques, le lieu ressemblait à une vision féerique, un jardin d'Éden. Mais il y avait une ombre à ce tableau idyllique, se dit-elle, songeant aux prisonniers dont chacun sans doute avait vécu une histoire tragique, et aux askaris armés de fusils et de matraques. Elle repensa à l'homme atteint d'un ulcère à la jambe. La plaie suppurait-elle encore, ou l'antiseptique avait-il vaincu l'infection ? Elle espérait que le père Remi avait trouvé le temps de changer quotidiennement le pansement.

Elle soupesa le couteau dans sa paume. Un bon canif était un bien précieux. Son père portait le sien dans un petit sac attaché à sa ceinture. Il ne l'ôtait jamais, même pour se rendre à l'église… Il ne lui fallut pas longtemps pour prendre sa décision. Elle devait rapporter le canif au prêtre. C'était la seule chose à faire. Mais elle ne resterait pas, se promit-elle. Elle repartirait immédiatement. Elle déjeunerait au club, et elle passerait même un moment à bavarder avec Alice.

En arrivant à la mission, elle fut surprise de constater que les camions de la prison s'y trouvaient déjà. Les prisonniers étaient assis en rang dans la cour de devant. Elle jeta un coup d'œil à sa montre : il était plus tard qu'elle ne l'avait cru.

Elle descendit de son véhicule et sortit du coffre le panier du prêtre. Elle demeura un instant hésitante, essuyant son rouge à lèvres du dos de la main. Elle regrettait à présent de ne pas être retournée dans la maison pour ôter son maquillage. Elle aurait dû également se changer et remettre la vieille tenue de brousse de Janet. Sa robe rouge à pois blancs était trop voyante et moulait de trop près son corps.

Elle n'aperçut pas le père Remi parmi les prisonniers. Il n'était pas non plus près de la table où l'on distribuait les repas. Seules sœur Clara et deux religieuses plus jeunes se tenaient près des marmites. Elle éprouva une soudaine réticence à l'idée d'affronter cette foule. Fugitivement, elle pensa à Louisa. Comment une dame devait-elle se comporter selon les règles du savoir-vivre face à une centaine de forçats de sexe masculin ? En promenant son regard autour d'elle, elle vit un sentier partant de l'angle de l'église. En le suivant, elle pourrait sans doute contourner celle-ci et parvenir dans l'autre bâtiment. Le père Remi s'y trouvait peut-être. Sinon, elle attendrait dans le salon jusqu'à ce que quelqu'un arrive, et elle lui demanderait d'appeler le prêtre.

Ses sandales à talons hauts étaient aussi peu appropriées aux circonstances que sa robe et son maquillage. Elle s'avança d'un pas trébuchant sur les pavés, sans oser regarder derrière elle pour voir si on avait remarqué sa présence. Le bruit de la voiture, le claquement de la portière et de la porte du coffre avaient certainement dû attirer l'attention. Arrivée près de l'église, elle s'engagea dans le chemin latéral, soulagée d'être enfin hors de vue.

Le sentier n'était pas pavé et ses talons s'enfonçaient à chaque pas dans la terre molle. Au bout d'un instant, elle s'accroupit et retira ses sandales, qu'elle posa dans le panier. Puis elle repartit, d'une démarche plus assurée et plus aisée. Son regard se porta vers le haut mur de pierre et, de là, vers le bord du toit de tuile, où les silhouettes grises des pigeons se découpaient sur le bleu du ciel. Elle était presque arrivée à l'angle du bâtiment quand elle sentit qu'on tirait sur sa robe. Sursautant de frayeur, elle se retourna vivement. Un petit singe levait les yeux vers elle, agrippant d'une main l'ourlet de sa jupe. Elle se raidit, tenta de se dégager. L'animal lui arrivait à peine au-dessus du genou, mais elle se rappelait que Janet l'avait mise en garde contre les morsures de chien ou de singe, susceptibles de transmettre la rage. Le singe finit par lâcher sa robe, mais seulement pour s'emparer de sa main, en refermant avec force ses petits doigts autour des siens. L'espace d'un instant, elle le contempla fixement, comme pétrifiée. Sa fourrure éparse ressemblait à du duvet ; il devait être encore très jeune, presque un bébé.

Elle se pencha vers la face pâle et glabre. Les grands yeux étaient si brillants qu'ils semblaient remplis de larmes.

« Bonjour, toi. »

De toute évidence, c'était un singe apprivoisé, l'animal de compagnie d'un des pensionnaires de la mission. Elle se demanda s'il était censé se promener ainsi en liberté. Un jappement d'impatience s'échappa de la gueule aux lèvres minces ; elle entrevit des dents aiguës, une langue rose. Puis le petit singe se mit à la tirer en avant.

Elle se laissa entraîner, et un vague souvenir affleura alors à sa mémoire. Elle avait l'impression d'avoir déjà vu cet animal quelque part. Puis cela lui revint : c'était la créature qu'elle avait d'abord prise pour un enfant nu, accroupi sur le capot de cet engin construit de bric et de broc.

Celui de Taylor.

En tournant le coin du bâtiment, elle faillit heurter un

tuyau métallique suspendu dans l'air à la hauteur de sa poitrine. À quelque distance de là, elle vit un homme de dos, tenant le tuyau par le milieu, en équilibre sur son épaule. Elle se rendit compte qu'il essayait d'insérer l'extrémité dans l'orifice d'une citerne d'eau. L'autre bout, celui qui était proche d'elle, commença à glisser. Sans réfléchir, elle dégagea sa main de celle du singe, posa son panier et se précipita pour retenir le tuyau.

« *Asante !* lui cria l'homme. *Shika tu.* » (Tiens-le bien.)

Sans répondre, elle obéit à l'ordre.

« *Inua tu !* » (Soulève-le !)

Elle s'exécuta, et l'homme débita un flot d'instructions en swahili. Cette fois, il parlait très vite, mais elle comprit ce qu'il attendait d'elle. Elle déplaça le tuyau vers la gauche en le tenant bien haut.

L'homme se démena pour introduire l'extrémité dans le trou situé à un emplacement peu accessible, tout en haut de la cuve. Kitty lui facilita la tâche en levant l'autre extrémité à la hauteur voulue. En vraie fille de fermier, elle ne pouvait faire autrement, dans une situation pareille, que de donner un coup de main. Elle plissa les yeux pour mieux observer l'individu, qui ne s'était pas encore retourné. C'était Taylor, elle en était persuadée. La présence du singe n'était pas le seul indice permettant de l'identifier. Elle reconnaissait cette chevelure indisciplinée, décolorée par le soleil. Elle l'étudia attentivement, profitant de ce qu'il ne la voyait pas. Il était bâti comme un tondeur : robuste, mais agile. Les manches de sa chemise kaki avaient été grossièrement coupées au coude, dévoilant des avant-bras aux muscles noueux.

« *Imekwisha* », annonça-t-il. (Terminé.)

S'essuyant les mains sur le fond de son pantalon, il se retourna et la dévisagea d'un air effaré. Il ferma brièvement les yeux, puis la regarda de nouveau, comme pour s'assurer qu'il ne rêvait pas. Il s'avança ensuite vers elle à grands pas et la soulagea de son fardeau en posant l'extrémité du tuyau sur une branche.

« Excusez-moi, je croyais que c'était Tesfa. Il était là il y a une minute à peine. »

D'un bond, le singe se percha sur son épaule, et il l'y maintint d'une main.

« Je vous présente Gili.

— Nous avons déjà fait connaissance, répondit-elle.

— J'espère qu'il ne vous a pas importunée. »

Elle secoua la tête.

« Je m'appelle Taylor. »

Il tendit la main droite, puis la laissa retomber. Elle se rendit compte qu'il ne savait pas s'ils devaient ou non se serrer la main. Elle en éprouva un sentiment fugitif de satisfaction. Il ne connaissait pas les bonnes manières. Il était encore plus ignorant qu'elle dans ce domaine.

« Je suis Mme Theodore Hamilton. »

Elle garda les bras rigides le long de ses flancs. Elle n'avait pas besoin de se rappeler les conseils de Louisa pour deviner que Taylor était exactement le genre d'homme à qui une dame ne devait pas serrer la main.

Taylor la détailla des pieds à la tête, et elle le dévisagea en retour. Il n'était sans doute pas plus vieux que Theo, mais il avait le visage buriné de ceux qui travaillent en plein air. Une barbe naissante ombrait son menton. Il avait une tache de boue sur le front. Elle était troublée par son regard, à la fois perçant et indéchiffrable. Sa voix était tout aussi déconcertante – totalement dénuée d'accent, comme s'il était de nulle part, ou de partout.

« Je ne voudrais pas me montrer impoli, dit-il enfin, mais, hormis le fait que vous êtes pieds nus, vous semblez plutôt habillée pour prendre le thé au Kongara Club. »

Cette remarque était tellement juste qu'elle fut obligée de sourire.

« C'est en effet là-bas que je me rendais, reconnut-elle. En fait, ajouta-t-elle en consultant sa montre, en ce moment même, je suis censée assister à une réunion du comité d'organisation du bal de Noël.

— Noël est encore très loin, fit-il en arquant les sourcils.

— Mais le bal demande beaucoup de préparatifs ; apparemment, c'est l'événement mondain le plus important de l'année. Aujourd'hui, on devait choisir la musique et les danses. Peut-être vaut-il mieux que je ne sois pas là – je ne connais aucune des danses en vogue.

— Voilà qui est impardonnable, en effet. On vous aurait jetée dehors. »

Elle sourit de nouveau. C'était un soulagement de voir ce problème dont elle se faisait une montagne tourné en plaisanterie. Et sa façon de la taquiner lui évoquait Paddy, ses manières directes et décontractées. Puis, se remémorant à qui elle avait affaire, elle fit un pas en arrière et ramassa son panier. Elle ne savait pas très bien comment ils en étaient venus à bavarder tels de vieux amis ; sans doute le travail en commun et les pitreries du singe avaient-ils créé entre eux un sentiment illusoire d'affinité. Tendant le canif, elle reprit :

« J'étais juste venue rendre ceci au père Remi.

— Vous l'avez ! » s'exclama Taylor d'un air ravi. Il s'en empara et le glissa dans sa poche, avant d'expliquer : « Il croyait l'avoir perdu. Mais c'est vous qui l'aviez pris. »

Le rouge aux joues, Kitty se remit en marche. Taylor lui emboîta le pas. Ils arrivèrent devant une porte ouverte menant à l'arrière de l'église.

« Vous le trouverez sûrement ici, déclara Taylor. Au fait, merci pour votre aide, ajouta-t-il avec un geste de la tête en direction du tuyau. Je serai content quand j'aurai mis en place l'autre extrémité de ce truc.

— Pourquoi ne demandez-vous pas aux prisonniers de s'en occuper ? »

Il était temps, avait-elle soudain décidé, d'informer Taylor qu'elle était parfaitement au courant de ses agissements.

« Ma foi, j'aurais pu le faire. Mais je venais juste de remarquer que le tuyau était tombé. Les pères sont très occupés, ils négligent parfois ce genre de détail pratique. Je préfère inspecter les bâtiments avant l'arrivée des pluies.

— C'est très charitable de votre part », répliqua-t-elle d'un ton caustique.

C'était le moins qu'il puisse faire, étant donné que la mission se chargeait de nourrir et de soigner ses ouvriers.

Il prit un air perplexe, et elle regretta aussitôt cette remarque. La dernière chose qu'elle souhaitait, c'était d'entamer avec cet homme une discussion sur la morale. Elle s'apprêtait à s'excuser et à s'éloigner quand Gili bondit brusquement de l'épaule de Taylor pour se jeter sur elle.

Elle chancela et lâcha son panier pour saisir l'animal

entre ses bras, enfouissant ses doigts dans sa fourrure douce. Deux longs bras se nouèrent à son cou. Une légère odeur flotta jusqu'à ses narines, lui rappelant l'époque lointaine où elle s'étendait au soleil avec les chiens de la ferme, enfouissant son visage dans leur poil épais.

Elle vit Taylor la contempler bouche bée.

« D'habitude, il a peur des étrangers, expliqua-t-il. Il a été torturé par les gens qui l'avaient capturé. Il porte encore des cicatrices.

— C'est affreux ! Pauvre petit. »

Elle referma ses bras autour du singe, le serrant tendrement contre sa poitrine. Elle éprouvait un étrange sentiment de gratification, comme si elle avait fait quelque chose pour mériter la confiance de Gili. Elle prenait plaisir à sentir ce petit corps tiède se serrer contre elle, sa fourrure lui chatouiller le cou. Elle posa sa joue contre la tête duveteuse.

« Il est tellement… »

Elle chercha le terme le plus apte à décrire le nez, la bouche et les oreilles en miniature, les grimaces comiques, mais aussi l'intelligence qui brillait dans les yeux grands ouverts.

« On dirait un vrai bébé.

— Mais il me donne moins de souci, si j'en crois ce que j'ai entendu dire », rétorqua Taylor en souriant.

Les coins de ses yeux étaient tout plissés, signe qu'il souriait souvent.

De l'autre côté de l'église, le bourdonnement de voix masculines augmenta brusquement de volume, et elle comprit qu'on s'apprêtait à servir le repas. La cour de pierre remplie de prisonniers semblait à mille lieues de l'endroit où elle se trouvait, face à cet étranger, un singe dans ses bras. Les pigeons roucoulant dans le clocher paraissaient plus bruyants, plus présents. De même que le chœur d'insectes vrombissant dans le soleil de midi.

« Je vous ai parlé en swahili, tout à l'heure, reprit Taylor. Et vous avez compris.

— Je le parle un petit peu », répondit-elle, mi-fière, mi-gênée.

Elle savait qu'elle avait fait beaucoup de progrès mais, en même temps, elle avait l'impression que cela risquait de paraître inconvenant ou prétentieux.

« Pourquoi quelqu'un comme vous se donne-t-il le mal d'apprendre le swahili ? s'enquit Taylor, d'un ton sincèrement intéressé.

— Eh bien, je pensais que cela pourrait être utile. Je ne savais pas du tout comment cela se passait, ici. Je croyais que je pourrais peut-être… faire quelque chose. »

À mesure qu'elle parlait, elle sentait l'émotion s'emparer d'elle, menaçant de la submerger. Elle prit conscience de toute la frustration qu'elle avait refoulée, de tous les mots qu'elle avait ravalés – ils étaient toujours là, au fond de sa gorge, ne demandant qu'à se libérer.

« Je dois partir.

— Je vais vous emmener voir le père, proposa Taylor.

— Non, ce n'est pas la peine. Je n'ai pas besoin de le voir. Si vous pouvez simplement lui donner ceci… »

Elle montra le panier gisant renversé sur le sol. Ses sandales étaient tombées un peu plus loin.

Taylor les ramassa. Dans ses mains rugueuses de travailleur, les fines lanières et les talons hauts semblaient encore plus fragiles et absurdes.

« Vous semblez avoir l'habitude de marcher pieds nus. »

Elle baissa les yeux. Il l'avait percée à jour, elle en était sûre. Il avait probablement compris que son accent n'était pas authentique, que ses bonnes manières n'étaient qu'un mince vernis. Il savait qu'elle n'était qu'une intruse, comme lui. Un imposteur. Mais elle ne pouvait se permettre de donner d'elle une telle image. Elle devait s'adapter au monde qu'elle partageait maintenant avec Theo, avoir l'air d'y être à sa place.

Elle releva la tête, rejetant sa chevelure en arrière comme elle l'avait vu faire à Diana. Adoptant le regard dédaigneux et critique qu'elle avait si souvent croisé à Londoni, elle déclara :

« Ils devraient faire des sentiers plus praticables. Bétonner le sol. »

Détachant le singe de son corps, elle le tendit à Taylor et prit ses sandales. Cet échange avait quelque chose d'intime, de familier, comme un geste qu'ils auraient souvent fait et referaient encore.

« La prochaine fois que vous viendrez, prenez le raccourci, conseilla Taylor. C'est beaucoup plus rapide. De toute façon, à la saison des pluies, la route principale sera inondée. La piste coupe droit à travers la colline, pour rejoindre l'autre bout de cette route, là-bas, en haut. Celle où se trouvent toutes ces grosses maisons, vous voyez ce que je veux dire ? »

Elle acquiesça en silence. Elle n'avait pas envie de lui révéler qu'elle habitait dans la rue des Millionnaires, la meilleure adresse du Tanganyika. Cela risquait de donner à Taylor une moins bonne opinion d'elle… Cette pensée la stupéfia elle-même. Pourquoi se soucierait-elle de l'opinion de Taylor ?

Il lui sourit une fois de plus, et elle comprit alors ce qui rendait ses yeux si saisissants : les iris étaient bleu-vert autour de la pupille mais dorés sur le bord. Elle se sentait attirée vers eux comme un papillon vers une flamme…

« Merci, mais je ne reviendrai pas. »

L'espace d'une seconde, le pli entre les sourcils de Taylor parut se creuser davantage. Mais il reprit aussitôt un masque impassible.

« Adieu, dans ce cas, dit-il d'une voix neutre.

— Adieu. »

Elle s'éloigna, toujours pieds nus, ses sandales se balançant au bout de sa main. Elle sentait dans son dos les yeux de Taylor, son regard étrange et intense, et réprima son envie de se retourner.

À pas lents, comme à contrecœur, elle redescendit le sentier longeant l'église. Elle aurait voulu rester ici, aider les religieuses à servir le repas. Travailler dans le dispensaire. Revoir les deux pères. Tesfa, aussi. Et jouer avec Gili.

Elle saurait bien garder ses distances vis-à-vis de Taylor.

Mais elle se força à continuer, accélérant l'allure. Elle avait commis des erreurs dans le passé, elle n'avait pas compris à temps qu'elle faisait fausse route. Mais, cette fois, ce serait différent. Elle percevait le danger.

Et elle savait qu'il valait mieux fuir à tire-d'aile.

9

Penchée sur le volant, Kitty observait avec anxiété la jauge d'essence. L'aiguille rouge se rapprochait dangereusement de zéro. Elle se félicita que Theo ne puisse pas être témoin de cette négligence ; lui insistait pour que son chauffeur veille à ce que le réservoir du Land Rover soit toujours au moins à moitié plein. Elle descendit la colline en roue libre, puis, sans quitter l'aiguille du regard, roula lentement et sans à-coups jusqu'à la pompe située devant la *duka* d'Ahmed.

Pendant que le pompiste faisait le plein, elle sortit de la voiture. À plusieurs reprises, elle avait été obligée de demander à l'employé de ne pas fumer en actionnant la pompe et, chaque fois, il avait protesté avec volubilité. En traversant la route, elle remarqua la Daimler garée sous un arbre. James, le chauffeur, était en train d'épousseter distraitement le véhicule. Cela signifiait-il que Diana était enfin guérie et recommençait à faire du shopping ? Dans ce cas, elle reviendrait sans doute au club dès demain. Kitty frémit en imaginant la scène ; l'ordre ancien serait rétabli et chacune reprendrait bien vite sa place. En même temps, elle espérait recevoir la confirmation que Diana était effectivement rétablie.

Les gémissements pitoyables qu'elle avait entendus lors de sa visite manquée hantaient encore son esprit.

Le boy et le cuisinier de Diana étaient occupés à choisir des fruits dans les corbeilles disposées devant la boutique du marchand de primeurs. Elle promena son regard aux alentours, sans apercevoir leur patronne. Elle se dirigea vers James ; en la voyant, il se mit aussitôt au garde-à-vous.

« Bonjour, memsahib.

— Bonjour, James. Diana est-elle ici ?

— Non, memsahib. Elle ne fait pas les courses. Elle reste au lit. Elle va très mal, ajouta-t-il en secouant la tête.

— Je croyais pourtant que la malaria se soignait facilement », répondit-elle d'un air étonné.

Il demeura un instant silencieux, puis jeta des coups d'œil furtifs autour de lui, comme s'il craignait qu'on ne l'entende.

« Elle n'a pas la malaria. Elle souffre d'autre chose. »

Kitty pensa aux pilules roses qu'elle avait vues dans la voiture.

« J'ai entendu dire qu'elle avait des problèmes sanguins. Qu'elle souffrait des nerfs. »

James secoua de nouveau la tête.

« C'est dans son cœur.

— Son cœur ? » répéta-t-elle en écarquillant les yeux.

Kongara n'était pas un endroit où l'on pouvait soigner les maladies cardiaques. L'hôpital faisait certes bonne impression mais, comme la plupart des services ici, il était administré de manière assez fantaisiste. Parfois le personnel paraissait en surnombre ; d'autres fois, il était difficile d'obtenir un rendez-vous pour une consultation. La rumeur prétendait que, si les fournitures médicales de première nécessité faisaient souvent défaut, les réserves regorgeaient d'articles totalement inutiles. Et il n'y avait même pas d'ambulance ; le médecin utilisait sa propre Jeep. L'hôpital le plus proche – le seul digne de ce nom – se trouvait à Dar es Salam. Elle vit sa propre inquiétude se refléter dans les yeux de James, et se rendit compte que la sollicitude de celui-ci n'avait rien d'affecté. Il se faisait réellement du souci pour Diana.

« Je ne connais pas le nom de sa maladie en anglais, reprit-il, mais, ici, nous l'appelons *hali ya kutokua na furaha.* »

Elle reconnut aussitôt le mot « joie ». Janet l'utilisait fréquemment. Le verbe était plus compliqué, et il était employé à la forme négative. Littéralement, l'expression pouvait se traduire par « l'état de celui qui ne connaît pas de joie ». Un frisson la parcourut quand elle comprit la signification des plaintes de Diana : c'étaient les cris de détresse d'une personne en proie au plus profond désespoir.

« Elle est très malade, déclara James en écartant les mains, ses paumes roses tournées vers le haut. Ses sœurs devraient lui venir en aide. Elles ne devraient pas la laisser seule », poursuivit-il d'un ton scandalisé.

Elle le dévisagea sans comprendre. Il devait bien savoir que, si Diana avait des sœurs, celles-ci se trouvaient certainement bien loin de là, en Angleterre ? Et puis, d'un seul coup, le sens de ces propos lui apparut. Il parlait des amies de Diana, des dames qu'elle rencontrait chaque jour au club. Elle tenta de se rappeler laquelle semblait être la plus proche de Diana. À Kongara, les gens ne se connaissaient pas depuis longtemps, mais étant donné que Diana passait la plus grande partie de son temps libre avec les autres épouses de fonctionnaires, elle avait dû nouer des liens d'amitié avec au moins l'une d'elles.

Elle fouilla dans sa mémoire en quête d'indices d'une complicité comparable à celle qu'elle avait jadis partagée avec son amie d'enfance, Ruth Herbert. Elles s'étaient connues en cours préparatoire à l'école de Wattle Creek et étaient restées amies jusqu'à ce que Ruth parte travailler dans une autre région. Elle repensa à leurs fous rires, leurs embrassades spontanées, leur profonde entente, la façon dont chacune terminait les phrases de l'autre. Mais dans sa mémoire, aucune image de ce genre n'était associée à Diana. L'épouse du directeur général était intelligente, belle et drôle ; elle pouvait également se montrer bienveillante. Mais le problème c'était qu'elle était totalement imprévisible. On ne savait jamais ce qu'elle allait dire ou faire, on ne savait jamais à qui l'on avait affaire. Les gens étaient toujours anxieux d'obtenir son approbation, mais gardaient prudemment leurs distances. En conséquence, Kitty s'en rendait compte à présent, Diana était totalement isolée, peut-être même rongée par un sentiment de solitude. Elle se réjouit d'avoir au moins fait l'effort de lui apporter un petit cadeau.

« Personne ne lui a rendu visite ? demanda-t-elle à James.

— Seulement vous. Et vous ne lui avez pas parlé, répondit-il, les yeux enflammés de colère.

— M. Armstrong ne m'a pas autorisée à la voir. Il m'a renvoyée. »

La mine impassible, le chauffeur déclara :

« Je viens de le reconduire au bureau central, après son déjeuner d'affaires au club. Il va rester là-bas un bon moment. Il a beaucoup de papiers à lire. Beaucoup de gens à voir. Je crois qu'il va être très occupé pendant tout le reste de l'après-midi. »

Kitty frappa doucement à la porte. Les employés étant sortis pour faire les courses, il n'y avait personne pour lui ouvrir. Elle ne voulait pas risquer de réveiller Diana en sursaut en cognant avec plus de force. Elle tendit l'oreille, guettant un bruit de pas, mais la maison resta silencieuse.

James lui avait donné sa clé. Les résidents de la rue des Millionnaires avaient reçu l'instruction de garder constamment leur porte fermée à double tour, car il s'était produit une série de cambriolages dans le quartier des Cabanes à outils. La criminalité était en nette augmentation à Kongara et, jusqu'à présent, l'OFC n'avait pas réagi de manière satisfaisante. Scotland Yard avait dépêché un nouveau commissaire sur place mais, en raison du manque de moyens dont il disposait, on avait par dérision surnommé le poste de police « Scotland Inch[1] ». Face au tollé général, l'OFC avait promis qu'un nouveau contingent d'askaris arriverait bientôt de Dar es Salam. Mais, en attendant, il régnait dans la ville un sentiment général d'insécurité. Alice en rejetait la faute sur les habitants du quartier misérable en bordure de l'agglomération. Elle avait exposé son opinion lors d'un déjeuner au club et proposé une solution.

« Ce ne sont pas les bulldozers qui manquent, avait-elle dit en fendant l'air d'un doigt pour souligner ses paroles. Il suffit d'en envoyer quelques-uns

1. Jeu de mots sur « yard », unité de mesure équivalant à 0,914 m, et « inch », ou « pouce », équivalant à 2,54 cm.

dégager ces taudis. Raser toutes les cabanes. Cela ne prendrait qu'une matinée.

— Mais où iraient tous ces gens ? avait demandé Kitty. Tous ces femmes et ces enfants ? »

Alice lui avait lancé un regard de pitié, comme si elle avait affaire à une simple d'esprit.

« Ils retourneraient là d'où ils viennent.

— Et les prostituées ? s'était enquise Pippa. Tous ces hommes privés de femmes... Cela risquerait de rendre la situation encore plus dangereuse. Pour nous, je veux dire, avait-elle ajouté en frémissant.

— Ne sois pas répugnante », avait répliqué Alice.

Heureusement, l'arrivée d'Eliza à ce moment précis avait créé une diversion bienvenue, et chacune s'était extasiée sur sa nouvelle coiffure – une masse de bouclettes formant une pyramide sur le sommet du crâne.

Ouvrant la porte, Kitty se faufila avec précaution à l'intérieur de la maison.

« Diana ? appela-t-elle à voix basse. C'est moi, Kitty. »

Ôtant ses sandales pour ne pas faire de bruit, elle s'avança vers la chambre principale.

La porte était entrouverte de quelques centimètres. Par l'entrebâillement, Kitty aperçut Diana sur le lit, allongée par-dessus les draps. Son déshabillé de soie bleue était remonté jusqu'au milieu des cuisses. Elle avait étendu les bras en croix, telle une enfant dans l'abandon d'un sommeil profond. Ses cheveux roux se déployaient sur l'oreiller, son visage était tourné de côté. Kitty ouvrit plus grand la porte. Elle n'avait jamais vu Diana sans maquillage. La jeune femme en était encore plus belle. Avec sa peau de porcelaine et ses traits réguliers, elle ressemblait à une statue d'ange. Ses lèvres mi-closes dessinaient un arc parfait. La seule imperfection de ce tableau ravissant, c'était le filet de salive s'écoulant du coin de sa bouche. Kitty recula, gênée. Diana aurait détesté qu'on la voie dans cet état – le visage nu, bavant. En regardant à l'intérieur de sa chambre sans y avoir été invitée, elle avait commis une intrusion impardonnable.

Elle s'apprêtait à refermer la porte quand un autre détail attira son attention : un flacon de médicaments gisant ouvert sur le sol, tout près du lit. Elle reconnut l'étiquette – Aspro. À côté se trouvait un flacon de forme différente et visiblement vide. Reportant son regard sur le lit, elle découvrit une autre fiole en verre brun, portant l'étiquette d'un pharmacien.

Pendant un long moment, elle demeura pétrifiée, aussi immobile que la forme étendue sur le lit. Puis elle se rua dans la pièce et s'agenouilla près de Diana. Ce n'était pas seulement de la salive qu'il y avait au coin de sa bouche, mais aussi des traces de vomissures séchées.

« Diana ! cria-t-elle, la prenant par les épaules et la secouant avec force. Diana, m'entends-tu ? »

La jeune femme demeura sans réaction – pas même un battement de paupières.

Kitty appuya une oreille contre sa poitrine, cherchant à détecter un battement de cœur. Mais elle ne perçut que le bruit affolé de sa propre respiration. Saisissant le poignet de Diana, elle se contraignit à se maîtriser et chercha son pouls.

« Dieu merci », murmura-t-elle en sentant sous ses doigts une pulsation légère, mais régulière.

Elle posa sa joue contre la bouche de Diana, mais ne décela aucun souffle. La poitrine de Diana, ses seins, sous le déshabillé de soie bleue fermé à l'encolure par un ruban blanc, étaient aussi immobiles que le reste de son corps. Sur la table de chevet, Kitty vit un petit miroir à main. Elle s'en empara, renversant dans ce geste un autre flacon vide, et le tint au-dessus du nez et de la bouche de Diana. Elle attendit quelques secondes, le regard fixé sur la glace ovale dans un cadre d'argent gravé des initiales DA. Diana Armstrong. C'était difficile d'associer ce nom, et tout ce qu'il représentait, au corps inerte et vulnérable gisant devant elle.

Une légère buée vint obscurcir le miroir, et elle ferma les yeux de soulagement. Janet lui avait enseigné le bouche-à-bouche, mais elle n'était pas sûre qu'elle aurait su le pratiquer correctement. Elle contempla Diana. La jeune femme respirait, son cœur battait, mais elle était profondément inconsciente.

À travers la fenêtre, elle regarda sa voiture garée dans l'allée. Sur l'insistance de James, elle était venue ici directement, sans même s'arrêter chez elle pour ranger la Hillman. Le moyen le plus rapide, pour transporter Diana à l'hôpital, c'était de l'y conduire elle-même. Mais elle ne pensait pas être en mesure de la porter jusqu'au véhicule. Elle se rappelait combien il était difficile de transporter un mouton mort hors de l'enclos, même après l'avoir tondu, ainsi qu'il était d'usage, pour ne pas laisser perdre la laine. Ce n'était pas seulement une question de poids ; un corps inanimé était plus difficile à manipuler. Elle allait devoir appeler Gabriel et Eustace pour lui prêter main-forte.

Elle s'élança dans le couloir, puis s'arrêta net. Et si Diana n'était pas réellement en danger ? Elle n'avait pas envie de l'exposer aux moqueries et aux sarcasmes des domestiques, dans l'état où elle se trouvait.

Elle alla dans le salon et promena autour d'elle un regard paniqué, les pensées se bousculant dans sa tête.

Elle savait qu'il n'y avait pas de téléphone dans la maison, mais elle se surprit à chercher du regard sa forme noire et trapue. Puis le chariot à boissons lui apparut soudain. Il était fait d'acier inoxydable ; Theo et elle possédaient exactement le même. On racontait pour rire que l'OFC avait fait fabriquer à l'intention des fonctionnaires coloniaux des modèles renforcés capables de supporter des quantités d'alcool phénoménales. D'un geste, Kitty envoya les bouteilles voltiger sur le sol. L'une d'elles se brisa, et des éclats de verre se répandirent alentour. Le seau à glace roula bruyamment à travers la pièce.

Regagnant la chambre, elle réussit à soulever Diana et à la hisser sur le chariot à plat ventre, bras et jambes pendants. Ramassant les flacons vides, elle les fourra dans sa poche. Puis elle poussa le chariot jusqu'à la porte de la cuisine ; il n'y avait qu'une marche à descendre pour atteindre le sentier cimenté. Quand elle se retrouva dans l'allée de gravier, elle dut se courber et pousser l'engin de toutes ses forces, bras tendus. Elle vit que les mains de Diana raclaient le gravier, mais elle ne s'arrêta pas. Arrivée à sa voiture, elle ouvrit la portière arrière, approcha le chariot et le fit basculer. Le corps de Diana s'affala sur la banquette ; au passage, sa tête heurta le montant de la carrosserie avant de s'immobiliser dans une position inconfortable. Les jointures de ses doigts étaient tout écorchées et saignaient abondamment.

Quelques secondes plus tard, Kitty appuyait frénétiquement sur l'accélérateur. Le gravier gicla sous les pneus tandis qu'elle s'éloignait en trombe.

Le parking de l'hôpital était désert. Les volets étaient baissés, les portes fermées. À part un balayeur nettoyant la véranda, on n'apercevait aucun signe de vie.

Kitty bondit hors de la voiture, laissant sa portière ouverte. Elle courut vers une porte portant l'inscription *urgences* et se précipita à l'intérieur de l'établissement. Tout était calme et silencieux, plongé dans la pénombre.

« Y a-t-il quelqu'un ? » appela-t-elle en entrant dans l'une des salles. Les lits étaient faits, les draps et les couvertures soigneusement tendus sur les matelas, mais il n'y avait aucun patient en vue. La salle suivante était tout aussi vide. Elle s'engagea dans un couloir.

« Y a-t-il quelqu'un ? » répéta-t-elle.

Un homme apparut dans l'encadrement d'une porte, silhouette courtaude et trapue vêtue d'une blouse blanche.

« Que diable se passe-t-il ?

— J'ai quelqu'un dans ma voiture, dehors, cria-t-elle, haletante. Elle a besoin d'aide ! »

L'homme se contenta de la dévisager sans répondre. Elle prit conscience qu'elle devait avoir piteux aspect, avec ses pieds nus et sales, sa robe couverte de poils de singe. Repoussant ses cheveux en arrière, elle lança :

« Venez avec moi. Je vous en prie ! Il s'agit d'une urgence.

— Le Dr Meadows devrait être dans les parages. Et l'infirmière Edwards…

— N'êtes-vous pas également médecin ?

— Je suis pneumologue.

— Il n'y a personne d'autre dans l'établissement, dit-elle en l'empoignant par le bras.

— Je ne pratique pas d'interventions, protesta le médecin, tout en la suivant dans le couloir. J'étais juste venu examiner des radios… »

Sans ralentir le pas, elle sortit de sa poche les flacons de médicaments.

« Je crois qu'elle a avalé le contenu de toutes ces fioles. Elle est inconsciente. »

Le médecin s'immobilisa brusquement et lui prit des mains le flacon de verre brun portant l'étiquette d'un pharmacien.

« Qu'est-ce que c'est ? demanda-t-elle. Est-ce un produit dangereux ? »

Sans répondre, le médecin se mit à courir.

« Tenez-lui la tête, ordonna le médecin à Kitty, tandis qu'il enduisait de paraffine liquide l'extrémité d'un long tuyau de caoutchouc. Je vais lui introduire ce tube dans l'œsophage. À propos, je m'appelle Frank.

— Kitty Hamilton. »

Frank releva la tête, suspendant son geste.

« La femme du directeur administratif ?

— C'est ça.

— Je ferais mieux de surveiller mon langage, dans ce cas. »

Elle ne répondit pas, se demandant comment il aurait réagi s'il avait su qu'elle avait passé une grande partie de sa jeunesse dans un hangar de tonte où l'on ne s'exprimait guère que par des jurons. Frank semblait quant à lui être un homme doux et bien élevé.

« Pincez-lui le nez, voulez-vous ? reprit-il en insérant le tuyau entre les lèvres de Diana. Il y a des années que je n'ai pas fait ça », ajouta-t-il, le front barré d'un pli d'anxiété.

Quand il commença à enfoncer le tube de plus en plus profondément, Kitty ne put s'empêcher de tressaillir. Il avait des gestes brutaux, presque maladroits, comme si Diana était un objet et non une personne. Mais il essayait de lui sauver la vie, se rappela-t-elle. Son état semblait l'inquiéter sérieusement. Il s'arrêtait fréquemment pour prendre son pouls. Son front était emperlé de sueur.

« L'essentiel, expliqua-t-il, c'est de s'assurer que le tuyau entre bien dans l'estomac, et non pas dans les poumons. »

Il lui fit signe de lui passer un bol rempli d'eau et y plongea l'autre extrémité du tuyau. Après avoir observé le tout pendant une demi-minute, il hocha la tête d'un air satisfait.

« Pas de bulles. Ça signifie que le tuyau est au bon endroit. Apportez-moi ça », poursuivit-il en montrant un gros entonnoir sur le chariot à instruments.

Il ajusta l'extrémité du tuyau à son embout, puis versa une carafe d'eau dans l'ouverture. Kitty réprima une nausée quand le liquide descendit dans le tuyau en gargouillant.

« Et qui est votre amie, au fait ? »

Elle ne répondit pas immédiatement. Elle avait l'impression d'être une usurpatrice en se présentant comme l'amie de Diana.

« Mme Armstrong. »

Frank se figea, la carafe en suspension dans l'air.

« La femme du directeur général ? Bon sang ! Maintenant, je vais me sentir encore moins rassuré. » Indiquant le chariot à instruments, il poursuivit : « Le seau. Merci. Tenez-le plus bas que la patiente. La force de gravité va aspirer le contenu de l'estomac. »

Tandis qu'elle exécutait ses instructions, un souvenir incongru lui revint en mémoire : toute petite, elle avait vu, cachée derrière un tronc d'arbre, des tondeurs à moitié ivres voler de l'essence dans le réservoir de la voiture du contremaître au moyen d'un morceau de tuyau d'arrosage.

De l'eau commença à tomber goutte à goutte de l'extrémité du tube.

« Le liquide a l'air plutôt limpide », commenta Frank.

C'est alors qu'une boulette d'un magma blanchâtre tomba dans le seau, suivie de quelques caillots de sang.

« Ah, ça vient, reprit le médecin, avec une expression mi-inquiète, mi-contrariée. Je n'arrive pas à croire que je suis en train de faire ça. Où diable est passé Meadows ? » Il se tourna vers la porte, comme si, par la seule force de sa volonté, il pouvait faire apparaître son confrère. « Je suppose qu'il s'est dit que, puisqu'il n'y avait pas de patients, il pouvait s'absenter un moment. Je parie qu'il est allé au club, ajouta-t-il avec un reniflement de dédain. Et l'infirmière est probablement partie à sa recherche. C'est le problème, à Kongara : on sait toujours où vous trouver. Elle ne va pas se gêner pour lui dire ses quatre vérités », ajouta-t-il, un sourire passant fugitivement sur ses traits.

Il répéta le processus, versant une deuxième carafe d'eau dans l'entonnoir. Cette fois, quand Kitty abaissa le seau pour créer un effet de succion, du liquide jaillit à la fois de la bouche de Diana et de l'extrémité du tuyau. Elle tourna vers Frank un regard alarmé.

« C'est normal, la rassura-t-il. C'est même bon signe. »

Il remplit et vida la carafe encore sept ou huit fois de plus ; Kitty finit par en perdre le compte. Il prenait sans arrêt le pouls de Diana et soulevait ses paupières pour examiner ses pupilles.

Au bout de quelque temps, l'eau s'écoulant dans le seau finit par devenir claire. Comme Frank s'apprêtait à verser le contenu d'une dernière carafe, Diana leva la main et agrippa le tuyau.

« Elle revient à elle », dit-il en jetant à Kitty un regard de triomphe.

Il entreprit d'extraire le tuyau, et Diana commença à tousser et à geindre.

Kitty laissa échapper un soupir frémissant. Tout son corps se mit à trembler sous l'effet du soulagement, et elle se rendit alors compte de la tension nerveuse qui l'avait habitée.

« Elle va s'en sortir ?

— Ma foi, je l'espère, répondit Frank en s'essuyant le visage sur son avant-bras. Certains organes pourraient avoir été endommagés. C'est le problème avec la phénacétine. Le foie peut être lésé de manière irréversible.

— Vous voulez dire qu'elle risque quand même de mourir ? demanda Kitty en le dévisageant d'un regard horrifié.

— Il ne faut pas penser au pire, se hâta de dire Frank. C'est une chance que vous l'ayez découverte à temps, et que vous ayez réussi à la transporter ici si vite. » La regardant droit dans les yeux, il s'enquit : « Savez-vous pourquoi elle a essayé de faire ça ? »

Elle secoua la tête. La seule réponse qui lui vint à l'esprit, ce furent les mots prononcés par James. *L'état de celui qui ne connaît pas de joie.* Ce diagnostic aurait pu s'appliquer à un certain nombre de personnes de son entourage : sa tante Madge ; sa propre mère, parfois ; Louisa, aussi. Et Theo, à son retour de la guerre. Mais ce qui avait conduit Diana à tenter de se suicider, elle n'en avait pas la moindre idée.

La malade poussa une faible plainte, et Kitty se pencha vers elle pour lui caresser les cheveux. Ils étaient gras et tout emmêlés. Sous la puanteur des vomissures et du désinfectant, elle perçut une odeur de sueur rance. Elle vit que le négligé de soie bleue était constellé de taches de nourriture. La colère s'empara d'elle à la pensée qu'on ait pu laisser Diana dans un tel état. Visiblement, Richard n'était pas un époux aussi attentif qu'il le paraissait. Les domestiques avaient eux aussi négligé leur maîtresse. À moins, peut-être, que Diana n'ait tout simplement refusé de se laver ou de changer de vêtements.

« Nous devons prévenir son mari au plus vite, reprit Frank. Il faut que vous alliez au bureau central. »

À contrecœur, Kitty quitta le chevet de Diana. Comme elle se dirigeait vers la porte, Frank lui lança :

« Quand vous aurez parlé à M. Armstrong, demandez à quelqu'un de trouver Meadows et de lui dire de rappliquer ici. Héros de guerre ou pas, il mériterait d'être fichu à la porte ! »

Il s'interrompit en entendant des pas résonner dans le couloir. Quelques secondes plus tard, Richard fit irruption dans la pièce.

« Qu'est-il arrivé ? Que se passe-t-il ici, nom d'un chien ? »

Son ton était celui d'un instituteur exigeant de ses élèves des explications sur leur conduite indisciplinée. Il se campa devant la table, et contempla Diana. Son regard la parcourut des pieds à la tête avant de se poser sur le seau.

« Votre femme a pris une quantité excessive de médicaments, expliqua Frank. Mais nous lui avons fait un lavage d'estomac. Je crois qu'elle va s'en remettre. »

Richard se contenta de froncer les sourcils. Par-dessus son épaule, Kitty aperçut James dans le couloir.

En rentrant des magasins, il avait dû voir le chariot à liqueurs renversé dans l'allée, puis constater la disparition de Diana et retourner en ville pour avertir Richard. Sur les traits du chauffeur, elle lut toutes les émotions qui étaient absentes du visage de son employeur : l'inquiétude, le désarroi, le soulagement.

Se tournant vers elle, Richard s'enquit d'un ton agressif :

« Que faites-vous ici ? »

Reculant d'un pas, elle répondit :

« Je l'ai trouvée… dans sa chambre. Je l'ai amenée ici.

— Elle a vraisemblablement sauvé la vie de votre épouse, intervint Frank d'une voix sèche, et Kitty devina qu'il était aussi déconcerté qu'elle-même par la réaction de Richard.

— Oh, elle n'en prend jamais assez pour se tuer. »

Un silence choqué s'abattit sur la pièce. Quelque part, on entendit de l'eau couler dans un évier. L'ampoule électrique se mit à grésiller. Frank ouvrit la bouche pour dire quelque chose, puis se ravisa.

Brusquement, Richard parut reprendre ses esprits. S'avançant vers Frank, il lui donna une tape sur l'épaule.

« Merci, mon vieux. On dirait que vous avez su gérer la situation. » Effleurant un pan du négligé drapé sur le rebord de la table, il soupira : « Pauvre Diana. Elle se met pour un rien dans des états épouvantables. On se sent tellement impuissant, face à cela… », ajouta-t-il en écartant les mains.

Diana marmonna quelque chose et ses doigts s'agitèrent comme des ailes de papillon. Kitty faillit s'approcher d'elle, mais s'en abstint, intimidée par la présence de Richard. Elle avait l'impression d'être une intruse à présent, et se sentait indésirable.

« Je suppose que je ferais mieux de m'en aller, dit-elle à Frank, ignorant délibérément Richard. Voulez-vous que je passe au club pour prévenir le médecin ?

— Non ! » s'écria Richard en se retournant d'un geste brusque. Son expression était – enfin – affolée, presque implorante. « Il faut d'abord que je vous parle. Si vous voulez bien nous excuser, ce ne sera pas long », ajouta-t-il à l'adresse de Frank.

Sans un regard pour la forme étendue sur la table, il entraîna Kitty hors de la pièce.

« Il va sans dire, Kitty, que j'apprécie infiniment l'aide que vous nous avez apportée », déclara Richard, tout en marchant de long en large dans la salle d'attente.

Kitty était restée debout près de la porte, qu'il avait sèchement refermée derrière eux. Elle était plus grande que lui, et pourtant elle se sentait toute petite sous son regard, comme une enfant. Il avait l'air d'attendre qu'elle dise quelque chose. Elle s'efforça de réprimer l'indignation que lui avait inspirée son attitude.

« Je me réjouis d'avoir eu l'idée de lui rendre visite, commença-t-elle. Je n'ose pas penser à… ce qui aurait pu se passer. Il y avait tellement de flacons vides… »

Richard vint se planter face à elle, si près qu'elle put sentir l'odeur de sa lotion après-rasage, épicée et douceâtre à la fois.

« Kitty, je ne saurais insister assez sur l'importance qu'il y a à observer la plus grande discrétion sur cet incident.

— Je ne dirai rien », rétorqua-t-elle d'un ton ferme.

L'idée que les autres résidents de Londoni, et particulièrement les femmes, puissent découvrir ce qui s'était passé lui déplaisait autant qu'à lui. Après avoir contribué à sauver Diana, elle éprouvait désormais à son égard un sentiment protecteur.

« Il y va de l'intérêt de Diana, bien sûr. Mais je pense également au Plan. Il n'est guère rassurant, pour les employés, de savoir qu'il se produit des choses pareilles au sein de la direction. Je ne peux pas me permettre de laisser l'affaire s'ébruiter. »

En l'écoutant, elle ne put s'empêcher de penser qu'il se préoccupait bien plus de ce dernier point que de sa femme. Que le plan Arachide avait plus d'importance pour lui que Diana.

« Je comprends, murmura-t-elle en se contraignant à garder un ton neutre.

— Je vous en remercie, Kitty. Sincèrement. »

Il sortit de sa poche un paquet de cigarettes et lui en offrit une.

« Non, merci, je ne fume pas.

— Vous êtes une femme raisonnable, dit-il en allumant sa cigarette. Je me fais des reproches. J'aurais dû intervenir depuis longtemps. C'est évident. Elle doit rentrer chez elle », ajouta-t-il en exhalant un panache de fumée.

Kitty le regarda d'un air perplexe. Bien sûr, Diana devait rentrer chez elle dès qu'elle irait mieux... Puis elle comprit. « Chez elle », c'était en Angleterre.

« Ç'a été une erreur de la faire venir ici, poursuivit Richard. Je pensais que le changement lui ferait du bien. Une nouvelle vie, un nouveau décor... Mais il faut voir les choses en face. C'est un échec.

— Mais... et vous ? Votre travail ? demanda Kitty.

— Que voulez-vous dire ? » fit-il d'un ton étonné. Puis son visage s'éclaira. « Bien entendu, je resterai ici. Je ne conçois pas de déserter mon poste, de laisser tomber le Plan. Mais elle sera en de bonnes mains, ne vous inquiétez pas.

— Qui s'occupera d'elle ? » s'enquit Kitty. Les paroles de James lui revinrent une fois de plus en mémoire. « A-t-elle une sœur, en Angleterre ?

— Non. Seulement un frère, en Cornouailles. Mais ce dont elle a besoin, c'est de l'aide d'un professionnel. Et elle aura ce qui se fait de mieux dans ce domaine, je vous le garantis. »

Kitty hocha la tête ; Diana devait consulter un psychiatre, c'était indéniable. Et si elle était tellement malheureuse à Kongara, elle serait sûrement contente de partir, même si cela impliquait d'être séparée de son époux, du moins pendant quelque temps.

« Je vais d'abord l'envoyer à Nairobi. Il y a un vol qui part de là-bas vendredi, elle pourra peut-être le prendre. »

Cette précipitation fit naître en Kitty un certain malaise.

« Mais il faudrait lui laisser le temps de récupérer ici, où ses amis pourront lui rendre visite, protesta-t-elle.

— Quels amis ? » L'expression de Richard se fit soudain peinée – douloureuse même. Puis il retrouva son air froid et distant. « Il n'y aura pas de visites. Que ce soit bien clair entre nous, Kitty. Nous parlons d'un suicide. C'est un acte choquant, puni par la loi. Cela ne doit absolument pas se savoir. » La panique perçait dans sa voix à présent. « Frank est tenu au secret médical. Meadows et l'infirmière n'iront pas crier sur les toits qu'ils n'étaient pas là où ils auraient dû être. James est un serviteur loyal, il ne dira rien. Il ne reste donc que vous, Kitty. Vous ne devez révéler à personne ce qui est arrivé aujourd'hui. Pas même à Theo. »

Elle entrouvrit la bouche pour protester. Elle ne voulait pas recommencer à avoir des secrets pour Theo. Elle avait déjà suffisamment de remords de ne pas lui avoir parlé de ses visites à la mission.

« Theo comprendrait, reprit Richard. Un gentleman sait quel prix attacher à la discrétion. »

Il avait raison, et elle en était consciente : Theo comprendrait certainement, s'il avait été informé de la situation. Après tout, il avait été lui aussi mêlé à un scandale public.

« Je vais faire en sorte qu'il soit retenu au bureau, poursuivit Richard. Rentrez chez vous, changez-vous, prenez quelque chose pour vous remonter. Et inventez une histoire sur la façon dont vous avez occupé votre journée. » Il lui lança un regard scrutateur. « Ne me décevez pas. » Il tira sur sa cigarette avant de répéter : « Je parle sérieusement. Ne me décevez pas. »

Elle perçut une menace dans sa voix – une menace d'autant plus effrayante qu'elle était exprimée avec un accent raffiné. Kitty se demanda soudain si c'était aussi l'impression qu'il produisait sur Theo. Était-ce la raison pour laquelle celui-ci travaillait si tard ? Avait-il peur des conséquences que cela entraînerait, s'il décevait son supérieur ?

Richard attendit qu'elle acquiesce, puis lui adressa un sourire. Il avait des canines proéminentes qui attiraient le regard dès qu'il ouvrait la bouche. Elles lui donnaient un air dangereux – et en même temps attirant, par une espèce de réaction viscérale. Elle comprit comment il avait pu séduire une femme aussi belle que son épouse. Elle lui rendit son sourire, comme s'il l'avait entièrement convaincue.

« Je veux vous remercier au nom de Diana, dit-il. Quand elle sera en état de l'entendre, je ne manquerai pas de lui raconter comment vous l'avez secourue. Je pense qu'elle vous enverra une carte.

— Mais je voudrais la voir avant son départ.

— Je ne pense pas que… », commença-t-il. Puis il secoua la tête. « Non. »

Cette fois, Kitty ne put se résoudre à acquiescer docilement. Après ce qu'elle avait vécu aujourd'hui avec Diana, elle devait absolument la revoir. Richard attendait sa réponse. Elle savait qu'il était en position d'autorité – en tant que directeur général, en tant qu'époux de Diana, en tant qu'homme – mais, campée face à lui, le sol de ciment ferme et frais sous ses pieds nus, elle se sentait soudain emplie de force. Elle se rappela comment elle avait tiré le chariot sur le gravier, comment elle avait convaincu Frank de la prendre au sérieux. Levant bien haut le menton, elle se dressa de toute sa taille.

« Je veux dire au revoir à Diana. Je crois que vous me devez bien cette petite faveur, dit-elle en le regardant droit dans les yeux, sans ciller.

— Je vais lui faire attribuer une chambre particulière, déclara-t-il enfin d'un ton sec. Je dirai à Edwards de vous laisser entrer. »

10

Kitty descendit la rue étroite qui serpentait sur le flanc de la colline, à travers le no man's land qui s'étendait entre la rue des Millionnaires et le reste de Londoni. L'OFC avait prévu d'y construire un ensemble de petites maisons pour les employés qui méritaient des logements plus convenables que les Cabanes à outils, sans pouvoir toutefois prétendre aux luxueuses demeures des dirigeants. Mais on n'en avait bâti qu'un tout petit nombre, avant d'affecter les fonds à un autre usage.

Elle passa devant les trois cottages identiques qu'on avait baptisés les Triplés. Ils étaient à peine plus spacieux que les Cabanes à outils, mais de construction plus robuste, avec des murs de brique et des toits de tuiles. De toute évidence, les trois jardins étaient entretenus par le même jardinier : ils étaient ornés de massifs identiques de bougainvilliers et de *manyara*, ainsi que d'un carré de géraniums à gauche de la porte d'entrée.

Ensuite venaient des terrains vagues – peut-être avait-on prévu à l'origine d'y bâtir une autre série de triplés, ou bien des maisons jumelles. Et enfin apparut devant ses yeux la minuscule bicoque qu'on avait surnommée la Boîte à chaussures. Kitty ralentit. La porte du cottage était ouverte. Un Africain portant un pot de peinture s'apprêtait à entrer. Un autre était occupé à laver les vitres.

Elle se demanda qui avait été chassé de ce logement pour faire place à l'arrivante. Le soir précédent, Theo lui avait annoncé qu'ils auraient bientôt une nouvelle voisine. Il était rentré tard, comme Richard l'avait promis – il avait été retenu par une réunion de dernière minute. Mais, chose étonnante, il était de très bonne humeur. Bien qu'il fît déjà nuit, il avait suggéré de prendre l'apéritif sur la terrasse. Elle l'avait écouté en silence, pendant qu'il lui exposait le dernier problème auquel il était confronté. À entendre son ton réjoui, elle avait supposé qu'il l'avait déjà résolu. De toute évidence, ce nouveau contretemps avait un rapport avec les abeilles.

« Personne d'autre n'a été attaqué, au moins ? » s'était-elle enquise.

Le sort tragique du mari de Cynthia la hantait encore. Dès qu'elle apercevait la moindre abeille, elle battait en retraite.

« Non, Dieu merci. C'est plutôt le contraire. Elles se révèlent terriblement paresseuses. »

Il lui avait expliqué que le taux de pollinisation, au cours de la saison précédente, avait été anormalement bas. C'était l'une des raisons, peut-être même la principale, pour laquelle la récolte avait été si décevante. Heureusement, le ministère du Ravitaillement avait réussi à convaincre le Parlement de ne pas tenir compte de l'année de mise en route du projet, et de considérer la récolte de l'année en cours comme la toute première.

L'excuse était valable. Personne ne s'était attendu à ce que le défrichage et le labourage posent de telles difficultés. Personne n'avait prévu que les pluies arriveraient si tard, ni qu'elles seraient si violentes que les plantations avaient pratiquement été emportées par les flots. Mais cette année, il fallait absolument que ce soit différent. Les objectifs devaient être atteints.

« Alors, que peux-tu faire au sujet des abeilles ? » l'avait-elle interrompu.

Après les événements de l'après-midi, elle avait les nerfs à vif et n'était guère d'humeur à écouter sa sempiternelle litanie de plaintes et de lamentations.

« Ah, oui… Bonne question, avait répondu Theo d'un ton presque suffisant. Nous allons importer des abeilles européennes. Nous installerons une série de colonies à proximité des unités d'exploitation. »

Elle l'avait regardé sans répondre. Elle n'allait certainement pas lui dire qu'en Australie, l'introduction d'espèces étrangères avait été la source de graves problèmes. Les lapins, importés à des fins alimentaires, avaient tellement proliféré qu'ils avaient causé des ravages et rasé les prairies. Les chardons plantés en souvenir du pays natal avaient envahi des zones entières du territoire. Et ce n'étaient que deux exemples parmi d'autres…

« Bien entendu, nous aurons besoin d'un expert pour superviser ce programme, avait repris Theo. J'ai donc téléphoné à une vieille amie qui élevait des abeilles autrefois. J'étais à Eton avec ses frères, avait-il ajouté, son visage s'illuminant à ce souvenir. Ils m'invitaient souvent dans leur domaine familial, et elle était là, emmitouflée des pieds à la tête dans une tenue invraisemblable, en train d'enfumer les abeilles pour les faire sortir de leur ruche et récolter le miel. C'était magnifique… Bref, il se trouve qu'elle s'adonne toujours à l'apiculture. Je lui ai demandé si elle pouvait me recommander quelqu'un. Et elle a dit… » Il s'était interrompu pour lui lancer un regard triomphant. « Elle a dit qu'elle serait enchantée de se charger elle-même de cette mission. J'ai parlé aux gens de Londres, et tout est réglé. Elle va venir à Kongara ! »

Kitty s'était forcée à sourire. De ces explications volubiles, elle avait retenu trois mots. Eton. Domaine. Magnifique.

« Comment s'appelle-t-elle ?

— Lady Welmingham. Charlotte. Elle va venir dès que possible, mais il lui faudra au moins un mois pour s'organiser. Elle habitera dans la Boîte à chaussures. J'ai déjà demandé au comité du logement d'entreprendre des travaux de rénovation. Tu sais comment ça se passe, ici, si l'on veut que les choses soient faites… De toute évidence, cet endroit est beaucoup trop petit pour elle ; il n'y a pas la place d'y loger des domestiques. J'espère que tu n'y verras pas d'objection, mais je lui ai dit qu'elle pourrait prendre ses repas du soir avec nous. Elle te plaira, Kitty. J'en suis persuadé. »

La gorge serrée, elle avait dégluti. Elle se rappelait sa rencontre avec une autre amie de Theo portant également le titre de « lady ». C'était un personnage intimidant vêtu à la dernière mode, parlant quatre langues et jouant du violon et du piano. Louisa l'avait invitée au manoir dans l'intention manifeste de détourner son fils de sa petite amie australienne. Sans doute lady Welmingham serait-elle tout aussi intimidante. En outre, elle n'avait aucune envie de partager avec quelqu'un d'autre les rares moments qu'elle passait auprès de Theo. Mais, comme toujours, elle se sentait dans une position désavantageuse. Elle n'était plus en droit de refuser quoi que ce soit à son mari.

« Bien sûr, elle sera la bienvenue », avait-elle répondu en s'efforçant de prendre un ton enjoué.

Peut-être la présence de cette visiteuse inciterait-elle Theo à rentrer plus tôt à la maison ?

Elle arrêta la voiture juste en face de la maisonnette et contempla l'étroite façade. La demeure tout entière était probablement moins grande que le salon de lady Charlotte en Angleterre à lui seul. Elle pouvait seulement espérer que l'aristocrate la trouverait inconfortable, installerait ses ruches, et se hâterait de rentrer chez elle.

Un mouvement sur le seuil du cottage attira son regard. L'homme au pot de peinture venait de réapparaître, l'expression inquiète. Peut-être la prenait-il pour la nouvelle locataire, arrivée plus tôt que prévu. Elle lui adressa un geste rassurant et redémarra.

La porte arborait une plaque imprimée des mots *Salle Particulière* en capitales dorées. L'infirmière Edwards vint ouvrir, un trousseau de clés tintinnabulant à la main, puis jeta un regard prudent derrière elle.

« Elle dort. Pourriez-vous revenir plus tard ? »

Kitty secoua la tête.

« Je resterai à son chevet sans la réveiller.

— J'attendrai dans le couloir, déclara l'infirmière. Je ne veux pas vous enfermer avec elle, mais je préfère ne courir aucun risque. »

Kitty la dévisagea d'un air incrédule ; puis elle se rendit compte que c'était désormais le nouveau statut de Diana en ce monde : elle était officiellement folle.

Elle avait prouvé qu'elle présentait un danger pour elle-même – et peut-être aussi pour les autres.

Quand la porte se fut refermée derrière elle, elle s'approcha du lit. Diana était allongée sur le dos, un drap remonté jusqu'à la poitrine. Ses mains étaient posées contre ses flancs ; le vernis rouge vif de ses ongles, à moitié écaillé, ressortait de façon saisissante sur la blancheur des draps. Ses jointures écorchées étaient jaunes de teinture d'iode. Ses paupières étaient bouffies et veinées de rose, ses joues privées de toute couleur. Elle ne portait plus son négligé de soie, mais une chemise de nuit en calicot de l'hôpital. Ses cheveux avaient été lavés et tirés en arrière, plaqués sur son crâne par des épingles. Ce spectacle consterna Kitty. Elle se représenta l'infirmière à l'œuvre, s'appliquant à transformer Diana en une image parfaite de la malade – ou de l'aliénée.

« Diana ? C'est moi, Kitty. »

Elle n'obtint pas de réponse. Seul le vrombissement régulier du ventilateur brassant l'air chaud troublait le silence de la chambre. Elle sentit son corps se couvrir de sueur. La saison des pluies commencerait bientôt, et l'humidité était en augmentation constante. Des nuages s'amoncelaient au-dessus des montagnes, lourds de promesses – mais rien ne venait. L'atmosphère était oppressante, chargée d'attente.

Elle posa sa main sur celle de Diana, la caressa doucement. Elle espérait que la jeune femme percevrait sa présence, qu'elle saurait ainsi qu'au moins une de ses « sœurs » ne l'avait pas abandonnée.

Les paupières de Diana battirent, puis s'ouvrirent.

« Je ne dors pas », chuchota-t-elle.

Dans la pénombre, ses yeux, qui semblaient démesurés dans son visage amaigri, étaient plus verts que gris.

Kitty retira sa main, craignant brusquement que Diana ne s'offusque de cette familiarité. Savait-elle seulement que c'était elle qui l'avait trouvée et conduite ici ?

« Ne t'en va pas, reprit Diana d'une voix basse et pressante, les yeux écarquillés de peur. Reste près de moi, je t'en supplie.

— Chut, chut. Tout va bien. Tu seras bientôt rétablie. Richard veillera à ce que tu sois soignée par les meilleurs médecins d'Angleterre.

— Je ne veux pas retourner là-bas, répondit Diana en secouant la tête. Ils vont m'enfermer. »

Kitty prit une profonde inspiration, ne sachant que répondre. C'est alors qu'elle entendit des pas dans le couloir. Quand la porte s'ouvrit, Diana ferma les yeux, feignant de nouveau le sommeil.

« Je viens juste vérifier que tout va bien, expliqua l'infirmière. Je dois m'absenter un moment pour effectuer les formalités d'admission d'un nouveau patient. Mais je ne serai pas loin. Appelez-moi si elle se réveille.

— Bien sûr », rétorqua Kitty en parvenant à lui adresser un sourire serein.

Dès que les pas de l'infirmière se furent éloignés, Diana se redressa sur son lit et se pencha vers Kitty.

« Il faut que tu m'aides. Je n'ai personne d'autre. »

Elle parlait d'une voix ferme à présent, comme l'ancienne Diana, qui avait autant d'empire sur elle-même que sur les autres.

« Je ne sais pas comment te venir en aide, objecta Kitty. Je ne sais pas de quoi tu souffres.

— De quoi je souffre... ? »

Diana répéta ces mots comme s'ils lui étaient

inconnus. Sous son masque impassible, on devinait un combat intérieur, des pensées confuses s'efforçant de prendre forme. Elle se laissa retomber sur son oreiller.

« J'ai tué mon enfant. »

Kitty eut l'impression de recevoir une flèche en plein cœur. Elle étouffa une exclamation d'horreur.

« Que veux-tu dire ?

— Ce jour-là, j'étais en retard pour la sortie de l'école. J'avais passé trop de temps à faire les magasins, essayé trop de robes. En arrivant là-bas, je me suis garée de l'autre côté de la route. » Elle parlait d'un ton monocorde, comme quelqu'un débitant un discours qu'il aurait trop souvent répété – ou remâché en lui-même. « Phillip m'attendait toujours sous le chêne près de l'entrée de l'école. Mais, ne me voyant pas, il avait décidé de prendre le bus. Je l'ai aperçu, attendant à l'arrêt, parmi des écoliers plus âgés. Il avait l'air inquiet. Je venais le chercher tous les jours, j'étais toujours à l'heure. Le bus est arrivé. J'ai voulu l'empêcher d'y monter. Alors, j'ai... » Sa voix se brisa et elle prit une inspiration frémissante avant de poursuivre : « Je l'ai appelé. Il a levé la tête. Quand il m'a vue, son visage s'est éclairé. Il m'a fait un grand signe de la main, et il s'est élancé vers moi. Je lui ai crié d'arrêter, mais il a continué à courir. C'était comme dans un cauchemar – tout s'est déroulé au ralenti, et en même temps si vite. L'automobiliste ne pouvait pas le voir, à cause du bus... » Un silence s'écoula. Diana fixait le plafond, des larmes baignaient ses tempes. « Il a été projeté en l'air comme un jouet. Sa tête a heurté violemment la route. Je n'oublierai jamais ce bruit. Je me suis ruée vers lui. Il y avait tant de sang... Ses yeux se fermaient. Je l'ai soulevé dans mes bras, j'ai essayé de le retenir. Je l'ai supplié de ne pas mourir. Les ambulanciers l'ont étendu sur une civière, avec des gestes très doux, comme si mon petit garçon était encore en vie. Mais ensuite, ils ont recouvert son visage, parce qu'il ne respirait plus. »

Elle se mit à sangloter, les épaules secouées par des mouvements convulsifs.

Le visage de Kitty ruisselait de larmes. Toute parole aurait été inutile.

Les sanglots de Diana s'apaisèrent un peu, et elle reprit :

« Il n'avait que cinq ans ! Mon bébé chéri, mon petit garçon… »

Au bout d'un moment, elle retrouva son calme et se redressa sur un coude.

« Je n'ai pas pu me le pardonner. Je ne me le pardonnerai jamais. Je sais que Richard m'en veut, lui aussi. Le chagrin nous a tous les deux rendus fous. Partout où nous allions, chez nous, dans le village, nous voyions Phillip, nous pensions à lui. Les gens nous évitaient. Ils ne savaient pas quoi dire. Qui pourrait le leur reprocher ? La guerre était finie ; personne ne voulait plus entendre parler de malheur et de tragédie. »

Kitty hocha la tête. Elle s'était heurtée à la même attitude, à la mort de Yuri, comme si les gens avaient épuisé toutes leurs réserves de compassion.

« C'est pourquoi nous sommes venus ici. Nous avons décidé que nous ne parlerions à personne de Phillip, que nous ne dirions même pas que nous avions eu un enfant. » Avec un petit sourire triste, elle poursuivit : « Au début, j'ai cru que ça pourrait marcher. J'ai essayé. Oh, j'ai vraiment essayé ! Je croyais que si je me comportais comme si j'avais surmonté le drame, comme si j'y avais survécu, cela deviendrait vrai. Mais, au-dedans, j'étais brisée, anéantie. »

Kitty se rappela les paroles de Janet : *Une blessure doit cicatriser de l'intérieur vers l'extérieur.* Elle aurait aimé que la vieille missionnaire soit à son côté pour lui dispenser ses conseils.

« Tu ne peux pas savoir ce que c'est, Kitty. Je me regarde dans la glace tous les matins, et je me souviens. Je sais que je ne méritais pas d'être mère. Je ne *le* méritais pas, lui, Phillip. »

Kitty baissa les yeux vers ses mains, nerveusement crispées sur ses genoux. Elle se rappelait ce qu'elle avait ressenti lorsque Yuri avait fini par lui parler de Katya – les efforts qu'elle avait faits pour comprendre sa souffrance, si effroyable qu'elle dépassait l'imagination.

« J'ai déjà tenté de me tuer, une fois en Angleterre et une autre fois ici. Mais cette fois-ci, j'ai bien failli réussir. Richard m'a dit que, sans ton intervention, je serais morte. »

Kitty se mordit la lèvre. L'expression de Diana était indéchiffrable. Lui reprochait-elle de lui avoir sauvé la vie ? Elle n'avait jamais douté que Diana ait avalé délibérément toutes ces pilules. Pourtant, pas une seconde, il ne lui était venu à l'esprit qu'il valait mieux ne pas s'en mêler. Une personne désespérée n'est pas en possession de toute sa raison. N'importe qui aurait réagi comme elle, certainement ? Mais, alors même qu'elle cherchait à justifier sa conduite, elle savait que ses motivations étaient bien plus complexes. Elle en avait pris conscience hier soir, pendant qu'elle attendait le retour de Theo, les images des événements de la journée défilant pêle-mêle dans sa tête. Il lui était soudain apparu que, en sauvant Diana, elle avait essayé de réparer son impuissance à empêcher Yuri de mourir.

Le soir de sa mort, elle était allée avec Theo à un bal de la RAF – elle ne s'en était rendu compte que plus tard, quand elle avait su la date. Elle avait ri et bavardé, vêtue de sa plus belle robe, tandis que Yuri mettait les dernières touches à son tableau – et la touche finale à sa vie. Si seulement elle avait été là… Elle aurait pu intervenir, le priver de sa mort. Le rattraper quand il avait sauté de la chaise, couper la corde, l'étendre sur le sol et le serrer dans ses bras…

« Je suis heureuse que tu m'aies sauvée, déclara Diana. Je veux vivre. »

Kitty la dévisagea. Les choses se passaient-elles donc ainsi ? Face à la mort, retrouvait-on l'envie de vivre ? Aurait-ce été vrai pour Yuri également ?

« Il s'est passé quelque chose, Kitty… dans la chambre. Je te voyais me secourir, soulever mon corps du lit. J'étais au-dessus de toi, de nous deux, je regardais la scène d'en haut. Et quelqu'un d'autre nous observait aussi. »

Kitty secoua la tête.

« Non, il n'y avait personne d'autre. »

Diana sourit et une flamme éclaira son regard.

« Si, il y avait quelqu'un, dans un coin de la pièce. Un petit garçon. » Ses larmes se remirent à couler, mais le sourire s'attarda sur ses lèvres. « C'était Phillip. Il m'a dit que mon heure n'était pas venue. Pas avec des mots, mais avec ses yeux. J'ai compris son message. »

Elle tourna les yeux vers un coin de la chambre, comme si elle s'attendait à le voir. Son regard était chargé d'amour, de fierté, de tendresse. C'était une expression que Kitty n'avait encore jamais vue sur le visage de Diana, mais qu'elle connaissait pour l'avoir souvent lue sur celui d'autres femmes. Des mères.

« J'ai dit à Richard que j'avais vu Phillip, mais il m'a rétorqué que c'était une hallucination due aux drogues. Et à ma folie. »

Kitty s'abstint de tout commentaire. Elle pensait que Richard avait probablement raison, mais elle préférait ne pas le dire.

« Il ne croit pas que je peux changer, poursuivit Diana. C'est pour cela qu'il me renvoie en Angleterre. »

Sans prévenir, la porte s'ouvrit. Une jeune Africaine en uniforme blanc apparut sur le seuil, hésitante.

« C'est bien, vous pouvez entrer, lui dit Kitty.

— Je n'y suis pas autorisée, répondit la jeune fille en baissant poliment les yeux. L'infirmière Edwards m'envoie vous dire qu'il est l'heure de partir. »

Elle énonça ce message d'une voix chantante, comme une écolière récitant sa leçon.

« Je m'en vais dans une minute », répondit Kitty.

L'Africaine jeta un regard indécis en direction du couloir.

« Je suis venue fermer la porte à clé.

— *Dada yangu ananihitaji* (Ma sœur a besoin de moi), implora Kitty. *Naomba msaada yako.* (Je vous supplie de nous témoigner un peu de bonté.) »

La jeune femme parut débattre en elle-même pendant quelques secondes, puis tourna les talons.

Quand elle eut disparu, Kitty se tourna vers Diana.

« Que veux-tu que je fasse ?

— Parle à Richard. Demande-lui de m'accorder une dernière chance. »

Kitty inspira avec force. Parler à Richard était bien la dernière chose qu'elle avait envie de faire. Néanmoins, par amitié pour Diana, elle le ferait, bien sûr, mais elle n'avait pas la moindre idée de ce qu'elle pourrait lui dire. Elle n'arrivait pas à imaginer une nouvelle version de Diana, entièrement différente de la précédente – calme, équilibrée, prévisible. Prendrait-elle la place d'Alice aux réunions, rédigeant des notes et veillant à ne pas dépasser le temps imparti ? Se mettrait-elle à jouer au tennis et prendrait-elle des leçons pour améliorer son service ? Apprendrait-elle le tricot ? Si elle ne réussissait pas à s'imaginer une telle métamorphose, comment parviendrait-elle à persuader Richard d'y croire ?

« Tu le feras, n'est-ce pas ? reprit Diana d'un ton suppliant, une lueur de peur dans les yeux. Je t'en prie. Avant qu'il soit trop tard. Tu es la seule qui puisse m'aider. »

Elle leva la main en un geste implorant.

« Je ferai de mon mieux », déclara Kitty, en feignant une assurance qu'elle était loin de ressentir.

Elle se leva et se dirigea vers la porte.

« Il m'aime », lui lança Diana.

Kitty ne put deviner à son ton si ces mots exprimaient un espoir ou une certitude. Elle se retourna et répondit en souriant :

« Bien sûr qu'il t'aime. »

11

Kitty et Richard se tenaient côte à côte devant la fenêtre de la vaste tente qui lui servait de bureau. Du dehors leur parvenaient les bruits témoignant de l'activité fébrile du bureau central – véhicules entrant et sortant, voix lançant des instructions pressantes, coups de sifflet en provenance du terrain d'exercice des askaris. Ils étaient tous deux silencieux, le regard perdu au loin vers les montagnes. Des nuages chargés de pluie étaient toujours suspendus au-dessus des pics, mais ils ne s'approchaient pas de Kongara et semblaient exercer sur chacun une fascination irrésistible – comme si, en les observant constamment, les gens croyaient pouvoir les attirer jusqu'ici afin qu'ils y déversent leur précieux fardeau. Kitty ne savait pas très bien si Richard et elle gardaient les yeux fixés sur le ciel par habitude, ou pour éviter que leurs regards se croisent.

En chemin, elle avait préparé son plaidoyer en faveur de Diana. Elle voulait rappeler à Richard – mais de manière subtile – qu'elle détenait un certain pouvoir sur lui : elle savait quel prix il attachait à son silence. En même temps, elle comptait faire appel à son sens du devoir. Elle espérait que d'autres sentiments entreraient également en jeu – si, comme Diana l'avait affirmé, il était vrai que Richard aimait sa femme malgré tout.

Durant le court trajet de sa maison jusqu'ici, une idée lui était venue. Quand elle avait enfin réussi à persuader la secrétaire de la laisser entrer, elle avait expliqué à Richard qu'elle souhaitait discuter avec lui d'un sujet extrêmement important. Il avait alors demandé à tout son personnel de sortir et, sitôt qu'ils avaient été seuls, elle s'était lancée dans son discours.

À présent, elle avait terminé. Ses dernières paroles flottaient encore dans l'air, hésitantes et maladroites. Elle s'efforçait d'avoir l'air calme et résolue, même si son estomac était noué par l'appréhension.

« Ainsi, vous pensez que Diana pourrait aller mieux si elle consacrait son temps à distribuer des repas à des prisonniers ? » dit enfin Richard.

Présentée ainsi, sa proposition semblait ridicule. Elle se demanda comment traduire ce qu'elle avait ressenti à la mission – le soulagement d'avoir une tâche qui la détourne de ses propres préoccupations, le sentiment d'exaltation qu'elle en avait retiré.

« Theo sait-il que vous êtes allée là-bas ? s'enquit Richard.

— Je n'y suis allée que deux fois. Et non, je ne le lui ai pas dit.

— Alors, nous avons chacun nos secrets, grands ou petits », rétorqua-t-il en lui lançant un regard oblique.

Faisait-il simplement allusion à ses visites à la mission ? se demanda-t-elle, les yeux toujours fixés sur les nuages. Ou avait-il appris quelque chose sur son passé ?

Il s'éclaircit la gorge et reprit :

« Diana vous a-t-elle parlé de notre fils, Phillip ?

— Oui. Je suis profondément navrée », répondit-elle, consciente de la banalité et de l'inutilité de ces mots.

Richard dissimula son visage derrière sa main et garda le silence pendant un long moment.

« Vous a-t-elle raconté qu'elle l'avait vu ? Qu'elle avait eu une sorte de vision ? demanda-t-il enfin.

— Oui », se borna-t-elle à acquiescer.

Elle n'avait pas envie de lui expliquer qu'elle ne croyait plus aux fantômes. Ni aux anges, d'ailleurs. Elle avait renoncé depuis longtemps aux superstitions de son enfance pour se rallier aux idées de Yuri. Il n'y avait rien après la mort. Il avait été très clair sur ce point – même si, en fait, il avait essayé de tromper la mort en ressuscitant Katya à travers elle. Et, d'une certaine façon, il y était parvenu. Quand il s'était ôté la vie, la plupart y avaient vu un geste de désespoir. Mais elle savait qu'il avait agi ainsi parce qu'il considérait que son travail était terminé. Il avait reposé ses pinceaux et il était parti…

« Elle semble tellement mieux ce matin. Calme, presque heureuse. Je ne sais plus que penser. Ma raison me dit de la renvoyer en Angleterre. Mais mon cœur… »

Sa voix se brisa. Il paraissait entièrement différent de l'homme qu'elle avait vu la veille. Ici, il était entouré de tous les signes extérieurs de son autorité – un immense bureau en acajou avec des pieds en forme de patte de lion, un téléphone personnel, des piles de papiers, un lourd cendrier de verre gravé de l'emblème de l'OFC. Il y avait même des documents encadrés accrochés aux murs de toile. Avec son élégante veste en lin, sa chemise et sa cravate, il était l'image même du grand patron. Pourtant, en cet instant, il était partagé entre l'espoir et la peur, comme n'importe quel homme. La conviction qu'avait Diana d'avoir vu leur enfant mort, qu'il la partage ou non, était-elle responsable de cette transformation ?

« Le fait est, Kitty, que je ne puis courir le risque que cela se reproduise. Je ne supporte pas cette idée. J'étais furieux contre elle hier, je le reconnais, mais je lui suis profondément attaché. »

Il se tut, pour lui laisser le temps d'assimiler cette déclaration.

Elle hocha la tête, comprenant que c'était une façon pudique de lui avouer l'amour qu'il portait à sa femme. Son comportement de la veille était dû à la panique et à la contrariété. Aujourd'hui, il laissait transparaître son inquiétude.

« En Angleterre, les médecins avaient diagnostiqué une psychonévrose – une forme de maladie mentale résultant d'un traumatisme, comme chez certains soldats. Mais je commence à douter qu'elle guérisse un jour. »

Son regard se perdit par-delà les nuages, comme s'il se reportait vers le passé.

« Si vous l'aviez connue autrefois… Elle était le boute-en-train de toutes les réceptions. Drôle, impulsive. Toujours en train de former de nouveaux projets, puis de changer d'avis. Elle entraînait tout le monde à sa suite. Elle était un peu excentrique, mais c'est ce que tout le monde adorait en elle. Elle est toujours la même, mais le déséquilibre s'est accentué. Elle semble habitée par le désespoir. On dirait qu'elle ne tient plus que par des bouts de ficelle et qu'elle craint à tout instant de tomber en miettes. » Sa voix se fêla. « C'est un spectacle éprouvant. »

Elle tendit la main vers lui pour lui tapoter le bras, tenter de le réconforter. Mais il se raidit et s'écarta.

« Croyez-moi, si je croyais qu'il existait une

possibilité de la soigner, ici, à Kongara, je m'empresserais de la saisir. Toutefois, votre proposition me laisse pour le moins sceptique. »

Elle baissa les yeux vers le sol. Elle avait elle aussi quelques doutes sur la pertinence de sa suggestion. Mais si son plan se révélait efficace, Diana échapperait à l'internement, et elle-même pourrait occuper utilement ses journées. À défaut d'être une artiste, elle servirait au moins à quelque chose. Quand elle prit la parole, elle fit de son mieux pour prendre un ton assuré.

« Je crois que cela pourrait l'aider. Nous pouvons toujours essayer.

— Mais enfin... pourquoi ce travail à la mission changerait-il quoi que ce soit à son état ? Vous dites que cela consisterait à servir des repas aux prisonniers, cuisiner et récurer la vaisselle... Ce doit être une véritable corvée. Diana détesterait ça !

— C'est un travail pénible, reconnut Kitty. Mais l'avantage qu'on en retire, c'est qu'on n'a pas le temps de penser à soi. Vos propres problèmes vous semblent bien insignifiants comparés à ceux de ces hommes. On peut oublier ses soucis, se sentir libre... »

Elle s'interrompit, consciente que c'étaient ses sentiments personnels qu'elle décrivait ainsi.

Richard lui lança un regard scrutateur, comme s'il avait compris qu'elle avait autant besoin que Diana de ce dérivatif. Puis il fronça de nouveau les sourcils et se mit à marcher de long en large, le regard toujours tourné vers la fenêtre. Finalement, il s'immobilisa face à elle.

« Je vous donne un mois. Mais si son état empire, j'arrête tout. En attendant, je vais informer Theo de notre arrangement. » Il se passa une main sur le visage avant de reprendre : « Je dois dire que ce serait beaucoup plus facile si ces prêtres n'étaient pas italiens. Nous nous battions contre eux, il n'y a pas si longtemps. Ils étaient nos ennemis. Bien sûr, nous en employons un grand nombre sur les unités d'exploitation, mais l'idée que ma femme travaille bénévolement pour une mission italienne me fait un effet plutôt… bizarre. Ne pourriez-vous pas effectuer le même travail à la mission anglicane ? »

Elle secoua la tête ; des images de la mission traversèrent son esprit. Elle revit l'oasis de verdure, les jardins luxuriants.

« Non, c'est l'endroit le plus approprié, répondit-elle fermement. Les pères sont très aimables. »

Elle se sentit coupable de ne pas mentionner bwana Taylor. Après tout, c'était un ennemi d'une espèce beaucoup plus proche et menaçante : n'avait-il pas essayé de faire échouer le Plan ? Et il avait également eu des ennuis avec la justice. Mais il ne faisait pas partie de la mission. Le fait qu'elle l'ait vu là-bas le jour où elle avait rapporté le canif ne signifiait pas qu'il y venait fréquemment.

« Très bien, je me charge de régler tout ça. Ne dites rien à Theo pour le moment. Il croit que Diana a été hospitalisée en raison d'une complication liée à la malaria. »

Décrochant son téléphone, il se mit aussitôt en devoir de résoudre les problèmes logistiques et de tout organiser dans le moindre détail : voitures, chauffeurs, cartes routières, gardes affectés à leur sécurité. Sa voix était à nouveau forte et claire ; il était redevenu le directeur général du Plan, celui qui dirigeait les opérations.

En rentrant du bureau ce soir-là, Theo demanda à Kitty de venir s'asseoir avec lui dans la salle à manger.

En dehors des repas, la table nue occupait tout l'espace ; sa surface polie ressemblait à une rivière noire traversant la pièce. C'était un lieu bien indiqué pour s'entretenir de sujets graves, annoncer des nouvelles importantes.

« Je ne sais pas comment te dire ça… »

Elle tenta de déchiffrer son expression. Richard lui avait-il déjà parlé ? Ou s'était-il produit une nouvelle catastrophe dans les unités d'exploitation ?

« Richard m'a présenté une requête tout à fait inattendue. Il semblerait que Diana se soit mis en tête de travailler bénévolement pour une œuvre charitable. À la mission catholique, qui plus est ! s'exclama-t-il en lui jetant un regard médusé. Je ne savais même pas qu'il y en avait une ici. Quoi qu'il en soit, je crains qu'il ne souhaite que tu l'accompagnes. Pour garder un œil sur elle. Elle a été assez gravement malade, comme tu le sais. Richard ne veut pas qu'elle se surmène. »

Elle fit mine de réfléchir avant de répondre, pour ne pas éveiller ses soupçons. Elle ouvrit la bouche d'un air circonspect mais, avant qu'elle ait pu proférer un mot, il agita la main pour lui couper la parole.

« Je n'en sais pas plus que ça. Tu devras t'adresser à Diana si tu souhaites des explications. Je sais que c'est beaucoup te demander, ajouta-t-il en se rembrunissant. Cela t'empêchera de fréquenter le club, alors que tu commençais à t'y adapter si bien. Mais j'ai dû accepter. Je n'avais guère le choix. »

Elle était partagée entre la joie de voir s'exaucer ses souhaits – elle désirait ardemment travailler à la mission – et le désarroi de constater une fois de plus que Theo faisait passer son travail avant elle. Et si cette proposition l'avait horrifiée ? Aurait-elle quand même été obligée de l'accepter ?

« Ne t'inquiète pas, répondit-elle d'une voix neutre. Ça ne me dérange pas. »

L'expression de Theo se détendit.

« Parfait. Apparemment, tu dois aller à la mission dès demain pour discuter avec les prêtres des dispositions à prendre. Ça ne me paraît pas urgent au point de t'obliger à te précipiter là-bas un dimanche matin, mais c'est du Richard tout craché : il faut exécuter ses ordres sur-le-champ, les anticiper même, et sans discussion… Es-tu sûre que ça ne t'ennuie pas ? s'enquit-il avec un sourire d'excuse. En aidant Diana, tu m'aideras aussi.

— Je suis contente de pouvoir me rendre utile, répondit-elle en lui retournant son sourire. Sincèrement. »

Theo se leva et dit, avec un geste en direction du salon :

« Dans ce cas, allons boire un verre pour fêter ça. »

Le lendemain matin, tandis que Theo s'habillait pour se rendre au temple, elle s'efforça de ne pas montrer son impatience. Elle se sentait comme une enfant qui aurait été dispensée d'école. Outre l'attrait que la mission exerçait sur elle, elle se réjouissait d'échapper au rituel dominical.

Chaque dimanche depuis son arrivée, Theo et elle s'étaient joints à la cohorte des fidèles entrant en file indienne dans St. Michael – un bâtiment de pierre flambant neuf construit sur une petite colline dominant Kongara. Aller au temple était un peu comme fréquenter le club : il fallait porter les vêtements appropriés, saluer certaines personnes et en ignorer d'autres, arborer l'expression d'intérêt poli qui convenait. Pendant l'office, Theo chantait et priait avec conviction. Il lui avait avoué un jour que, pendant la guerre, il avait cessé de croire en Dieu. Comment aurait-il pu continuer à le faire, au milieu de toute cette horreur ? Elle ne savait pas très bien toutefois si c'était à Dieu ou à lui-même qu'il ne pouvait pardonner : une nuit, il s'était effondré et lui avait raconté combien de civils allemands – des mères, des pères, des enfants – il avait tués au cours des bombardements. Ils devaient se compter par milliers. Mais après la victoire, il semblait avoir retrouvé un sens à la religion dans laquelle il avait été élevé, de la même manière qu'il avait retrouvé foi dans les traditions de la société britannique et dans son pays.

Heureusement pour elle, elle savait à quelle page il fallait ouvrir le livre de prières, à quel moment il fallait s'asseoir, se lever ou s'agenouiller. À Wattle Creek, sa famille fréquentait assidûment l'église, les quatre garçons assis entre elle et sa mère afin qu'elles veillent à ce qu'ils ne se montrent pas trop remuants. Cette tâche mise à part, elle profitait de l'occasion pour se laisser aller à la rêverie, fixant sans le voir l'autel surmonté d'une simple croix de bois et l'unique vitrail représentant Jésus le Bon Pasteur – ce qui était parfaitement indiqué dans une ville d'éleveurs, même si personne ne se promenait en permanence avec une houlette au cas où il aurait fallu secourir un agneau égaré. Elle imaginait sa vie future dans un endroit lointain. Quand Gloria leur rendait visite, elle les accompagnait à l'église, mais elle ne récitait pas le Credo et ne communiait pas. Lorsque Kitty se faufilait devant elle pour aller prendre place dans la file des communiants, les genoux osseux de sa grand-mère semblaient s'enfoncer dans ses jambes, comme pour lui transmettre en secret un message de rébellion. Et quand elle avait enfin échappé au monde des Sept Gommiers, elle avait cru avoir aussi laissé la religion derrière elle.

Pourtant, à St. Luke in the Fields, l'église du village, située à deux pas de Hamilton Hall, elle s'était retrouvée en train de marmonner les mêmes versets du même livre de prières. Pour passer le temps, elle promenait son regard sur les plaques commémoratives en bois, en cuivre ou en pierre, et comptait le nombre de fois où apparaissait le nom Hamilton. Sur la stèle de l'église de Wattle Creek, son propre patronyme n'était mentionné qu'une fois – un parent éloigné qui avait été tué durant la Grande Guerre. Mais à St. Luke, le nom de Theo (qui était également le sien à présent) était partout. Sur les différents dons faits à l'église au fil des générations – le pupitre, les stalles du chœur, et même l'éclairage de l'arc d'entrée. Mais, en dehors de cela, il n'y avait rien de très différent ici. Le pasteur parlait de la même voix chantante. Les tourbillons de poussière dansaient de la même manière dans la lumière colorée par les vitraux. Le vin avait le même petit goût métallique. Elle regardait sa montre, partagée entre sa hâte de voir l'office se terminer et la crainte de ce qui l'attendait à la sortie. Les regards curieux avaient déjà été difficiles à supporter au début, quand elle n'était pour les villageois qu'un nouveau centre d'intérêt. Mais quand elle était tombée en disgrâce, c'était devenu une vraie torture.

Aujourd'hui, dans sa chambre de la rue des Millionnaires, le poids de tout l'ennui et de l'angoisse qui étaient associés dans son esprit à l'office dominical semblait peser sur elle, l'empêchant de respirer. Elle se contraignit à ne pas trahir sa fébrilité pendant que Theo laçait ses souliers, peignait ses cheveux, pliait son mouchoir. Quand il s'éloigna enfin dans son Land Rover et qu'elle se retrouva seule, ce fut tout juste si elle ne gambada pas de joie en se dirigeant vers sa propre voiture.

Le raccourci vers la mission était étroit, mais la piste taillée dans le roc sur le versant de la colline offrait une surface ferme, dépourvue d'ornières et d'ondulations. Comme il y avait également moins de poussière, Kitty put baisser les vitres et savourer la caresse de l'air sur sa peau. Tout en conduisant, elle porta son regard vers les montagnes. Les nuages accrochés à leurs cimes étaient plus noirs que jamais, mais toujours aussi désespérément distants de Kongara.

Même si elle arrivait d'une direction différente, le clocher fut néanmoins la première chose qu'elle aperçut, se dressant devant elle, droit et rassurant. Puis le toit pentu de l'église apparut à sa vue. Elle arriva aux abords du village bordant les terres de la mission – un amas de maisons wagogo longues et basses, faites de boue séchée et séparées les unes des autres par des enclos de branches d'arbres et d'épineux destinés à protéger chèvres et cochons. En entendant le bruit du moteur, des enfants se précipitèrent hors des cases en poussant des cris d'excitation et coururent derrière la voiture. Elle salua de la main leurs parents travaillant dans les *shamba*, surprise de voir qu'ils plantaient des graines. Ils devaient espérer l'arrivée imminente des pluies ; c'était une entreprise risquée, un acte de foi. Si la pluie ne venait pas, les graines se dessécheraient dans le sol et ils auraient gaspillé leurs efforts en vain.

La piste se terminait à l'extrémité nord du domaine, près du bâtiment principal avec sa galerie à arcades. Sans camions, ni gardes ni prisonniers, l'endroit était paisible. Kitty essaya de se représenter le dimanche à la prison – l'hôtel du roi. Après six longues journées de labeur sur les terres de Taylor, les prisonniers étaient sans doute contents de rester dans leurs cellules.

En descendant de voiture, elle entendit des chants en provenance de l'église. Ils ne ressemblaient en rien aux hymnes et à la musique d'orgue des offices anglicans. Ici, les cantiques étaient entrecoupés par des chœurs harmoniques et accompagnés par des tambours. Elle perçut aussi le son d'autres instruments – ce qui ressemblait à un sifflet, et une corne au timbre rauque.

Se dirigeant vers une porte latérale, elle se plaça de façon à pouvoir regarder à l'intérieur sans attirer l'attention.

Debout en rang face aux fidèles, des femmes chantaient et dansaient, vêtues de *kitenge* aux couleurs éclatantes, parées de colliers et de bracelets ; certaines portaient des foulards enroulés en turban autour de leur tête. L'une d'elles avait un bébé attaché dans son dos. Elles secouaient les épaules tout en tapant sur des tambours qu'elles tenaient entre leurs cuisses. Une vieille femme se détacha du rang et entama une danse en solo. En dépit de son corps décharné, elle bougeait avec une grâce démentant son âge – on aurait dit une jeune fille essayant d'attirer un amoureux. Les autres vinrent tour à tour danser autour d'elle, l'encourageant et poussant des cris aigus de joie en faisant vibrer leur langue. Effarée, Kitty observa ce spectacle pendant un moment avant de se glisser prudemment à l'intérieur de l'église. Les travées étaient bondées de gens de tous âges, chacun se balançant ou agitant les épaules au rythme des tambours – y compris les religieuses en bleu. Et, assis tout au fond comme de simples spectateurs, elle aperçut les pères Remi et Paulo. Elle se demanda si l'office était terminé ; ce qu'elle voyait ici ressemblait davantage à une fête. Comme pour répondre à sa question, la vieille femme reprit place dans le rang. Puis toutes les danseuses se dirigèrent vers les grandes portes à l'arrière de l'église. Le reste de l'assemblée les imita. Les deux prêtres se levèrent également et se postèrent près de la sortie, échangeant des poignées de main et des sourires avec chacun de leurs paroissiens.

Finalement, l'édifice redevint désert et silencieux, et elle s'avança dans la nef obscure. Il y régnait à présent un calme aussi impressionnant que l'effervescence de tout à l'heure. La lumière qui filtrait à travers les vitraux dessinait des motifs colorés sur le pavement de mosaïque. Elle se dirigea vers l'autel, silencieuse dans ses bottes à talons plats. En passant devant un encensoir, elle huma le parfum suave de la fumée qui s'en échappait.

Elle s'arrêta près d'un lutrin sur lequel était posée une bible ouverte. Le texte, constata-t-elle, n'était ni en anglais ni en swahili. Les quelques phrases qu'elle lut lui rappelèrent certains des documents anciens accrochés aux murs de Hamilton Hall. L'amiral lui avait expliqué que les devises de la famille et les déclarations historiques étaient rédigées en latin. Il avait ajouté que la connaissance de cette langue morte était la marque d'une solide éducation (comme quelqu'un qui avait fréquenté l'école de Wattle Creek ne pouvait en posséder). Et que c'était la langue originelle de l'Église. En contemplant le texte ornementé, elle comprit que le père Remi avait parlé en latin, et non en italien comme elle l'avait cru, quand il avait récité le bénédicité devant les prisonniers. Elle se demanda si, en dehors des prêtres, quelqu'un dans l'assistance y comprenait un traître mot.

Poursuivant son chemin, elle fit une nouvelle halte devant une table couverte d'une étoffe jaune bordée de satin blanc. On y avait disposé des cierges et un support de marbre portant l'image d'un vieux prêtre qui ressemblait au père Paulo – similaire à celle qu'elle avait vue dans le salon lors de sa première visite. À chaque extrémité de l'autel se trouvaient d'étranges bouquets composés uniquement de feuillage. En les examinant de plus près, elle s'aperçut que c'étaient en fait des plantes en pots – des succulentes dans de petites corbeilles en vannerie, comme celles que sœur Barbara avait préparées pour la vente de charité. Sur l'une d'elles, elle vit même le coin d'une étiquette portant l'écriture illisible de Diana.

Derrière l'autel se dressait une grande statue représentant le Christ en croix. Il ne portait pour tout vêtement qu'une sorte de pagne et une couronne d'épines ; sa tête était penchée de côté, ses yeux clos. Du sang coulait de ses paumes et de ses pieds, transpercés par des clous. Kitty se détourna vivement, en se demandant comment les gens pouvaient s'habituer à contempler une image aussi macabre. Elle se retrouva face à une autre statue : une femme mince et belle tenant un bébé dans ses bras. Elle portait avec élégance sa longue robe bleue et ses cheveux, bien que faits de plâtre, semblaient doux et lustrés. Le bébé était bien nourri, propre et heureux. Ils formaient un tableau charmant. Ils portaient au cou des colliers identiques – de longs rangs de perles de verre indigènes. Cette femme aurait pu figurer dans le magazine de Pippa pour illustrer l'article sur l'épouse et mère modèle.

La statue, elle s'en rendait compte, n'était qu'un moulage bon marché, fabriqué en série, mais l'original en cire ou en terre avait été sculpté avec talent par un artiste ayant étudié l'anatomie – ou possédant un sens inné des proportions. Les membres et les doigts étaient un peu trop longs, et le bébé ressemblait plus à un adulte en miniature qu'à un enfant, mais cela avait sans doute été fait volontairement, pour rehausser l'élégance de Marie et souligner le fait que Jésus n'était pas un enfant comme les autres. Les visages étaient finement modelés, avec des traits symétriques. Ils avaient été peints dans des couleurs sobres – un peu de rouge estompé sur les joues, des lèvres à peine rosées, des yeux bleu porcelaine, des cheveux jaune d'or. En notant tous ces détails, Kitty ne put s'empêcher de secouer la tête : cette statue paraissait ridiculement déplacée dans ce lieu. Que pouvaient bien penser les femmes robustes aux traits énergiques et à la peau sombre qui dansaient ici quelques instants plus tôt, de ces êtres blonds et délicats, si différents d'elles ?

Pourtant, le regard figé de la mère captiva le sien. Il émanait d'elle une étrange sensation de paix et de réconfort, que sa forme frêle, mystérieusement, renforçait encore. Kitty se surprit à penser à la jeune Mgogo dont l'enfant était malade, celle qu'elle avait rencontrée le jour où elle s'était aventurée hors des limites de son jardin. Elle revit sa propre mère tenant le petit Derek, le dernier-né de la famille, sur sa hanche. Elle se représenta même Diana – une vision d'une beauté aussi parfaite que celle de Marie – serrant contre elle Phillip sain et sauf. Puis, le cœur serré, elle pensa à la petite chambre tout encombrée par le bureau de

Theo, ses papiers, ses vêtements, son lit, comme pour tourner en ridicule son rêve de devenir mère.

Un long coussin était posé sur le sol aux pieds de Marie, afin que les gens puissent s'y agenouiller et prier. Les creux profonds qui le marquaient suggéraient que de nombreux fidèles venaient l'implorer. Elle le contempla un long moment. Elle aurait aimé croire en une puissance surnaturelle capable de lui venir en aide. Même si ce n'était qu'une illusion, ce serait tellement réconfortant de se prosterner et d'épancher son âme…

« C'est notre sainte mère Marie. »

Se retournant en sursaut, elle découvrit Tesfa derrière elle. Il portait toujours son veston noir, mais il avait troqué son pagne ocre contre un autre, blanc à rayures brunes. Elle eut l'impression d'être habillée de façon bien trop négligée, dans les vieux vêtements de Janet ; même ici, elle réussissait à détonner.

« *Umekuja* (Vous êtes là), dit-il avec un large sourire. *Karibu sana.* (Soyez la bienvenue.)

— *Asante.* »

Elle lui sourit en retour, sincèrement contente de revoir le vieil homme, qu'elle considérait presque comme un ami à présent.

Montrant la statue, Tesfa reprit :

« Elle est très vieille. Elle vivait dans la petite église, avant qu'on construise celle-ci. »

Il entreprit de lui faire faire le tour de l'édifice, lui montra la chapelle latérale avec l'autel secondaire, les marches menant à la crypte. Devant les fonts baptismaux, il mima le geste de verser de l'eau sur la tête d'un bébé. Il s'arrêta devant une sorte de haute armoire fermée par un rideau blanc. Sur l'un des côtés, il y avait, à hauteur de tête, une petite fenêtre fermée par une grille en bois.

« C'est là qu'on raconte ses péchés. » Tesfa tira le rideau, dévoilant un espace vide. « Le père se tient là, derrière ce tissu. Il ne peut pas vous voir. Vous ne pouvez pas le voir non plus. » Secouant la tête d'un air émerveillé, il ajouta : « Il devient plus qu'un homme. »

Il lui fit face et posa sur elle un regard intense. Ce qu'il dit ensuite contenait des mots difficilement traduisibles. Janet avait passé un certain temps à tenter de lui expliquer l'un d'eux. *Uchawi.* On l'utilisait souvent en parlant d'un sorcier ou d'un chef tribal – de quelqu'un à qui l'on attribuait des pouvoirs surnaturels. Selon le contexte, le mot pouvait avoir une connotation favorable ou défavorable. Le mot anglais le plus proche avait un sens beaucoup trop limité, mais il n'en existait pas d'autre : « magie ». L'adjectif qui l'accompagnait, en revanche, lui était familier. Il pouvait également posséder plusieurs sens. Fort, brûlant, dangereux, efficace.

Elle répéta les paroles de Tesfa en fixant l'alcôve poussiéreuse. *Uchawi kali sana.*

Un claquement de sandales sur le sol l'incita à se retourner. Le père Remi s'avançait vers elle.

« Madame Hamilton ! Quelle joie de vous revoir ! Soyez la bienvenue. » Il la dévisagea avec attention, l'expression mi-ravie, mi-soucieuse. « Puis-je vous être utile en quoi que ce soit ? »

Sa voix résonna avec force sous la haute voûte. En croisant son regard, elle fut brusquement submergée par la douleur – un flot d'émotions confuses qui la prit par surprise. Elle pensa au bébé qu'elle aurait tant voulu avoir. À l'énorme vide qu'elle sentait en elle depuis qu'elle avait renoncé à l'art. Et par-dessus tout, à son mariage. Theo avait tellement changé...

Elle pouvait imputer cette transformation à la guerre ou à son milieu familial, mais elle savait qu'elle en était la principale responsable. Elle l'avait trahi. Il ne pouvait plus lui faire confiance. Elle ne pouvait plus se faire confiance… Des larmes lui piquèrent les yeux. Tout à coup, elle eut envie d'aller se placer devant la petite fenêtre grillagée, près de ce lieu secret où une puissante magie était à l'œuvre – et de confier au prêtre tout ce qu'elle avait promis à Theo de garder secret. Le père Remi lui apparaissait comme un homme bon et sage. Il saurait lui indiquer comment elle pourrait se racheter. Mais ce n'était pas pour elle-même qu'elle était ici. Elle prit une inspiration et se força à sourire.

« Je l'espère, mon père. Mon amie est gravement malade… »

Les marches conduisant à la cave avaient autrefois été blanchies à la chaux, de même que les murs, mais leurs bords usés laissaient voir la pierre. Le père Remi précédait Kitty, en se tenant d'une main à la rampe en bois. Les murs étaient épais, le plafond bas. L'odeur aigre de levure qu'elle avait perçue le premier jour en entrant dans la salle à manger était encore plus forte ici. Ils traversèrent une pièce remplie de bouteilles vides ; on devinait dans l'ombre les formes d'énormes tonneaux.

« Nous allons d'abord prendre du vin », dit le père Remi.

Il était en train de réunir les ingrédients d'un repas de fête en l'honneur du quatre-vingtième anniversaire du vieux prêtre. À contrecœur, elle avait décliné son invitation. Theo l'attendait à la maison ; c'était le premier dimanche du mois et, comme chaque fois, ils iraient manger un curry au club. Mais elle avait accompagné le père Remi à la cave parce qu'elle avait envie de prolonger un peu sa visite.

Elle avait déjà parlé de Diana au prêtre, lui racontant tous les détails de l'histoire. Quand elle lui avait demandé si son amie pourrait venir ici avec elle pour aider à distribuer les repas, il avait immédiatement accepté.

« Les œuvres de miséricorde ont une double utilité ; elles font autant de bien à celui qui donne qu'à celui qui reçoit.

— Les œuvres de miséricorde », avait-elle répété en écho.

Ces mots ressemblaient à une incantation – évoquant cette magie puissante et dangereuse décrite par Tesfa.

« Elles sont au nombre de sept, avait-il poursuivi, en comptant sur ses doigts : nourrir les affamés, donner à boire aux assoiffés, vêtir ceux qui sont nus, héberger ceux qui sont sans refuge, visiter les malades, libérer les prisonniers et ensevelir les morts. »

La liste était courte, mais les tâches étaient immenses, surtout ici, en Afrique, songea-t-elle. Janet aurait apprécié le père Remi, bien qu'il fût catholique.

Lui jetant un regard par-dessus son épaule, le prêtre reprit :

« Regardez bien où vous posez les pieds, Kitty. Le sol est inégal. Cette cave est bien plus ancienne que le reste du bâtiment ; elle faisait partie de la mission construite à l'origine par les Allemands – des bénédictins.

— À quand cela remonte-t-il ? » s'enquit-elle.

Le lieu lui donnait l'impression d'être très vieux, comme s'il datait de l'Antiquité.

« Pas si longtemps que cela, en fait. Ils sont arrivés au début de ce siècle. Il existait une compétition entre les catholiques et les protestants pour convertir les Wagogo. C'était alors une tribu puissante, possédant beaucoup de bétail. Les Allemands décidèrent de faire de Kongara un centre régional. Je ne parle pas de la partie appelée Londoni, mais du vieux Kongara, qui se trouve un peu plus loin, après l'embranchement. » Du doigt, il indiqua la direction opposée au campement. « Ils y bâtirent un fort ; c'est là que l'on loge aujourd'hui les prisonniers. À peu près à la même époque, ils agrandirent considérablement la mission, remplaçant la chapelle par une véritable église. Le bâtiment à arcades fut ajouté à la maison d'origine. Ils comptaient en faire un séminaire où des prêtres viendraient de partout pour étudier. Mais après leur défaite lors de la Grande Guerre, les Allemands perdirent leurs territoires d'Afrique de l'Est. Et tout le monde oublia Kongara. »

Il s'interrompit en arrivant dans une vaste salle où trônait une énorme machine, surmontée de ce qui ressemblait à un tire-bouchon géant.

« C'est notre pressoir. Nous ne nous en servons plus guère. Nous sommes en train de construire des installations plus modernes dans la ferme de Taylor. »

Il se pencha pour ôter un seau de leur passage, puis la conduisit dans une autre pièce.

« En 1920, des membres de la congrégation passioniste reprirent la mission. Le Vatican envoya trois prêtres pour y installer un centre de secours ; le père Paulo était l'un d'entre eux. La pire famine qu'on ait jamais connue de mémoire d'homme sévissait alors dans le pays. Les gens d'ici l'appellent *Mtunya* – la ruée. Cela commença pendant la Grande Guerre. Tour à tour, les Allemands et les Anglais obligèrent les Wagogo à leur fournir du grain, de la viande et des jeunes hommes pour leurs armées. Puis survint une grave sécheresse, et ils perdirent le peu de nourriture qu'il leur restait encore. Ils n'ont jamais retrouvé leur prospérité d'antan. »

En écoutant le long discours du prêtre, elle fut frappée par sa maîtrise de l'anglais. Avec son ton grave, il ressemblait à un professeur dispensant des connaissances fondamentales. Elle s'efforça d'enregistrer tout ce qu'il disait. Elle avait cru jusqu'ici que le plan Arachide avait été établi « au milieu de nulle part » mais, à en croire le père Remi, Kongara avait occupé pendant longtemps une position stratégique.

« Les Wagogo sont-ils favorables au plan Arachide ? » demanda-t-elle.

Le père agita la main dans un geste ambigu.

« Cela fournit du travail aux jeunes gens, qui peuvent ainsi rester dans la région. Mais cela bouleverse aussi l'équilibre économique. La nourriture est devenue beaucoup plus chère en raison de la demande accrue. Nous voyons dans les villages des enfants sous-alimentés, et aussi des adultes, alors qu'il n'y a pas eu de sécheresse depuis des années. Nous recommençons même à distribuer des vivres. »

Il s'immobilisa devant une grande fenêtre donnant vue sur les plaines. Au loin, des nuées de poussière s'élevaient des unités d'exploitation. Une expression inquiète était apparue sur le visage du prêtre.

« Des gens viennent s'installer ici pour y trouver un emploi. Cela pose également un problème. Que se passera-t-il ensuite, quand le Plan prendra fin et que les Britanniques s'en iront ?

— Oh, ce n'est pas près de prendre fin, répondit-elle avec assurance. C'est une entreprise à long terme, ajouta-t-elle, répétant mot pour mot les paroles de

Theo. Elle se poursuivra indéfiniment. Il est même possible qu'on diversifie les cultures. Et les Britanniques la céderont aux Africains dès que le Tanganyika aura acquis son indépendance. »

Le père Remi la considéra en silence pendant quelques secondes, puis tourna le dos à la fenêtre, comme s'il préférait changer de sujet.

« Savez-vous que certains des prisonniers libérés vivent à présent sur la propriété de Taylor ? Pendant qu'ils effectuaient leur peine, ils ont appris à bâtir et à cultiver, et maintenant ils travaillent pour lui en tant qu'hommes libres.

— Vous semblez avoir un certain respect pour ce Taylor, rétorqua-t-elle en fronçant les sourcils.

— C'est vrai, répondit le prêtre en souriant.

— Ne trouvez-vous pas quelque peu suspect son intérêt pour ces prisonniers ? Cherche-t-il vraiment à les aider, ou seulement à s'enrichir sur leur dos ? »

La regardant bien en face, le père Remi répondit :

« Laissez-moi vous raconter une histoire au sujet de cet homme qui, lui-même, a jadis été prisonnier. »

Elle s'apprêtait à dire qu'elle le savait déjà, quand il poursuivit :

« Durant la guerre, il a passé deux ans dans un cachot souterrain, en Abyssinie. C'était un réduit minuscule dépourvu de fenêtre. Sombre, grouillant de vermine. Quand il en est sorti, il ne pouvait plus ni marcher ni voir. Il était très affaibli. Avec le temps, il a fini par s'en remettre, physiquement. Mais il gardait une terreur maladive des espaces clos. Cette maladie porte un nom – la claustrophobie. Quand il est revenu ici, il passait le plus de temps possible dehors, au grand air. S'il entrait dans une pièce, il fallait laisser la porte ouverte. Et cela a duré pendant très longtemps. »

Elle le dévisagea d'un air surpris. Quand elle avait rencontré Taylor, lors de sa dernière visite, il ne lui avait pas paru traumatisé le moins du monde. Il avait l'air détendu, parfaitement à l'aise et bien dans sa peau. Mais il est vrai qu'il était en plein air. Pourtant, il avait de nouveau été emprisonné, et récemment, à ce qu'il semblait, sur ordre du commissaire de district.

« On aurait pu penser, après une telle expérience, qu'il veillerait à ne pas se retrouver sous les verrous. »

À peine eut-elle prononcé ces mots qu'elle regretta leur ton acerbe – on aurait cru entendre Louisa.

« Suivez-moi. Je veux vous montrer quelque chose. »

Il prit une bouteille de vin dans un casier, puis ouvrit une porte donnant dans un couloir étroit.

« C'était une partie secrète du bâtiment. Les Allemands voulaient avoir un endroit où se cacher, en cas d'invasion britannique.

— Les Britanniques n'auraient jamais attaqué des prêtres ! » s'exclama Kitty.

Theo lui avait enseigné les règles de la guerre ; les civils ne devaient pas être pris pour cibles.

« Les prêtres ne craignaient pas pour leur vie, expliqua le père Remi. Mais ils avaient une tâche à remplir, comme nous, et ils ne voulaient pas se retrouver enfermés dans un camp d'internement jusqu'à la fin de la guerre. »

Déverrouillant une porte, il tenta de l'ouvrir, mais elle était coincée et il dut la pousser d'un coup d'épaule.

Une petite pièce rectangulaire apparut devant leurs yeux ; elle ne contenait qu'un lit d'une personne et une table de chevet en bois. Il y avait un évier dans un angle, et un seau posé en dessous. Les murs de plâtre blanc étaient nus, à l'exception d'un crucifix. La pièce était éclairée par une fenêtre étroite dépourvue de rideau, mais située bien trop haut pour permettre de regarder à l'extérieur. On apercevait toutefois un carré de ciel bleu.

En pénétrant dans la pièce, elle remarqua des rangées de traits tracés au crayon sur le mur près de la porte. C'était une sorte de décompte ; les traits verticaux étaient réunis quatre par quatre par un trait horizontal. En comptant ces séries cinq par cinq, elle arriva à un total de cinquante-huit.

En s'enfonçant plus avant dans le cachot, elle tressaillit. Le mur du fond était couvert de dessins. On y voyait un baobab aux branches tordues et au tronc cannelé, une bougie dont la flamme s'inclinait sous l'effet du vent, des fruits aux contours soigneusement ombrés pour souligner leur forme et leur volume. Mais la plupart des images représentaient un singe, dans les poses les plus variées – dormant, mangeant, roulant sur le dos. Certaines étaient des portraits en pied, d'autres des détails isolés : une main, une queue, l'échine courbée. À l'une des extrémités, les dessins étaient assez grossiers. Mais quand il était arrivé à l'autre bout, l'artiste avait accompli entre-temps des progrès stupéfiants. Les derniers croquis rendaient parfaitement la malice de l'expression, l'agilité des mouvements, les petites dents aiguës, le duvet juvénile. Elle le reconnut aussitôt.

« Gili, dit-elle en se tournant vers le prêtre.

— Taylor a été enfermé ici, dit-il en la rejoignant. J'étais son geôlier. Ç'a été pour lui une terrible épreuve. Il y a survécu en dessinant et en marchant de long en large dans ce petit espace. Et aussi grâce à Gili, bien sûr. Je m'asseyais devant la porte et j'écoutais le bruit de ses pas. Ils étaient à peine perceptibles – il était toujours pieds nus. Sentir le sol en dessous de lui était la seule chose qui permettait à son esprit de ne pas quitter son corps, disait-il souvent. Nous ne pouvions pas le laisser sortir, car il aurait alors été transféré à Dar es Salam. Étant européen, il aurait été mis à l'isolement. Ici, au moins, il était entouré d'amis. Nous ne le laissions jamais seul. Il y avait toujours quelqu'un devant sa porte – moi ou le père Paulo, Tesfa ou une des religieuses. Nous lui chantions des chansons quand il n'arrivait pas à dormir ou quand il avait peur. Vous pouvez vous imaginer combien c'était dur pour lui d'être de nouveau enfermé, après ce qu'il avait vécu. »

Tout en lui prêtant une oreille attentive, elle contemplait les dessins. Quand il se tut, elle se tourna vers lui.

« Mais qu'avait-il fait ? Quel crime avait-il commis ? »

Le père Remi s'adossa au mur, tournant la bouteille entre ses mains et décollant machinalement les lambeaux d'une vieille étiquette.

« Cela remonte à près de deux ans. Taylor avait déjà commencé à employer des prisonniers. Il y avait parmi eux un Mgogo du nom de Ndemu qui avait tué un homme d'un coup de lance. Cet homme l'avait provoqué en duel. Lui et Ndemu étaient tous deux amoureux de la même femme. La mort étant le résultat d'un duel, Ndemu n'a pas été déclaré coupable de meurtre, ce qui lui aurait valu une condamnation à mort, mais il a écopé de cinq ans de prison. Ndemu et Taylor se connaissaient depuis leur enfance. Taylor est né ici, vous savez, ajouta le prêtre en levant les yeux vers elle. Ses parents exploitaient les terres voisines des nôtres

– celles où il vit aujourd'hui. Il a grandi au milieu des Wagogo. Ndemu était du même âge que lui, et ils ont subi ensemble les rites d'initiation marquant le passage à l'âge d'homme. Lors de cette cérémonie, les initiés promettent de se soutenir mutuellement comme des frères, quoi qu'il advienne. Lorsque Taylor a appris la condamnation de Ndemu, il s'est arrangé pour le faire transférer vers le fort du vieux Kongara. Son ami pourrait ainsi travailler sur ses terres avec les autres prisonniers, et ils pourraient se voir.

« En arrivant ici, Ndemu était malade. Taylor a demandé au médecin de la prison de l'examiner, mais son mal n'était pas physique. Nous lui envoyions de bons repas préparés dans nos cuisines, mais il s'affaiblissait de jour en jour. Visiblement, il se mourait. Ndemu était convaincu d'être victime d'un maléfice. Voyez-vous, après le duel, il s'était enfui, laissant sa lance plantée dans la poitrine de sa victime. Il pensait que la famille de l'homme utilisait cette lance pour lui jeter un sort. La seule façon pour lui d'échapper à la mort, c'était de récupérer son arme. Et il devait le faire lui-même pour rompre le sortilège. »

Elle fronça les sourcils, déconcertée par le ton neutre du prêtre ; il parlait de maléfices et de sortilèges comme si c'était pour lui un sujet parfaitement banal.

« Taylor alla voir le commissaire de district et lui demanda de relâcher temporairement Ndemu, mais le commissaire refusa, persuadé que l'homme ne reviendrait pas. Taylor proposa alors de prendre la place de son frère en prison, de s'offrir en otage, en quelque sorte. Le commissaire savait qu'il souffrait de claustrophobie. Lors de leur rencontre, Taylor avait insisté pour rester près de la porte ouverte. Peut-être le commissaire voulait-il voir jusqu'où Taylor pouvait aller pour aider son frère africain ? Peut-être admirait-il sa loyauté. Toujours est-il qu'il a accepté. Ndemu serait libéré pour aller récupérer sa lance. Taylor serait emprisonné jusqu'à son retour. J'ai demandé au commissaire de nous autoriser à le garder ici, dans cette pièce, afin de pouvoir le soutenir dans cette épreuve. Je lui ai donné ma parole qu'il resterait enfermé jusqu'à ce qu'il nous donne instruction de le libérer. » Désignant la fenêtre, le père Remi poursuivit : « Nous avons dû poser des barreaux là-dessus. Nous les avons enlevés quand ç'a été terminé. Je n'oublierai jamais l'expression de Taylor quand il est entré ici. Il transpirait, tremblait… J'ai eu le plus grand mal à me résoudre à fermer la porte. J'ai tourné le verrou aussi silencieusement que possible. C'était extrêmement pénible pour nous tous. Il s'est écoulé huit semaines avant le retour de Ndemu, expliqua-t-il en montrant les marques près de la porte. Il était délivré du sortilège. Et Taylor aussi.

— Il ne souffre plus de claustrophobie ? »

Quand le père Remi répondit, ce fut d'une voix étranglée d'angoisse.

« Il avait subi l'épreuve du feu. Sa peur de l'enfermement a fini par se consumer. Alors, oui, on peut dire qu'il est guéri. Mais à quel prix ! »

Comme si ce souvenir était trop douloureux pour qu'il s'y attarde davantage, il se redressa et brandit la bouteille, faisant chatoyer sa couleur rubis.

« Du sangiovese, cuvée 1938. Il a, paraît-il, un goût de cerise, de terre et de cèdre. » Haussant les épaules, il ajouta en souriant : « Je ne sais pas si c'est vrai. Mais je crois que le père Paulo l'appréciera.

— Il doit être très bon », acquiesça-t-elle.

Elle savait, pour avoir entendu l'amiral pontifier à ce sujet lors des dîners, que le vin rouge s'améliorait avec le temps. Dix ans d'âge, cela semblait impressionnant.

« Et maintenant, passons dans la réserve à provisions. »

Ils retournèrent vers la salle pourvue d'une grande fenêtre. À côté se trouvait une large galerie lumineuse courant sur tout l'arrière du bâtiment. Une rangée de portes-fenêtres s'ouvrait sur un patio de pierre. Le terrain qui s'étendait au-delà s'élevait en pente abrupte, attirant le regard vers les montagnes. Il sembla à Kitty que les nuages s'étaient imperceptiblement rapprochés.

Le père Remi ouvrit un placard dont les côtés étaient percés de trous d'aération, et qui rappelait étrangement le confessionnal, en beaucoup plus petit. Il en sortit un énorme jambon.

« Du prosciutto, dit-il en caressant la peau ridée et saupoudrée de sel d'un geste presque tendre. On l'a laissé vieillir pendant onze mois. » Indiquant une étagère où étaient rangées trois grosses meules de fromage, il lui demanda : « Pourriez-vous en prendre une ? »

Elle souleva la masse compacte et humide. Une odeur de moisissure monta jusqu'à ses narines tandis qu'elle la serrait contre son corps.

« C'est également vous qui les fabriquez ?

— Nous essayons de ne rien acheter. Nous élevons des cochons, des canards, des oies, quelques vaches pour leur lait, des poules pour les œufs et la viande. Et vous avez vu le potager. Nous sommes des paysans italiens, ajouta-t-il avec un petit sourire. Nous sommes capables de pourvoir à notre subsistance. Et nous ne gaspillons rien. »

Ils remontèrent l'escalier pour ressortir par une trappe

dans un angle du salon. Un délicieux arôme de viande rôtie les y accueillit. Par la porte ouverte, elle aperçut la longue table de la salle à manger couverte d'une nappe blanche à l'une de ses extrémités. Au centre était installé un vase rempli de fleurs du jardin. Des verres à vin étaient disposés devant des assiettes blanches à l'aspect robuste. Il y avait aussi un moulin à poivre trois fois plus grand que celui de Hamilton Hall, et du sel dans une salière et non dans une coupelle comme au manoir. Elle était désormais capable de juger si une table était correctement dressée, de déceler tout manquement aux règles. Mais, en regardant les couverts, elle remarqua seulement une chose : ils avaient été mis pour trois.

« Taylor vient toujours aux repas de fête, dit le père Remi, répondant à sa question informulée. Il apportera une bouteille de son verdicchio. Sa vigne est encore jeune, mais il affirme que son *vino bianco* a un goût de noisette mêlé de miel. » Il haussa les sourcils, mimant le scepticisme. « C'est peut-être vrai. »

Soudain, il se tut et inclina la tête, tendant l'oreille. Un bruit de moteur leur parvint du dehors.

« Ce doit être lui. »

Quelques secondes plus tard, Gili entra en trombe dans la pièce. Ignorant totalement le prêtre, il se rua droit sur Kitty et sauta dans ses bras.

« D'habitude, il a peur des étrangers, dit le père Remi d'un air médusé.

— Nous nous sommes déjà rencontrés », expliqua-t-elle en appuyant sa joue contre la petite tête osseuse.

Taylor apparut alors et s'immobilisa sur le seuil en apercevant Kitty. Il portait une chemise bien repassée, mais dont le col était ouvert. Il était rasé de frais, ses cheveux étaient peignés, même si quelques mèches rebelles retombaient déjà sur son front. Dans une main, il tenait une bouteille de vin, dans l'autre, une miche de pain.

Pendant un long moment, ils se dévisagèrent tous les deux sans rien dire. Dans les bras de Kitty, le singe tourna la tête vers son maître. Elle en éprouva un étrange sentiment de culpabilité, comme si elle avait délibérément cherché à s'attirer les faveurs de l'animal.

« Ainsi, vous êtes quand même revenue, dit-il enfin.

— J'ai pris le raccourci. Merci.

— Je vais aller chercher le père Paulo », déclara le prêtre en se dirigeant vers la cuisine.

Par-dessus l'épaule de Kitty, Taylor contempla la table, et elle comprit qu'il comptait les couverts, comme elle l'avait fait un peu plus tôt.

« J'étais sur le point de partir.

— Oh ! Dommage. Le père Paulo est un excellent cuisinier. »

Malgré elle, elle tenta de déchiffrer son expression. Était-il déçu, lui aussi, de ne pouvoir déjeuner en sa compagnie ? Elle espérait que ses propres sentiments ne se lisaient pas sur son visage. Elle n'aurait rien aimé davantage, en cet instant, que s'asseoir à cette table, savourer la nourriture et le vin – sans parler de la conversation qui, elle en était sûre, serait plaisante et décontractée.

« Avant de partir, venez donc voir ça », reprit Taylor.

Elle le suivit au-dehors, Gili toujours blotti au creux de ses bras. Son poil lui chatouillait l'oreille et il s'en dégageait une odeur de pain chaud.

Taylor traversa la cour de pierre et s'arrêta sous le baobab.

« Regardez. »

Il lui montra les branches nues et rabougries. Au début, elle ne vit rien d'inhabituel. Puis elle remarqua des bourgeons à l'extrémité des branches. Un peu de blanc commençait à poindre à leur sommet : des pétales, et non des feuilles.

« Cela veut dire que la pluie ne va pas tarder, affirma Taylor. L'arbre le sait. Bientôt, les fleurs s'ouvriront. Elles sont énormes, de la taille d'une soucoupe, avec des pétales d'un blanc cireux. Elles s'épanouissent le soir et ne vivent qu'une nuit. » Il y avait de la fierté dans sa voix, comme s'il avait été l'artisan du spectacle qu'il décrivait. « Les pétales blancs reflètent la lumière de la lune, de sorte que les chauves-souris frugivores et les galagos les trouvent facilement. Ils viennent s'abreuver de leur nectar et se nourrir de leur pollen. La fertilisation doit s'opérer en une nuit. Le lendemain matin, les fleurs sont flétries, brunes, déjà mortes. »

Il contemplait l'arbre tout en parlant. Elle reconnut, dans son regard et dans sa voix, tout l'amour qu'un homme peut éprouver pour les plantes et les animaux, la terre qui l'a vu naître. Elle l'avait elle-même ressenti autrefois pour les terres qui entouraient la ferme, dans leur coin perdu de la Nouvelle-Galles du Sud. Elle avait pris plaisir à découvrir les premiers signes des changements de saison. Elle avait adoré observer la métamorphose inattendue des acacias, quand leurs feuilles perdaient leur forme originelle de petites pagaies vertes pour devenir des frondes duveteuses. Elle s'était réjouie d'apercevoir le bilby[1] au museau pointu et l'ornithorynque au bec de canard – des animaux qui semblaient tout droit sortis de l'imagination

1. Le bilby, également appelé « bandicoot lapin », est un marsupial à longues oreilles, endémique à l'Australie et vivant dans les régions désertiques.

d'un conteur, traversant son jardin comme s'ils étaient chez eux.

Elle tendit Gili à Taylor. Le petit singe resserra un instant son étreinte autour de son cou, comme s'il ne voulait pas la quitter. Mais quand son maître lui ouvrit ses bras, il alla docilement s'y nicher.

« Eh bien, au revoir à vous deux », dit-elle, en les regardant à tour de rôle.

Elle se représenta Taylor dans sa cellule blanchie à la chaux, en train de dessiner Gili. La compagnie de l'animal joueur avait dû l'aider à endurer le terrible châtiment qu'il s'était lui-même infligé. Elle l'avait terriblement mal jugé, et elle avait presque envie de lui demander pardon.

Il agita sa main libre en guise de salutation.

En s'éloignant, elle l'imagina s'attardant au même endroit, les yeux rivés sur les branches de cet arbre étrange. Elle regretta de n'avoir pu rester plus longtemps, rien que pour l'écouter encore et se délecter de l'affection qu'il portait à ce lieu. Sa manière de parler, les détails qu'il lui avait donnés sur la floraison, lui avaient fait prendre conscience du vide profond qui s'était installé en elle, là où jadis elle avait abrité un amour comparable pour le paysage qui l'entourait. En grandissant, elle s'était mise à détester ce bush qu'elle avait adoré. La ferme était devenue une prison. Elle s'était enfuie vers l'Angleterre – le pays des musées, des demeures somptueuses et des champs verdoyants. Il y avait eu tellement de choses à découvrir et à admirer… Et puis, bien sûr, il y avait eu Theo. Mais, tout au fond d'elle, elle avait su qu'elle n'aurait jamais vraiment sa place en ce pays. Peut-être était-ce l'une des raisons pour lesquelles elle s'était sentie si proche de Yuri : c'était un étranger, lui aussi.

Elle monta dans sa voiture et fit claquer sa portière ; au bruit, les poules s'enfuirent en caquetant vers les buissons. Une idée lui vint subitement à l'esprit : elle n'était pas davantage chez elle à Londoni. Ce n'était, en fin de compte, qu'un petit morceau d'Angleterre transplanté au Tanganyika. Elle se sentit perdue. Elle se rappela les mots qu'avait utilisés le père Remi : « sans refuge ». C'était un terme qui pouvait s'appliquer à elle, d'une certaine façon. Elle n'avait plus de patrie, elle n'avait plus sa place nulle part.

Mais ce n'était pas tout à fait vrai, se réprimanda-t-elle aussitôt. Sa place était auprès de Theo. Ils resteraient ensemble jusqu'à ce que la mort les sépare. C'était ce qu'ils s'étaient promis l'un à l'autre, lors de cette cérémonie de mariage expédiée à la hâte, dans une église où ils n'étaient jamais entrés auparavant, avec pour seul témoin un camarade de Theo, un pilote de la RAF comme lui, qui avait été tué peu de temps après au cours d'une mission. Taylor n'était pas le seul à respecter la parole donnée. C'était une chose qu'on avait enseignée à Kitty dès son plus jeune âge. Une promesse devait toujours être tenue. Pour le meilleur ou pour le pire. Avec ou sans refuge. Elle avait fait son choix.

Elle leva les yeux vers les montagnes, comme si leur présence solide et éternelle pouvait la rassurer. Mais, au lieu de cela, elle sentit le découragement la submerger. Theo ne suffisait pas à remplir sa vie. Il était trop occupé pour faire attention à elle. Peut-être cela s'arrangerait-il une fois les difficultés initiales surmontées. Peut-être, avec le temps, l'amour qu'ils avaient éprouvé jadis l'un pour l'autre refleurirait-il.

Mais dans l'immédiat, elle souffrait d'une profonde solitude. Elle repensa à la Vierge Marie tenant son enfant dans ses bras. Un bébé, cela changerait tout...

L'idée de devenir mère l'emplissait cependant d'autant d'angoisse que de joie. Et pas seulement parce que Theo désertait de plus en plus le lit conjugal. Elle avait eu en fait d'innombrables occasions de tomber enceinte. Ils étaient mariés depuis sept ans, après tout. Il était vrai que la majeure partie de ces années avaient été assombries par la guerre, qu'ils avaient été fréquemment séparés et soumis à une grande tension nerveuse. Et les années suivantes leur avaient apporté de nouvelles épreuves. Néanmoins, leur mariage durait depuis suffisamment longtemps et il aurait déjà dû produire des fruits. Ils devraient consulter tous les deux un médecin, pour savoir ce qui n'allait pas. Elle essaya de se rappeler quelle était la spécialité de Frank. Peu importe – il devait bien y avoir des spécialistes dans ce domaine à l'hôpital de Kongara. Il fallait absolument qu'elle en parle à Theo, même si le magazine de Pippa le déconseillait fortement.

Tandis qu'elle roulait en cahotant sur la piste inégale, un sentiment de soulagement mêlé d'appréhension s'empara d'elle. Elle redoutait cette confrontation avec Theo – l'idée qu'elle allait devoir tenter de le convaincre, insister, argumenter, lui nouait d'avance l'estomac. Mais il le fallait. Elle relâcha lentement sa respiration. Maintenant que sa décision était prise, elle devait agir. Et vite. Avant que les pluies arrivent et fassent déborder les fossés, inondant les routes et balayant tout sur leur passage.

12

Dans le brouhaha des conversations détendues, Kitty s'agenouilla à côté du prisonnier. Quand elle eut déroulé avec délicatesse les bandages recouvrant l'ulcère, elle constata que la plaie était presque guérie : la gaze n'y adhérait plus et était à peine tachée.

« *Vizuri sana* », dit-elle en finissant de retirer le pansement.

Sur la peau noire, il était difficile de déceler des signes d'inflammation ; mais il n'y avait aucune boursouflure, aucune trace de pus autour de la croûte. Elle appuya doucement sur la blessure, en levant vers l'homme un regard interrogateur.

« *Hakuna maumivu* », dit-il en souriant. (Ça ne fait pas mal.)

Elle lui rendit son sourire. Elle ne connaissait pas son histoire – d'où il venait, quel crime il avait commis. Elle ne connaissait pas même son nom. Mais elle se sentait liée à lui. Un ulcère comme le sien aurait facilement pu entraîner une très grave infection. Il aurait pu perdre sa jambe, voire mourir. Ils avaient accompli ensemble un voyage périlleux.

« *Bahati nzuri* (Bonne chance), dit-elle simplement.

— *Na wewe pia, dada yangu.* (Et à toi aussi, ma sœur.) »

Il s'éloigna d'un pas ferme, sans boiter. En attendant le patient suivant, Kitty tourna son regard vers le fond de la pièce, où Diana était assise derrière un bureau. Elle était encadrée, d'un côté par le père Paulo, de l'autre, par un prisonnier appelé Chalula, qui parlait anglais mais ne savait pas écrire. Un autre prisonnier aux cheveux gris se tenait face à eux. Il dictait une lettre. Chalula traduisait les phrases en anglais et Diana les notait sur un bloc de papier à lettres, sous le regard critique du vieux prêtre. Elle devait être fatiguée, se dit Kitty ; elle n'était sortie de l'hôpital que depuis trois jours, et elles étaient ici depuis dix heures du matin. Elles avaient aidé à préparer et à servir le repas. Diana n'avait manifesté aucune réticence, ni devant les prisonniers ni devant la bousculade – tous ces hommes alignés, attendant d'être servis –, ni devant la tâche qui lui avait été assignée. Elle était tellement reconnaissante à Kitty d'avoir convaincu Richard de la laisser rester à Kongara qu'elle ne semblait pas songer à se plaindre.

Elle plissait le front d'un air concentré, maniant son stylo d'une main appliquée pour former soigneusement ses lettres. Le père Paulo se pencha vers elle, une loupe à la main, et examina son travail ; puis il lui indiqua une faute d'un doigt tremblant. Diana hocha la tête et s'empressa de corriger, telle une écolière disciplinée. Ses cheveux étaient attachés sur sa nuque, son visage vierge de tout maquillage. Sur la suggestion de Kitty, elle avait revêtu une des tenues kaki que Richard portait pour se rendre sur le terrain. Son sens inné de l'élégance parvenait à donner à ces vêtements masculins une allure sophistiquée. Mais elle ne paraissait pas se préoccuper de son apparence, profondément absorbée dans son travail, le bout de sa langue dépassant du coin de sa bouche.

Le patient suivant présentait des lésions prurigineuses autour des poignets. Il en connaissait la cause, et Kitty aussi : un parasite qui s'enfouissait sous la peau. Toutefois, il ne s'agissait pas d'un simple cas de gale ; là où il s'était gratté, il y avait de petites plaies infectées. Si elle s'en référait aux notes de Janet, c'était l'indice d'un problème de santé sous-jacent : le système immunitaire de l'homme était affaibli. Elle rédigea un message à l'intention des gardes, demandant que le prisonnier soit examiné par le médecin de la prison. Elle ne savait pas si cette demande serait suivie d'effet – le médecin ne passait que très rarement au fort du vieux Kongara. Il préférait laisser les missionnaires catholiques se charger de son travail.

Elle donna à l'homme un pain de savon antiparasitaire et lui recommanda de se laver tout le corps avec celui-ci, en laissant la mousse sécher sur sa peau. Quand il fut parti, elle alla se récurer les mains à l'évier, en utilisant force savon et désinfectant. Elle se sentait prise elle-même de démangeaisons à l'idée que des insectes pouvaient creuser des sillons sous la peau d'un être humain.

Il y eut une pause tandis qu'un des gardes essayait de déterminer qui serait le prochain à passer. Pendant ce temps, elle repensa à la soirée précédente, et ses mains se crispèrent sur ses genoux quand les images douloureuses défilèrent dans son esprit.

Elle avait anxieusement attendu le retour de Theo. Elle était bien décidée à lui parler de ses inquiétudes et avait soigneusement préparé son discours. Elle avait choisi ses mots avec soin, pour s'exprimer clairement sans toutefois paraître trop autoritaire. Mais lorsque Theo était enfin apparu, avec une heure de retard, elle n'avait pas tardé à se rendre compte qu'il avait bu. Son élocution était pâteuse et il avait trébuché en gravissant les marches de la véranda. Il s'était dirigé droit vers le chariot à liqueurs, écartant Gabriel sans ménagement pour se verser lui-même un double whisky.

Le regard de Kitty avait croisé celui du domestique. Elle y avait lu un mélange de mépris et de crainte – un patron ivre était à la fois pitoyable et dangereux. Du geste, elle lui avait indiqué de retourner à la cuisine.

Theo avait vidé son verre, puis entrepris de lui préparer un gin tonic. Elle l'avait regardé faire en silence. En Angleterre, elle l'avait souvent vu ivre ; pendant la guerre, les pilotes se saoulaient ensemble pour chasser leur peur ou effacer pendant quelques heures le souvenir de leurs amis disparus. Personne n'aurait songé à les en blâmer. Yuri avait parfois bu un peu trop de vodka, lui aussi – à la fin d'une longue soirée, il lui arrivait d'être légèrement gris. Mais que Theo rentre du travail dans cet état, c'était tout autre chose. La première fois que cela s'était produit, elle avait été profondément choquée. Puis, quand cela s'était répété, elle en avait été furieuse et contrariée. Elle attendait toute la journée de pouvoir enfin passer un moment en sa compagnie, et elle se retrouvait face à un étranger qui ne lui plaisait pas. La veille, elle s'était sentie désespérée. Comment pouvait-elle envisager d'avoir un bébé avec un alcoolique ?

Theo lui avait tendu son verre, dans lequel il avait versé une double ration de gin. Quand il était ivre, il insistait toujours pour qu'elle boive aussi, comme si cela pouvait rendre son ébriété plus acceptable. Quand elle avait refusé, il avait reposé le verre sur le chariot avec tant de violence que le liquide lui avait éclaboussé la main. Mais c'était à peine s'il s'en était rendu compte.

Elle l'avait laissé seul dans le salon – un deuxième whisky à la main – et était allée se coucher. Elle avait faim, mais elle ne voulait pas manger avec lui sous le regard des domestiques quand il était dans cet état. Il avait des gestes maladroits, renversait des choses, tout en faisant semblant d'être parfaitement sobre – le verre était trop glissant, la carafe était mal placée, trop près de son coude. Et, bien entendu, c'était toujours la faute de Gabriel.

Étendue dans le noir, elle avait écouté la voix de son mari lançant des ordres au serviteur, en espérant ardemment que, lorsqu'il aurait fini de boire, il ne viendrait pas dormir dans son lit. En entendant la porte de la chambre d'amis se refermer avec fracas, elle avait laissé échapper un soupir de soulagement. Toutefois, elle n'avait pas réussi à trouver le sommeil. Elle avait passé des heures à contempler le plafond, suivant des yeux le tracé des minuscules lézardes qui y étaient déjà apparues. Finalement, les larmes étaient montées à ses yeux et avaient ruisselé le long de ses tempes, humectant l'oreiller.

Une fois qu'elles avaient commencé à couler, il lui avait été impossible d'en arrêter le flot. Elle avait dû pleurer pendant des heures, lui semblait-il. Ce matin, elle avait été obligée d'appliquer des compresses d'hamamélis sur ses paupières rouges et bouffies pour tenter de les dégonfler. Le remède avait sans doute été efficace, car personne n'avait émis de commentaire sur son apparence, mais elle souffrait néanmoins d'une légère migraine. En attendant son patient, elle pressa ses paumes contre ses yeux, puis se massa les tempes. Elle avait amené Diana ici afin de lui faire oublier ses problèmes mais, à présent, c'était elle-même qui bénéficiait d'un dérivatif à ses soucis. Elle se leva pour se délasser les jambes et inspecta la pièce, pour mieux se pénétrer de la réalité de ce qui l'entourait – ce nouveau décor, ce nouveau jour.

Rien n'aurait pu être plus éloigné de la scène d'hier soir. Il régnait ici une ambiance à la fois calme et affairée. Le père Remi fourrageait dans son armoire à pharmacie. Les prisonniers qui attendaient leur tour étaient polis et patients, les gardes décontractés. Une des religieuses chantait tout en faisant la vaisselle.

Elle tourna les yeux vers le bureau. Le vieux prisonnier était parti et à sa place était assis l'un des plus jeunes détenus qu'elle ait jamais vus. Il semblait à peine sorti de l'enfance. Il parlait en swahili au père Paulo, sans quitter du regard la femme blanche tenant le stylo. Au bout d'un instant, Chalula traduisit ce qu'il venait de dire.

« Mais c'est épouvantable ! s'écria Diana. C'est un cas flagrant d'erreur sur la personne. Il faut faire quelque chose.

— Nous pouvons envoyer une pétition au commissaire de district, suggéra Chalula.

— Mais ce garçon ne devrait pas être ici, déclara Diana. Il est innocent. Pour l'amour du ciel, ce n'est qu'un gamin ! »

Le jeune homme courba la tête. Au bout d'un instant, ses épaules furent secouées par des mouvements convulsifs. Chalula répéta les phrases qu'il bredouillait entre deux sanglots. Kitty ne pouvait les entendre, mais l'effet qu'elles produisirent sur Diana était évident. Elle se pencha vers lui et lui saisit le bras.

« Ne t'inquiète pas. Je vais t'aider. J'apporterai moi-même cette lettre au commissaire. S'il ne veut pas intervenir, j'irai trouver son supérieur à Dar es Salam. »

Quand Chalula traduisit ces paroles, un murmure s'éleva. L'adolescent releva la tête. Sur son visage, Kitty vit la peur et la tristesse faire place peu à peu à l'espoir.

« S'il le faut, reprit Diana, je porterai cette affaire devant le ministère des Colonies, à Londres.

— Londoni ? s'enquit Chalula.

— Non, je parle du *vrai* Londres, en Angleterre. Là où vit le roi.

— Ah ! » s'exclama l'interprète, l'air vivement impressionné, avant de relayer cette déclaration.

Kitty scruta le visage de Diana. Ses yeux flamboyaient d'indignation et de compassion. Son propre chagrin s'effaçait devant le cauchemar vécu par une autre femme : quelque part, il y avait une mère à qui on avait enlevé son fils, guère plus qu'un enfant, en l'accusant d'un crime qu'il n'avait pas commis, pour l'enfermer avec d'authentiques criminels. Un innocent avait été frappé par le destin. Mais cette fois, Diana pouvait y remédier.

Kitty ne put s'empêcher de sourire à cette idée. Diana était désormais investie d'une mission et rien ne l'arrêterait ; elle se servirait de son statut d'épouse du directeur général, glisserait peut-être dans la conversation les noms des hommes influents qu'elle avait reçus chez elle (on disait que M. Strachey, le ministre du Ravitaillement, avait été son invité). Et si elle recourait en outre à des armes plus féminines, sa beauté et son charme, le commissaire de district lui promettrait sans doute tout ce qu'elle voudrait.

Diana s'interrompit un instant et leva les yeux. En croisant les siens, elle lui adressa un petit signe de tête. Kitty en éprouva un profond soulagement ; elle avait le sentiment que Diana ressentait exactement ce qu'elle avait ressenti elle-même lors de sa première visite ici. Son plan avait l'air de fonctionner.

Un nouveau patient vint prendre place devant elle. Pendant qu'ils échangeaient des salutations, elle s'essuya le front du dos de la main. Puis elle promena son regard autour d'elle, car elle avait perçu un changement dans l'air. Une soudaine tension, une montée d'énergie. Elle constata qu'elle n'était pas la seule à le percevoir ; les prisonniers commençaient à s'agiter. Ceux qui étaient proches des fenêtres et de la porte jetaient des regards au-dehors.

Un courant d'excitation traversa la pièce, s'amplifia. Tout le monde sortit – lentement d'abord, puis de façon de plus en plus précipitée. Quand son patient se leva et s'éloigna à son tour, elle lui emboîta le pas.

Dès qu'elle mit le pied dehors, elle la sentit, dans ses narines, sur sa peau.

La pluie !

Les premières grosses gouttes s'abattirent sur le sol, soulevant la poussière. Puis la pluie se fit de plus en plus dense jusqu'à se transformer en averse. Les prisonniers, les gardes, les religieuses, les deux prêtres – tous étaient réunis dans la cour, le visage levé vers le ciel. Kitty se joignit à eux. Rapidement, elle se retrouva trempée jusqu'aux os, la peau cinglée par l'eau tiède. Instinctivement, elle étendit les bras, offrant tout son corps à la pluie. Autour d'elle, les gens dansaient, chantaient, hurlaient de joie.

Le déluge s'accrut encore, au point de devenir presque effrayant. L'eau martelait bruyamment les toits, jouait du tambour sur les vieux fûts d'essence entreposés en bordure de la cour, rebondissait sur la table à tréteaux devant l'église.

Il régnait un sentiment de soulagement quasi palpable : la pluie balayait littéralement la peur de la famine et de la sécheresse. Les habitants des collines ne manquaient jamais d'eau, grâce aux sources, mais les prisonniers et les gardes venaient de plus loin. Ils pensaient à leur village, aux *shamba* desséchés qui seraient à nouveau irrigués, aux ruisseaux à nouveau alimentés, aux trous d'eau à nouveau remplis. Kitty vit un garde serrer un prisonnier dans ses bras, au comble de la joie. Le père Paulo s'agrippait au bras de Tesfa, les deux vieillards esquissant ensemble un pas de danse. Chalula et Diana se tenaient un peu en retrait de la foule – la jeune femme, tête renversée, bouche grande ouverte, buvant l'eau qui se déversait des nuages.

Theo rentra de bonne heure ce soir-là. Il sauta à terre dès que le Land Rover s'arrêta et gravit les marches de la véranda au pas de course pour soulever Kitty dans ses bras. Heureusement, elle s'était déjà baignée et changée.

« Nous avons commencé à planter ! Le Plan va pouvoir démarrer, enfin ! » s'écria-t-il, avec l'enthousiasme d'un écolier à la fin de sa journée d'école.

Elle lui sourit, essayant de se représenter la scène qui avait dû se dérouler au bureau central quand les premières gouttes étaient tombées. Il était peu probable que tout le monde soit sorti danser sous la pluie. Avait-on débouché du champagne ? Envoyé des télégrammes à Londres ? Les hommes avaient-ils embrassé leurs secrétaires ?

Du haut de la véranda, Theo et elle contemplèrent les unités d'exploitation au loin. La pluie avait cessé pour le moment, laissant le paysage comme purifié. Dans les plantations, on apercevait les rangées de tracteurs répandant les semences. Elle s'imagina l'enthousiasme des ouvriers à l'arrivée de la pluie. Là-bas, dans les campements des travailleurs indigènes comme dans celui des Irlandais, des Italiens et des Grecs, chacun devait fêter l'événement à sa manière. Les clubs et les bars devaient être pleins. À l'autre bout de Londoni, Ahmed et les autres Arabes faisaient sans doute de même, ainsi que les Asiatiques, comme M. Singh, le marchand de fruits et légumes. Dans les baraquements de fortune, les femmes des ouvriers étaient sûrement en train de danser. Et les prostituées ? S'accorderaient-elles un peu de repos en l'honneur de la pluie ? Ou auraient-elles au contraire plus de clients que jamais ?

« Je meurs de faim, déclara Theo. Passons directement dans la salle à manger.

— Je vais prévenir Eustace. »

En le suivant à l'intérieur de la maison, elle se demanda s'il renonçait à son apéritif parce qu'il était conscient d'avoir trop bu la veille. Ou si, maintenant qu'il n'avait plus à s'inquiéter pour ses plantations, il avait décidé de se reprendre, de s'amender.

En s'asseyant à table, Theo se frotta les mains.

« Lundi. Exactement ce que j'avais envie de manger ! »

Il déplia sa serviette, l'étendit sur ses genoux. Puis il redressa la tête, comme s'il venait brusquement de se rappeler quelque chose.

« Comment cela s'est-il passé, à la mission ? Es-tu restée longtemps ? N'était-ce pas trop horrible ?

— Non, tout s'est bien passé. Nous avons d'abord aidé aux cuisines. Nous avons préparé d'énormes marmites d'*ugali* – c'est une sorte de bouillie à base de farine de maïs. Puis nous avons participé à la distribution.

— C'est bien. Et Diana, s'est-elle bien comportée ? » Avant qu'elle ait pu répondre, il tourna la tête. « Ah, voilà Gabriel. Brave garçon », dit-il au domestique avec un sourire ravi, en voyant arriver les plats.

Kitty dissimula de son mieux sa déception. De toute évidence, la façon dont elle avait occupé sa journée n'intéressait pas vraiment Theo. Mais au moins était-il gai et détendu, pour une fois. Et c'était un soir décisif.

Elle attendit que Gabriel se fût retiré pour dire :

« Il y a une chose dont je voudrais te parler, Theo. C'est important. »

Il leva les mains, mimant l'effroi.

« Qu'ai-je encore fait ? »

Elle prit une longue inspiration et se lança dans son discours, lui expliquant qu'elle désirait avoir un bébé, qu'elle savait qu'il le désirait aussi, et que ce vœu aurait dû se réaliser depuis longtemps.

« Sois patiente », répondit Theo, en se resservant du corned-beef qu'il arrosa de sauce blanche.

Tendant le bras par-dessus la table, elle posa

sa main sur son poignet. Elle avait l'impression d'être une petite fille réclamant l'attention d'un adulte.

« Theo, nous sommes mariés depuis sept ans. Je sais que nous avons été souvent séparés, et… que tu as été très occupé et fatigué ces derniers temps. »

Il lui lança un regard acéré, mais elle poursuivit :

« Je crois que quelque chose ne va pas. Je veux consulter un médecin. Et s'il ne trouve rien d'anormal chez moi, je souhaite que tu en consultes un également. »

Voilà, elle l'avait dit. Elle reprit son souffle, stupéfaite de sa propre témérité.

Theo la dévisagea en silence. Puis il secoua la tête, comme pour s'assurer qu'il ne rêvait pas.

« Si j'ai bien compris, tu veux discuter de ce… problème… avec un docteur ?

— Oui. Il y a des spécialistes à l'hôpital. Tu pourrais prendre rendez-vous avec l'un d'eux.

— C'est hors de question, Kitty, répliqua-t-il en se levant. Je n'en reviens pas que tu oses même le suggérer. Imagines-tu de quoi j'aurais l'air, si le bruit se répandait que nous avons des problèmes dans ce domaine ?

— Je suis persuadée que le médecin saura faire preuve de discrétion.

— Il n'y a pas de secrets à Kongara ; tu devrais le savoir. Je suis désolé, Kitty. La réponse est non. »

Elle baissa la tête. Ses cheveux avaient repoussé un peu et des mèches tombèrent devant son visage. Mais elles ne purent dissimuler les larmes qui vinrent s'écraser une à une sur la nappe.

Theo vint se placer près d'elle et lui passa un bras autour des épaules.

« Kitty, ma chérie, ne pleure pas. Écoute… Si rien n'a changé au moment des récoltes, nous irons voir un médecin à Nairobi. Qu'en dis-tu ? »

Il la regarda en souriant, l'air content de lui. Elle se réjouit qu'il accepte au moins un compromis, même si elle était dépitée qu'il se préoccupe à ce point de l'opinion des autres. Elle fut bien obligée de s'avouer que c'était en partie – en majeure partie – sa faute. Elle l'avait humilié publiquement, et si gravement qu'il était devenu hypersensible. Une fois de plus, elle se dit qu'elle n'avait aucun droit de lui en vouloir.

« Merci », murmura-t-elle en se contraignant à lui rendre son sourire.

Un silence passa. Theo se rassit, fixant son assiette à moitié vide où subsistait une traînée de purée de pommes de terre et le petit tas de sel inutilisé sur le bord. Son visage était de nouveau creusé par le souci et le découragement. L'allégresse de tout à l'heure avait totalement disparu. Et elle n'avait rien obtenu – elle doutait qu'il envisage sérieusement de se rendre à Nairobi. Elle aurait mieux fait de se taire. Dans un effort désespéré pour changer de sujet, elle se raccrocha à la première pensée qui lui vint.

« Savais-tu que le baobab pouvait prédire l'arrivée de la pluie ?

— Qui t'a raconté cette faribole ? » demanda-t-il d'un ton effaré.

Elle chercha en vain une réponse, puis secoua la tête.

« Oh, quelqu'un, à la mission. C'est probablement faux. »

Elle regarda Gabriel débarrasser la table des assiettes et des couverts du plat principal, puis apporter la tarte à la frangipane. Pendant que Theo attaquait sa part, elle fixa par-dessus son épaule les fenêtres donnant sur la cour. Tout ce qu'elle put voir, c'étaient les branches tronquées du frangipanier brutalement élagué. Il n'y avait pas de baobabs dans les jardins de la rue des Millionnaires – c'étaient des arbres trop primitifs et étranges ; trop africains. Mais cela n'empêcha pas Kitty de se représenter un tronc immense à l'écorce ridée creusée de profondes cannelures verticales. Un fouillis d'énormes racines agrippées à la terre. Elle laissa l'image se préciser, la détournant de son chagrin et de sa déception pour la ramener à la mission où le baobab géant tenait compagnie à l'église et au clocher. Elle se demanda à quel moment exact les pétales blancs avaient commencé à se déplier, anticipant la pluie. Une autre image lui apparut ensuite – un homme debout sous les branches, le visage levé, les traits éclairés par la lumière argentée de la lune. Il regardait les fleurs éclore peu à peu. À côté de lui, un singe cabriolait, projetant sur le sol des ombres bondissantes.

Au cours des semaines suivantes, chacun s'habitua à travailler dans les nouvelles conditions imposées par la pluie. On ne pouvait jamais prévoir à quel moment les averses se déclencheraient. Elles survenaient sans prévenir, puis le soleil se montrait pendant un petit moment et séchait quelques flaques avant qu'un nouvel orage éclate.

Diana et Kitty allaient à la mission le lundi, le mercredi et le vendredi, à bord de la Hillman. Kitty devait faire appel à tous ses talents de conductrice pour ne pas déraper sur la boue et ne pas sortir de la piste quand il pleuvait si fort qu'elle y voyait à peine. Diana s'installait toujours à l'arrière – non parce qu'elle la considérait comme son chauffeur, mais parce qu'elle n'aimait pas s'asseoir à côté du volant. Elle n'avait toujours pas surmonté sa peur des accidents.

Les prisonniers prenaient désormais leurs repas à l'intérieur de l'église, le seul bâtiment assez vaste pour les abriter tous. Ils s'asseyaient en rangs sur les longs bancs. Dans leurs uniformes de toile grossière, ils ressemblaient à d'étranges moines portant des numéros peints au pochoir sur la poitrine à la place d'écussons brodés. Impressionnés par le cadre majestueux, ils étaient moins bavards qu'à l'extérieur. En servant la nourriture, Kitty avait l'impression de participer à une tâche sacrée, presque d'administrer un sacrement.

Parfois, elles effectuaient aussi d'autres travaux, dans la cuisine ou la buanderie. S'il ne pleuvait pas, il leur arrivait de jardiner. Mais Kitty travaillait toujours au dispensaire après le déjeuner et, pendant ce temps, Diana remplissait avec dévotion son rôle de scribe. Elle avait déjà obtenu des résultats. Sa requête au sujet du jeune prisonnier avait été remise au commissaire du district et une procédure d'appel était en cours. À présent, elle transmettait régulièrement des nouvelles aux parents du garçon. Ses connaissances en swahili étaient encore limitées mais, avec l'aide du père Paulo, elle arrivait à écrire sous la dictée.

Taylor n'effectuait que de rares apparitions à la mission. Comme tout le monde, il était occupé à essayer de profiter au maximum de la pluie. Quand son chemin croisait celui de Kitty, ils échangeaient des commentaires sur les jardins, Gili, le dispensaire, les vignobles. Mais quelquefois, lorsque leurs regards se rencontraient, elle sentait passer entre eux un courant irrésistible, une force d'attraction. Elle avait du mal à se détourner de lui, et quand elle le faisait, elle continuait à voir son visage, ses yeux. Elle percevait du danger sous cette amitié – elle en avait eu conscience dès leur première rencontre. Elle savait qu'il valait mieux garder ses distances. Pourtant, chaque fois qu'elle venait à la mission, elle ne pouvait s'empêcher de guetter sa venue. Chaque fois qu'elle en avait l'occasion, elle essayait d'en apprendre davantage sur lui, en prenant un ton dégagé pour ne pas trahir l'intérêt qu'elle lui portait. Elle demanda au père Paulo quel était son prénom et apprit que depuis la mort de son père, qu'il admirait beaucoup, il ne voulait plus qu'on l'appelle autrement que par leur patronyme commun. Sa mère avait été également une personne très respectée, autant par les prêtres que par les Africains. Elle découvrit qu'il était allé à l'école à Nairobi, puis avait poursuivi ses études en Angleterre. Tesfa avait fait allusion à sa science des échecs et à son goût pour la lecture…

C'était toujours Gili qui lui annonçait l'arrivée de Taylor. Il le précédait et se dirigeait droit vers elle. Il aimait s'asseoir à ses pieds pendant qu'elle travaillait au dispensaire, jouant avec l'extrémité des bandages qu'elle déroulait. Quand elle distribuait la nourriture, il se perchait sur la table à côté des marmites. Si quelqu'un en qui il avait confiance se trouvait à proximité, il se montrait sûr de lui, presque effronté. Un jour, il se produisit un incident, quand il vola une poignée d'*ugali* dans une assiette. Le prisonnier à qui elle appartenait exprima son indignation ; Gili bondit sur son épaule et lui barbouilla les cheveux de bouillie. Kitty fut consternée par cette scène. Elle comprit ce qu'avait dû éprouver sa mère quand les garçons se comportaient mal en public. Ce fut seulement plus tard, tandis qu'elle glissait un thermomètre sous la langue d'un patient, qu'elle se surprit à sourire.

Les jours où elles n'allaient pas à la mission, Diana et elle se rendaient au club. Cela faisait partie de l'arrangement conclu entre leurs époux. Le Dr Meadows et l'infirmière Edwards avaient judicieusement gardé le silence sur les raisons pour lesquelles Diana avait été hospitalisée, et tout le monde pensait que c'était à cause d'un accès de fièvre dû à la malaria. Les dames du club furent amenées à croire que la frayeur d'être atteinte d'une maladie grave avait fait naître chez Diana un désir quelque peu extrême (mais c'était tout à fait elle : elle ne faisait jamais les choses à moitié) d'aider son prochain. Et cela expliquait pourquoi elles travaillaient bénévolement à la mission catholique, Kitty et elle. C'était certes bizarre, mais nul n'était en position de mettre en doute une décision avalisée par M. Armstrong. Alice, en particulier, ne savait pas très bien si elle devait être jalouse de Kitty, qui avait été entraînée contre son gré dans cette aventure insensée, ou se réjouir que Diana ne l'ait pas choisie pour l'accompagner.

Les femmes sirotaient du café, s'échangeaient des magazines et organisaient les prochaines réunions mondaines, comme d'habitude. On discutait du bal de Noël. Combien de chants de Noël la chorale de l'école chanterait-elle ? Les enfants porteraient-ils leurs uniformes d'écoliers ou des habits de fête ? Il fallait trouver quelqu'un pour jouer le père Noël, fit remarquer Alice, et l'on n'avait toujours pas remis la main sur le costume envoyé de Londres l'année précédente. Pendant tout ce temps, Kitty s'en rendit compte, elles jetaient à Diana des regards scrutateurs. Manifestement, chacune – d'Alice et Evelyn à Pippa et Eliza – était frappée par le changement qui s'était opéré en elle. Elle ne s'empiffrait plus de sucreries avant de s'éclipser dans les toilettes. Elle était d'humeur égale, et plus attentive lors des réunions présidées par Alice. Quand elle signait la note pour la faire porter sur le compte de Richard, elle écrivait son nom lisiblement, soigneusement. Plus étrange encore, on la voyait parfois assise à une des tables au bord de la piscine, s'exerçant à la calligraphie à l'aide d'un porte-plume à l'ancienne mode. Sans doute les témoins en concluaient-ils que Diana avait été diminuée par la maladie, que cela l'avait rendue plus ordinaire, plus semblable à elles. Kitty savait que la vérité était tout autre : Diana n'avait rien perdu de sa vivacité ni de son esprit, mais sa vraie vie se déroulait désormais ailleurs.

Dans les unités d'exploitation, le soulagement suscité par l'arrivée des pluies fut de courte durée. Là où le sol était auparavant dur comme du béton, il s'était transformé en une espèce de bouillie molle où les tracteurs s'enfonçaient jusqu'aux essieux. Les véhicules à chenilles qu'on envoyait pour les remorquer s'enlisaient à leur tour. Et, dans le camp de tentes du centre de Kongara, les égouts menaçaient de déborder. Dans ce chaos, on se hâtait de planter le reste des semences. Les premières pluies de la saison ne duraient jamais longtemps. Les grosses pluies arriveraient plus tard et elles irrigueraient les plants survivants jusqu'à ce qu'ils soient récoltés. À condition toutefois qu'il y en ait…

La situation était tellement démoralisante que Theo

ne se plaignait même plus auprès de sa femme. Il rentrait du travail silencieux et morose, se contentant de lui annoncer la quantité d'arachides plantées chaque jour – il devait y avoir au bureau central une sorte de diagramme où l'on reportait les chiffres. Quand le stade initial de l'ensemencement fut franchi et la fièvre quelque peu retombée, il commença à dénombrer les plants en germe. Les chiffres étaient catastrophiques.

La seule chose qui lui rendait le sourire, c'était la perspective de travailler avec lady Charlotte Welmingham. Malheureusement, il semblait qu'elle ne pourrait pas se rendre à Kongara aussi vite qu'il l'avait espéré. Mais elle était toujours déterminée à venir. Il se cramponnait à la date de son arrivée comme si c'était une formule magique capable de résoudre tous ses problèmes. Kitty était partagée entre sa jalousie envers cette femme à qui il accordait tant d'importance et l'espoir qu'elle parviendrait à lui remonter le moral. Elle tenta de lui poser des questions tendancieuses sur l'experte en apiculture pour se faire une idée du personnage. Mais il resta dans le vague, sans dire si elle était belle, mince, spirituelle ou sympathique, et elle se rassura à la pensée qu'elle était peut-être grosse ou laide. Lourdement charpentée. Le visage chevalin, les dents proéminentes. Ou alors dotée d'un nez long et pointu, comme un chien de chasse. Comme il semblait clair que Theo passerait beaucoup de temps en compagnie de l'apicultrice, Kitty pouvait seulement espérer que cette image peu attrayante se révélerait conforme à la réalité.

13

Au sortir de la mission, la Daimler s'engagea sur la piste qui serpentait à travers le village. Les pluies avaient cessé et le sol était ferme et sec, mais James n'en roulait pas moins prudemment. C'était lui qui avait conduit les deux femmes au travail ce matin, la Hillman ayant refusé de démarrer. Kitty avait été surprise par l'empressement qu'il avait manifesté à effectuer ce trajet, au risque d'endommager le précieux véhicule. Quand ils étaient arrivés à la mission, il l'avait de nouveau étonnée : au lieu de rester près de la Daimler comme l'aurait fait n'importe quel chauffeur, il avait demandé à Tesfa de lui faire visiter les lieux. Tout en accomplissant ses tâches, elle avait de temps à autre entrevu les deux hommes – Tesfa faisant de longs discours sur chaque point présentant un intérêt, James buvant ses paroles. Elle avait fini par comprendre la raison de sa curiosité : depuis près de six semaines, il voyait Diana partir pour la mission. (Richard avait accepté qu'elle continue à s'y rendre après la période d'essai.) Sans doute avait-il entendu parler de ce qu'elle faisait là-bas. À présent, il voulait le voir de ses propres yeux, ce lieu qui avait sauvé sa patronne de la tristesse et l'avait ramenée à la vie.

Maintenant, elles rentraient chez elles, leur travail fini. En route, Diana lui fit le compte rendu des résultats de ses dernières croisades. Elle s'occupait désormais de deux autres prisonniers, en plus de l'adolescent. Elle essayait d'obtenir que l'un de ces hommes soit libéré sur parole pour bonne conduite – de tous les ouvriers de Taylor, c'était l'un de ceux qui travaillaient le plus dur. Quant au deuxième, c'était un cas des plus singuliers. Il avait été condamné pour meurtre cinq ans auparavant. Les médecins avaient reconnu que le jeune Mgogo avait fait une forte réaction à un médicament prescrit contre la malaria. Dans un accès de folie provoqué par cette substance, il avait tué sa femme bien-aimée. Outre le châtiment infligé par la justice, il expierait jusqu'à la fin de ses jours ce crime qu'il ne se rappelait même pas avoir commis. Diana estimait qu'ajouter l'emprisonnement à son tourment était cruel et injuste. Elle était déterminée à le faire remettre en liberté.

Comme ils traversaient la place du village, une bande d'enfants accourut à leur rencontre, comme chaque fois. Diana ne tressaillait plus à leur vue, mais Kitty la vit échanger un regard avec James dans le rétroviseur. Un jeune garçon s'approcha de la voiture et leur cria de s'arrêter. James ralentit et se mit à rouler au pas. Une fillette rejoignit le garçon. Elle portait un objet que Kitty n'identifia pas tout de suite. Mais quand la petite fille la brandit devant ses yeux, elle constata que c'était une statuette de singe en argile. La sculpture, d'une trentaine de centimètres de haut, représentait l'animal en plein bond, toute son énergie concentrée dans ses pattes arrière.

« Oh, regarde donc ça ! s'exclama Diana en se penchant pour mieux voir. On le croirait vivant ! »

Les deux enfants, entourés de tout un petit groupe, se pressaient contre la vitre. Quand elle la baissa, ils lui tendirent la statuette.

« Qui l'a faite ? » demanda Diana.

Les enfants, qui avaient compris la question même s'ils ne parlaient pas anglais, montrèrent Kitty avec des gestes enthousiastes.

Celle-ci hocha la tête, sans quitter la statuette des yeux. Quelques jours plus tôt, elle était tombée sur les enfants alors qu'ils jouaient au bord d'un ruisseau récemment formé. La terre rouge s'était transformée en pâte à modeler et ils s'en servaient pour façonner des figurines de vaches. Après un instant d'hésitation, elle s'était jointe à eux. Ce n'était pas de l'art, après tout, mais un jeu, une activité manuelle comme on en pratiquait dans les écoles maternelles, pour ces enfants qui n'allaient pas à l'école. Toutes les vaches étaient à peu près identiques – une forme simple, stylisée à l'extrême. Elle n'avait pu s'empêcher de chercher à élargir leur champ artistique. Prenant une grosse boule d'argile, elle l'avait pétrie pour la rendre lisse et malléable et, rapidement, elle avait vu l'image de Gili apparaître sous ses doigts.

« *Peleka nyumbani* », cria le garçonnet par la vitre. (Rapportez-la chez vous.)

Ils lui lancèrent la statuette. L'argile était dure et sèche. Quelqu'un avait dû la placer à côté d'un feu pour la faire cuire ; l'un des côtés était légèrement noirci.

« *Asante* », dit-elle, touchée qu'ils aient pris un tel soin de son œuvre.

La statuette était étonnamment réussie, compte tenu du fait qu'elle n'avait jamais réalisé la moindre esquisse de Gili. Tandis qu'elle la tournait et la retournait dans ses mains, il lui vint à l'esprit qu'elle avait peut-être été influencée par les dessins de Taylor sur les murs de son ancienne cellule. Cette vision avait produit sur elle une forte impression. Elle savait à quoi elle était due : chaque trait composant ces images était le résultat de la profonde connaissance que l'homme avait de son animal, et de l'affection qu'il lui portait.

Elle remercia de nouveau les enfants, puis James repartit en direction de Londoni. Elle sentait sur ses genoux le poids de la statue, légère mais compacte.

« Je ne savais pas que tu étais une artiste, dit Diana.

— Oh, c'était pour m'amuser.

— Tu es douée, insista son amie. Et, visiblement, tu possèdes de solides connaissances. Tu as dû fréquenter une école d'art. »

Kitty la regarda sans répondre. Elle aurait voulu pouvoir lui dire la vérité – d'autant plus que Diana s'était livrée à elle. Mais comment expliquer pourquoi elle devait garder le secret sur ses expériences artistiques ? Finalement, elle se contenta de secouer la tête ; après tout, elle n'avait pas suivi de cours aux beaux-arts ; tout ce qu'elle savait, elle l'avait appris de son professeur particulier. En détournant les yeux vers la vitre, elle sentit sur elle le regard intrigué de Diana. Manifestement, son amie se doutait qu'elle lui cachait quelque chose, mais elle était trop polie pour insister.

James tint à la reconduire jusque chez elle, bien qu'elle lui ait affirmé qu'elle pouvait finir le chemin à pied. Elle resta immobile au bas des marches de la véranda, serrant la statuette contre elle, jusqu'à ce que la Daimler ait disparu.

Puis elle se dirigea droit vers le jardin de derrière et chercha une cachette. Au bout d'un certain temps, elle décida de dissimuler le singe au pied d'un bougainvillier. Les branches entremêlées et recourbées formaient une sorte de grotte naturelle tapissée de fleurs violettes. La couleur vibrante des pétales s'harmonisait parfaitement au caractère espiègle de l'animal. Kitty s'assura que nul ne l'observait avant de se pencher pour glisser la statue sous le feuillage. Puis elle recula et, époussetant la poussière rose sur ses doigts, sourit en regardant le tableau qui s'offrait à elle. Ensuite, elle regagna la maison pour se changer.

Dès qu'elle entra dans le vestibule, elle comprit qu'il se passait quelque chose. Un bouquet de fleurs avait été fourré à la hâte dans un vase et posé sur la console. Un arôme de viande rôtie émanait de la cuisine, ce qui était normal pour un vendredi, sauf que c'était une odeur de bœuf ou d'agneau, et non de poulet.

Elle aperçut Gabriel au fond du couloir, filant d'un pas pressé vers le salon, et elle le suivit. Se pouvait-il que Theo lui ait préparé une surprise ? Peut-être voulait-il se faire pardonner d'avoir été tellement distant et irritable, ou regrettait-il de s'être montré si intraitable lors de leur discussion au sujet du bébé…

« Que se passe-t-il, Gabriel ? »

Le domestique posa le seau à glace qu'il portait et entreprit de vérifier le niveau des bouteilles d'alcool.

« Vous allez avoir de la visite, memsahib. Quelqu'un de très important. Le bwana nous a envoyé un message pour annoncer son arrivée. »

Elle le regarda d'un air perplexe. Theo lui aurait-il

parlé de cette visite et aurait-elle oublié ? Qui cela pouvait-il être ? Jusqu'à présent, elle n'avait jamais reçu les personnages importants arrivant de Londres – c'était à Diana, l'épouse du directeur général, que revenait ce rôle. Mais, comme celle-ci avait été malade récemment, peut-être avait-il été décidé que la maison de Theo, le numéro deux dans la hiérarchie, servirait temporairement de cadre aux dîners officiels ?

« Qui est notre invité ? Comment s'appelle-t-il ? »

Gabriel eut un sourire triomphant, manifestement content d'être en possession d'une information qu'elle ignorait.

« C'est une dame. »

Elle le dévisagea, interloquée. Une dame.

Charlotte.

Un sentiment de désarroi proche de la panique s'empara d'elle. Après avoir longtemps redouté la venue de lady Welmingham, elle avait presque réussi à la chasser de son esprit. Elle ne s'attendait certainement pas à la voir surgir aussi soudainement. Pourquoi n'avait-elle pas été avertie de son arrivée ?

Elle reprit ses esprits et arbora un sourire ravi.

« Quelle joie ! » Puis, inspectant le boy d'un air critique, elle ajouta : « N'oublie pas de changer de tunique. Celle-ci n'a pas l'air très propre.

— Oui, memsahib », répondit-il en inclinant la tête.

La tunique était impeccable, ils le savaient tous les deux, mais là n'était pas la question.

La lumière des bougies faisait jouer des reflets d'or dans la longue chevelure rousse de lady Charlotte. Ses boucles répandues sur ses épaules composaient un contraste saisissant avec le velours vert de sa robe.

Même Kitty était en mesure de se rendre compte que la jeune femme était habillée à la perfection – ses perles et sa robe du soir, dont le côté guindé était compensé par la coiffure dénuée d'apprêt, étaient exactement la tenue appropriée à ce dîner en petit comité.

Elle l'observa tandis qu'elle bavardait à bâtons rompus avec Theo. Charlotte tenait un long porte-cigarette entre ses doigts manucurés et s'interrompait fréquemment pour fumer. Elle n'avait mangé qu'une minuscule portion de chacun des plats, mais avait complimenté le cuisinier. Gabriel l'entourait de mille soins, débordant d'obséquiosité.

« Te souviens-tu de Billy Alston ? demanda Charlotte à Theo. Il avait un an d'avance sur toi et mon frère.

— Comment pourrais-je l'oublier ! grommela Theo.

— Il a été tué pendant la guerre. »

Le visage de Theo se figea sous l'effet du choc, mais quand il reprit la parole, son ton était calme :

« Pauvre vieux Bills. »

Il employait la même voix neutre pour lui annoncer la mort de ses camarades d'escadrille, se rappela Kitty.

« Oui, c'est affreux », soupira Charlotte en secouant la cendre de sa cigarette au-dessus du cendrier.

Kitty songea à lui demander ce qu'elle avait fait pendant la guerre, avec l'espoir de l'entendre répondre qu'elle s'était contentée de rester chez elle à faire de la broderie et à récolter le miel de ses ruches. Mais elle redoutait de la voir expliquer qu'elle avait travaillé nuit et jour comme infirmière bénévole – peut-être même dans le manoir familial temporairement transformé en hôpital militaire. Elle voyait bien lady Charlotte en uniforme immaculé, émerveillant chacun par sa beauté autant que par sa bonté…

Theo et elle semblaient intarissables. Il y avait longtemps que Kitty n'avait pas vu son mari aussi bavard, aussi enjoué. De temps à autre, Charlotte daignait lancer une phrase à son hôtesse, car elle était bien élevée. Mais très vite, elle recommençait à évoquer des gens, des événements et des lieux dont Kitty ignorait tout. Parfois, pour souligner ses paroles, elle effleurait le bras de Theo. Il existait entre eux deux une familiarité évidente – ils semblaient parfaitement à l'aise en compagnie l'un de l'autre, parfaitement contents. Ils avaient la même assurance, le même accent, les mêmes petits tics de langage et tours de phrase. Ils paraissaient faits l'un pour l'autre.

Tout en les regardant, Kitty se demanda si Theo avait prié Charlotte d'éviter toute allusion au scandale entourant sa femme. Charlotte en avait entendu parler à coup sûr, car elle évoluait dans les mêmes cercles que les Hamilton. Elle avait dû lire les journaux, prêter l'oreille aux rumeurs circulant dans les clubs londoniens. Theo avait eu l'occasion de s'entretenir en tête à tête avec elle cet après-midi – de toute évidence, ils avaient déjà passé plusieurs heures ensemble au bureau central. D'un autre côté, il avait peut-être évoqué le sujet bien avant son arrivée, durant leurs conversations téléphoniques. Dans ce cas, Charlotte avait sans nul doute accepté de garder le silence à ce propos durant son séjour au Tanganyika. Elle était après tout, comme l'aurait dit Louisa, « l'une des nôtres ».

Au fil des heures, Theo et Charlotte délaissèrent leurs réminiscences pour parler de la vie à Londoni. Kitty eut enfin la possibilité de participer à la conversation ; elle émit quelques remarques utiles et Charlotte lui répondit chaleureusement. Mais ensuite, on passa à un sujet plus sérieux, à savoir le Plan. Ce soir, au lieu de se borner comme d'habitude à déverser toutes ses angoisses et ses déceptions, Theo fit un effort pour exposer clairement à Charlotte les problèmes auxquels il était confronté, alors qu'il ne l'avait jamais fait une seule fois avec Kitty. Il laissa même à son invitée la possibilité de faire des commentaires et de poser des questions. Cela n'avait rien d'étonnant, se dit Kitty, dans la mesure où Charlotte était venue ici pour travailler avec lui et ses collègues. Néanmoins, elle se sentait blessée d'être ainsi exclue de la discussion.

« Seigneur, est-il déjà si tard ? s'exclama enfin Charlotte. Je dois regagner ma Boîte à chaussures. »

Elle fit une petite grimace pour signifier que le logement était tellement éloigné de ce à quoi elle était habituée que c'en était comique – mais que, néanmoins, elle était disposée à s'en accommoder.

Au moment de lui dire au revoir, Kitty l'appela lady Welmingham ; elle savait, pour l'avoir appris de Theo des années plus tôt, que l'on ne devait pas omettre le titre sans y avoir été invité. Et Charlotte ne l'avait à aucun moment conviée à le faire.

Theo insista pour raccompagner Charlotte jusque chez elle, bien qu'elle eût proposé de se faire reconduire par le chauffeur. En sortant de la pièce, il esquissa le geste de lui placer une main au creux des reins ; dans son autre main, nota Kitty, il tenait l'étole de la jeune femme, faite d'une étoffe arachnéenne couleur de miel doré, choisie sûrement pour s'accorder à sa profession d'apicultrice. La démarche de Charlotte était un peu chancelante ; peut-être était-ce à cause de tout le vin qu'elle avait bu, ou bien des talons hauts et pointus de ses mules dorées. Le mouvement de ses hanches faisait ondoyer le velours chatoyant de sa longue jupe.

Plantée sur la véranda, elle regarda les feux arrière du Land Rover s'éloigner, puis disparaître tout à fait. Elle n'avait pas envie de rentrer à l'intérieur de la maison, où la fumée de cigarette flottait encore dans l'air, ainsi que le parfum musqué et coûteux de Charlotte. Elle descendit les marches de la véranda et contourna le bâtiment. Une chaude lumière se déversait par les fenêtres et lui donnait l'apparence d'un véritable foyer, un lieu où des enfants dormaient dans leurs petits lits, sous des couvre-lits imprimés de trains ou de fées. Kitty scruta le jardin enténébré. Ses pieds l'emmenèrent jusqu'au taillis de bougainvilliers. Elle s'accroupit et contempla la statuette baignée par la lueur qui filtrait à travers l'encadrement de la porte ouverte de la cuisine.

Il était là. Gili. Elle se rappela le plaisir qu'elle avait éprouvé en modelant les contours de son corps, son sentiment de triomphe quand elle avait réussi à capturer dans l'argile toute sa vivacité, sa force animale. Elle s'était sentie vivante – une énergie nouvelle avait semblé jaillir du plus profond d'elle-même.

Elle ne la ressentait plus en ce moment. Elle ne ressentait rien.

En contemplant la statuette, elle se dit que le singe avait la forme d'un jeune enfant, petit et vulnérable. Il n'avait aucun espoir de survivre à la prochaine saison des pluies – l'argile avait été séchée et non cuite dans un four. Même à l'abri de sa tonnelle de fleurs, il n'échapperait pas au déluge. Il s'éroderait petit à petit. Au moment des récoltes, il n'en resterait qu'un petit tas informe, dont toute magie aurait disparu.

14

Il régnait une atmosphère paisible à l'intérieur de l'église ; un rayon de soleil oblique filtrait à travers les hautes fenêtres, et l'on entendait les pigeons roucouler dans le clocher. Le père Remi et Kitty étaient occupés à cirer les bancs pour rendre au bois tout son éclat. De temps en temps, ils découvraient des fientes de poulet séchées – les fidèles apportaient parfois des volailles en offrande, le dimanche. Ou des taches faites par la bouillie tombée des assiettes des prisonniers, quand la saison des pluies les avait obligés à manger à l'intérieur de l'édifice.

Kitty maniait son chiffon à un rythme régulier, d'avant en arrière. Elle jeta un regard au prêtre, qui était en train d'astiquer le banc voisin. Il paraissait détendu, concentré sur sa tâche, à peine conscient de sa présence ; peut-être priait-il ou se récitait-il en lui-même des textes latins.

Elle se tourna vers la Vierge Marie et contempla son visage serein, en souhaitant pouvoir lui ressembler. Sans aucun doute la Sainte Mère était-elle pure et sans tache, de son corps de plâtre jusqu'à son cœur immaculé – alors qu'à l'intérieur d'elle-même s'agitait un bourbier d'émotions obscures, si intenses qu'elle avait du mal à respirer. Au centre de ce cloaque, il y avait la colère et la jalousie ; sur le pourtour, le regret et la déception. Et, surmontant le tout, telle une couronne d'épines, une culpabilité écrasante.

Elle ne savait pas pourquoi ses sentiments s'étaient exacerbés à ce point, dernièrement. Peut-être était-ce dû à la présence constante de Charlotte chez elle ; elle n'était pratiquement plus jamais seule avec Theo. Il y avait seulement deux ou trois semaines que l'Anglaise était arrivée, mais il lui semblait qu'elle était là depuis des mois. Hier soir, quand Theo était allé comme d'habitude reconduire Charlotte à la Boîte à chaussures, elle avait délibérément laissé tomber une des assiettes Royal Doulton de Cynthia sur le sol. Puis elle avait brisé une tasse et une soucoupe et avait ri en regardant les éclats de porcelaine éparpillés à ses pieds. Mais, tandis qu'elle faisait disparaître les preuves de son méfait – en toute hâte, au cas improbable où Theo serait rentré directement –, elle avait éclaté en sanglots. Peut-être était-elle simplement épuisée d'essayer de faire face à tout. Les secrets, les mensonges, les règles. Tout ce qui ne pouvait être dit. Cela durait depuis si longtemps…

Sa main ralentit son mouvement. Elle serra le chiffon entre ses doigts et appuya avec force, mais c'était comme s'il refusait de bouger.

Les lames du parquet crissèrent ; le père Remi s'était subitement redressé.

« Allons cueillir des fruits », lui dit-il.

Elle le regarda d'un air surpris, puis acquiesça. Cela lui ferait du bien de respirer un peu d'air frais, et cette nouvelle occupation la distrairait peut-être de ses pensées.

Elle suivit le prêtre au-dehors. Il se dirigea vers la remise où les paniers étaient entreposés mais, au lieu de s'y arrêter, il poursuivit son chemin. Arrivé devant le banc qui se trouvait sous le poivrier, il s'y assit.

« Ne devions-nous pas cueillir des fruits ? demanda-t-elle.

— Non. »

Il n'ajouta pas un mot de plus et attendit, le regard fixé sur le lointain.

Elle comprit qu'il avait voulu lui ménager un entretien en toute discrétion ; à présent, c'était à elle d'entamer la conversation, si elle le désirait.

Elle sentit les mots s'amasser en elle, innombrables, menaçant de déborder.

« J'ai besoin de me confier à vous, en tant que prêtre. Puis-je le faire ici ? »

D'un large geste du bras, le père Remi balaya le paysage. Les pluies avaient reverdi la brousse entourant les vignes et les potagers ; tout était éclatant de vie.

« Pour moi, il n'y a pas de lieu plus approprié », dit-il.

Elle demeura longtemps silencieuse, se replongeant dans le passé. Cinq années s'étaient écoulées, mais ses souvenirs étaient aussi précis que si cela était arrivé la veille. Les visages, les voix, les odeurs – tout lui revenait avec clarté. Elle inspira profondément, puis commença son récit.

Le soleil matinal brillait à travers les vitres du pavillon de jardin, dessinant sur la table une flaque de lumière dorée. Kitty tripota impatiemment sa serviette, jouant avec la bordure de dentelle, en attendant que

Louisa et l'amiral aient terminé leur petit déjeuner. Quand sa belle-mère se leva enfin, elle l'imita aussitôt.

« Je vais rendre visite à Yuri, déclara-t-elle. Je ne rentrerai sans doute pas déjeuner. »

Elle vit ses beaux-parents réfléchir pour essayer de trouver une tâche à lui confier ; ils semblaient prendre un malin plaisir à la faire travailler quand elle venait les voir, bien qu'ils aient encore plusieurs domestiques à leur service. Sans leur laisser le temps d'ouvrir la bouche, elle leur dit au revoir et se hâta de sortir.

Elle était contente de s'échapper de cette maison. Dans le vaste manoir, la cohabitation avec ses beaux-parents était déjà pénible ; dans ce pavillon minuscule, encombré d'un mobilier trop imposant, elle avait l'impression d'étouffer. Et même s'ils étaient toujours prompts à lui manifester leur mécontentement quand elle restait trop longtemps sans venir les voir, les rares week-ends où il lui était possible d'effectuer le long trajet de Skellingthorpe jusqu'au manoir, ils ne paraissaient pas s'intéresser vraiment à sa vie. Ils ne lui demandaient jamais de leur donner des nouvelles ; ils ne semblaient même pas pressés de savoir comment allait Theo. Ils passaient tout leur temps à se plaindre de l'exiguïté des lieux ou à proclamer leur fierté de participer à l'effort de guerre. Elle avait le plus grand mal à se forcer à sourire et à acquiescer aux moments requis.

Comme elle s'apprêtait à traverser le clos, Mme Ellis, la cuisinière qui travaillait pour les Hamilton depuis des décennies, la héla du seuil de la cuisine.

« Vous allez voir Son Altesse ?

— Comment avez-vous deviné ? » dit-elle en souriant.

Aucune réponse n'était nécessaire ; Mme Ellis savait

qu'elle ne manquait jamais de rendre visite à Yuri quand elle venait ici.

« J'ai quelque chose pour lui. »

Mme Ellis disparut à l'intérieur de la cuisine et en ressortit, un panier à la main. Une riche odeur de beurre flotta jusqu'aux narines de Kitty quand elle le lui tendit. Sur une assiette soigneusement calée au fond trônait un gâteau doré orné de cerises et saupoudré de sucre glace.

« Il sera ravi par cette attention », déclara Kitty.

Le visage de la cuisinière s'illumina. Préparer des pâtisseries pour « notre prince » lui apparaissait comme un privilège, à l'époque où il vivait dans le pavillon ; maintenant qu'il avait déménagé vers le village, elle aimait lui envoyer des friandises chaque fois qu'elle le pouvait. Elle se débrouillait d'une façon ou d'une autre pour prélever les ingrédients nécessaires sur les rations allouées aux Hamilton.

Après avoir salué la cuisinière, Kitty se fraya un chemin entre les carrés de légumes pour se diriger vers l'arrière de la propriété. Elle préférait éviter le manoir envahi par les soldats. L'édifice avait une allure encore plus intimidante avec les camions militaires et les Jeep garés dans l'allée.

Elle marcha d'un pas vif, le panier se balançant au bout de son bras. Le trajet lui parut cependant long. Mais quand le cottage de Yuri apparut enfin à sa vue, elle frémit de joie à l'idée de passer quelques heures en compagnie de son vieil ami.

Elle frappa à la porte dont le rouge vif était si semblable à celui des boîtes à lettres qu'il aurait pu avoir été appliqué par les employés des services postaux. Yuri mit un certain temps à répondre. Elle l'imagina posant son pinceau avec un soupir de contrariété. Il n'attendait sans doute personne et détestait être interrompu dans son travail.

Quand il ouvrit la porte d'un geste brusque, il arborait une expression hostile. Il venait visiblement d'enfiler une chemise et finissait d'en rentrer le bas à l'intérieur de son pantalon.

« Kitty ! »

Ce fut tout juste si elle eut le temps de poser son panier avant qu'il la prenne dans ses bras.

Ils s'étreignirent pendant un long moment sans rien dire. Elle appuya sa tête sur l'épaule du vieil homme. Il y avait quelque chose d'infiniment tendre dans la façon dont il l'enlaçait. Cela n'avait rien à voir avec les gestes d'un amant, mais ressemblait plutôt, imaginait-elle, à l'étreinte d'un père affectueux. (Pas du sien, dont la plus grande marque de tendresse consistait à lui ébouriffer les cheveux.)

« Entre, entre », l'invita Yuri, qui la précéda en dansant presque de joie.

Il ôta sa chemise et resta torse nu dans son vieux pantalon, à la ceinture duquel était accroché son éternel chiffon taché de térébenthine et de pigments.

« J'espère que je n'ai pas mis de peinture sur ta robe, reprit-il en se retournant. Non, j'espère en avoir mis, au contraire, ajouta-t-il avec un sourire. Tu as l'air bien trop chic. Tu ressembles à ta belle-mère.

— Pas du tout ! » protesta-t-elle.

Elle s'était habillée avec soin en vue de cette visite, choisissant dans sa garde-robe une robe en coton imprimée de petites fleurs. Dans ce vêtement estival et léger, elle se sentait fraîche et décontractée.

« Je plaisantais. Tu es ravissante, comme toujours. »

Ils retrouvèrent bien vite leur ancienne familiarité. C'était comme s'ils vivaient de nouveau ensemble, comme s'ils formaient de nouveau une minuscule famille de deux personnes. Elle n'était toujours pas habituée à le voir dans ce décor différent – c'était seulement sa troisième visite. Dans la pièce qui lui servait d'atelier, il avait recouvert de bâches le sol et les meubles. Cela conférait au lieu un aspect onirique, hors du temps.

Sur le chevalet était posée une toile visiblement décapée – une peinture ratée, qui allait entamer une deuxième existence. Elle se demanda quel en serait le sujet. Une toile vierge représentait toujours une nouvelle aventure, songea-t-elle avec une pointe d'envie. Dans son appartement de Skellingthorpe, elle faisait parfois des esquisses, mais c'était tout. Le logis était trop petit pour qu'elle y aménage un atelier, et son travail de bénévole lui laissait peu de loisirs. Et surtout, la peinture lui apparaissait comme une occupation bien frivole, alors qu'elle vivait parmi des pilotes qui risquaient quotidiennement leur vie.

Partout dans le pays, un grand nombre d'écoles d'art avaient fermé. La Slade avait été bombardée, ses magnifiques vieux bâtiments, détruits, ses statues majestueuses, réduites en poussière – elle avait vu dans le *Times* une photo des ruines. Beaucoup d'artistes, comme elle, participaient à l'effort de guerre. Mais d'autres, à l'instar de Yuri, s'obstinaient à travailler. Il y avait toujours des expositions, des revues d'art. Des gens continuaient à acheter et à vendre des œuvres. C'était l'une des étrangetés de la vie en temps de guerre. Picasso se terrait à Paris, sous occupation allemande, mais il n'avait pas cessé de peindre, traduisant dans ses tableaux l'horreur de la guerre. Yuri trouvait cela admirable, mais préférait quant à lui traiter d'autres sujets. La seule bataille qui l'intéressait, c'était celle qu'il menait pour reproduire sur la toile la forme humaine dans toute sa vérité. À cause de ce qu'il avait vécu durant la révolution russe, la Terreur rouge, sans doute préférait-il nier la réalité de cette guerre, se disait-elle. Il ne se sentait plus la force d'y faire face.

« As-tu faim ? » lui demanda-t-il.

Ils éclatèrent tous deux de rire. Lorsqu'elle résidait chez les Hamilton, elle était affamée en permanence. À la table de Louisa, elle s'efforçait toujours de manger en quantités minuscules, comme il seyait à une dame. Et les efforts qu'elle devait faire pour tenir ses couverts correctement, prendre les ustensiles dans le bon ordre et les manier selon les règles – incliner l'assiette de soupe du côté opposé à elle, et non vers elle – lui gâchaient tout le plaisir qu'elle aurait pu prendre aux mets.

« Faisons un pique-nique dans le jardin », proposa Yuri, en se dirigeant vers la cuisine.

Quand il ouvrit le réfrigérateur, elle reconnut certaines des spécialités de son ancienne gouvernante : des chaussons à la viande et aux légumes (la viande coupée en petits morceaux, et non hachée), des harengs épicés en gelée. Comme Mme Ellis, la brave femme lui était demeurée fidèle.

« On ne trouve plus de bon fromage », grommela Yuri.

Il coinça une bouteille de vin rouge entre ses genoux et les muscles de ses bras se contractèrent tandis qu'il essayait de venir à bout du bouchon récalcitrant. Elle remarqua à quel point il paraissait encore robuste et en pleine forme. Il avait une soixantaine d'années, mais beaucoup des collègues de Theo, à la base aérienne, avaient l'air beaucoup plus vieux et en mauvaise santé, au même âge.

« Je commence à être également à court de vin », ajouta-t-il.

Mais il ne paraissait pas s'en inquiéter outre mesure. Il fredonnait tout en empilant la nourriture sur un plateau taché de peinture.

Avant d'étendre la couverture sur la pelouse qui n'avait pas été tondue depuis longtemps, ils durent aplanir l'herbe en la foulant avec leurs pieds nus. Puis ils disposèrent les victuailles, en s'en délectant à l'avance. Le gâteau de Mme Ellis fut placé au centre, entouré des chaussons, des harengs et d'une salade. Ils mangèrent en silence. Ils n'éprouvaient pas le besoin d'échanger des informations sur leur vie quotidienne. Le monde extérieur, celui de la guerre, leur paraissait loin et sans importance.

Quand ils eurent terminé leur repas, ils emportèrent leurs verres à l'intérieur de la maison, où ils les remplirent à nouveau de vin capiteux. Dans l'atelier, l'humeur de Yuri s'assombrit d'un coup. Il lui expliqua qu'il n'arrivait plus à se procurer de toiles ni de couleurs, même au marché noir. Si la guerre ne prenait pas fin bientôt, il serait obligé de peindre sur de vieux bouts de planche avec de la peinture pour bâtiment. Puis il parla de la purge opérée par les nazis dans les musées allemands. Hitler détestait l'art moderne ; il pensait que les modernistes étaient incapables de voir les couleurs et les formes telles qu'elles étaient réellement, et que c'était la preuve qu'ils appartenaient à une engeance décadente. Évidemment, le Führer était un peintre raté, qui avait été rejeté par l'Académie des beaux-arts de Vienne… Elle l'écouta, quelque peu déconcertée – il lui avait déjà raconté tout cela et ce n'était pourtant pas quelqu'un qui aimait à se répéter. Il avait pris une expression lointaine, comme si son esprit était ailleurs.

Soudain, il s'interrompit.

« Kitty, je veux te montrer quelque chose. »

Des émotions antagonistes jouèrent sur son visage : l'enthousiasme et le plaisir, accompagnés par la douleur. Il disparut brièvement, revint avec un sac en cuir qu'il serrait contre son corps comme un objet précieux. S'asseyant sur un vieux canapé, il lui fit signe de le rejoindre. Puis il déposa le sac à ses pieds et l'ouvrit.

« Ce sont ses affaires. On me les a envoyées, il y a tout juste une semaine. Après toutes ces années… »

L'estomac de Kitty se noua. Elle savait à qui ces objets avaient appartenu.

« C'est le sac de Katya ?

— Oui. Celui qu'elle avait au moment de sa mort. » Un spasme contracta le visage de Yuri, puis il retrouva une expression plus calme. « Quelqu'un qui se trouvait à bord du train a dû le garder pendant tout ce temps. Puis il est passé dans d'autres mains – je ne connais pas l'histoire dans tous ses détails. Il existe une communauté d'immigrés russes à Paris et à Londres. Nous nous connaissons tous. Quelqu'un a établi le lien entre le sac et moi et l'a envoyé à mon courtier. »

Plongeant la main à l'intérieur du bagage, il sortit un petit objet en argent de la taille d'un étui à cigarettes. Il appuya sur le loquet et le médaillon s'ouvrit, révélant deux photos, une dans chaque moitié.

Elle contempla en silence le portrait qui aurait pu être le sien – les mêmes yeux, les mêmes cheveux, la même bouche. Mais Katya était élégante. Sophistiquée. Sa chevelure opulente était amassée au sommet de son crâne, mettant en valeur un diadème incrusté de diamants. Ses longs pendants d'oreilles encadraient son cou long et gracieux. Elle avait l'air d'une princesse, ce qu'elle était, bien sûr…

Il fallut à Kitty un certain temps pour reporter son attention sur l'autre photo. Un jeune homme la regardait, les yeux clairs, un petit sourire aux lèvres. Yuri faisait semblant d'être sérieux face à l'objectif, mais c'était manifestement un farceur, quelqu'un qui riait beaucoup.

« Vous formiez un beau couple. Vous avez l'air si heureux, tous les deux… »

Il lui montra ensuite un petit objet rond couleur d'ambre. Un poudrier en écaille de tortue. Il le caressa tendrement, suivant du doigt le tracé des initiales d'or gravées en relief sur le couvercle.

« Je le lui avais rapporté d'un voyage à Paris. Je l'avais fait graver à ses initiales. Il y en a trois – une femme russe porte le nom de son père en même temps que celui de son mari. »

Il le lui tendit afin qu'elle l'examine. Les lettres sur l'écaille translucide projetaient leur ombre sur le disque de poudre compacte.

« Je lui ai offert de nombreux cadeaux. Essentiellement des bijoux en provenance de la collection familiale, d'une très grande valeur. Inestimable, en fait. Mais ceci… je l'avais choisi spécialement pour elle. Elle y tenait énormément. C'est pour toi, ajouta-t-il. Je crois qu'elle serait contente de le savoir entre tes mains. »

Les larmes aux yeux, Kitty prononça doucement :

« Merci. Je le conserverai précieusement. »

Elle tourna le poudrier entre ses doigts, admirant les motifs orange et brun de l'écaille. Puis elle l'ouvrit, et, dans le miroir, elle aperçut le reflet d'une partie de son visage : un œil, l'arête de son nez. En déplaçant le poudrier et en assemblant les fragments, elle obtiendrait une image complète. C'était étrange de penser que les visages de deux femmes – à des décennies d'écart, à des mondes de distance – s'y étaient reflétés pareillement. Katya, l'original. Kitty, sa copie.

Yuri sortit des vêtements du sac de voyage. Du linge délicat orné de dentelle. Des gants, une écharpe. Une chemise de nuit en soie blanche. Des bas. Il les fit glisser entre ses doigts, en murmurant :

« Il manque des choses. Elle devait avoir emporté beaucoup plus… »

Il se figea un instant, puis serra les poings comme s'il voulait broyer les vêtements, les lèvres tordues dans une grimace douloureuse.

Kitty se sentait jeune et inexpérimentée – sa vie n'était qu'une page blanche, comparée à celle du peintre. Mais elle tendit une main pour la poser sur la sienne, et l'étreignit avec force, jusqu'à ce qu'il desserre les doigts.

« Yuri, dit-elle – et elle le vit tressaillir, comme si sa voix l'avait brusquement ramené au présent –, raconte-moi. Qu'est-il arrivé à Katya ? »

Elle avait conscience de ce qu'elle lui demandait : pour lui répondre, il devrait plonger dans le gouffre noir qu'il contournait soigneusement depuis qu'elle le connaissait. Certes, il lui arrivait parfois d'évoquer Katya – son plat préféré, un morceau de musique qu'elle affectionnait. Il y avait eu aussi ces costumes exotiques qu'il lui avait demandé de revêtir pour les portraits. Elle avait deviné qu'ils avaient appartenu à son épouse, sans oser lui poser la question. Le sort de

Katya avait toujours été entouré d'un grand mystère, d'un silence opaque.

Yuri posa ses mains sur la chemise de nuit. Même si elles étaient tachées de peinture, leur peau desséchée à force d'être nettoyée à la térébenthine, Kitty les imagina telles qu'elles avaient dû être autrefois, lissant cette étoffe soyeuse sur le corps de sa bien-aimée.

« Nous étions des artistes, tous les deux », commença-t-il d'une voix basse mais ferme. Ses yeux semblaient perdus au loin, comme si leur bleu limpide reflétait le ciel d'un pays étranger. « Nous n'attachions aucune importance à la richesse ni aux titres, mais nous étions de naissance noble. Nos familles possédaient des domaines à la campagne, des palais à Saint-Pétersbourg. Nous étions tous deux apparentés à la famille impériale, par des lignées différentes. Mais nous vivions de manière beaucoup plus simple que nos amis et nos parents. Nous passions notre temps en compagnie d'autres artistes. Nous peignions, dessinions, visitions des expositions. Tout était… merveilleux. »

Yuri parlait un excellent anglais, après avoir vécu si longtemps dans le pays, et pourtant, à mesure qu'il parlait, son accent russe devenait plus prononcé.

« Bien sûr, nous avions décelé les signes avant-coureurs de la révolution qui se préparait. Katya et moi, nous étions favorables au changement. Le comte Tolstoï était un ami de la famille ; nous admirions ses romans, ses idées sur la société. » Il s'interrompit, secoua la tête. « Mais jamais nous n'aurions imaginé ce qui est arrivé par la suite. Nous n'avons pas vu le danger. Puis nous avons appris que le tsar avait été tué avec toute sa famille – le petit Alexis et les quatre filles. Nous les connaissions ; nous jouions avec eux quand nous étions enfants, pendant les vacances dans les palais d'été. Dans toute la Russie, les bolcheviques massacraient ceux qu'ils appelaient des contre-révolutionnaires. Les aristocrates étaient les ennemis du peuple. » Il s'interrompit un instant avant de reprendre : « Je t'ai déjà parlé de tout ça, de la Terreur rouge. »

Elle hocha la tête. Elle avait l'impression d'en avoir, grâce à lui, appris davantage sur l'histoire mondiale, ancienne et récente, que durant toutes ses études à l'école de Wattle Creek.

« Mon atelier fut brûlé par les troupes révolutionnaires, poursuivit-il. Il avait été décrété que la peinture était une occupation décadente. Je perdis tous les tableaux que j'avais peints. Tous mes portraits de Katya.

— Tu la peignais. »

C'était un constat, pas une question – bien sûr qu'il l'avait peinte. Kitty éprouva un petit pincement de jalousie en voyant briller dans les yeux de Yuri la flamme de l'amour qu'il portait à son épouse.

« C'est ainsi que j'ai appris à connaître le corps d'une femme – en peignant ma Katya et en faisant l'amour avec elle. Aujourd'hui, quand je peins un corps, ce n'est pour moi rien de plus qu'une présence physique. Chacun d'eux représente un nouveau défi, une conquête de la couleur et de la forme, une bataille à remporter. Avec Katya, c'était différent. J'essayais de voir au-delà de la chair et des os, de voir jusqu'à l'âme. » Avec un petit sourire, il ajouta : « Mes tableaux étaient très mauvais. J'étais jeune. Je n'étais pas encore en pleine possession de mon art.

« Nous décidâmes de fuir la Russie. Beaucoup de nos amis vivaient déjà à Paris. Et nous avions une raison supplémentaire de vouloir nous réfugier dans un pays plus sûr. » Sa voix prit une inflexion chaleureuse. « Katya était enceinte de trois mois. Nous étions fous de joie.

« Nous résolûmes de voyager séparément, pour moins attirer l'attention. Je pris le train avec une seule valise. Elle était beaucoup plus lourde qu'elle ne le paraissait. Je la portais moi-même, car il n'était pas question de la confier à un porteur. Parmi mes vêtements et mes souliers, il y avait des biens de famille, diamants, statuettes en or, des objets précieux que nous pourrions revendre. Tous les Russes blancs faisaient de même quand ils partaient en exil. Nous ne pensions pas revenir un jour dans notre pays. En plus de ma valise, j'emportai mon matériel de peinture – un chevalet, mes couleurs. Je prétendis que je me rendais à Paris pour participer à une exposition.

« Tout se passa bien. Arrivé à Paris, j'attendis Katya. Selon notre plan, elle devait prendre le train à destination de la Crimée, pour rejoindre l'impératrice douairière Marie dans son palais d'été à Yalta. D'autres membres de la famille s'y trouvaient déjà. Ils devaient ensuite partir pour l'Angleterre à bord d'un navire affrété par le roi, qui avait promis de secourir Marie. C'était la sœur de sa femme ; autrement, je ne crois pas qu'il se serait intéressé à son sort.

« J'appris que le *Malborough* était arrivé à Yalta et avait embarqué à son bord tous les membres de la famille impériale qui s'y étaient réfugiés, ainsi que de nombreux autres Russes blancs fuyant les bolcheviques. J'étais profondément soulagé de savoir que Katya était en sécurité. Mais, lorsque le navire arriva à la première escale et que les passagers débarquèrent, je ne reçus aucune nouvelle d'elle. J'envoyai des câbles, je cherchai à obtenir des informations. Toujours sans résultat. Je me dis qu'elle devait avoir embarqué sur un autre bateau à destination de l'Angleterre. Je continuai à l'attendre à Paris, en espérant recevoir des nouvelles. C'était... terrible. Je me sentais complètement impuissant.

« Finalement, j'appris que l'impératrice douairière était attendue à Portsmouth. Je me rendis en Angleterre pour assister à l'arrivée du navire. La reine d'Angleterre était venue accueillir sa sœur. Beaucoup de Russes blancs étaient également présents, attendant avec impatience de retrouver des amis ou des parents. Il s'écoula des heures avant que le navire arrive à quai et que tous les passagers aient débarqué. Il y avait des animaux à bord, des animaux de compagnie. Cela me surprit. »

Kitty comprit que Yuri ralentissait délibérément le cours de son récit en y ajoutant des détails superflus, parce que la suite devait être redoutable à raconter.

« On voyait que c'étaient des réfugiés. Ils essayaient d'être dignes, mais ils n'avaient presque pas de bagages. Et le peu qu'ils avaient était très lourd, comme ma valise. Eux aussi, ils refusaient l'aide des porteurs. J'attendis au pied de la passerelle. Je restai là jusqu'à ce que le dernier passager soit descendu. J'étais comme pétrifié. J'avais le sentiment que, si je restais là, elle finirait peut-être par apparaître, mais que, si je m'éloignais, tout serait fini.

« Puis je sentis quelqu'un me tirer par la manche. Mon cœur fit un bond dans ma poitrine, et je me retournai. Mais ce n'était pas Katya qui se tenait devant moi. C'était une inconnue.

« "Prince Yurievitch ? Je suis Alexandra Baronova.

« — Je cherche ma femme, dis-je en la saisissant par le bras. Savez-vous où elle est ?"

« Elle me dévisagea sans répondre. J'avais envie de la prendre par les épaules et de la secouer jusqu'à ce qu'elle parle. Finalement, elle hocha la tête. Des larmes coulèrent sur ses joues. Tout mon corps se glaça, et je me mis à trembler.

« Quelqu'un l'appela, et elle lui fit signe de s'éloigner. Elle sanglotait à présent.

« "Je n'ose pas vous le dire."

« Je m'agrippai à la rambarde de la passerelle. Elle prit une profonde inspiration, rassembla son courage. Quand elle parla, elle fixa un point derrière moi. Elle ne se sentait pas capable de me regarder en face.

« Katya et elle se trouvaient dans le même train à destination de la Crimée. Elle ne la connaissait pas personnellement, mais elle l'avait reconnue, tout comme elle m'avait reconnu tout à l'heure. Tout le monde nous connaissait – on nous voyait partout, au ballet, au théâtre, dans les salons. Alexandra Baronova avait voyagé dans le même compartiment que ma femme. Toutes deux avaient revêtu leurs robes les plus simples et les plus usagées, comme toutes les autres réfugiées à bord de ce train. Elles ne voulaient pas qu'on les identifie comme des membres de la classe vaincue – une autre des expressions qu'employaient les bolcheviques pour nous désigner. Les voitures étaient bondées de soldats de l'Armée rouge ; l'un d'eux reconnut Katya. Il avait vécu sur les terres de sa famille en Sibérie. Au début, elle essaya de nier. Mais l'homme déclara qu'il avait travaillé pour son père, qu'il avait été affamé et battu par ce tyran, ce qui était faux.

« Ses camarades et lui la harcelèrent pendant un certain temps, me raconta Alexandra Baronova. Ils la touchèrent sur tout le corps, la bousculèrent. Les autres voyageurs avaient trop peur pour intervenir. C'étaient soit des bolcheviques, soit des gens qui faisaient semblant de l'être pour rester en vie. On ne pouvait pas les en blâmer.

« Puis le train s'arrêta au beau milieu d'une forêt. C'était l'hiver, le sol était couvert de neige. Les soldats obligèrent Katya à descendre du train. Alexandra Baronova était derrière la fenêtre, elle voyait et entendait tout. »

La voix de Yuri s'enroua de chagrin, mais il poursuivit :

« Ils lui demandèrent de leur donner ses bijoux. Le bruit courait que, lorsque la famille impériale avait été exécutée, les princesses n'étaient pas mortes sous les premières balles ; les couches de diamants et d'or cousues à l'intérieur de leurs vêtements les avaient protégées. Katya répondit qu'elle n'avait aucun diamant sur elle. C'était vrai. Nous pensions qu'elle courrait moins de danger si elle n'emportait aucun bijou. »

Yuri se couvrit les yeux de la main, comme pour occulter l'horreur de son récit.

« Les soldats commencèrent à la pousser avec la pointe de leurs baïonnettes, déchirant sa jupe, son corsage, jusqu'à ce qu'ils l'aient dépouillée de ses vêtements. Puis ils cherchèrent des diamants dans la neige. Katya se tenait devant eux, à demi nue. Elle se montra forte et courageuse ; elle ne tenta pas de s'enfuir, n'implora pas leur pitié. Les soldats étaient furieux de n'avoir trouvé aucun diamant. Ils durent se contenter de son alliance.

« Ils lacérèrent ses derniers vêtements. Il ne lui resta plus que ses bottes. Je me les rappelle. Noires, avec des boutons sur le côté. Elles avaient été faites sur mesure par un bottier de Moscou. »

Le débit de Yuri se ralentit encore. Il semblait s'arracher chaque mot du cœur.

« Le soldat qui la connaissait depuis son enfance lui transperça le ventre avec sa baïonnette. Ensuite, il lui porta un coup dans le cœur. Elle s'effondra sur la neige, en sang. Elle a dû mourir presque instantanément. Elle n'a sans doute pas eu le temps de songer à notre bébé dont la vie s'interrompait ainsi ni d'avoir une dernière pensée pour moi… »

Yuri se tut et baissa la tête. Une horloge tinta quelque part à l'intérieur du cottage. Dehors, un chat miaula.

Kitty était muette d'horreur. Toutes les paroles de réconfort auraient été vaines. Elle avait l'impression qu'ils auraient pu rester ainsi, immobiles et muets, pendant des heures. Aussi fut-elle surprise lorsque la voix de Yuri s'éleva de nouveau.

« Je ne supportais pas l'idée de rentrer à Paris, si ce n'est pour y récupérer mes quelques possessions. Nous y avions passé des moments si heureux ensemble, et il y avait là-bas tellement d'artistes et d'émigrés que nous avions connus tous deux… Je me suis installé en Angleterre. Je savais que Katya aurait souhaité que je me remarie, que j'aie des enfants, que je sois heureux… Mais j'ai décidé de me consacrer entièrement à mon art. Je n'ai rien fait d'autre depuis ce jour. Il y a maintenant vingt-quatre ans et trois mois de cela. J'ai appris beaucoup de choses. Je crois qu'elle serait fière de moi. »

Une courte pause, le temps d'un battement de cœur – puis il reprit :

« Mon seul désir… serait de la peindre une dernière fois, avec le savoir-faire qui est aujourd'hui le mien. »

Sa voix était à peine audible, comme s'il chuchotait pour lui-même.

« Peins-la, murmura Kitty dans un souffle. Peins-moi. »

Elle alla jusqu'à la vieille méridienne où elle s'était allongée tant de fois, drapée dans les costumes exotiques de Katya, ou dans sa tenue de tous les jours. Déboutonnant sa robe, elle la fit glisser d'un mouvement d'épaules. Le vêtement tomba sur le sol avec un bruissement qui ressemblait à un soupir. À cet instant, en regardant Yuri, elle devina la vision qui lui traversait l'esprit : celle d'une jupe tombant sur la neige.

Elle ôta sa combinaison, dégrafa son soutien-gorge, retira sa culotte. Elle ne portait rien d'autre, par ce temps estival. Elle était nue.

Le soleil se déversant par la fenêtre teintait sa peau d'or. Sa chevelure lui recouvrait les épaules telle une cape brune.

« Comment dois-je m'étendre ? » demanda-t-elle.

Yuri la contemplait fixement. Sur son visage, elle lut un désir aussi ardent qu'une flamme sous l'effet de l'oxygène. Elle attendit qu'il s'approche d'elle et la dispose dans l'attitude voulue. Mais il secoua la tête.

« Non. Reste debout. »

Se dirigeant vers le chevalet, il envoya voltiger la toile décapée et, à la place, installa une planche à dessin sur laquelle des liasses de papier étaient attachées au moyen de pinces. Il prit un crayon, en tâta la mine avec son pouce, sans quitter des yeux celle qui se tenait devant lui.

« Regarde-moi bien en face. »

Il dessinait vite, couvrant une feuille après l'autre, tel un possédé – comme si le temps était trop court, la tâche immense et d'une importance incommensurable. Les muscles de ses bras, de ses épaules, de sa poitrine tressaillaient et se contractaient tour à tour. C'étaient de simples esquisses, Kitty le savait. Il passerait au tableau plus tard, quand elle serait partie ; c'était un travail long et solitaire. Et elle ne pouvait plus s'offrir le luxe de passer des journées entières à poser pour lui.

Le son du crayon crissant sur le papier emplissait l'air. Chaque fois que Yuri levait les yeux de son dessin, il plantait son regard droit dans celui de Kitty – un regard aussi brûlant que les rayons du soleil sur sa peau. Et elle y perçut également quelque chose de plus perçant, de plus inquisiteur. Il ne livrait pas seulement un combat pour capturer la couleur et la forme. Elle ne formait plus qu'un avec Katya et il cherchait à pénétrer son âme.

Des larmes commencèrent à couler sur les joues du vieil homme. Il les essuya d'un revers de main, laissant sur sa peau des traînées grises. Elles continuèrent à ruisseler ; il continua à dessiner. Kitty se tenait la tête bien droite, le menton haut levé, les bras légèrement écartés, dans l'ébauche d'un geste qui ne serait jamais accompli. Elle ne faiblit pas un seul instant, même si ses propres yeux étaient brouillés de larmes.

Pour demeurer immobile, elle devait se concentrer sur la pose, s'oublier elle-même. Elle perdit toute notion du temps ; peut-être cela dura-t-il une heure, peut-être beaucoup plus.

Finalement, Yuri reposa son crayon. Ensuite, comme si son corps s'était vidé de toute son énergie, il tomba à genoux, enfouit son visage entre ses mains. Elle courut vers lui. En cet instant, elle n'était plus son modèle, elle n'était plus sa femme défunte. Elle était simplement Kitty.

Elle attira la tête du peintre contre ses seins, entoura de ses bras ses épaules nues, peau contre peau, sueur et larmes se mêlant. Elle voulait lui faire sentir combien elle l'aimait, combien elle lui était reconnaissante de tout ce qu'elle lui devait, en tant que jeune fille sans foyer, en tant qu'artiste, en tant qu'amie.

Elle le serra contre elle pendant qu'il sanglotait. Maintenant, c'était lui l'enfant, et c'était elle qui le réconfortait. Sa douleur s'apaisa peu à peu, ses larmes firent place à un profond silence. Finalement, il s'écarta d'elle. Quelque chose en lui avait changé. Il lui rappelait quelqu'un, sans qu'elle puisse préciser de qui il s'agissait. Et soudain, elle se souvint de la photo dans le médaillon d'argent. Il avait l'air plus jeune, libéré de son fardeau. Comme si, à partir de ce jour, il lui redeviendrait plus facile de rire.

Durant les quatre mois suivants, Kitty ne put s'absenter de Skellingthorpe. Theo semblait avoir épuisé presque toutes ses réserves de courage et d'endurance. Il était aussi irritable et agressif qu'un enfant qui aurait veillé trop tard. Son visage était hagard. Quand il réussissait à obtenir une permission, il exigeait de passer chaque seconde près d'elle. Et même quand il n'était pas là, il tenait à ce qu'elle reste à proximité de la base.

Elle pensait souvent à Yuri ; elle aurait aimé le revoir, après les moments si intenses qu'ils avaient vécus la dernière fois. Elle lui envoya deux lettres et une carte postale représentant un paysage du pays de Galles, avec un ciel incroyable qui semblait avoir été peint et non photographié. Elle ne s'inquiéta pas de ne recevoir aucune réponse ; Yuri écrivait rarement, préférant utiliser son temps à peindre. Quand sa propriétaire, un matin, vint lui dire qu'on la demandait au téléphone, elle pensa d'abord à Theo, puis à ses parents. Mais l'homme au bout du fil était un certain Me Underwood, notaire. Après qu'elle lui eut confirmé son identité, il lui apprit la nouvelle sans ménagement.

« J'ai le regret de vous informer que le prince Yurievitch est mort. Il s'est suicidé. »

Une chape de glace s'abattit sur elle. Elle serra le combiné avec force entre ses doigts gourds. Underwood lui laissa le temps de se remettre, puis il reprit ses explications. Cela s'était passé la semaine précédente. Le prince avait déjà été inhumé, sans cérémonie, dans le cimetière municipal, conformément à ses dernières volontés. Il avait expressément demandé que son amie Kitty Hamilton ne soit prévenue qu'après l'enterrement. Toutes ses instructions se trouvaient dans la lettre reçue par Me Underwood, postée par le prince le soir du dernier jour de sa vie.

En entendant cela, elle en eut la respiration coupée. À travers la torpeur provoquée par le choc et l'incrédulité, elle sentit la colère monter en elle. Elle comprenait que Yuri n'ait pas voulu d'une cérémonie funèbre où l'on aurait inévitablement parlé de toutes ces choses auxquelles il ne croyait pas. Mais elle aurait quand même pu assister à son enterrement… N'avait-elle pas gagné le droit le lui faire ses adieux ?

Les souvenirs affluèrent en elle, déclenchant une douleur si vive qu'elle crut défaillir. Leur dernière rencontre avait été merveilleuse, tellement riche en émotions… Savait-il déjà, quand il l'avait raccompagnée jusqu'à la porte de son jardin et qu'il l'avait embrassée, qu'ils ne se reverraient jamais ? Alors qu'ils s'étaient enfin mis à nu l'un devant l'autre, dévoilés corps et âme comme jamais ils ne l'avaient fait jusque-là ?

Me Underwood lui proposa de le rencontrer au cottage dès que possible. Il y avait certaines formalités à régler qui requéraient sa présence. En attendant, il lui demandait d'observer la plus grande discrétion. Son client avait renvoyé sa gouvernante plusieurs semaines avant sa mort et la police avait accepté de ne pas ébruiter l'affaire. Fort heureusement, le cottage était isolé. À la connaissance du notaire, personne au village ne savait ce qui s'était passé.

« J'aimerais qu'il en demeure ainsi jusqu'à notre réunion », insista Underwood.

Kitty s'entendit acquiescer, même si elle avait du mal à comprendre ce qu'il voulait dire. Quelques secondes plus tard, lui sembla-t-il, la date du rendez-vous avait été fixée. Ils se verraient dès le lendemain. Puis Me Underwood lui exprima ses condoléances, la pria de l'excuser d'une telle précipitation. Et il raccrocha.

Ignorant le regard curieux de sa propriétaire, elle regagna son appartement. Trébuchant contre les meubles, aveuglée par les larmes, elle s'effondra sur le lit. Theo était à la base, se préparant à partir en mission. Elle songea à lui téléphoner, mais cela aurait risqué de le déconcentrer. Elle resta donc étendue sur son lit, immobile, comme assommée.

À mesure que la réalité de cette mort s'imposait à elle, les questions se bousculèrent dans son esprit. L'une d'elles revenait sans cesse : pourquoi maintenant ? Après tout ce à quoi il avait survécu ? Elle n'était pas étonnée qu'il ait mis fin à sa vie de cette manière – c'était bien dans son caractère de décider lui-même quand devait s'arrêter son voyage. Mais après lui avoir confié l'histoire de Katya, l'autre jour, il y avait seulement quelques mois de ça, il avait paru tellement soulagé, pareil à un prisonnier qui aurait retrouvé la liberté…

Elle se tourna sur le côté, se recroquevilla sur elle-même. Elle aurait voulu se faire toute petite. Trop petite pour être vue. Trop petite pour souffrir autant.

Le lendemain, elle laissa un mot à Theo, pour le cas où le raid aérien aurait été annulé et où il serait rentré en son absence. Elle prit le train, puis le bus, et arriva enfin au village proche de Hamilton Hall. Traversant la petite place avec son antique pompe à eau et son abreuvoir pour les chevaux, elle se dirigea droit vers le cottage où avait vécu Yuri. Elle redoutait, si elle hésitait, si elle s'attardait en chemin, de ne plus avoir la force d'affronter cette épreuve.

Me Underwood n'était pas encore là. Elle pénétra dans le jardin et, machinalement, alla s'asseoir sur le banc pour l'attendre. Elle contempla les fenêtres aux stores baissés, les vitres poussiéreuses. Puis elle porta son regard vers le jardin de derrière, où Yuri et elle avaient fait leur dernier pique-nique. Il était difficile à présent de l'imaginer tel qu'il avait été ce jour-là, en plein été – l'air vibrant de chaleur, les fleurs épanouies.

Maintenant, l'hiver avait succédé à l'automne. Les arbres étaient dénudés, le sol noir et humide, jonché de feuilles pourrissantes. Le soleil était haut dans le ciel, mais il subsistait encore des traces de givre dans l'ombre, sous les buissons d'hortensias. À travers son manteau, elle sentait s'insinuer le froid et l'humidité imprégnant le banc de bois. Elle regarda sa montre. Me Underwood n'avait que quelques minutes de retard, pourtant elle avait l'impression d'attendre depuis une éternité. Elle avait hâte qu'il arrive – et peur en même temps de devoir entrer dans le cottage vide. Elle jeta un coup d'œil en direction de la porte rouge munie d'une fente pour le courrier. Il lui était difficile de croire que, si elle frappait, Yuri ne viendrait pas lui ouvrir la porte.

Yuri n'était plus là. Il ne serait plus jamais là.

La pensée tournoya dans sa tête sans pouvoir s'y fixer. Le choc et la douleur étaient encore trop récents.

La porte du jardin s'ouvrit en grinçant. Se retournant, elle aperçut un personnage corpulent en costume gris, une mallette à la main. Elle se leva, ramassa son sac et son parapluie. Me Underwood la salua d'un signe de tête en s'avançant vers elle d'une démarche vive, l'air affairé. Elle se demanda combien de fois il s'était trouvé dans ce genre de situation – devoir traiter de questions légales avec bienséance, face à des personnes bouleversées de chagrin.

Tandis qu'il se présentait, elle vit qu'il la scrutait avec attention, cherchant sur son visage des signes d'affliction. Sans doute fut-il soulagé de n'y voir aucune trace de larmes.

« Êtes-vous prête à entrer dans la maison ? » s'enquit-il d'un air sévère, tel un maître d'école signifiant à une écolière qu'il espérait qu'elle se conduirait correctement.

Dans l'atmosphère confinée flottait encore l'odeur familière de la térébenthine. Le notaire la précéda dans le couloir.

« Je suis venu aussitôt après avoir ouvert la lettre, lui dit-il par-dessus son épaule. J'avais prévenu la police et je leur ai expliqué ce que je savais. » Il s'interrompit, s'éclaircit la gorge. « Je ne sais pas si le fait que ce… cet acte… n'ait pas été décidé sur une brusque impulsion, mais mûrement réfléchi, le rend encore pire, ou plus acceptable. »

Quand ils entrèrent dans la cuisine, un bruissement se fit entendre derrière les lambris – des souris, déjà. Underwood posa les clés sur la table d'un geste désinvolte, comme s'il était le nouvel occupant des lieux. Kitty promena les yeux autour de la pièce. Puisque Yuri avait demandé au notaire de la faire venir ici, il avait sûrement laissé une lettre à son intention, un message d'adieu. Pas sur la table de la cuisine, où les policiers et d'autres étrangers n'auraient pas manqué de la trouver, mais à un endroit où elle seule penserait à la chercher. Elle inspecta la boîte à thé ; celle où il rangeait des bouts de ficelle ; elle regarda même à l'intérieur du crâne trônant sur la cheminée – une reproduction en plastique destinée aux cours d'anatomie. Mais elle ne trouva rien.

Underwood semblait impatient de la conduire dans l'atelier. Lorsqu'il réussit enfin à capter son attention, il lui demanda de le suivre. Mais il s'arrêta sur le seuil, lui barrant le passage. Se tournant vers elle, il déclara :

« Rien n'a été déplacé dans cette pièce, à l'exception du… du défunt. »

Il jeta un regard derrière lui, vers une des grosses poutres du plafond. Un crochet en fer était planté dans le bois. La corde avait été coupée.

« Dans son testament, il vous lègue tous ses biens. Mais cela ne se monte pas à grand-chose, j'en ai peur. Seulement ce qui se trouve dans cette maison, les vieux meubles, les vêtements. »

Vaguement, Kitty se demanda où Yuri avait caché

ses diamants. Mais peut-être les avait-il tous vendus, peut-être était-il ruiné. Cela lui était égal. Elle avait déjà reçu un héritage et, bien qu'elle en ait tiré des bénéfices considérables – dont le moindre n'était pas d'avoir rencontré son mari –, cet argent avait semé la discorde autour d'elle et brisé les liens familiaux.

« Il y a aussi le tableau », reprit Underwood.

L'écartant sans ménagement, elle pénétra dans l'atelier. À la place de la méridienne, il y avait à présent une immense forme rectangulaire couverte d'une bâche et appuyée contre le mur.

« Tout est resté dans l'état où je l'ai trouvé, déclara le notaire. Je n'ai pas soulevé la bâche. Mon client souhaitait expressément que vous soyez la première à découvrir ce qu'il y a derrière. »

Elle décela dans sa voix une note d'agacement. De toute évidence, il avait le sentiment que Yuri avait manifesté des exigences excessives mais, en tant que notaire, il était tenu de remplir ses obligations.

« Il semblait y attacher une énorme importance. C'est pourquoi j'ai préféré garder toute cette affaire secrète jusqu'à votre venue. »

Elle tira sur la bâche qui tomba à ses pieds. Puis elle recula, prise de vertige devant la puissance de la peinture qu'elle venait de dévoiler.

Une jeune femme, nue, debout dans la forêt. De la neige sous ses pieds, des arbres noirs et nus à l'arrière-plan. Des soldats l'entourant, montrant leurs dents dans un rictus qui ressemblait à une balafre blanche sur leurs visages sombres. Les baïonnettes pointées vers elle, leurs pointes affûtées miroitant dans la lumière.

La femme avait l'air calme et forte, et en même temps atrocement vulnérable.

« Oh, mon Dieu, s'exclama Me Underwood. C'est vous. »

Il se tourna vers elle, remuant les lèvres comme s'il n'arrivait pas à trouver ses mots.

Elle hocha la tête, sans détourner les yeux du tableau. C'était un chef-d'œuvre. Yuri y avait mis toute sa souffrance et tout son amour, avait fait appel à tout son talent. L'image était d'une beauté irréelle, mais l'atmosphère avait quelque chose de menaçant, de terrifiant. Il ne faisait aucun doute que l'innocente jeune femme était sur le point de mourir.

Elle contempla le léger arrondi du ventre nu, perceptible seulement au regard averti. En songeant à ce qu'il signifiait, elle eut le cœur serré.

Baissant les yeux pour tenter de maîtriser son émotion, elle examina la manière dont le tableau avait été réalisé. Il était en fait constitué d'un assemblage de six petites toiles. Passant derrière, elle vit que chacune portait sur l'envers un titre griffonné. *Jeune fille en pantalon de harem. Jeune fille attendant. Jeune fille endormie*. Yuri avait peint par-dessus ces portraits, les fondant en un seul. Elle revint se placer devant le tableau pour étudier les matériaux et la technique. Yuri avait utilisé plusieurs sortes de couleurs : certaines étaient épaisses et grumeleuses – peut-être les avait-il trouvées dans la remise du jardin. De larges sections avaient été peintes à l'huile, mais le noir de la forêt ne pouvait avoir été obtenu qu'avec de la créosote, ou une quelconque sorte de goudron. Il était encore poisseux au toucher.

Underwood vint s'interposer entre le tableau et elle, les yeux encore écarquillés de stupeur.

« Si vous étiez ma cliente, je vous conseillerais de

brûler cette peinture sur-le-champ », dit-il d'une voix ferme, en montrant la cheminée.

Elle le dévisagea, muette d'indignation. Puis elle secoua la tête.

« C'est le plus beau tableau que Yuri ait jamais fait de toute sa vie ! »

Ignorant ses protestations, l'homme reprit :

« Écoutez, je sais qui vous êtes, je me suis renseigné. Si quelqu'un voit ça, il ira raconter partout que la future lady Hamilton a posé nue. Vous pourrez le nier autant que vous voudrez, personne ne vous croira.

— J'ai effectivement posé nue. »

En prononçant ces mots, elle savait que, même en parlant des heures, elle ne parviendrait jamais à faire comprendre au notaire pourquoi elle avait fait cela – ce que cela avait représenté pour Yuri et elle.

Underwood fit un effort pour se composer un visage impassible.

« Ne vous y trompez pas. Les Hamilton ne sont pas des bohèmes prêts à accepter ce genre de conduite. Ce sont des gens respectables. Ils sont apparentés au roi. »

Elle ne répondit pas. Se déplaçant de quelques pas, Underwood s'arrêta devant la partie représentant les soldats groupés en cercle, épaule contre épaule.

« Peut-être cela vous a-t-il échappé, madame Hamilton, mais tous ces soldats ne sont pas russes. Regardez ces uniformes, poursuivit-il en élevant la voix. Ici, c'est un pilote nazi. Là, un fantassin britannique. »

Elle se rapprocha pour regarder de plus près. Il avait raison. Dans la lumière lugubre entourant les hommes – un halo sombre qui émanait peut-être de leur âme –, les uniformes ne présentaient à première vue rien de distinctif. Mais quand on les examinait avec attention, on discernait des insignes, des casquettes et des képis aux formes bien reconnaissables.

« Cette peinture est un manifeste pacifiste, s'étrangla Underwood, postillonnant d'indignation.

— Je crois que Yuri était en effet un pacifiste, rétorqua-t-elle. Il était contre la guerre.

— Ma foi, libre à lui. Mais vous, madame Hamilton, vous êtes l'épouse d'un pilote de la RAF, répliqua le notaire, qui se mit à marcher de long en large. Je comprends que Yurievitch était votre ami et que vous ayez scrupule à détruire sa dernière œuvre. Je ne connais pas grand-chose à l'art, mais elle est en effet très... puissante et réaliste. Peut-être est-ce une œuvre importante. Mais vous devez la cacher. Je peux m'en occuper. Cette peinture ne doit jamais revoir la lumière du jour. »

Elle se mordit la lèvre. Il lui était difficile de réfuter ses arguments. Mais ce tableau n'était pas seulement un cadeau d'adieu destiné à elle seule, c'était aussi le dernier message de Yuri au monde qu'il avait choisi de quitter. Et un hommage à Katya. Il devait être exposé au plus vite. C'était une œuvre qui devait être vue maintenant, pour montrer que des innocents souffraient aux mains de tous les belligérants.

« Au moins, réfléchissez-y, insista Underwood. Pensez à votre mari et à sa famille. Pensez à la position que vous occupez dans ce village, dans ce pays.

— Merci de votre sollicitude, répliqua-t-elle. Je comprends parfaitement tout ce que vous venez de dire. »

Underwood la regarda en silence, attendant son verdict.

« Je ferai emporter le tableau, déclara-t-elle enfin. Il aura disparu avant la fin de la journée de demain. »

Elle le vit méditer ces mots, comme s'il y cherchait une indication qui lui aurait permis de savoir si la toile serait bientôt enfermée dans une chambre forte ou acheminée vers une galerie d'art. En vérité, elle l'ignorait elle-même.

« Vous êtes une jeune femme sensée, déclara-t-il avec un sourire d'encouragement. Je vous laisserai les clés. »

La guerre se poursuivit pendant encore deux ans, presque trois. Et puis, enfin, la victoire fut proclamée et, dans tout le pays, on célébra la paix revenue. Kitty et Theo ne tardèrent pas à réintégrer Hamilton Hall, en même temps que lord et lady Hamilton, et la vie reprit son cours. Un matin de printemps, la famille se réunit dans le salon pour partager du thé et des scones, à onze heures précises, comme elle le faisait chaque jour à l'exception du dimanche.

Le tintement des tasses contre les soucoupes faisait contrepoint au tic-tac des trois horloges qui avaient retrouvé leur place consacrée sur le buffet et la cheminée. La main de Kitty se crispa sur sa tasse ; ces petits bruits dissonants lui tapaient sur les nerfs. Son regard passa de l'amiral en train de parcourir son quotidien du matin à Theo qui lisait un des livres de la bibliothèque familiale, un épais volume relié en cuir, au dos gravé de lettres d'or. La tête grisonnante de Louisa était penchée sur un ouvrage de broderie ; les motifs brodés au fil noir se détachaient avec netteté sur le fond crème. Le résultat évoquait à l'esprit de Kitty une toile d'araignée. Son propre ouvrage – un modèle des principaux points de broderie à l'usage des débutantes – était posé sur ses genoux. Elle remarqua que l'étoffe était froncée à certains endroits ; elle avait dû tirer trop fort sur les fils.

« N'est-ce pas merveilleux ? dit Louisa en relevant la tête, d'un ton gai et animé. Tout est redevenu comme avant. On ne pourrait jamais deviner que cette maison était remplie d'étrangers, voilà seulement quelques mois. »

Kitty lui répondit par un sourire poli, de même que les deux hommes. Chacun savait cependant que cette remarque était plus optimiste que véridique. Toutes les pièces avaient retrouvé leurs meubles – les objets de famille anciens avaient été remis en place, les tableaux avaient été raccrochés aux murs, les statues débarrassées des bâches qui les protégeaient, la porcelaine rangée dans le vaisselier. Mais la présence des soldats qui avaient été cantonnés ici pendant si longtemps avait laissé des traces – les myriades de petites entailles dans les boiseries, les rayures sur le parquet, les graffitis sur les murs de plâtre.

« Au moins le jardin a-t-il retrouvé meilleur aspect, commenta Theo. Le nouveau jardinier commence à savoir s'y prendre.

— Je regrette le vieux Freddie », dit l'amiral.

Louisa émit un reniflement de dédain. Kitty savait qu'elle s'était sentie trahie quand le jardinier en chef était parti en même temps que les soldats. Ce n'était que l'une des nombreuses défections auxquelles la maîtresse de Hamilton Hall avait dû se résigner. Pendant la guerre, elle avait perdu plus de la moitié de son personnel. Beaucoup s'étaient enrôlés – ce à quoi elle n'avait pu qu'applaudir – et certains avaient été tués ou blessés. D'autres, comme Freddie, avaient saisi au vol les nouvelles possibilités qui s'étaient présentées à eux, soit durant la guerre, soit au retour de la paix. Louisa avait eu des difficultés, dans ces conditions, à retrouver son ancien train de vie. Elle devait désormais se débrouiller avec moins de domestiques, et ceux qu'elle avait réussi à trouver faisaient montre de moins de respect envers leurs supérieurs. Le brassage des classes en période de guerre, où les gens logeaient tous ensemble, travaillaient tous ensemble, avait définitivement érodé les barrières sociales. L'ère égalitaire que Theo avait autrefois prônée avec tant d'enthousiasme semblait sur le point de commencer. L'amiral se lamentait que les accents aient perdu leur pureté – il était devenu impossible de savoir d'où venaient les gens. Il faisait évidemment allusion aux membres de la classe ouvrière. Ses pairs parlaient un anglais irréprochable et avaient toujours exactement le même accent.

Kitty réprima un soupir en reprenant son aiguille. Elle regrettait son ancienne vie à Skellingthorpe, même si elle était consciente que tout était loin d'être rose dans ces années-là. Il y avait eu des jours terribles et, pourtant, il régnait une sorte d'excitation qui donnait l'impression que chaque moment, chaque petit événement – un repas improvisé, un baiser volé, chaque matin où elle se réveillait près de son mari –, était exceptionnel. La menace permanente du danger et de la mort donnait plus d'éclat à la vie. Certes, c'était merveilleux de savoir que, désormais, ils étaient tous les deux en sécurité, de ne plus redouter l'arrivée d'un télégramme dévastateur. Mais elle avait l'impression bizarre de flotter dans les limbes, quelque part entre la fin d'une époque et le début d'une autre. Et ce n'était pas seulement elle, ni les Hamilton, qui éprouvaient ce sentiment ; le pays tout entier était d'humeur morne, en proie à l'incertitude.

Elle leva les yeux vers Theo. Il avait l'air fatigué. Il était toujours tourmenté par un cauchemar récurrent depuis l'atterrissage en catastrophe où son équipage avait péri. Les rêves étaient même devenus plus fréquents depuis la fin de la guerre ; à présent, ils revenaient parfois plusieurs nuits de suite. Theo poussait des cris dans son sommeil, appelant son copilote, Bobby, qui avait brûlé vif sous ses yeux. Il était si profondément plongé dans ce cauchemar qu'il fallait un certain temps à Kitty pour le réveiller. Et quand elle y parvenait enfin, il était incapable de parler de ce qu'il avait vu. L'horreur de ces nuits paraissait le vider de toute vitalité. Il avait le regard hanté, les mains tremblantes. Quand il effectuait encore des missions régulières, le médecin de la RAF avait diagnostiqué chez lui un « syndrome commotionnel ». Il avait été démobilisé peu après l'armistice. L'armée était contente de le voir partir : autant usé mentalement que physiquement, il était désormais à peine capable d'effectuer un simple travail de bureau. Tel un enfant au sortir du pensionnat, il avait eu hâte de rentrer chez lui.

Kitty aurait rêvé de vivre dans le pavillon du jardin, seule avec Theo, mais elle n'en avait même pas évoqué la possibilité auprès de lui. Elle savait que la place de son mari était au manoir. Et que c'était là qu'il voulait être – leur nouvelle chambre avait été celle de sa grand-mère, leur salon, sa salle de classe. Elle voyait bien qu'il se sentait en sûreté dans ces lieux emplis de souvenirs d'enfance. Étant donné ce qu'il avait enduré, elle ne pouvait pas lui refuser ce réconfort.

Son regard se tourna ensuite vers Louisa, parfaitement immobile à part le mouvement régulier de sa main maniant l'aiguille. Sa jupe et sa veste, bien que fraîchement repassées, étaient très usagées. Elle arborait pièces et reprises comme autant de médailles – la preuve de son sens de l'économie. Lady Hamilton était déterminée à montrer l'exemple aux villageois, autant qu'elle l'était à restaurer leur ancien mode de vie au manoir. Dans le carcan de ces rituels quotidiens, Kitty avait l'impression d'étouffer. Elle n'osait pas se demander comment elle allait pouvoir s'habituer à l'existence qui s'étirait devant elle. Elle imaginait sa mère en train de la regarder en secouant la tête, les lèvres pincées. Qu'avait-elle espéré, la fille Miller de Wattle Creek, en épousant un Anglais d'une classe tellement supérieure à la sienne ? Utilisant la pointe de son aiguille, elle compta les fils pour repérer l'endroit où elle devait commencer la nouvelle rangée de points de croix. Oui, qu'avait-elle donc espéré ? Elle ne s'était jamais posé la question. Elle était amoureuse, et rien d'autre n'avait d'importance. Au demeurant, personne ne prenait le temps de songer à l'avenir pendant la guerre. Comment était-ce possible, quand chaque jour tant de vies étaient détruites ? Quand Theo l'avait demandée en mariage, c'était un geste plus désespéré que romantique. Il voulait l'épouser avant d'être tué. Il avait gagné une permission supplémentaire lors d'un tirage au sort, et il était rentré sans prévenir. La guerre n'était alors que dans sa première année, et elle vivait encore avec Yuri dans le pavillon. À son arrivée, elle était en train d'éplucher des pommes de terre, un foulard noué sur la tête.

« Tu as l'air d'une paysanne », avait dit Theo.

Puis il l'avait serrée dans ses bras, et elle avait appuyé sa tête contre le cuir épais et doux de son blouson d'aviateur. Quand il avait repris la parole, sa voix était enrouée.

« Épouse-moi, Kitty. S'il te plaît. »

Elle s'était dégagée, surprise par cette supplique inattendue.

« Il faut que nous nous mariions. J'ai besoin que tu sois près de moi. Il faut que tu viennes à Skellingthorpe. »

Puis il avait fondu en larmes et lui avait raconté qu'il avait perdu deux hommes au cours de sa dernière mission. De bons copains. Lors de la précédente, il en avait perdu un autre. Ils effectuaient des raids nocturnes sur l'Allemagne et le nombre de morts était catastrophique.

« Je veux devenir officiellement ton mari avant de mourir. »

Ôtant son foulard, elle s'en était servie pour sécher ses larmes. Quand Theo l'avait regardée, elle avait cherché dans ses yeux cette flamme qu'elle aimait tellement. Mais elle n'y avait lu qu'une peur profonde et noire.

« Vous avez de la peinture sur votre jupe, Kitty. »

La voix acerbe de sa belle-mère la fit sursauter. Suivant le regard de la vieille femme, elle découvrit une tache de peinture à l'huile sur l'ourlet de sa jupe écossaise.

« Du bleu de Prusse, murmura-t-elle. Je le gratterai. »

Louisa secoua la tête comme si elle s'était exprimée dans une langue étrangère, avant de se remettre à son ouvrage. Kitty enfonça d'un mouvement rageur son aiguille dans sa toile à broder. Quand tout le monde aurait fini son thé, elle pourrait enfin s'échapper. Plus qu'un quart d'heure, et elle retournerait devant son chevalet.

Elle avait obtenu le privilège d'installer son atelier dans le pavillon de jardin en récompense de sa bonne conduite. Lors d'une brève conversation, Louisa lui avait très clairement posé ses conditions ; à son ton, on aurait pu penser qu'elle avait une longue expérience de l'art de dresser les brus. Kitty ne devait pas passer trop de temps dans l'atelier. Elle ne devait pas y recevoir de visiteurs (une façon détournée de lui interdire de dessiner d'après des modèles vivants). Et il allait sans dire qu'elle ne devait pas tacher les murs ni les sols. En formulant cette dernière recommandation, Louisa reconnaissait tacitement que le pavillon avait déjà servi d'atelier dans le passé. Mais le nom de Yuri n'était plus jamais mentionné à Hamilton Hall. Il s'était suicidé, ce qui était franchement impardonnable, surtout en un moment où tant d'hommes courageux sacrifiaient leur vie pour la patrie. Et ensuite, il y avait eu cette histoire à Paris, à propos d'un de ses tableaux. L'amiral avait lu quelque chose à ce sujet dans le *Times*. Kitty était dans le salon quand il avait commenté l'article à voix haute.

« C'est scandaleux ! Si j'avais su que c'était un pacifiste, jamais je ne lui aurais permis de mettre les pieds ici ! »

Elle avait fixé le sol, retenant sa respiration. Mais son beau-père n'avait rien ajouté de plus. Il avait tourné la page, en secouant le journal avec force comme pour se défaire de tout lien avec ce traître. Elle avait fermé les yeux de soulagement. Jean-Jacques, le courtier de Yuri, avait dit vrai. Paris était loin. Et le monde était trop préoccupé par la guerre.

Le lendemain de sa rencontre avec le notaire, elle était retournée au cottage. Elle avait arpenté les pièces minables en se torturant l'esprit pour trouver une solution. Elle aurait voulu ne jamais avoir vu ce tableau. Elle aurait aimé ne jamais avoir posé pour lui. Elle avait sérieusement envisagé de suivre le conseil d'Underwood et de brûler la toile au fond du jardin. L'autre hypothèse – permettre à l'œuvre d'être exposée – était inconcevable. Sa réputation serait détruite. Et, de plus, cela causerait un énorme préjudice aux Hamilton, et surtout à Theo. Après les épreuves qu'il avait déjà traversées… Mais ses pas la ramenaient sans cesse devant la toile.

Quand elle la contemplait, elle tombait sous son charme et ne regrettait plus rien. Elle se sentait fière d'avoir été Katya. Son cœur se gonflait d'amour et d'admiration pour Yuri, pour l'homme qu'il avait été, le peintre qu'il avait été et, par-dessus tout, l'époux qu'il avait été.

Elle était malade d'angoisse en composant le numéro du courtier en art. Elle s'était décidée très vite, avant que le courage la quitte.

Quand il avait reçu le tableau, Jean-Jacques lui avait écrit aussitôt, en adressant sa lettre, ainsi qu'elle le lui avait demandé, aux bons soins d'un bureau de poste d'un autre village. Ainsi qu'elle s'y attendait, il déclarait que c'était une œuvre majeure. La meilleure que Yuri eût jamais réalisée. Il l'avait reconnue sur le portrait – ils s'étaient rencontrés quelques années auparavant dans le pavillon. Il assurait qu'il comprenait à quel point sa situation était délicate, et promettait d'attendre le moment approprié pour exposer l'œuvre.

Au mois d'août de l'année suivante, Paris avait été libéré de l'occupation allemande. Peu de temps après, le Salon d'automne avait rouvert ses portes, et Picasso avait été l'un des premiers peintres célèbres à y exposer. Jean-Jacques avait décidé que c'était le lieu idéal pour faire connaître au monde le dernier tableau de Yuri. Ce salon était entouré de prestige, il était réputé pour présenter des œuvres audacieuses et novatrices. Et il était loin de Londres.

Le tableau de Yuri avait fait sensation, lui avait raconté Jean-Jacques. Sa lettre contenait des précisions qui ne figuraient pas dans l'article du *Times*. Apparemment, le ministre britannique des Affaires étrangères avait essayé de faire décrocher l'œuvre. Il était totalement inacceptable, avait-il déclaré, de montrer des nazis, des révolutionnaires russes et des soldats anglais groupés en une masse indistincte, suggérant par là qu'ils étaient tous coupables de crimes de guerre. C'était une insulte intolérable aux troupes de Sa Majesté. Le salon avait refusé d'accéder à sa demande, et le tapage n'avait fait qu'attirer davantage de public à l'exposition.

Mais personne n'avait établi un lien entre Kitty et le tableau litigieux. Les petits portraits que Yuri avait faits d'elle antérieurement n'avaient jamais été exposés. Personne n'avait la moindre raison de faire le rapprochement. Au demeurant, un critique d'art français avait identifié le personnage central comme la femme de l'artiste, morte tragiquement des années plus tôt. Après l'exposition, Jean-Jacques avait vendu la toile à un collectionneur américain. Il avait décliné de nombreuses offres, mais il avait décrété que cet homme ferait un propriétaire idéal pour l'œuvre. Il vivait en reclus et gardait jalousement sa collection pour lui seul.

Tout était donc pour le mieux. Le tableau de Yuri avait été vu ; son message avait été transmis. Et maintenant, il resterait à jamais caché dans un ranch isolé, de l'autre côté de l'Atlantique.

Jean-Jacques l'avait informée que le collectionneur avait payé un prix très élevé et que cette somme, déduction faite de sa commission, lui revenait intégralement. Elle lui avait demandé d'envoyer ces fonds à ses parents, de manière anonyme. Il y avait assez pour acheter un tracteur, un camion et bien d'autres choses encore. Sans doute devineraient-ils que l'argent venait d'elle et se demanderaient-ils comment elle avait acquis cette fortune… Elle avait été tentée de dire à Jean-Jacques de joindre une lettre explicative. Mais elle aurait eu l'air de vouloir acheter leur pardon, et ils auraient pris cela comme une insulte. Elle s'était donc contentée de songer à la joie de son père, quand il posséderait enfin un tracteur qui démarrerait sans avoir besoin d'être remorqué, un camion qui ne tomberait pas en panne à tout bout de champ. Parfois, elle s'amusait à imaginer les cadeaux offerts aux garçons. Peut-être même sa mère s'était-elle acheté quelque chose ? Se représenter ces scènes qu'elle ne verrait jamais lui procurait un sentiment doux-amer. Mais du moins pouvait-elle se consoler à la pensée qu'elle leur avait rendu ce qu'elle leur avait pris tant d'années plus tôt, et même plus.

Penchée sur son ouvrage et tirant consciencieusement l'aiguille, elle tourna ses pensées vers une autre préoccupation. Qu'allait-elle peindre sur la toile vierge qui l'attendait dans l'atelier ? Sans Yuri pour la guider, elle avait du mal à choisir un sujet. Pendant qu'elle hésitait entre une nature morte et un autoportrait, elle entendit Louisa se lever et commencer à ramasser tasses et soucoupes afin de resservir du thé. Le tintement délicat de la porcelaine, immuable et familier, rythmait les journées. Kitty savait exactement, sans avoir à lever les yeux, à quel angle sa belle-mère inclinerait la théière, tiendrait la passoire au-dessus de chaque tasse à tour de rôle, avant d'y verser la quantité requise de lait. Mais ce jour-là, le rituel fut interrompu par le son de pas lourds dans le couloir.

« Le nouveau majordome fait autant de bruit qu'un éléphant en se déplaçant », se plaignit Louisa.

La porte s'ouvrit, trop vite et trop largement. Le domestique entra.

« Un pli pour vous, madame. »

Il refusait de porter des gants blancs, mais réussit cependant à baisser poliment les yeux en tendant un plateau d'argent soigneusement astiqué sur lequel était posée une grande enveloppe crème.

Sans doute une invitation, se dit Kitty. Dès qu'un semblant d'ordre avait été rétabli, lord et lady Hamilton s'étaient mis à envoyer des invitations sur le papier à lettres gravé aux armes de la famille, priant leurs amis à des bals, des soirées ou des parties de chasse. Et comme il se devait, on les invitait en retour. Ces échanges de courrier contribuaient à donner l'impression que la vie avait repris son cours normal.

Louisa examina l'enveloppe, intriguée.

« Pas d'armoiries. » Elle prit le coupe-papier que lui tendait le majordome et ouvrit l'enveloppe. « *Les administrateurs du Victoria and Albert Museum vous prient d'assister...* » Son visage s'illumina de plaisir. « Nous sommes invités à une exposition. Pour célébrer la paix. Comme c'est charmant ! C'est bien le signe que tout commence à rentrer dans l'ordre. »

Les mains de Kitty se crispèrent sur son ouvrage, froissant la toile. Son cœur battait violemment sous l'effet d'une panique intense.

« Assistons-nous d'habitude à ce genre d'événement ? » s'enquit l'amiral, d'un ton irrité et troublé.

Les récents événements l'avaient fait vieillir considérablement, et il ressentait désormais le besoin de vérifier certains points auprès de sa femme.

« Mais bien sûr ! Nous sommes parmi les mécènes du V&A. Nous sommes toujours invités aux inaugurations. Et si nous en profitions pour passer la journée à Londres ? Déjeuner au Savoy, en famille… »

Kitty baissa la tête, dissimulant son visage sous ses longs cheveux. Elle essaya de se dire que cette invitation était parfaitement anodine. Comme l'avait déclaré

Louisa, les Hamilton figuraient parmi les bienfaiteurs du musée. Cela n'avait rien à voir avec Yuri. Néanmoins, une peur glacée s'était insinuée en elle. Le désastre allait-il quand même se produire ? Au moment même où elle commençait à croire qu'elle y avait échappé ?

Tandis que l'invitation passait de main en main, elle se leva, en murmurant :

« Je ne me sens pas bien.

— Que voulez-vous dire ? demanda sa belle-mère, fronçant les sourcils par-dessus ses lunettes. Êtes-vous souffrante ? Avez-vous mal au cœur ?

— Je ne sais pas. Les deux, bredouilla Kitty.

— Se pourrait-il que vous soyez enceinte, enfin ? » fit Louisa, une lueur de joie s'allumant dans son regard.

Kitty secoua la tête en silence et s'obligea à sortir calmement de la pièce. Dans le couloir, elle faillit se mettre à courir. Mais elle n'avait nulle part où aller. Elle ne pouvait rien faire. Elle essaya de réfléchir à un moyen de contacter Jean-Jacques, pour savoir si le tableau avait pu d'une manière ou d'une autre arriver à Londres – mais il était impossible dans cette maison de passer un appel en privé, et elle n'avait aucun prétexte plausible pour se rendre au village. Il fallait absolument trouver quelque chose…

Dans son appartement, à l'étage, elle tira les rideaux, comme si la pénombre pouvait lui offrir un refuge. Elle s'étendit sur son lit, raide comme un pantin de bois, et récapitula les faits dans son esprit. Le travail de Yuri était toujours très apprécié à Londres. Une de ses œuvres pouvait fort bien être incluse dans une exposition collective, mais il s'agirait d'un tableau prêté par un autre musée ou par un collectionneur voulant se faire de la publicité. Le portrait de Katya se trouvait entre les mains d'un reclus dans la lointaine Amérique. Elle n'avait aucune raison de s'inquiéter. Et pourtant, elle continuait à éprouver un sombre pressentiment que tous les raisonnements n'arrivaient pas à dissiper.

On frappa à la porte et Theo apparut.

« Pauvre chérie. Descendras-tu pour le déjeuner ? »

Elle roula sur le côté, se recroquevilla en boule.

« Maman a téléphoné. Il semblerait que l'invitation soit arrivée depuis deux semaines. Le majordome venait seulement de la découvrir. »

Elle releva la tête. Ils avaient raté l'exposition ! se dit-elle avec espoir.

« L'inauguration aura lieu demain. Tout le monde sera là. Peut-être même Sa Majesté, reprit Theo, en ouvrant les rideaux pour laisser entrer la brutale lumière matinale. Secoue-toi, ma chérie. Maman est déjà en train de choisir sa tenue. Pourquoi ne fais-tu pas de même ? »

Un collier de diamants lourd et froid enserrait le cou de Kitty. Du coin de l'œil, elle entrevoyait le chatoiement de la broche assortie, épinglée sur une étole de cachemire. Le fermoir du collier s'était pris dans ses cheveux, et quand elle bougeait la tête, il les tiraillait cruellement. Elle aurait pu dégager les mèches, mais cette douleur la distrayait de son angoisse.

Assis à son côté à l'arrière de la Daimler, Theo avait revêtu son plus beau costume. Il sentait le vétiver impérial, l'eau de toilette de prédilection des hommes de la famille Hamilton. L'odeur venait s'ajouter à celle du parfum entêtant dont s'était aspergée sa belle-mère. Celle-ci arborait elle aussi une parure de diamants sur son élégant ensemble gris. L'amiral avait revêtu son uniforme d'apparat, même si son fils avait refusé d'imiter son exemple. Toute la famille se rendait à Londres pour assister à l'inauguration de l'exposition au V&A.

La tenue de Kitty avait été choisie la veille, dans l'après-midi. Sitôt qu'elle était sortie de sa chambre, Lizzie, la fidèle femme de chambre de Louisa, était venue lui dire que sa maîtresse l'attendait dans son dressing-room. Kitty s'était immobilisée devant la porte et avait pris une profonde inspiration pour se calmer.

« Entrez donc, madame », l'avait encouragée Lizzie avec un geste de la main.

La vaste méridienne aux pieds sculptés en forme de patte de lion était couverte de robes de ville et du soir, de vestes et de chapeaux. Les bijoux des Hamilton avaient été sortis du coffre. Des coffrets doublés de velours étaient posés sur la coiffeuse.

« J'ai pensé que vous aimeriez peut-être m'emprunter quelque chose », avait dit Louisa.

Malgré son sourire engageant, Kitty avait senti un reproche dans sa voix. Elle aurait dû être une héritière et posséder ses propres bijoux de famille. Elle aurait dû être une jeune femme bien éduquée, dotée du sens de l'élégance et d'un goût très sûr. Mais sa belle-mère était déterminée à se montrer généreuse et à faire contre mauvaise fortune bon cœur. Kitty se sentait presque désolée pour elle. Theo était son seul enfant et, en la choisissant pour épouse, il avait privé sa mère de la possibilité d'avoir une belle-fille qu'elle pourrait aimer et comprendre.

Louisa avait pris un collier de diamants et l'avait fait miroiter dans la lumière.

« Ce bijou est dans la famille de ma mère depuis des

générations, avait-elle déclaré en le lui tendant. Vous devriez le mettre, avec les boucles d'oreilles assorties.

— Oh, non, c'est beaucoup trop... » Elle s'était retenue à temps de faire allusion à la valeur de l'objet, ce qui aurait été vulgaire. « ... somptueux.

— Ne dites pas d'absurdités, avait rétorqué Louisa, qui paraissait décidément prendre sa tâche à cœur. Je veux que vous soyez éblouissante. Vous n'avez aucune robe convenable. Moi non plus, d'ailleurs. Nous sommes toutes dans le même bateau, à cause du rationnement. Chacune de nous a été obligée de faire retailler et regarnir ses vieux habits jusqu'à ne plus pouvoir en supporter la vue, soupira-t-elle. Espérons que la situation changera bientôt. Mais, pour le moment, ajouta-t-elle en souriant, nous devons bien compenser cela par les accessoires, n'est-ce pas ? »

Elle avait employé « nous » à plusieurs reprises dans la même phrase, avait noté Kitty. On aurait presque pu penser qu'elle nourrissait de l'affection pour sa bru. Elle aurait aimé ne plus penser au tableau et se réjouir de l'attention que lui témoignait sa belle-mère. Elle avait tenté de chasser de son esprit ses inquiétudes, de savourer le plaisir de choisir une tenue, en se laissant guider par Louisa. Ainsi, elle serait sûre au moins d'être habillée de la manière appropriée.

À présent, tandis qu'ils roulaient vers Londres, elle gardait à l'esprit l'image que lui avait renvoyée le miroir de la chambre. Elle était vêtue d'une robe en brocart rouge de Norman Hartnell, que Louisa avait jadis achetée pour se rendre à une réception au palais de Buckingham. Une étole gris tourterelle était drapée autour de ses épaules ; son coloris doux rehaussait l'éclat des diamants ornant sa gorge et ses oreilles.

Elle portait également des gants noirs et une capeline, inclinée à un angle savamment étudié sur sa chevelure que les mains expertes de Lizzie avaient dressée en un chignon complexe sur sa tête. Avec son rouge à lèvres d'un ton parfaitement assorti à sa robe – garance, en fait – et ses yeux abondamment fardés de mascara, elle était ravissante, presque belle. Elle avait l'air riche et soignée, comme l'épouse que Theo aurait dû choisir.

Quand elle avait descendu le grand escalier ce matin, il l'avait contemplée d'un regard empli de fierté. Ce souvenir suscitait en elle des émotions contradictoires. Il lui faisait craindre, plus que jamais, que quelque chose n'arrive et ne détruise tout. Mais, en même temps, il la rassurait, l'aidait à surmonter son anxiété.

« Ne prends pas cet air soucieux, ma chérie, murmura Theo en lui prenant la main. Tu es superbe.

— Merci, répondit-elle. Toi aussi. »

La Daimler s'arrêta devant le Savoy. Les Hamilton devaient y déjeuner – à leur table habituelle – avant de se rendre au musée. Kitty leva les yeux vers la façade, la statue dorée de soldat romain surmontant l'entrée. C'était ici qu'avait commencé son aventure londonienne. Elle se demanda si l'un des portiers la reconnaîtrait, mais elle savait que c'était peu probable. Des milliers de gens étaient venus et étaient repartis entre-temps. Et aujourd'hui, avec sa parure de diamants et sa robe de grand couturier, elle ne ressemblait en rien à la petite Australienne naïve d'autrefois. En descendant de voiture, elle leva haut la tête et afficha un petit sourire distingué.

L'après-midi touchait à sa fin quand les Hamilton arrivèrent au V&A. Theo offrit un bras à chacun de ses parents pour les aider à gravir les marches. Kitty les suivit, le regard baissé vers le sol.

Le large couloir menant du hall d'entrée à la galerie principale était bondé. Kitty marchait à présent à côté de Theo, pressée tout contre lui. Une odeur de fumée de cigare se mêlait dans l'air aux effluves de parfums de luxe et de lotions capillaires. Les hommes étaient élégants dans leur costume ou leur uniforme, mais ils étaient éclipsés par les femmes qui avaient toutes revêtu leurs plus beaux atours pour l'occasion. Beaucoup, à l'instar de Louisa et Kitty, étaient très chic mais passablement démodées ; seul un petit nombre avait réussi à se procurer des robes à la dernière mode et des chapeaux d'une modernité saisissante. Tout le monde se bousculait pour avancer et des murmures excités parcouraient la foule. Kitty avait la gorge serrée. Elle n'avait encore jamais assisté à une inauguration officielle. Régnait-il toujours une telle effervescence lors de ces événements ?

Comme ils s'approchaient des portes de la galerie, elle ralentit brusquement le pas. Une silhouette familière venait de lui apparaître – un homme chauve, corpulent, les bras grands ouverts en un geste théâtral.

« C'est le type qui venait souvent rendre visite au prince, murmura Theo en montrant Jean-Jacques.

— Oh, oui, acquiesça-t-elle faiblement.

— Cela m'étonnerait qu'ils aient exposé une de ses toiles, après ce scandale à Paris. Mais je suppose que ses œuvres antérieures sont toujours aussi appréciées. »

Par-dessus les têtes, le regard de Kitty croisa celui de Jean-Jacques. Il arrondit les yeux et, l'espace d'un instant, parut saisi de panique. Puis il haussa les épaules, dans un mouvement à peine perceptible.

Elle eut l'impression que sa respiration allait

s'arrêter. Le message était clair. Le tableau était ici. Comment et pourquoi, elle l'ignorait et cela lui était égal. Elle se força à avancer. Dieu merci, dans la tenue choisie par Louisa, elle était bien différente de la jeune Russe peinte par Yuri. Peut-être personne ne verrait-il la ressemblance entre Katya et elle…

Quand ils atteignirent le seuil de la galerie, Jean-Jacques avait disparu. Il devint aussitôt évident que le centre d'attraction, l'objet de la curiosité générale, se trouvait au fond de la salle. Par-dessus la foule agglutinée, Kitty discerna un tableau de grandes dimensions. Elle reconnut le ciel pourpre, les nuages tourbillonnants, les branches dénudées. Ses pieds continuaient à se mouvoir à un rythme régulier, mais les pensées se pressaient en désordre dans son esprit. Elle pouvait encore s'enfuir – franchir les vastes portes, dévaler l'escalier, gagner les rues latérales… Mais que dirait-elle à Theo ? Qu'elle ne se sentait pas bien, encore une fois ? Peut-être était-il préférable de rester : au moins, elle saurait ce que les gens pensaient de cette œuvre.

La seconde d'après, elle se retrouva devant le tableau, flanquée d'un côté par l'amiral et Louisa, et de l'autre par Theo. Aucun mot ne fut prononcé, mais ils l'avaient reconnue, elle le sut immédiatement.

Tout le monde l'avait reconnue.

Cette évidence la frappa avec une telle force qu'elle en eut le souffle coupé. La façon dont les gens les regardaient alternativement, Katya et elle, ne laissait aucune place au doute. Ils avaient compris que la jeune femme représentée sur le tableau n'était autre qu'elle. L'épouse du fils de lord Hamilton.

Un vide se fit autour d'elle, de Theo et de ses beaux-parents. Les autres invités refluèrent, un silence choqué succéda au brouhaha. Dans les derniers rangs de la foule, on se transmettait la nouvelle à voix basse. Du coin de l'œil, elle vit sa belle-mère se redresser, le menton haut. Theo fit de même, raidissant son bras contre son flanc et emprisonnant la main de Kitty dans la sienne. L'amiral, bien qu'il ne parût pas vraiment comprendre ce qui se passait, adopta la même attitude que son épouse.

Kitty avait envie de baisser la tête, mais elle se contraignit à les imiter. Elle s'efforça de paraître, comme les trois autres Hamilton, indifférente à tout ce qui pouvait arriver, tout ce qui pouvait être dit et fait. Un scandale venait d'éclater, mais la famille ne daignait pas y accorder d'importance. Grâce à l'autorité que leur conférait leur noble lignage, ils étaient capables de faire face à toutes les situations.

« Nous, les Hamilton, étions là au moment où la Grande Charte a été signée, lui avait un jour expliqué Louisa. Nous sommes une très ancienne famille. »

« Nous, les Hamilton. » Cela incluait Kitty. Quoi qu'il advienne, sa belle-famille la soutiendrait, elle le savait. Ils n'avaient pas le choix. L'amiral aimait à se vanter que chez eux, jamais aucun mariage n'avait été dissous, que ce soit par divorce ou par annulation. Quoi qu'elle ait fait, ils étaient irrémédiablement liés à elle, et elle à eux.

Elle n'osait pas regarder Theo en face. Elle percevait la fureur, l'incrédulité et le chagrin qui émanaient de lui. Elle se sentait pareille à une enfant qui aurait sans raison détruit un château de sable bâti avec amour et patience. *Mais je devais le faire*, se rappela-t-elle. *Pour Yuri. Pour Katya.*

Soudain, un homme surgit devant elle et demanda :

« Madame Hamilton, pouvez-vous nous confirmer que vous avez bien servi de modèle à ce tableau ? »

Elle hocha la tête sans rien dire. Un frémissement parcourut le corps de Theo, mais son expression demeura inchangée.

Presque aussitôt après, deux autres hommes s'approchèrent, l'un d'eux tenant un carnet et un stylo.

« Quelle était la nature de vos relations avec le défunt prince russe ?

— Aviez-vous reçu l'autorisation de votre époux ?

— Quel est votre sentiment face à la controverse suscitée par ce tableau ?

— Êtes-vous pacifiste ? »

Elle se contenta de fixer son regard au loin, ignorant les critiques, les journalistes ou quoi qu'ils puissent être. Elle prit conscience que des dizaines de paires d'yeux la scrutaient avec avidité, comparant son image à celle de Katya, en se concentrant sur ses seins, ses hanches, ses jambes. Un jeune homme, non loin de là, lui décocha un sourire suggestif.

Du regard, elle chercha désespérément Jean-Jacques, mais il n'était nulle part en vue. Et même s'il avait été là, elle n'était pas sûre qu'il serait intervenu. Elle n'était plus sûre de rien le concernant.

Elle entendit quelqu'un interroger Theo.

« Partagez-vous l'opinion de votre épouse sur la guerre ? »

Comme il refusait de répondre, le journaliste se rabattit sur son père.

« Je n'ai pas la moindre idée de ce dont vous parlez, mon vieux », répéta l'amiral, plusieurs fois de suite.

Kitty n'aurait su dire si, effectivement, il n'avait pas saisi ce qu'on lui demandait, comme cela lui arrivait fréquemment ces derniers temps, ou si c'était un moyen d'éluder la question.

Finalement, Theo s'avança, tendant le bras comme pour faire barrage aux journalistes. D'une voix tendue et à peine audible, il déclara :

« Notre avocat transmettra un communiqué à la presse. C'est tout ce que j'ai à dire. » Avec un signe de tête à l'adresse de sa mère, il ajouta : « Partons. »

Comme un seul homme, le petit groupe tourna le dos au tableau. À cet instant, un éclair phosphorescent jaillit. Kitty vit un homme brandissant un gros appareil photo noir. En rencontrant son regard, elle y lut un mélange de satisfaction et de pitié.

Dans le couloir, les invités qui venaient d'arriver n'avaient pas encore appris ce qui venait de se passer. Ils s'écartèrent pour les laisser passer, en continuant à deviser tranquillement. Pendant un bref moment, l'atmosphère redevint presque normale. Quand ils se retrouvèrent tous les quatre à l'air libre, Kitty trébucha sur le pavé inégal ; Theo ne fit aucun geste pour la rattraper.

La Daimler n'était nulle part en vue – le chauffeur avait reçu instruction de revenir dans une heure. Theo demanda à un des gardiens du musée de lui transmettre un message, et appela un taxi. À peine le véhicule s'était-il arrêté qu'ils s'engouffrèrent tous à l'intérieur.

Pendant plusieurs minutes, un silence de mort régna dans l'habitacle. Puis, d'un mouvement brusque, Theo se tourna vers elle.

« Comment as-tu pu ? »

Elle se contenta de le regarder sans rien dire. Même si elle avait eu l'éternité devant elle, jamais elle n'arriverait à lui faire comprendre les raisons de son acte.

« Avais-tu déjà vu ce tableau ? »

Elle acquiesça en silence.

« Pourquoi ne nous avez-vous pas prévenus qu'il serait exposé ici ? s'enquit Louisa, d'une voix coupante et froide comme un éclat de glace. Vous nous avez laissés venir dans ce musée comme des agneaux à l'abattoir…

— Je ne savais pas qu'il serait exposé. Je le craignais, sans en avoir la certitude. »

Au moins cette réponse était-elle vraie.

Un rire bizarre, comme étranglé, s'échappa de la gorge de Theo.

« Et tu t'es vraiment dévêtue, tu as vraiment posé pour ce vieil homme ?… »

Le ton sur lequel il lui posa cette question la fit tressaillir – il donnait l'impression qu'elle avait commis un acte répugnant. Mais il n'y avait qu'une seule réponse possible.

« Oui. »

Il déglutit, et elle vit sa pomme d'Adam monter et descendre le long de son cou.

« Tu le regrettes, bien entendu. C'était une terrible erreur… »

Elle prit une inspiration, mais garda le silence. Elle ne voulait pas lui mentir.

Le regard qu'il lui lança était encore plus effrayant qu'un regard de colère. Il exprimait une incompréhension totale, comme s'il venait juste de s'apercevoir que sa femme appartenait à une espèce entièrement différente de la sienne.

« Je regrette sincèrement de t'avoir blessé. »

Ces mots semblaient banals et futiles, elle en était consciente, mais ils étaient sincères. Theo ne méritait pas cela ; ses parents non plus.

« Taisez-vous, tous les deux, ordonna Louisa. Rentrons chez nous, c'est tout. »

À sa façon de dire « chez nous », on aurait pu croire qu'elle parlait d'une forteresse. Pendant que le taxi les emportait à travers les rues de Londres, Kitty s'imagina le grincement des énormes grilles en fer forgé s'ouvrant devant eux, puis se refermant, les coupant du monde. Le même cérémonial se répéterait quand ils parviendraient devant les grandes portes à double battant cloutées de métal et garnies de heurtoirs en forme de tête de lion. À l'intérieur du manoir, d'autres portes s'ouvriraient et se fermeraient, pour les préserver de la curiosité des domestiques. On déplierait les claustras, on tirerait les rideaux. Et ce serait seulement alors que, calfeutrée dans son monde, la famille déciderait du sort de Kitty.

Elle était presque impatiente de recevoir son châtiment – cette angoisse qui se prolongeait depuis des années avait été insupportable. À présent, le pire s'était enfin produit. Elle était prête à payer le prix qu'ils exigeraient d'elle ; elle savait qu'elle avait irrémédiablement entaché l'honneur de la famille Hamilton. Elle ferait tout pour regagner la confiance de Theo et reconquérir son amour. Pourtant, elle savait aussi que, si elle avait pu revenir en arrière, elle aurait fait les mêmes choix. Tandis que les rues grises de Londres faisaient place peu à peu à des espaces verdoyants, puis à la pleine campagne, ses pensées tournoyaient sans fin dans sa tête. Oui, malgré tous ses remords, elle aurait recommencé. Elle regrettait d'avoir fait du mal à Theo, mais pas d'avoir consolé Yuri. Elle avait le sentiment d'être prise dans un labyrinthe inextricable où elle errerait sans fin. Il n'y avait pas d'issue, aucun espoir d'en échapper.

15

Kitty se tut, le regard fixé droit devant elle, sur les branches pendantes du poivrier sauvage. Des grappes de baies roses, suspendues entre les feuilles duveteuses, imprégnaient l'air de leur saveur épicée. À travers les branches, elle contempla le ciel bleu. Il était midi passé et le soleil amorçait sa descente. Le père Remi et elle étaient ici depuis un long moment. Bientôt, les cloches sonneraient pour annoncer les prières de l'après-midi.

Du revers de la main, elle essuya ses larmes. Ses yeux la brûlaient et ils devaient être rougis – elle n'avait pas pu raconter son histoire avec détachement, comme elle l'aurait souhaité. Mais le père Remi n'en avait pas paru gêné. Quand elle n'arrivait plus à parler, il lui disait simplement de prendre tout son temps. Aucune tâche urgente ne le réclamait.

Elle lui avait tout raconté avec franchise, sans rien lui cacher. Quand elle avait eu fini de lui relater ce qui s'était passé en Angleterre, elle avait expliqué comment ces événements affectaient encore sa vie actuelle. Elle lui avait parlé de l'accord passé avec Theo, par lequel elle renonçait à exercer son art – de manière que personne ne puisse établir un rapprochement avec l'ancienne Kitty, et qu'il ne soit pas constamment obligé de se rappeler la faute qu'elle avait commise. Elle avait décrit la tension qui persistait entre eux. Elle lui avait même exprimé ses craintes au sujet des relations entre Theo et Charlotte.

Tout au long de ce récit, le père Remi n'avait manifesté aucune réaction, présence immobile et silencieuse à côté d'elle.

Sa confession terminée, elle avait éprouvé un immense soulagement. C'était bon d'avoir pu enfin ouvrir son cœur à quelqu'un. Mais en même temps, elle était encore plus désorientée qu'avant. Au cours des deux ans qui s'étaient écoulés depuis le jour terrible de l'inauguration, elle avait oublié ce qu'elle avait ressenti en prenant la décision de poser pour Yuri, puis en envoyant le tableau à Jean-Jacques. Elle s'était laissé influencer par l'opinion des autres : ce qu'elle avait fait était sale, malhonnête, irresponsable et même cruel. Mais aujourd'hui, en se remémorant toute l'histoire, en revivant les émotions qu'elle avait ressenties alors, elle avait compris ce qui l'avait poussée à suivre cette voie. Quand elle pensait à la manière dont Theo et sa famille l'avaient traitée, elle sentait la colère monter en elle. Pourtant, durant ce voyage dans le passé, elle avait également revécu la détresse de Theo, sa propre souffrance face au gouffre qui s'était creusé entre eux. Le cœur et l'esprit en tumulte, elle noua nerveusement ses mains dans son giron.

Elle regarda le prêtre à la dérobée ; rien dans son expression ne lui permettait de deviner le jugement qu'il portait sur elle, maintenant qu'il savait tout. Il courbait la tête, les mains croisées sur ses genoux. Quand il releva enfin les yeux, elle fut surprise d'y voir briller des larmes. Mais quand il parla, sa voix était calme et ferme.

« Vous vous êtes confessée, Kitty. Selon le rite de notre église, le prêtre doit ensuite donner l'absolution et dire à son paroissien que Dieu lui accorde Sa miséricorde et Son pardon. » L'accent du père Remi parut s'épaissir en prononçant ces mots, comme s'il les avait appris il y a bien longtemps, dans un lointain séminaire. « Puis il lui suggère une pénitence, qui consiste généralement à lire les Écritures ou réciter des prières, parfois à accomplir un pèlerinage ou faire une offrande. »

Elle hocha la tête. Peu lui importait la pénitence qu'il lui infligerait, si cela pouvait l'aider à tirer un trait sur le passé.

« Dans le cas présent, poursuivit le prêtre, je ne puis toutefois vous accorder l'absolution. »

Elle le dévisagea d'un air consterné, puis baissa les yeux vers le sol. Un scarabée passa à toute allure, laissant dans le sable de minuscules empreintes. Elle agrippa le bord du banc entre ses doigts. Le ton du père Remi était bienveillant, mais elle ne pouvait se méprendre sur ses propos. Elle l'entendit inspirer, comme pour se préparer à reprendre son discours, et elle appréhenda la suite.

« Quand je pense à ce que vous avez fait pour votre ami Yuri, à ce que cela a dû représenter pour lui, et aux conséquences que cela a entraînées pour vous… »

Il s'interrompit ; Kitty se rendit compte que sa voix était étranglée par l'émotion. Il inspira de nouveau et reprit :

« Tout ce que je vois, c'est une femme courageuse, qui s'est sacrifiée par compassion. Je ne vois là aucun péché, Kitty. Seulement de l'amour.

— Mais j'ai trahi Theo, objecta-t-elle en relevant les yeux. Je lui ai dissimulé des choses, je… »

Le père Remi leva la main.

« Parfois, il ne s'agit pas simplement de choisir entre le bien et le mal. Une bonne action peut aussi avoir des conséquences néfastes.

— Mais alors, que puis-je faire ? »

Brusquement, elle sentit le désespoir l'envahir. Son mariage, sa vie, étaient un gâchis total. Et toute la sympathie du père Remi ne résoudrait pas ses problèmes.

« C'est simple, répondit le prêtre. Oubliez tout ce que les autres pensent de vous, tout ce qu'ils exigent de vous. Soyez fidèle à vous-même. » Posant une main sur l'insigne de son ordre, il ajouta : « Le cœur connaît la vérité. Sondez votre cœur. »

Du geste, il montra le jardin, comme si c'était là qu'elle découvrirait le sens de ce qu'il venait de dire. Elle se força à sourire pour dissimuler sa déception. À défaut de la dangereuse magie de Tesfa, elle avait au moins espéré un conseil utile.

Ramassant le panier, le prêtre le lui tendit.

« Allons donc cueillir ces fruits, dit-il en lui rendant son sourire. Ensuite, je vous montrerai notre grotte. »

Un sentier de pierres plates s'insinuait entre deux buissons de lauriers-roses ponctués de fleurs magenta. Kitty courba la tête pour éviter les extrémités pointues de leurs feuilles. Son panier lourdement chargé lui heurtait le genou tandis qu'elle avançait d'un pas vif, réglant son allure sur celle du prêtre.

En face d'eux, elle aperçut une construction qui ressemblait à une maison de poupée, à la différence qu'elle était faite de béton crépi, avec une façade à pignon.

Celle-ci était percée en son milieu d'une ouverture arrondie dépourvue de porte. De toute évidence, ce lieu que le père Remi appelait une grotte était conçu pour être accessible à tout moment. Les murs étaient épais et robustes, disproportionnés par rapport aux dimensions minuscules de l'édifice. Ils n'étaient pas peints, mais on avait passé de la chaux tout autour de l'entrée, peut-être pour attirer l'attention du passant, l'inviter à la franchir.

Le père Remi s'écarta pour la laisser s'approcher de la grotte.

« Nous avons achevé la construction il y a un peu plus d'un an, afin de commémorer un miracle extraordinaire qui s'est produit ici, expliqua-t-il – comme si les miracles ordinaires, eux, étaient aussi courants que le retour des oiseaux migrateurs après l'hiver, ou la nuit succédant au jour. Une enfant a été guérie de sa cécité. Elle avait six ans et était aveugle de naissance. Longtemps, son père a refusé de nous l'amener. Mais quand il est mort de la malaria, sa mère a décidé de venir. Le père Paulo a prié pour elle et elle a été guérie. Elle sait même lire, aujourd'hui.

— Et elle était complètement aveugle ? demanda Kitty, sans pouvoir s'empêcher de prendre un ton sceptique.

— Oui, acquiesça le prêtre. Elle ne pouvait pas se déplacer sans l'aide de sa sœur aînée. C'est le plus prodigieux de tous les miracles auxquels nous ayons assisté ici.

— Il y en a eu d'autres ? s'enquit-elle en haussant les sourcils.

— Le père Paulo possède un don.

— Vous voulez dire qu'il lui suffit de réciter des prières pour que les gens guérissent ?

— J'aimerais que ce soit aussi simple que ça. Si c'était le cas, nous n'aurions même plus besoin d'un dispensaire. Les religieuses n'auraient plus à donner des cours de nutrition et d'hygiène. Tout le monde serait en bonne santé. Mais un miracle authentique est le plus profond des mystères. C'est une chose que nos esprits, formés à la logique, ne peuvent tout bonnement pas comprendre. Pour les Africains, c'est beaucoup moins énigmatique, évidemment. Leur esprit n'est pas contaminé par le rationalisme. C'est une des raisons pour lesquelles j'adore travailler ici. J'y apprends tellement de choses... »

Il la conduisit jusqu'à l'entrée et poursuivit :

« Les villageois ont décidé qu'il fallait construire une grotte ici, à l'emplacement même où la fillette avait été guérie. Le père Paulo est vieux, et ils s'inquiètent à l'idée qu'il quittera bientôt ce monde. Ils espèrent qu'un peu de lui demeurera en ce lieu. Et moi aussi. »

Tout en parlant, il tourna son regard en direction du petit cimetière où étaient enterrés les anciens habitants de la mission. Elle se sentit triste pour lui. Sans doute, quand il perdrait son collègue, lui enverrait-on un remplaçant. Quelqu'un qui aurait été choisi dans la lointaine Rome, un parfait inconnu que l'on déplacerait comme un pion sur un échiquier. Heureusement, le prêtre aurait toujours un ami à la ferme voisine. En pensant à Taylor, elle se surprit à sourire. La dernière fois qu'elle l'avait vu, il dansait une sorte de gigue avec l'un des gardes, pour une raison qu'elle ignorait. Les tentatives de Gili pour imiter les danseurs avaient déclenché l'hilarité générale. Elle se rappelait encore les rires qui avaient parcouru cette foule d'une centaine de personnes. Durant ce bref laps de temps, ils avaient tous été unis – les prisonniers et les gardes, les criminels endurcis et les petits voleurs, ceux qui gardaient espoir et ceux qui n'en avaient plus, les faibles et les forts.

Posant son panier, elle entra dans la grotte. L'air était frais et sentait le béton et la pierre. Lorsque sa vue se fut habituée à la pénombre, elle aperçut une paire de tabourets bas placés devant un autel adossé à la paroi du fond. Le devant de la table était masqué par une étoffe à rayures vertes et blanches, légèrement saupoudrée de poussière rouge. Sur le dessus de bois nu se trouvait un candélabre encadré par deux vases assortis. Mais il n'y avait aucune trace de cire fondue sur le bois, aucune fleur fanée, pas même un pétale recroquevillé. Manifestement, la grotte n'avait pas encore été utilisée.

« Comme vous le voyez, dit le père Remi en montrant un socle en béton érigé derrière l'autel, il n'y a pas de statue. Nous attendons sa livraison.

— Vous l'avez commandée en Italie ?

— Celles de l'église viennent en effet de là-bas. Mais elles sont très onéreuses et nous avons besoin de notre argent pour d'autres choses. » Il vint se placer près d'elle et se tourna de façon à la regarder dans les yeux. « Mais ce n'est pas la seule raison à ce retard. Nous voulons quelque chose de différent. Nous aimerions une statue d'enfant – d'enfant africain. Et bien sûr, nous ne pouvons pas la faire venir d'Italie. »

Il considéra d'un air pensif le vide derrière l'autel, comme s'il voyait déjà la statue dont il rêvait. Puis il se tourna de nouveau vers Kitty, et son visage s'éclaira.

« En fait, nous devrions la faire réaliser ici, avec un des enfants du village comme modèle. »

Elle le dévisagea sans réagir. L'idée venait-elle tout juste de surgir à son esprit, ou jouait-il la comédie ? se demanda-t-elle. Quoi qu'il en soit, elle ne put contenir un frémissement d'excitation. Elle sentait déjà la glaise sous ses doigts. La forme d'un enfant surgissant peu à peu – la tête trop grosse pour son corps, les bras grêles, le ventre proéminent… Son cœur se mit à battre plus vite. Puis elle secoua la tête.

« Je ne peux pas. Je ne suis plus artiste.

— Mais si. Les enfants m'ont montré la statuette de Gili. Je me doutais déjà que vous aviez reçu une formation artistique. Et maintenant, je connais votre histoire. » Il la prit par les épaules, l'obligea à lui faire face. « Vous ne pouvez pas continuer à nier cette partie de vous-même. Nul n'a le droit de vous demander cela. »

Elle hocha lentement la tête. Elle se sentait excitée et intimidée à la fois. Elle avait peur de ce qu'impliquaient ces paroles – mais elle savait qu'elles étaient justes.

« Les tournesols, voilà la solution, annonça Theo à Kitty. Ils vont nous sauver la mise. » Il marchait de long en large dans le salon, un verre à la main. « Apparemment, ils poussent comme de la mauvaise herbe, en Australie. Le ministère du Ravitaillement a déjà mis en place différents projets là-bas, à l'heure même où je te parle. » Il s'interrompit pour boire une gorgée, puis se mit à rire. « Nous allons essayer ici, sur une grande échelle, comme les arachides. Et tout ça à cause d'un perroquet ! »

Elle répondit par un petit sourire circonspect. Elle comprenait son soulagement à la perspective de préserver le plan Arachide du naufrage : les graines de tournesol pouvaient elles aussi servir à produire de la margarine. Et la seule idée de plantations remplies d'énormes fleurs jaunes suffisait à vous remonter le moral. Toutefois, elle percevait dans sa voix une pointe de nervosité. Ses mouvements étaient un peu trop vifs, ses yeux trop brillants. Elle ne savait pas s'il avait bu avant de rentrer à la maison, ou s'il n'était pas aussi détendu qu'il feignait de l'être.

« Un type du ministère du Ravitaillement se trouvait dans le Queensland, poursuivit Theo, chez un membre de nos services en Australie. Il y avait un perroquet dans une cage. L'Australien a raconté que l'oiseau n'arrêtait pas de projeter ses graines de tournesol à travers les barreaux, et que celles-ci germaient partout où elles tombaient ! On ne peut pas en dire autant des arachides, ajouta-t-il en riant de nouveau.

— Sont-elles également faciles à récolter ? » demanda-t-elle.

Elle ignorait tout de la culture des tournesols (en tout cas, personne ne la pratiquait aux alentours de Wattle Creek), mais ce n'était pas pour ça qu'elle posait cette question. Elle voulait simplement formuler un commentaire intelligent, comme aurait pu en émettre Charlotte. Peut-être, maintenant que Theo discutait sérieusement de son travail avec une femme, pourrait-il faire preuve de la même ouverture d'esprit envers son épouse ?

« Ma foi, de toute évidence… Mais tu n'as pas besoin de le savoir. »

S'approchant du chariot à liqueurs, il se versa un autre whisky ; ces derniers temps, Gabriel s'éclipsait aussitôt après avoir servi la première tournée. Après avoir bu un grand trait d'alcool, il leva son verre comme pour porter un toast.

« J'ai une bonne nouvelle pour toi. »

Sans se départir de son petit sourire, elle attendit la suite, en s'efforçant de cacher son appréhension.

« Cette corvée chez les missionnaires sera bientôt terminée ! Cela devrait te réjouir, non ?

— Que veux-tu dire ? s'enquit-elle en le fixant d'un air incrédule.

— Richard et Diana rentreront en Angleterre au mois de janvier, pour un congé de quelques mois. Tu n'auras plus à t'occuper d'elle. »

Kitty ne savait comment réagir. Elle était déjà informée de ce voyage, qui représentait pour Diana et son époux un grand pas en avant. Revoir leurs familles et leurs amis raviverait leurs souvenirs et leur chagrin, mais ils espéraient qu'en affrontant le passé, ils pourraient faire enfin leur deuil et trouver l'apaisement. Elle s'en réjouissait pour eux. Toutefois, il ne lui était pas venu à l'esprit que, son amie partie, elle n'aurait plus aucun prétexte pour se rendre à la mission.

« En l'absence de Richard, je serai directeur général par intérim, proclama Theo avec fierté.

— Félicitations.

— Et je ne vois aucune raison pour que tu reprennes ce travail bénévole quand ils seront rentrés. Tu as été d'un grand secours à Diana, mais ça suffit comme ça, déclara-t-il, avec autant d'autorité que s'il avait déjà endossé le rôle de Richard. Si elle veut continuer à aller là-bas à son retour, elle ira toute seule. »

D'un ton qu'elle s'efforça de rendre désinvolte, Kitty répondit :

« Oh, ça ne me dérange pas de continuer. J'ai fini par y prendre un certain plaisir. »

Il lui lança un regard pénétrant, puis agita dédaigneusement la main.

« De toute manière, d'ici peu, tu n'en auras plus le temps. Tu seras la première memsahib de Kongara. Ce sera l'occasion pour toi de faire tes preuves ! »

Elle tourna son verre entre ses mains. Mentalement, elle composa différentes phrases pour se justifier, fournir des prétextes. Mais aucune ne lui parut satisfaisante. Finalement, elle répondit simplement :

« Je veux continuer à aller là-bas, Theo. J'ai des choses à faire. »

Les yeux de son mari s'arrondirent sous l'effet de la surprise. Ce qu'elle venait de dire équivalait presque à un défi.

« Quelles choses au juste, pourrais-tu me le dire ? »

Sous le ton sarcastique, elle perçut une pointe d'anxiété. Theo détestait tout ce qui venait troubler l'ordre établi, et elle avait enfreint les règles. Mais elle ne céderait pas.

« On m'a demandé de faire une statue.

— Une statue ? »

Il se figea, son verre à mi-chemin de ses lèvres.

« Une statue d'enfant africain. Je la modèlerai d'abord dans la glaise, puis je réaliserai un moulage en plâtre. À moins que je ne trouve un moyen de travailler le bronze… »

Elle avait conscience qu'elle parlait trop. Comme si elle avait la moindre chance de convaincre Theo en lui exposant son projet en détail ! Elle finit par se taire.

Il garda le silence un long moment. Puis il répondit

d'une voix lente, comme s'il parlait à un enfant ou à un étranger :

« Tu m'as donné ta promesse. Tu as renoncé à l'art. »

Elle se lécha les lèvres, prit une inspiration.

« Je n'aurais jamais dû te promettre cela. Et tu n'aurais jamais dû me le demander. » Elle se contraignit à soutenir son regard, même si son expression la glaçait de terreur. « Theo, quand nous nous sommes connus, j'étais une artiste. Ne te souviens-tu pas ? C'était mon rêve. C'est pour cela que j'étais venue en Angleterre, que j'avais abandonné ma famille et dépensé tout l'argent légué par ma grand-mère. Devenir une véritable artiste comptait pour moi plus que tout au monde.

— Manifestement, cela compte plus que moi, en effet.

— Ce n'est pas de cela qu'il s'agit. Je n'ai pas à choisir entre toi et l'art. »

Elle se sentait sur le point de défaillir, ses jambes flageolaient. Elle avait le sentiment de mettre tout en jeu dans cette discussion. De son issue dépendrait l'avenir de leur couple, leur bonheur – sa vie tout entière.

« Oh, si, tu dois choisir, Kitty. Parce que tu m'as fait une promesse. Et maintenant, tu voudrais de nouveau me trahir. Tu crois pouvoir agir à ta guise. Peut-être se conduit-on ainsi, là d'où tu viens. Ou peut-être es-tu simplement incapable de tenir parole ? Tu te laisses influencer par le premier venu. Ce Russe, et à présent Diana. Tu ne vois pas plus loin que le bout de ton nez. »

Elle le dévisagea d'un air abasourdi. Ce qu'il disait n'avait aucun sens.

« Mais je te préviens, en persistant à désobéir, à te moquer de toutes les valeurs qui sont les miennes, tu commets une grave erreur qui risque de te coûter très cher. »

Elle s'avança vers lui, tendant les mains dans un geste suppliant.

« Je t'en prie, Theo. Nous n'avons pas besoin de nous quereller ainsi. Pourquoi ne pas discuter calmement ? Accepte au moins de m'écouter..., dit-elle en posant une main sur son bras.

— Ne me touche pas ! répliqua-t-il froidement, en la repoussant du geste, comme un insecte importun. Je sors », ajouta-t-il en posant son verre avec fracas sur la table basse.

Elle ouvrit la bouche pour lui demander d'attendre un peu, de rester ici. Mais il avait déjà atteint la porte.

« Je ne rentrerai pas pour dîner. Et Charlotte ne viendra pas non plus. »

Quelques instants plus tard, elle entendit le Land Rover démarrer en rugissant et s'éloigner dans un grincement d'embrayage.

Le cœur battant à tout rompre, elle s'effondra dans un fauteuil et enfouit son visage entre ses mains. Elle savait qu'il fonçait vers la Boîte à chaussures pour se réfugier dans les bras consolateurs de Charlotte. Très certainement, il ne rentrerait que tard dans la nuit et serait alors complètement ivre. Il se dirigerait en titubant vers la chambre d'amis – à moins qu'il ne décide de venir la voir pour proférer de nouvelles menaces. Elle contempla la situation d'un œil froid, comme de très loin. Face à un tel désastre, elle aurait dû pleurer, à tout le moins.

Mais elle se contenta de fermer les yeux, et la

tension nerveuse provoquée par la dispute fit place peu à peu à une colère sourde. Puis, complètement épuisée, elle se pelotonna dans le fauteuil et s'abandonna au sommeil.

L'instant d'après, du moins en eut-elle l'impression, Gabriel se penchait vers elle pour lui annoncer que le dîner serait bientôt servi.

« Le bwana va revenir avec lady Charlotte ? » s'enquit-il.

Elle décela dans ses yeux une lueur de curiosité. Sans doute n'avait-il rien perdu de leur dispute. Secouant la tête avec lassitude, elle répondit :

« Non, il ne rentrera pas. En fait, vous pouvez manger le dîner, Eustace et toi. Je n'ai pas faim. »

À sa surprise, elle vit passer sur le visage du jeune homme une ombre inquiète.

« La memsahib devrait manger. »

Ce maigre témoignage de sollicitude brisa ses dernières défenses, et elle demeura muette, la gorge nouée par l'émotion.

« J'ai une idée, reprit Gabriel, l'air content de lui. Je vais vous apporter à manger dans votre chambre. Une assiette de sandi-wichi.

— Merci, répondit-elle en souriant, la vue brouillée de larmes. Des sandwichs, ce sera parfait. »

16

Kitty appuya sa tête contre l'écorce lisse du baobab. Dissimulée derrière le tronc massif, elle écouta les bruits qui résonnaient autour d'elle. Les religieuses chantaient en balayant la cour. Le père Remi appela Amosi, le cuisinier. Un chien aboya au loin.

Elle était arrivée très tôt, sans attendre Diana qui viendrait dans la Daimler à l'heure habituelle. Elle voulait simplement s'échapper de la rue des Millionnaires. Celle-ci était bien trop proche du bureau central, de la Boîte à chaussures, de n'importe quel endroit de Londoni où Charlotte et Theo pouvaient se trouver.

Il s'était absenté la plus grande partie de la nuit. Quand elle l'avait entendu rentrer – ses pas furtifs l'avaient réveillée en sursaut, ce qui prouvait que, même dans son sommeil, elle avait guetté son retour –, les premières lueurs de l'aube s'insinuaient déjà entre les rideaux. Ainsi qu'elle s'y attendait, il s'était rendu directement dans la chambre d'amis. Elle avait perçu un bruit sourd quand il avait trébuché dans le couloir ; puis les ronflements sonores d'un homme ivre.

Elle avait fini par se rendormir, pour se réveiller brutalement à peine un instant plus tard, lui avait-il semblé.

Les sons émanant de la salle à manger indiquaient que Gabriel était en train de servir le petit déjeuner. Enfilant hâtivement sa robe de chambre, elle était allée voir Theo. Elle savait qu'elle devait avoir une bien piètre apparence, avec ses yeux troubles, ses cheveux en broussaille, mais elle voulait lui parler avant qu'il parte au travail.

Il était occupé à beurrer un toast, sa tasse de thé posée à côté de son coude. Il n'avait pas levé les yeux à son approche. Elle avait respiré profondément, s'efforçant de garder son calme.

« Où étais-tu, cette nuit ?

— Je n'ai pas envie de discuter de ça », avait-il rétorqué, la tête penchée sur son assiettée d'œufs au bacon.

Elle avait serré les dents de frustration. Bien sûr qu'il n'avait pas envie d'en parler ! Il refusait de discuter de quoi que ce soit. Ni de leur mariage ni de son état de santé. Depuis des années, elle le suppliait de consulter un médecin civil au sujet de ses cauchemars et autres symptômes traumatiques. Mais cela n'avait servi à rien : il ressemblait à un enfant qui croyait pouvoir faire disparaître le monde en se cachant les yeux.

« Je suis restée éveillée à t'attendre.

— Eh bien, tu n'aurais pas dû te donner cette peine, avait-il répliqué en découpant son œuf dont le jaune s'était répandu dans l'assiette.

— Tu étais avec elle, n'est-ce pas ? »

Il n'avait pas répondu ; tête baissée, il avait continué à mâcher et à avaler. Puis il avait vidé sa tasse de thé et s'était levé. Après avoir reposé sa serviette sur la table d'un geste brusque, il était sorti à grands pas. Elle l'avait entendu se brosser les dents dans la salle de bains, puis sortir de la maison en claquant la porte.

Quand la voiture avait démarré, elle s'était effondrée sur une chaise, en plein désarroi. Le départ de Theo avait laissé en elle un vide insupportable. Elle s'était relevée avec effort et ses pas l'avaient entraînée vers la chambre d'amis.

L'air empestait la fumée de cigarette, le tabac froid. Les chaussures de Theo – que, d'habitude, il rangeait côte à côte sous le lit, ainsi qu'il avait appris à le faire au pensionnat – gisaient au milieu de la pièce, comme s'il les avait ôtées d'un coup de pied et envoyées voltiger. Elle avait pris la veste drapée sur une chaise. En la portant à son nez, elle avait reconnu le parfum de Charlotte. Comme elle reposait le vêtement, elle avait aperçu sur le lit sa chemise froissée. Le devant était taché de vin rouge. Le col portait une trace de rouge à lèvres – un rouge sombre, presque brun, très différent des teintes claires qu'elle-même utilisait. Et elle avait également repéré un cheveu roux, long et ondulé, accroché à une manche. Elle l'avait saisi entre le pouce et l'index, et il lui était venu à l'esprit que les cheveux de Charlotte étaient de la même longueur que les siens autrefois, avant que Theo l'oblige à les couper. Aimait-il sentir leur caresse sur sa peau pendant qu'ils faisaient l'amour ? Enroulait-il une mèche autour de sa main pour attirer le visage de Charlotte vers le sien ?

Peut-être n'étaient-ils pas vraiment amants, s'était-elle dit pour se rassurer. Peut-être s'étaient-ils contentés de s'embrasser et de se câliner. Mais pourquoi se seraient-ils arrêtés là ? Rien ne les retenait – après tout, lady Welmingham n'était pas mariée. Par conséquent, Theo avait parfaitement le droit d'avoir une liaison avec elle, et elle avec lui.

Louisa avait pris soin d'expliquer à sa belle-fille

les règles régissant les relations extraconjugales entre membres de l'aristocratie britannique. Cette « petite conversation » avait eu lieu peu de temps après qu'ils avaient emménagé à Hamilton Hall. Ce n'était pas la première fois que Louisa la prenait ainsi à part. Après tout, Kitty était australienne, et l'on savait très peu de chose sur sa famille ; elle ignorait visiblement tout de la façon dont vivaient les gens comme les Hamilton. Comme toujours, Louisa avait parlé sans détour, allant droit au fait :

« La première responsabilité d'une épouse, c'est de produire un héritier mâle. Jusqu'à ce qu'elle s'en soit acquittée, il n'est pas question pour elle d'avoir une liaison. De son côté, un gentleman ne doit jamais coucher avec une femme mariée – je parle de celles de sa classe, évidemment – qui n'a pas encore donné naissance à un fils. Cela ne se fait absolument pas. Là où je veux en venir, Kitty, c'est que vous ne devez pas folâtrer avant d'avoir donné un héritier à Theo. Ensuite, vous pourrez faire ce que bon vous semblera. »

Kitty avait laissé échapper un rire effaré. Sa belle-mère avait débité ce discours du même ton qu'elle lui aurait dispensé des conseils pratiques sur les arrangements floraux ou la manière de se faire obéir des domestiques. Elle avait dû repasser toutes les phrases dans son esprit pour s'assurer qu'elle en avait bien compris le sens.

« Alors, Theo est libre d'avoir une liaison en ce moment et moi pas ?

— Ça paraît injuste, je sais bien, mais c'est effectivement le cas. Ce qui compte, c'est que sa paternité ne puisse être mise en doute, concernant le premier-né. »

Elle avait dévisagé Louisa d'un air ahuri. Était-ce ainsi que cela s'était passé dans son couple ? S'était-elle autorisée à prendre des amants ? Si Yuri avait répondu à ses avances, aurait-elle eu une liaison avec lui ? De son côté, l'amiral semblait s'intéresser de très près aux femmes – surtout aux jeunes. Elle avait bien vu la façon dont il lorgnait les paroissiennes à l'église et les servantes du manoir. Elle avait même surpris son regard s'attardant sur elle, l'épiant quand elle croisait les jambes, même si elle veillait toujours à rabattre soigneusement sa jupe.

« Me suis-je bien fait comprendre ? avait demandé sa belle-mère, l'expression sévère – de toute évidence, elle ne plaisantait pas.

— Vous n'avez pas lieu de vous inquiéter, avait-elle répondu. Aucun de nous deux n'aura de liaison avec qui que ce soit. Nous nous aimons. »

Louisa lui avait alors décoché un regard étrange – de pitié, d'envie, ou peut-être un mélange des deux ? Puis elle avait hoché la tête et quitté la pièce…

Émergeant de ces souvenirs, Kitty avait agité la main pour se débarrasser du cheveu roux et avait jeté la chemise sur le lit. D'un pas vif, elle était sortie de la chambre, refermant violemment la porte derrière elle. Quelques minutes plus tard, vêtue de sa tenue de travail, elle s'était dirigée vers sa voiture.

À présent, à l'ombre du baobab, les événements douloureux de la veille et de la matinée lui paraissaient déjà lointains. Elle se sentait plus calme – comme si, en appuyant son corps contre le tronc de l'arbre, elle avait absorbé un peu de sa force. Le père Remi lui avait dit que celui-ci – il avait employé le mot swahili, *buyu*, pour le désigner – était âgé de près de deux mille ans. Au cours des siècles, il avait sans doute vu passer un grand nombre d'êtres humains, avec leurs joies et leurs peines, leurs rêves et leurs désillusions…

Elle essaya de réfléchir posément à sa situation, en commençant par mettre un nom sur les émotions qui bouillonnaient en elle. Elle était en colère, elle était effrayée, elle était jalouse. Choquée, aussi. Tout s'était passé si vite : Charlotte n'était là que depuis un mois à peine ! Et elle était également gênée à l'idée que la liaison entre Theo et Charlotte ait pu débuter dès l'arrivée de celle-ci et soit déjà un sujet de commérage à Londoni. Cette pensée fit naître un sourire ironique sur ses lèvres : une fois de plus, on chuchotait à son propos mais, cette fois, c'était Theo qui était à l'origine du scandale. Elle continua à fouiller ses plaies avec un acharnement masochiste. Mais la vérité, c'était qu'elle ne se sentait pas dévastée par l'infidélité de Theo. Peut-être l'avait-il blessée trop souvent, déçue trop souvent. Au fond d'elle, il n'y avait qu'un vide glacé.

Qu'allait-il arriver ensuite ? Theo et elle resteraient ensemble, cela allait sans dire. Charlotte rentrerait en Angleterre, tôt ou tard, et épouserait un homme de son rang. À un moment ou un autre, Theo voudrait de nouveau avoir des relations sexuelles avec son épouse. Après tout, il devait engendrer un héritier. Peut-être même feraient-ils le voyage jusqu'à Nairobi, ainsi qu'elle le lui avait demandé. Mais il n'y aurait plus de véritable amour ni de confiance entre eux. Ils ne formeraient jamais la famille unie dont elle avait rêvé. Avec un frémissement de chagrin, elle comprit qu'elle avait échoué dans son ambition – faire un mariage plus heureux que celui de sa mère. En fait, elle s'en était encore moins bien sortie. Son père était dur et âpre au gain, mais elle doutait qu'il ait jamais été infidèle. Et ses parents étaient foncièrement loyaux l'un envers l'autre. Face à l'adversité – sécheresse, feu de brousse, maladie ou tout autre désastre –, ils s'épaulaient mutuellement, prenaient les coups ensemble.

Un bruit de moteur interrompit ses pensées. Un véhicule venait de s'arrêter en face d'elle, de l'autre côté de l'arbre. Elle fronça les sourcils, intriguée – il était beaucoup trop tôt pour qu'il s'agisse du camion de la prison. Se plaquant contre le tronc, elle jeta prudemment un regard de l'autre côté. Il lui suffit d'entrevoir les antiques roues à rayons et les phares bulbeux bizarrement rapprochés pour reconnaître l'invraisemblable guimbarde de Taylor. Gili trônait comme toujours sur le capot, accroupi dans sa caisse en bois. Sitôt le moteur coupé, il bondit au sol. Puis Taylor descendit à son tour.

Le singe et l'homme l'aperçurent en même temps. Taylor parut surpris, mais lui adressa un salut amical. Pendant que Gili s'élançait vers elle, elle s'essuya les joues, en espérant que son visage ne trahirait pas son chagrin. Puis elle s'avança, les bras grands ouverts.

Elle serra le petit animal contre sa poitrine, réconfortée par ses démonstrations d'affection.

« Bonjour », lui lança Taylor.

Il se dirigea ensuite vers l'arrière du véhicule, où un Africain était en train de décharger des cageots de légumes. Une demi-douzaine d'autres hommes étaient assis sur la plate-forme. Elle les contempla avec curiosité, par-dessus la tête de Gili. Leurs visages étaient peints d'ocre rouge, leurs poitrines et leurs épaules blanchies par la cendre. Ils portaient des lances, des arcs et des carquois de cuir hérissés de flèches, comme des guerriers préparés au combat.

Un sourire timide aux lèvres, elle s'approcha pour leur présenter les salutations rituelles du matin.

« *Hamjambo. Habari za asubuhi ?* »

Le plus vieux des hommes répondit au nom du groupe. Il assura que tout allait bien ce matin, que tout le monde se portait bien, leurs familles, leurs bêtes, leurs *shamba*.

Elle se força à répondre que tout allait bien aussi pour elle. C'étaient des formules de politesse qui n'avaient rien à voir avec la vérité. Pendant cet échange, elle observa les hommes de plus près. Plusieurs portaient des brassards faits de peau et de plumes qui mettaient en valeur leurs biceps saillants. Des colliers ornaient leurs larges épaules. Ils avaient un aspect exotique et dangereux et paraissaient complètement différents des Africains qu'elle avait rencontrés jusqu'à présent.

Taylor la rejoignit et tendit les mains pour prendre Gili. Les manches de sa chemise kaki étaient roulées jusqu'aux coudes, dénudant ses avant-bras bronzés. La lumière matinale éclairait ses traits, soulignant sa mâchoire robuste, son large front. Son regard croisa le sien et le soutint pendant un instant, bref mais intense. Elle détacha de son cou les bras maigres du singe.

« Où emmenez-vous ces hommes ? » s'enquit-elle.

Elle ne concevait pas que Taylor puisse s'impliquer dans un conflit tribal. Puis il lui vint à l'esprit qu'ils se rendaient peut-être à une cérémonie quelconque. Lors de la dernière visite du ministre du Ravitaillement à Kongara, le club avait organisé des danses tribales en son honneur, avec des Wagogo habillés exactement de la même manière.

« Nous allons récolter du miel sauvage, expliqua-t-il, avec un geste vers les plaines, dans la direction opposée aux plantations. C'est à environ une heure d'ici, derrière ces collines que vous apercevez au loin. Là-bas, la prairie s'étend à perte de vue, parsemée d'acacias. C'est une région magnifique », ajouta-t-il en souriant.

Il y eut un bref silence. Puis, tout à coup, elle s'entendit dire :

« Puis-je vous accompagner ? »

Elle se mordit aussitôt la lèvre, étonnée de sa propre audace. Taylor paraissait tout aussi déconcerté.

« Ça ne fait rien, se hâta-t-elle de reprendre. Je n'aurais pas dû vous le demander. »

Mais alors même qu'elle prononçait ces mots, elle prit conscience qu'elle mourait d'envie de l'accompagner. Elle ressentait soudainement le besoin de partir vers un endroit où elle n'était encore jamais allée, un territoire inconnu où elle pourrait oublier sa vie. Elle percevait chez les Africains le même sentiment de joyeuse impatience. Cela lui rappela le temps où elle partait rassembler le bétail avec les employés de son père, un robuste déjeuner dans la sacoche de leurs selles en prévision de la longue journée de travail qui les attendait. Quand ils trouveraient le miel, se dit-elle, elle resterait à distance, loin des abeilles.

« Je serais ravi que vous veniez, répondit Taylor, l'air encore mal remis de sa surprise. Mais, d'habitude, les femmes ne sont pas autorisées à participer à ce genre d'expédition. Je vais voir ce qu'ils en pensent. »

La discussion dura un long moment. Kitty fit semblant de concentrer son attention sur Gili pendant que les hommes la montraient du doigt et débattaient entre eux. Finalement, Taylor revint vers elle.

« Ils acceptent que vous nous accompagniez, parce

qu'ils savent que vous travaillez dur à la mission. Et aussi parce que, étant européenne, vous ne comptez pas vraiment en tant que femme. » Avec un petit sourire, il poursuivit : « Vous serez placée sous ma responsabilité. J'ai promis de veiller à ce que vous vous comportiez correctement.

— Je serai sage », répondit-elle en riant.

Elle sentit le désespoir qui l'habitait depuis ce matin commencer à se dissiper. Traversant la cour en toute hâte, elle alla prévenir les religieuses de son départ. La veille, le père Remi et elle étaient convenus de se voir dans la matinée pour discuter de l'emplacement de son futur atelier. Le prêtre l'encourageait à examiner les différentes options possibles, même si elle ne s'était pas formellement engagée à réaliser la statue – il lui aurait fallu pour cela obtenir au préalable l'autorisation de Theo. Il voulait lui montrer une pièce à l'arrière du bâtiment principal qui, selon lui, serait le lieu idéal. Mais cela pouvait être remis à plus tard ; elle savait qu'il ne s'en vexerait pas.

Taylor l'attendait près du camion, du côté du passager.

« Le trajet ne sera pas très confortable, j'en ai peur. Vous ne devez pas être habituée à voyager dans de telles conditions.

— Ne vous inquiétez pas, ça ira. »

Elle sourit en elle-même à l'idée qu'il s'imaginait qu'elle n'avait jamais voyagé autrement que dans des limousines et des compartiments de première classe. Sans attendre son aide, elle se hissa avec agilité sur le siège et Gili vint aussitôt se nicher sur ses genoux.

Taylor la regarda brièvement, puis alla s'installer au volant. Il se pencha pour actionner un démarreur de fortune qui aurait paru plus à sa place dans une cuisine.

Le moteur se mit en marche avec un bruit assourdissant, le pot d'échappement défectueux ne faisant rien pour l'atténuer. Le tintamarre s'intensifia à mesure que le véhicule accélérait, donnant l'impression qu'il allait d'un moment à l'autre tomber en pièces. Kitty se déplaça sur son siège pour s'écarter d'un ressort cassé qui s'enfonçait dans sa hanche.

« Est-ce que ça va ? hurla Taylor par-dessus le vacarme.

— Très bien, merci ! »

Elle se cala contre le dossier et regarda à travers ce qui servait de pare-brise. Le verre était sale et rayé, mais il offrait une protection relative contre le vent et la poussière. Le bruit rendait toute conversation impossible, et cela ne faisait qu'accroître la sensation troublante suscitée par la proximité de leurs corps. Observant son compagnon à la dérobée, elle contempla les profondes rides autour de sa bouche et entre ses sourcils. Son menton orné de barbe. Les poils blondis par le soleil sur ses bras. Quand elle détourna les yeux, elle se rendit compte que c'était lui à présent qui la regardait, et elle se demanda ce qu'il voyait. Une femme qui, manifestement, n'avait fait aucun effort pour avoir belle apparence ? Pouvait-il voir aussi qu'elle n'avait pratiquement pas dormi de la nuit ? Elle avait l'impression que les mots « épouse délaissée » étaient écrits sur son front. Que l'humiliation était gravée sur ses traits. Mais, s'il aperçut tout cela, il n'en montra rien. Quand leurs yeux se rencontrèrent, il lui lança un regard chaleureux. Puis il agita la main en un geste englobant tout le paysage, comme s'il voulait lui en faire partager la beauté.

Au bout d'un petit moment, alors qu'ils venaient à peine de contourner les premières collines, Taylor s'arrêta à côté d'un homme qui marchait le long de la route en compagnie d'un enfant. Ils échangèrent des salutations en swahili et elle comprit qu'il demandait à l'Africain des nouvelles de son épouse malade. Celle-ci devait être guérie, car les deux hommes souriaient en se disant au revoir. Avant de redémarrer, Taylor indiqua du doigt le flanc de la colline proche. L'espace d'un instant, elle ne vit pas ce qu'il voulait lui montrer. Puis elle discerna le toit et la façade en pierre d'une maison presque camouflée parmi les rochers.

« Ma maison », déclara-t-il.

En examinant la construction avec plus d'attention, elle vit qu'elle était dotée de grandes fenêtres surplombant les plaines, ainsi que d'une terrasse sur le devant. À l'une de ses extrémités s'érigeait une tourelle extravagante. Son constructeur, de toute évidence, ne s'était pas uniquement soucié de l'aspect pratique en dessinant les plans.

« C'est mon père qui l'a bâtie, reprit Taylor, d'un ton de fierté manifeste. C'est là que je suis né.

— La maison a l'air ravissante, répondit-elle. La vue doit être magnifique.

— La plus belle du pays », acquiesça-t-il en souriant.

Quand il redémarra, elle remarqua qu'il prenait soin de ne pas accélérer trop vite, de manière à ne pas projeter de poussière sur l'homme et l'enfant au bord de la route.

Laissant les vertes collines derrière eux, ils descendirent vers les plaines. Sur la terre rouge, parmi les herbes, les buissons et les arbustes, se dressaient plus de baobabs que Kitty n'en avait jamais vu durant tout son séjour au Tanganyika. Les arbres gigantesques, tout en maintenant entre eux une distance pleine de dignité, étaient réunis par petits groupes. Tandis que le véhicule se frayait un chemin entre les troncs immenses, elle eut l'impression que ses compagnons et elle étaient des intrus interrompant une conversation qui reprendrait aussitôt après leur passage.

La piste disparut bientôt et ils roulèrent à travers la plaine. Au bout d'environ une demi-heure, le paysage changea de nouveau. Au début, la transformation fut à peine perceptible – les baobabs se firent un peu plus rares, les buissons plus épais, l'herbe plus abondante. Çà et là, des acacias commencèrent à apparaître, leur canopée dessinant contre le ciel une courbe parfaite. Puis il y en eut de plus en plus et, bientôt, ils se retrouvèrent dans un lieu entièrement boisé de ces arbres gracieux.

Taylor coupa le moteur. La poussière soulevée par les roues retomba, recouvrant les cheveux et la peau de Kitty, ses vêtements. Gili éternua et s'ébroua. Taylor tendit à Kitty une bouteille d'eau.

« Vous devez avoir soif. »

Elle but à longs traits ; l'eau était tiède, mais elle apaisa sa gorge desséchée. Elle se servit de l'ourlet de sa jupe pour essuyer le goulot de la bouteille avant de la rendre. Ce geste lui parut étrangement intime, alors qu'ils se connaissaient si peu. Elle se détourna tandis qu'il buvait à grandes goulées.

Derrière eux, les hommes sautèrent à terre et se mirent en devoir de répartir les armes.

« Ils vont chasser ? s'enquit-elle.

— S'ils voient une gazelle ou un éland[1], ils les poursuivront. Mais les lances et les arcs sont avant

1. Grande antilope africaine de la famille des bovidés.

tout destinés à nous protéger. Il y a des lions par ici, ainsi que des éléphants et des buffles. Toutefois, ne vous inquiétez pas. Vous êtes en de bonnes mains.

— Je ne m'inquiète pas. »

Elle promena son regard autour d'elle dans l'espoir d'entrevoir un animal. Elle n'avait pas encore aperçu une seule des créatures qu'elle associait dans son esprit à l'Afrique. Bowie, le vieux chasseur, avait raison : la faune sauvage avait déserté Kongara.

« Surtout, restez près de moi », l'avertit Taylor.

Elle baissa les yeux vers Gili, blotti au creux de ses bras, calme et silencieux. Sans doute avait-il appris comment il devait se comporter en de telles occasions.

L'un des hommes s'écarta un peu du groupe. Il était d'une taille impressionnante, et ses muscles noueux saillaient sur ses membres sveltes. Levant le visage vers le ciel, il se mit à siffler.

« C'est Nuru, expliqua Taylor à voix basse. Il appelle l'indicateur. C'est un oiseau amateur de miel. S'il l'entend, il lui répondra par un sifflement particulier, dont il se sert uniquement pour communiquer avec les humains.

— C'est incroyable », murmura-t-elle.

Suivant le regard de Nuru, elle scruta à son tour la cime des arbres.

« L'oiseau appelé "grand indicateur" est le seul à se comporter ainsi, sur dix-sept espèces appartenant à la même famille », ajouta Taylor.

Nuru siffla de nouveau – un son clair, mélodique. Puis il s'immobilisa, inclina la tête de côté, avec un air d'intense concentration. Un sifflement similaire résonna dans l'air et il se retourna vivement, cherchant à repérer sa provenance. Un oiseau gris s'envola d'un arbre à quelque distance de là. Nuru le suivit au pas de course, et tout le monde l'imita. Mais, si leur guide ne quittait pas l'indicateur des yeux, les autres hommes surveillaient attentivement les broussailles pour y détecter le moindre signe de danger.

L'oiseau volait bas, s'arrêtant de temps à autre pour se percher sur une branche, comme pour laisser à Nuru et au reste du groupe le temps de le rattraper, avant de repartir. Kitty observa ce manège avec stupéfaction. Il ne faisait aucun doute que l'oiseau coopérait activement avec les humains dans la recherche du précieux miel.

Finalement, l'indicateur se posa sur une branche et y demeura.

L'un des hommes dit quelque chose à Nuru, et Kitty décela un avertissement dans sa voix. Elle se tourna vers Taylor, en quête d'une explication.

« Il lui a dit : "J'espère que tu l'as payé, la dernière fois", traduisit-il à mi-voix. Si Nuru n'a pas payé, l'oiseau s'en souviendra, et il pourrait nous conduire dans l'antre du lion pour se venger. »

Elle fouilla anxieusement des yeux les taillis environnants, en se demandant s'il parlait sérieusement. Un deuxième homme rejoignit Nuru, et ils inspectèrent ensemble les arbres voisins. Au bout de quelques minutes, le guide agita la main d'un air triomphant.

« *Nimeipata !* » (Je l'ai trouvé ! »)

Kitty aperçut, en haut du tronc d'arbre, un trou d'où des abeilles entraient et sortaient. Elle arrondit les yeux, à la fois émerveillée et inquiète ; l'oiseau avait réellement mené Nuru droit vers une ruche ! Serrant Gili contre elle, elle recula prudemment d'un pas.

« Ces abeilles ne sont-elles pas dangereuses ? »

Elle s'efforça de prendre un ton désinvolte, mais elle

ne pouvait s'empêcher de penser au mari de Cynthia et d'imaginer sa forme convulsée, couverte d'insectes.

« Ils les enfument pour les disperser avant de prendre le miel. Ils se font bien un peu piquer par-ci par-là, mais ils ne risquent pas d'être attaqués par l'essaim tout entier. »

Taylor paraissait tellement certain de ce qu'il disait qu'elle se sentit rassurée. Elle posa Gili à terre et regarda Nuru enflammer un tas de brindilles au moyen d'une allumette. Quand les flammes s'élevèrent, un autre homme lui donna quelque chose, qu'il brandit au-dessus du feu.

« On dirait qu'ils ont trouvé de la bouse d'éléphant séchée, commenta Taylor. Cela donne une bonne fumée. »

Maintenant que la ruche avait été localisée, les Africains paraissaient plus détendus, et ils se mirent à bavarder avec entrain.

« Comment connaissez-vous toutes ces choses au sujet des différentes espèces d'indicateurs ? s'enquit-elle.

— C'est Nuru qui me les a enseignées. Son peuple vit ici depuis des temps immémoriaux. C'étaient à l'origine des Dorobo, des chasseurs-cueilleurs. Mais ils se sont mêlés aux Wagogo, il y a déjà plusieurs générations de ça, quand ils ont commencé à pratiquer l'agriculture. »

Nuru rangea le morceau de bouse dans son sac et grimpa agilement dans l'arbre. Kitty remarqua que l'indicateur, perché à proximité, observait l'homme avec attention. Quand Nuru fut arrivé à la hauteur du trou, il s'attacha à l'arbre au moyen d'une espèce de harnais, de façon à garder les mains libres.

Lorsqu'il introduisit la bouse fumante dans le nid, les abeilles commencèrent à tournoyer autour de l'orifice. Kitty fronça les sourcils d'un air anxieux, mais Nuru demeura impassible. Bientôt, une nuée d'insectes vrombit autour de lui. Elle l'entendit pester sous l'effet des piqûres, mais il ne se laissa pas décourager. Plongeant la main dans le trou, il en sortit un gros fragment d'un rayon de miel et l'enfouit dans son sac. Puis il en ramassa un autre, et les spectateurs échangèrent des sourires ravis.

Quand il redescendit, son sac était bourré à craquer. La première chose qu'il fit, ce fut de prendre un gros morceau de gâteau de miel et de le déposer au pied de l'arbre où était perché l'indicateur. L'oiseau descendit aussitôt et se mit à picorer l'offrande.

« Il faut lui donner l'un des meilleurs morceaux, avec des larves à l'intérieur, expliqua Taylor. C'est ce qu'il s'attend à recevoir.

— Et conduirait-il vraiment les gens vers un lion, s'il ne recevait pas son dû ?

— À ce que j'ai entendu dire, cela s'est déjà produit. »

Nuru entreprit de distribuer le miel à la ronde. Taylor et Kitty s'assirent sur un tronc renversé, après avoir vérifié qu'il n'y avait pas de scorpions à proximité. Gili s'installa entre eux. Les Africains mastiquaient des fragments de rayons de miel en fermant les yeux de plaisir.

Kitty accepta le morceau qu'on lui tendait. Gili lui en chipa immédiatement une bribe et la fourra dans sa gueule. Du miel dégoulina sur les doigts de Kitty tandis qu'elle portait sa part à sa bouche. Les alvéoles de cire craquaient sous la dent ; le miel qu'elles contenaient était différent de tous ceux qu'elle avait pu goûter jusque-là – velouté au palais et chargé d'un parfum qui lui rappela celui des fleurs de trèfle. Elle se rendit compte que les Wagogo attendaient son verdict.

« Délicieux ! » s'exclama-t-elle en se léchant les lèvres.

Elle mordit de nouveau dans le gâteau et se figea soudain. Il y avait quelque chose dans le miel, une substance crémeuse au goût étrange. Elle abaissa la main et regarda. Comme à l'indicateur, on lui avait donné un morceau renfermant des larves. Elle fixa pendant quelques secondes les formes pâles qui ressemblaient à de gros vers, puis se força à avaler une deuxième bouchée. Elle savait, sans que nul n'ait besoin de le lui expliquer, que recevoir ce mets de choix était un honneur qui ne pouvait se refuser.

Taylor eut un hochement de tête approbateur.

« Vous n'êtes pas obligée de tout manger », murmura-t-il.

Elle réussit à en avaler encore un peu, avant de constater avec soulagement que les hommes avaient cessé de l'observer, trop occupés à se régaler. Nuru distribua une seconde tournée, mais il restait encore dans le sac de quoi ravitailler tout le village.

« Ces abeilles sont très travailleuses, elles fabriquent d'énormes quantités de miel, remarqua-t-elle.

— C'est ce qu'on dit toujours à leur propos, non ? Elles ne font pas mentir l'adage.

— Je croyais pourtant que les abeilles africaines étaient paresseuses… » À peine eut-elle prononcé ces mots qu'elle prit conscience de leur ineptie et se hâta d'ajouter : « Avez-vous entendu parler du projet apicole qui est à l'étude en ce moment, dans le cadre du plan Arachide ?

— Non, quel projet ? »

Elle se sentit soulagée : si Taylor n'était pas au courant du projet, probablement ignorait-il aussi l'existence de Charlotte. Et, par conséquent, il n'était pas informé des rumeurs sur la liaison entre lady Welmingham et son époux.

« Comme le taux de pollinisation était insuffisant, ils ont demandé à un apiculteur d'Angleterre d'importer des abeilles européennes. Des ruches vont être installées dans les plantations.

— En êtes-vous sûre ? s'enquit Taylor en la dévisageant.

— Oui, tout est prêt. »

Elle lui raconta comment les mécaniciens avaient été réquisitionnés, mettant leur habileté manuelle au service du projet pour construire des ruches en bois selon les spécifications de lady Welmingham. Elles étaient destinées à abriter les colonies d'abeilles importées, chacune avec sa propre reine. Charlotte avait apporté dans ses bagages des larves de reine, et ç'avait été un grand événement quand celles-ci avaient atteint le stade ultime de leur métamorphose. Un soir, au dîner, Charlotte avait décrit à ses hôtes comment elle sélectionnait les nouvelles reines, écrasant celles dont l'aspect ne lui plaisait pas et peignant sur les autres de minuscules symboles destinés à les identifier, en fonction de la ruche sur laquelle chacune d'elles régnerait. Le but de cette opération, avait-elle expliqué, était de mesurer leur rendement, de façon à ne garder que les meilleures lignées. En entendant ce terme, Kitty avait aussitôt pensé à Louisa.

« Donc, pour le moment, poursuivit-elle, les ruches sont toutes entreposées au milieu du terrain de football, en attendant d'être transportées jusqu'aux unités d'exploitation.

— Quelle bande d'idiots ! s'exclama Taylor en se levant d'un bond. Savez-vous qui est en charge de ce projet ? »

Elle déglutit. Elle ne s'était pas attendue à une telle réaction.

« Mon mari. »

Les Africains suivaient l'échange avec intérêt, mais rien, dans leur expression, n'indiquait qu'ils comprenaient de quoi il retournait. Sans doute leur connaissance de la langue anglaise était-elle trop limitée.

Taylor resta un moment silencieux, puis secoua la tête.

« C'est une pure folie. Il ne sait pas ce qu'il fait, déclara-t-il, avec un geste de la main qui englobait la ruche, les abeilles, les Africains et le miel. Les abeilles sont sacrées pour ces gens. Vous pouvez voir qu'ils ont revêtu leurs plus belles parures pour venir ici. Le miel joue un rôle dans chacune des principales étapes de leur vie : mariage, grossesse, naissance, mort... Beaucoup de chefs wagogo sont déjà hostiles au plan Arachide, qui a entraîné un nombre considérable de problèmes nouveaux pour eux. Leur mode de vie traditionnel est menacé. Introduire des abeilles européennes leur apparaîtra comme une attaque contre leur souveraineté. Ils seront profondément offensés. »

Ce discours paraissait à Kitty extrêmement sensé. Theo avait-il réfléchi à tout cela, et décidé malgré tout de faire passer le Plan avant les intérêts des Africains ? se demanda-t-elle. Ou n'avait-il même pas examiné la question ?

« Et ils seront aussi effrayés, reprit Taylor. La vie des Wagogo est étroitement liée à la nature. Dans les collines, les sources nous fournissent toute l'eau nécessaire, mais dans le reste du pays, il n'y a que la pluie. Si elle tombe au bon moment, les gens auront de quoi manger. En cas de sécheresse, c'est la famine.

La nature forme un tout ; si l'on perturbe un élément de ce tout, comme les abeilles, cela pourrait avoir de terribles conséquences. Les esprits des ancêtres, et la nature elle-même, risquent de se venger. » Il s'interrompit et un pli anxieux se creusa entre ses sourcils. « Il faut absolument annuler l'opération, ou du moins la suspendre jusqu'à ce que les chefs tribaux aient été consultés. Et, sans vouloir vexer votre mari, il vaut mieux que je m'adresse directement à son supérieur. J'irai voir Richard dès demain, à la première heure.

— Croyez-vous qu'il vous écoutera ? » demanda-t-elle.

Elle avait changé d'opinion à propos de Richard, depuis leurs démêlés au sujet de Diana. Il avait démontré qu'il était capable d'entendre raison et de reconnaître ses erreurs. Mais, d'un autre côté, en tant que directeur général, il lui incombait de veiller à ce que le taux de germination s'accroisse, sinon le plan serait voué à l'échec.

« Il m'écoutera, quand je lui aurai expliqué ce qui est en jeu. La dernière chose qu'il souhaite, c'est que les villageois se révoltent. Il rencontre déjà de sérieux problèmes avec les travailleurs indigènes. Ceux-ci n'ont toujours pas d'eau potable ; leurs familles ne peuvent pas les rejoindre, ou bien elles croupissent dans les taudis en bordure de la ville. Il y a déjà eu une grève des dockers à Dar es Salam. La tension se propagera jusqu'ici si rien n'est fait pour améliorer leurs conditions de vie. »

Elle hocha la tête ; elle avait entendu parler de ce qui s'était passé dans la capitale. Pendant plusieurs jours, les femmes du club avaient vécu dans l'angoisse. Les journaux rapportaient que des Africains brandissant des lances et des massues avaient assiégé les bureaux et menacé les Européens. Le commissaire avait réagi en convoquant tous les cadres à Scotland Inch pour leur distribuer des pistolets. Quand Theo avait rapporté le sien à la maison, elle s'en était alarmée. Voir des gens armés autour d'elle lui rappelait les années de guerre. Elle s'était inquiétée de l'effet que cela risquait d'avoir sur son mari. Mais il n'avait pas paru y attacher d'importance et avait même minimisé le danger ; selon lui, les armes à feu étaient une sage précaution, rien de plus. Néanmoins, conformément aux instructions qu'il avait reçues, il emportait toujours son pistolet quand il se rendait dans les unités d'exploitation.

« Richard devra prendre des mesures immédiates pour annuler le projet, ajouta Taylor. Je vous remercie de m'en avoir parlé. »

Elle éprouva un petit pincement de plaisir à l'idée que ce projet auquel Charlotte attachait tant de prix allait peut-être capoter. Elle espérait à moitié que sa rivale découvrirait que c'était elle qui, même involontairement, en était la cause. Cela vaudrait presque la peine de s'attirer une fois de plus la colère de Theo…

« On dirait qu'il est temps de partir », reprit Taylor, montrant les hommes qui ramassaient leurs lances, remettaient leurs carquois en bandoulière.

Il lui offrit sa main pour l'aider à se relever. Quand leurs paumes poisseuses se rencontrèrent, ils sourirent tous deux.

« Nous pourrons nous laver quand nous aurons regagné la voiture, dit-il.

— Vous appelez ça une voiture ? dit-elle en riant.

— C'en était une, autrefois… »

Elle sentit que, tout comme elle, il était content de changer de sujet. Cette conversation tendue s'harmonisait mal avec la beauté du paysage et avec l'humeur décontractée des Wagogo. Un homme chantonnait tout bas en serrant contre sa poitrine le sac gonflé de gâteaux de miel. Un autre se curait distraitement les dents au moyen d'une brindille. Nuru s'approcha du feu qu'il avait construit. L'espace d'une seconde ou deux, il parut indécis, puis il souleva son pagne et lâcha un jet d'urine ; la fumée se transforma aussitôt en vapeur.

Kitty vit Taylor lui jeter un regard en coulisse, comme s'il craignait qu'elle ne soit offusquée.

« Nous faisions toujours ça quand nous levions le camp, déclara-t-elle. Cela vaut mieux que de déclencher un feu de brousse. »

Les Africains se remettaient en marche et ils les rejoignirent. N'étant plus obligé de suivre l'indicateur, Nuru emprunta cette fois un chemin plus court, se frayant un passage dans l'herbe épaisse. Kitty cheminait au côté de Taylor, à l'extrémité de la file, Gili de nouveau blotti dans ses bras. Un Mgogo marchait derrière eux, sa lance à la main.

« Vous avez vécu dans la brousse, alors ? demanda Taylor.

— Ma famille vit dans une ferme, à des dizaines de kilomètres de la ville la plus proche.

— C'est pour cela que…, commença-t-il, sans achever sa phrase.

— Pour cela que quoi ?

— Que vous êtes si différente des autres dames de Kongara – même si, à vrai dire, je n'en connais aucune. Mais j'ai bien vu, quand vous m'avez aidé à porter ce tuyau, que vous saviez vous rendre utile. Vous parlez swahili. Et j'ai pu constater combien vous travaillez dur à la mission. »

La franche admiration qu'elle perçut dans sa voix lui réchauffa le cœur. Elle était tellement habituée à n'entendre que des critiques de la part de Theo…

« Vous paraissez tellement… différente de votre mari, poursuivit Taylor. Je l'ai rencontré deux ou trois fois et je l'ai trouvé… disons, très britannique. »

Elle comprit que c'était un euphémisme et qu'il préférait ne pas lui révéler le fond de sa pensée.

« Nous sommes très différents, reconnut-elle. Nous nous sommes mariés pendant la guerre. Nous étions très amoureux, mais nous ne nous connaissions pas vraiment. »

Elle se tut un instant et quand elle reprit la parole, ce fut comme si elle se parlait à elle-même autant qu'à Taylor.

« Je crois que nous nous en rendons compte tous les deux, à présent : ç'a été une erreur. »

Ç'a été une erreur.

Une formule banale, mais qui impliquait tellement de choses ! Une partie d'elle-même était choquée d'avoir proféré ces mots. Et pourquoi avait-il fallu qu'elle choisisse Taylor comme confident ? Elle promena son regard sur les acacias au feuillage moucheté, à la forme rigoureusement identique ; les espaces lumineux entre les branches ; le vaste ciel bleu au-dessus. Ce décor avait quelque chose de si ouvert, de si vrai, qu'il rendait sa propre franchise non seulement acceptable, mais nécessaire. Les conventions sociales – tous les tabous, les règles de politesse – n'avaient pas cours ici. Elles appartenaient à un autre monde.

« Je ne sais pas si c'est la guerre qui l'a changé, poursuivit-elle, ou si, tout simplement, il manquait de maturité quand je l'ai connu et que, avec l'âge, sa vraie personnalité a fini par s'affirmer. Et puis, d'autres choses sont arrivées… Mais, quelles qu'en soient les raisons, ce n'est plus l'homme dont je suis tombée amoureuse. »

Ils marchaient au même rythme, faisant crisser l'herbe sous leurs pas. Elle aurait voulu interroger Taylor sur sa vie personnelle. Le père Remi avait dit un jour en parlant de lui que c'était un « célibataire ». Et aussi que ses parents étaient décédés. Mais c'était tout ce qu'elle savait.

« J'ai perdu ma fiancée pendant la guerre », déclara-t-il tout à coup, comme s'il avait lu dans ses pensées.

Elle se tourna vers lui. Toutes sortes de platitudes lui vinrent à l'esprit, mais elle les écarta l'une après l'autre.

« Je ne veux pas dire qu'elle a été tuée, reprit-il. Elle a trouvé quelqu'un d'autre, voilà tout. Je ne le lui reproche pas : j'ai été porté disparu pendant des années. J'étais prisonnier de guerre, et elle m'a cru mort. » Il se tut un instant. « Je me demande souvent comment les choses auraient tourné si nous étions restés ensemble. Nous nous étions connus en Angleterre, quand j'étais à l'école d'agronomie. Elle disait aimer l'idée de vivre en Afrique. Mais la vérité, c'est que peu de femmes apprécient la vie ici. Bien sûr, si elle avait réellement détesté le pays, nous aurions quitté la ferme. Mais je suis heureux de n'avoir pas eu à le faire. J'ai cette terre dans la peau. »

Elle le dévisagea avec curiosité tout en absorbant ses paroles. Son père disait souvent qu'il était lié à jamais aux Sept Gommiers. Mais dans sa bouche, cela ressemblait plus à une malédiction qui, à sa mort, frapperait ses fils à leur tour. Theo, lui aussi, était indéfectiblement attaché à Hamilton Hall. Dans quelques années, quand il aurait terminé son travail ici, lui et elle n'auraient pas d'autre choix que de retourner au domaine et s'en occuper le reste de leur vie. Elle voyait le côté négatif de cet héritage, les sacrifices qu'il exigeait, mais lui le considérait comme un privilège. Elle était étonnée d'entendre Taylor affirmer que, si le bonheur de son épouse en avait dépendu, il aurait renoncé à la ferme, car elle voyait combien il aimait cette région. Mais elle ne doutait pas un instant de sa sincérité. C'était lui, après tout, qui avait mis sur pied un projet d'aide aux prisonniers. Ceux-ci le voyaient comme leur sauveur. Travailler pour lui leur donnait la possibilité de gagner un peu d'argent pour l'envoyer à leurs familles et d'acquérir des compétences qui leur serviraient plus tard ; cela leur permettait aussi de passer leurs journées au grand air et de manger une nourriture saine fournie par la mission. Bwana Taylor était admiré de tous, et il le méritait.

Elle l'observa à la dérobée. Il semblait ne pas vouloir en dire davantage sur sa fiancée, et elle avait le sentiment qu'il ne fallait pas insister. Une chose était sûre, toutefois : cette femme avait laissé passer sa chance d'épouser un homme solide et bon.

Brusquement, ils se retrouvèrent devant le véhicule ; elle était si profondément plongée dans ses pensées qu'elle ne l'avait pas encore aperçu. Gili sauta à terre et se mit à cabrioler, débordant d'énergie refoulée. Taylor sortit un jerrican d'eau et tout le monde se lava les mains. Puis il fit passer à la ronde un récipient rempli d'eau potable. Les hommes burent sans que leurs lèvres touchent le goulot. Quand arriva son tour,

Kitty tenta de les imiter, mais ne réussit qu'à s'asperger le menton, et tous s'esclaffèrent. S'essuyant avec sa manche, elle joignit son rire aux leurs. Sa maladresse n'avait pas d'importance. Rien n'avait d'importance ici. Elle se sentait plus libre qu'elle ne s'était sentie depuis longtemps, loin de tous ses soucis. Et un sentiment nouveau était né en elle, un sentiment d'intimité, doux et chaleureux. Les confidences échangées entre Taylor et elle les avaient rapprochés.

Nuru avait extrait du coffre un gros régime de bananes. Elle en accepta une avec gratitude, car elle avait tout à coup très faim. Planté entre Taylor et elle, le petit singe pela soigneusement la sienne avant d'en grignoter délicatement le bout.

« On lui donnerait le bon Dieu sans confession, à le voir ainsi », plaisanta son maître.

Cette réflexion suscita en elle une bouffée de nostalgie. C'était l'une des expressions préférées de sa mère. Taylor la tenait-il lui aussi de la sienne ? Comment s'appelait-elle ? Quand était-elle morte ? Quelle avait été sa vie ? Il y avait tant de choses sur lui qu'elle aurait voulu savoir, tant de choses sur elle-même qu'elle aurait voulu lui confier…

« J'ai beaucoup apprécié cette journée, se contenta-t-elle de dire.

— Moi aussi », répondit-il simplement.

Mais ses yeux demeurèrent rivés aux siens – ces étranges yeux aux iris de deux tons. Dans la lumière du soleil, leur bleu-vert ressemblait à de l'eau de mer, et leur liseré noisette étincelait comme un fil d'or.

17

« Sommes-nous en retard ? demanda Diana. Ma montre s'est arrêtée. »

Elle était assise à l'avant de la Hillman ; au cours des dernières semaines, elle avait réussi à surmonter sa peur d'être assise à côté du chauffeur.

« Je ne crois pas, répondit Kitty. Nous ne devons pas retrouver les autres avant trois heures, quand elles auront fini d'établir la composition de l'équipe de tennis. »

Elles avaient emprunté le raccourci et la voiture cahotait le long de la piste. Dans le rétroviseur, le clocher finit de disparaître dans un nuage de poussière.

« Tout cela me semble une telle perte de temps », soupira Kitty.

Elles avaient promis toutes deux de rejoindre les autres dames pour les aider à décorer le chapiteau où se tiendrait le bal de Noël. Une grande partie du travail avait déjà été effectuée. L'immense tente avait été dressée sur le terrain vague jouxtant le club. Des ouvriers des ateliers de réparation – ceux-là mêmes qui avaient construit les ruches de Charlotte – avaient découpé dans du contreplaqué de gigantesques silhouettes d'anges et de rennes, ainsi que de Marie, Joseph et l'Enfant Jésus. Elles avaient été installées devant l'entrée du chapiteau. Les enfants des écoles avaient confectionné des dizaines de mètres de guirlandes en papier. Maintenant, il ne restait plus à ces dames qu'à apporter les dernières touches à la décoration.

« Je suis entièrement d'accord avec toi, acquiesça Diana en roulant des yeux. J'aurais aimé rester plus longtemps à la mission et parler à Chalula. J'ai tellement de choses à régler avant mon départ... »

Percevant la tension dans sa voix, Kitty s'empressa de répondre :

« Tu peux me laisser une liste de choses à faire, si tu veux.

— J'y serai sans doute obligée. J'ai déjà pris des dispositions pour que les services postaux te laissent vérifier mon courrier. J'attends une notification au sujet de l'audience en appel de Daudi. Si elle arrive, n'oublie pas de contacter les parents du garçon. Chalula connaît le nom de leur village. Et si l'audience sur la remise en liberté sous caution de Ndele se tient durant mon absence, tu devras y assister à ma place.

— Ne t'inquiète pas, j'irai », répondit Kitty d'un ton rassurant.

Elle avait déjà entendu son amie donner les mêmes instructions, assorties de bien d'autres, au père Remi. De son côté, Chalula avait soigneusement tout noté. Elle comprenait que Diana tienne à s'assurer que tout se passerait bien en son absence, mais il s'écoulerait encore deux semaines avant son départ pour l'Angleterre. Sans doute cette planification minutieuse était-elle pour la jeune femme une façon de tenter de dominer l'anxiété qu'elle éprouvait à la perspective de ce voyage.

Kitty ne pouvait que s'imaginer combien celui-ci serait difficile, pour Diana comme pour son mari : retourner dans la ville où leur fils était mort, rendre visite à leurs familles et revoir les cousins de Phillip, grandis et changés, alors que leur petit garçon aurait pour toujours cinq ans... Elle se demanda si Diana regrettait à présent sa décision d'accomplir ce voyage, et si elle devait l'interroger à ce sujet.

Elles étaient devenues plus proches depuis qu'elles travaillaient ensemble. Elles avaient partagé tant de choses ! Pas seulement les petites expériences quotidiennes, comme changer un pneu crevé ou cueillir des haricots dans le potager, mais des événements qui les avaient laissées épuisées, désemparées et même effrayées. Il y avait à peine une semaine de cela, juste après que le déjeuner avait été servi, une bagarre avait éclaté entre deux prisonniers. Le père Remi avait été projeté à terre en tentant de les séparer. Cette brutalité envers le prêtre avait provoqué la colère des autres prisonniers et, pendant quelques minutes terrifiantes, la rixe était devenue quasi générale. Les askaris avaient fait usage de leurs matraques et, quand l'incident avait enfin été maîtrisé, il avait fallu soigner près d'une douzaine de blessés, y compris le père Remi. Diana avait aidé Kitty à panser les plaies. Elle s'était montrée efficace et serviable, mais Kitty avait pu voir que ses mains tremblaient et qu'elle avait mis un certain temps à retrouver son calme ensuite. Elle craignait que cet épisode, ajouté à l'angoisse de son prochain départ, n'ait été de trop pour son amie.

« Où en sont les préparatifs pour votre voyage en Angleterre ? s'enquit-elle d'un ton circonspect.

— Tout est au point, je crois. Nous n'avons plus

qu'à décider si nous prendrons le train ou la voiture pour aller voir la famille de Richard dans le Nord.

— Es-tu inquiète à l'idée de ce qui t'attend ? reprit Kitty, la sentant disposée à parler.

— Oui, avoua Diana. Parfois, j'ai envie de tout annuler. Mais je sais que nous devons faire ce voyage. » Elle se tut une seconde, comme pour préciser ses pensées. « Richard et moi devons retourner dans la rue où Phillip a été tué. Nous devons nous rendre sur sa tombe, lire son nom et la date de sa mort. Nous devons accepter ce qui s'est passé. C'est à cette seule condition que nous pourrons affronter l'avenir. » Elle porta une main à ses yeux. Quand elle parla de nouveau, ce fut d'une voix assourdie. « Mais j'ai peur. »

L'émotion nouait la gorge de Kitty. Elle était remplie d'admiration pour son amie. Il était difficile de croire que c'était la même femme qui avait tenté de se suicider seulement deux mois auparavant. La transformation paraissait presque miraculeuse. Certes, de temps à autre, l'ancienne Diana refaisait surface. Elle devenait alors cassante et tendue, ou bien silencieuse et retirée en elle-même. Elle fumait cigarette sur cigarette. D'autres fois, elle manifestait une gaieté frôlant l'hystérie. Mais le père Remi veillait au grain ; il l'entraînait alors dans le jardin et parvenait à l'apaiser. Et, quelle que soit son humeur, Diana était toujours entièrement dévouée à sa tâche. Quoi qu'il se passe autour d'elle, elle prêtait toujours une oreille attentive aux prisonniers qui venaient la voir, puis rédigeait les lettres appropriées de sa nouvelle écriture bien nette. Elle avait fait la preuve de sa force de caractère et de sa résistance. Peut-être était-elle angoissée à l'approche du départ mais, en arrivant en

Angleterre, elle saurait se montrer à la hauteur de la situation, se dit Kitty.

« Tu y arriveras, affirma-t-elle. J'en suis convaincue. Tu es si forte à présent ! » Elle attendit que son amie ait hoché la tête avant d'ajouter : « Et je penserai à toi chaque jour. De même que les pères Remi et Paulo, que Chalula, Tesfa, tout le monde ici.

— Merci, répondit Diana en souriant et en écrasant une larme. Je m'en souviendrai. »

Elles roulèrent en silence pendant un moment ; l'amitié qui les liait semblait les envelopper d'un cocon chaleureux. Quand elles arrivèrent à la lisière de Londoni, Kitty regarda de nouveau sa montre, puis accéléra.

« J'ai quelque chose à te dire, déclara Diana, rompant tout à coup le silence. Avant que nous retrouvions les autres.

— Bien sûr, je t'écoute, répondit Kitty, préparant déjà dans son esprit de nouvelles paroles d'encouragement et de sympathie.

— Je crois que Theo a une liaison. »

Les mains de Kitty se crispèrent sur le volant sous l'effet de la stupeur provoquée par ce brusque changement de sujet – et du choc d'entendre ces mots prononcés à voix haute, dans toute leur brutalité et leur crudité. Elle connaissait déjà la triste vérité mais, énoncée ainsi, celle-ci prenait davantage de réalité. Son estomac se contracta, et elle crut qu'elle allait être malade.

« C'est cette apicultrice », reprit Diana, d'un ton plus neutre qu'indigné.

Kitty hocha la tête sans répondre.

« Alors, tu le sais déjà ? soupira Diana. Ma pauvre. Tout le monde en parle, évidemment. C'est l'un des pires aspects de ce genre de situation. Il va falloir être brave, Kitty. Vois ça comme une tempête passagère. Garde la tête haute et fais face au vent. Ce n'est qu'un mauvais moment à passer.

— On dirait que tu parles d'expérience, murmura Kitty en se tournant vers elle.

— Richard a eu des aventures, répondit Diana avec un geste vague de la main. Rien de sérieux. Il faut bien s'y attendre, non ? »

Elle paraissait accepter l'adultère avec la même philosophie que Louisa, des années plus tôt. Mais cela n'avait rien d'étonnant : Diana était la fille d'un comte. Sans nul doute lui avait-on inculqué les mêmes règles. Peut-être cela faisait-il partie de cette formation que l'on dispensait aux débutantes et que Louisa aimait tant à lui décrire ?

« Est-ce que cela te fait de la peine ? demanda Diana en posant doucement la main sur son bras. Quelle question stupide ! Bien sûr que oui. » Plaçant sa main sur l'épaule de Kitty, elle la serra avec force. « Tu dois toujours te rappeler que Theo est ton mari. Il t'appartient. Les femmes comme Charlotte ne font que passer ; elles n'ont aucune importance. » Son accent distingué semblait conférer plus de poids à chacune de ses phrases. « Cette femme rentrera en Angleterre d'ici peu. Et un de ces jours, tu liras dans le *Times* l'annonce de ses fiançailles avec lord Machin-Truc. En fait, ajouta-t-elle avec un petit rire sec, elle pourrait bien rentrer plus tôt que prévu. Richard a demandé à Theo de suspendre le projet jusqu'à ce que les chefs tribaux aient été consultés.

— C'est ce que j'ai entendu dire », opina Kitty.

Theo et Charlotte avaient abondamment exprimé leur colère et leur consternation à la table du dîner, ces deux derniers soirs.

« Elle continue à venir tous les jours chez nous, tu sais, poursuivit Kitty en secouant la tête, effarée par l'incongruité de la situation – l'époux et sa maîtresse partageant quotidiennement leur dîner avec l'épouse trompée.

— Tant mieux ! rétorqua Diana. Tu sais ce qu'on dit : "Garde tes amis près de toi, et tes ennemis encore plus près." En venant chez toi, elle reconnaît que tu occupes une place supérieure à la sienne.

— Devrais-je en discuter avec elle ?

— Certainement pas ! Ce serait t'abaisser. »

Kitty eut un geste d'impuissance.

« Parfois, je ne supporte plus de rester assise en face d'elle. J'ai envie de la tuer. »

C'était vrai. Même si elle n'aimait plus Theo aussi éperdument qu'autrefois, une part primitive d'elle-même réagissait comme un félin défendant farouchement son territoire. Elle aurait voulu griffer cette peau de porcelaine jusqu'au sang, la réduire en lambeaux.

« Il n'y a qu'une seule chose à faire, Kitty. Prends soin de ton apparence.

— Que veux-tu dire ?

— Change de coiffure. Achète un nouveau parfum, complètement différent de celui que tu portes habituellement. Et bien sûr… de la lingerie, ajouta Diana en frappant dans ses mains. Donne-moi ta taille, et je te rapporterai ce qui se fait de mieux à Londres. Dentelle, rubans et soie, ce seront tes armes… »

Kitty faillit éclater de rire, mais elle se rendit compte que Diana était on ne peut plus sérieuse. Elle prônait une stratégie à laquelle elle adhérait avec une conviction égale à celle qu'elle déployait dans ses interventions en faveur des prisonniers. Diana avait beaucoup changé depuis qu'elle la connaissait, mais elle n'en restait pas moins une lady anglaise, comme elle-même était restée une fille de fermier.

Elles passèrent bientôt devant le bureau central, et Kitty ne put s'empêcher de chercher à repérer Charlotte et Theo. Mais le Land Rover ne se trouvait pas sur le parking. Elle continua vers le rond-point.

« À présent, Kitty, écoute-moi bien, continua Diana. Au club, tout le monde va t'observer. Tu dois avoir l'air heureuse. Si tu n'y arrives pas, alors lève le menton en l'air et prends une expression hautaine. C'est moins bien, mais ça fera l'affaire. Si quelqu'un te pose des questions tendancieuses, change de sujet. N'hésite pas à te montrer impolie si nécessaire. Si tu as besoin de mon aide, fais-moi un petit signe de tête, et j'interviendrai. »

Kitty lui répondit par un sourire morne. Visiblement, en Diana aussi, la féline s'était réveillée. Dans toute cette douleur et cette humiliation, c'était réconfortant d'avoir à son côté une amie aussi déterminée.

« Qu'est-ce que c'est ? » s'exclama brusquement Diana en pointant le doigt devant elles.

Un épais panache de fumée s'élevait au-dessus des arbres qui dissimulaient le club à leur vue. Kitty appuya sur l'accélérateur. Derrière l'écran de fumée, elle aperçut des flammes, rouges et bondissantes.

« Seigneur ! s'écria Diana. Le club est en feu ! »

Mais la façade incurvée du préfabriqué leur apparut alors. Le feu et la fumée ne provenaient pas du bâtiment.

« Ce doit être le chapiteau », fit Diana d'une voix étranglée.

Dès qu'elles eurent tourné l'angle de la rue, elles aperçurent la tente en flammes. L'incendie s'était propagé rapidement et toute la structure brûlait : la toile, les mâts de bois, les cordes. Des langues de feu léchaient les silhouettes de contreplaqué disposées devant l'entrée.

Tout le long de la rue, des Jeep, des camions et d'autres véhicules avaient été garés à la hâte, n'importe comment. Kitty laissa la Hillman au milieu de la chaussée et s'élança derrière Diana, qui était descendue avant même que la voiture ne se soit immobilisée. Le camion des pompiers était stationné devant le brasier, et les askaris en uniforme kaki et fez rouge s'activaient en tous sens avec leurs seaux et leurs tuyaux.

Une foule considérable était rassemblée à proximité. Tous les clients devaient avoir déserté le club pour reformer ici les mêmes petits groupes qu'à l'intérieur du local. Elle aperçut Alice et les autres femmes qui se réunissaient habituellement derrière le paravent japonais ; les mères avec leurs *ayahs* et leurs enfants, à bonne distance de l'incendie. Les hommes en costume. Les employés en tunique blanche. Et puis la silhouette solitaire du vieux Bowie, qui contemplait le feu en fronçant les sourcils comme s'il n'en croyait pas ses yeux.

Un peu plus loin se tenait une foule d'Africains plus importante encore. Certains étaient probablement des ouvriers des plantations – ils portaient des chemises et des pantalons en guenilles. Mais d'autres étaient vêtus à la façon traditionnelle, des hommes, des femmes et des enfants écarquillant les yeux devant le spectacle. Des askaris se déplaçaient rapidement parmi les spectateurs. Kitty vit deux d'entre eux en extraire un homme, lui passer les menottes, puis le traîner de l'autre côté de la rue, où un petit groupe d'Africains étaient assis sur le sol. Le commissaire, debout face à eux, leur posait des questions par l'intermédiaire d'un interprète et prenait des notes sur son carnet. Il avait le visage sévère et ses gestes révélaient sa détermination.

Diana s'était arrêtée pour l'attendre. Quand elle l'eut rejointe, elles regardèrent pendant un moment les flammes dévorer la tente. De vastes pans de toile s'effondrèrent, laissant la structure à nu, tel le squelette d'un animal.

« J'ai entendu quelqu'un dire que c'était un incendie criminel, murmura Diana en jetant un regard anxieux vers la foule des Africains. Ils essaient de trouver les coupables. »

Kitty scruta les rangs de visages noirs. Certains des spectateurs étaient encore absorbés par le spectacle de l'incendie, mais beaucoup avaient reporté leur attention sur les askaris. Elle frémit de peur en voyant briller dans leurs yeux la même lueur de moquerie et de ressentiment qu'elle avait souvent décelée dans ceux d'Alfred et d'autres employés du club – et de ses propres domestiques.

« Richard et Theo sont là », l'informa Diana en la tirant par le bras.

Kitty se figea en tournant son regard vers son mari. Les paroles brutales de Diana résonnaient encore à ses oreilles. Elle n'avait pas envie d'affronter Theo – ni Richard, au demeurant – tout de suite. Mais son amie l'entraînait déjà vers eux.

Les deux hommes se tenaient côte à côte, les mains dans les poches. Ils auraient pu être en train de regarder un match de polo, n'étaient leurs visages tendus. Un askari était planté non loin de là, montant la garde.

Quand elles les rejoignirent, Richard les salua, mais

Theo se borna à leur adresser un bref signe de tête avant de se tourner de nouveau vers le brasier.

« S'agit-il d'un incendie volontaire ? s'enquit Diana.

— Apparemment, répondit son mari. Il y a eu cinq départs de feu simultanés. On a utilisé du pétrole. » Il secoua la tête. « Je présume qu'on voulait nous transmettre un message, à nous, les Européens. Peut-être est-ce en rapport avec les problèmes que nous rencontrons dans les camps de travail. Mais il peut très bien s'agir d'autre chose. »

Il s'adressait à son collègue autant qu'aux deux femmes, mais Theo ne paraissait pas l'écouter.

« Le moment est mal indiqué pour abandonner mon poste », poursuivit Richard.

Kitty vit Diana prendre une expression alarmée, puis se rasséréner lorsque son mari reprit en souriant :

« Ne t'inquiète pas, Diana. Nous partirons quand même. Mais cet incident devra être traité avec la plus grande attention. »

Il se tourna vers Theo, attendant sa réponse. Il s'écoula plusieurs secondes avant que celui-ci réagisse.

« Absolument, marmonna-t-il, sans quitter l'incendie des yeux.

— Il faudra faire certaines concessions aux ouvriers. Leur accorder une augmentation. Prendre toutes les mesures nécessaires pour ramener le calme. »

Pendant ce discours, Kitty garda son regard rivé sur Theo. Il semblait hypnotisé par les flammes qui se reflétaient dans ses yeux agrandis et fixes. Ce n'étaient pas les vestiges du chapiteau qu'il contemplait, mais les figures en contreplaqué. Marie, Joseph, l'ange. Elles ressemblaient à des personnes réelles en train de brûler vives. La partie supérieure de la silhouette de Joseph s'inclina vers l'avant, comme s'il se tordait de douleur.

Kitty posa une main sur le bras de son mari. Elle reconnaissait l'expression peinte sur son visage – c'était celle qu'elle voyait quand elle le secouait pour le tirer d'un cauchemar, au moment où il n'était pas encore complètement réveillé.

« Est-ce que ça va ? »

Comme il ne répondait pas, elle accentua sa pression.

« Que se passe-t-il ? »

Brusquement, il se raidit et se dégagea. Il parut surpris de la découvrir à son côté. Il murmura quelque chose, puis se mit à promener son regard autour de lui, parcourant la foule.

Intriguée, Kitty l'imita et repéra immédiatement la chevelure flamboyante de Charlotte, non loin de là. Elle était en compagnie d'un homme que Kitty identifia comme l'un des directeurs des unités d'exploitation, Larry Green. Célibataire et d'une beauté saisissante, il était l'objet de toutes sortes de supputations, au club. Charlotte et lui bavardaient avec animation, sans paraître se préoccuper de la situation, comme si l'incendie n'avait été allumé que pour les distraire. Kitty examina les vêtements de sa rivale – c'était la première fois qu'elle la voyait en tenue de brousse. Son ensemble, visiblement fait sur mesure, était taillé dans une étoffe blond miel et non kaki. Il était beaucoup trop ajusté pour être pratique, mais mettait parfaitement en valeur la courbe de ses fesses et sa taille fine. Charlotte rejeta sa longue crinière en arrière, puis renversa la tête, dévoilant ses dents blanches dans un éclat de rire. Le corps tout entier de Larry se tendit vers elle, comme attiré par son magnétisme.

Theo avait dû les apercevoir, lui aussi. Son visage s'était assombri.

« Excusez-moi, marmonna-t-il. Je reviens tout de suite. »

Kitty échangea un regard avec Diana tandis qu'il se dirigeait à grands pas vers Charlotte. Diana lui adressa un petit sourire satisfait : peut-être l'apicultrice était-elle déjà lasse de Theo ? Mais cette idée ne procurait aucun plaisir à Kitty. Elle aurait presque préféré que Theo et sa maîtresse vivent une vraie histoire d'amour. Ce qui se passait ici semblait tellement vil et futile…

Elle contempla le feu qui se réduisait à présent à des braises rougeoyantes. L'ange avait presque disparu ; Marie aussi. L'Enfant Jésus n'était plus qu'une trace noire sur le sol. Les askaris avaient toutefois réussi à sauver la moitié inférieure du Père Noël. Le renne avait lui aussi survécu, mais sans sa tête. Cela lui rappela les statues qu'elle avait vues au British Museum, ces vestiges de sculptures antiques dont aucune n'était entière. Cherchant désespérement un moyen de distraire son esprit de l'infidélité de Theo, elle fit aussitôt le lien entre les pièces de musée et la statue destinée à la grotte. Elle n'aurait désormais plus aucun scrupule à accepter cette tâche, quoi que Theo puisse dire. Elle considérait que lui aussi avait enfreint les règles et avait donc perdu tout droit de le lui interdire. Si elle devait tolérer son infidélité, exercer de nouveau son art serait une forme de compensation. Avec minutie, elle dressa mentalement la liste des matériaux dont elle aurait besoin. Argile, corde, baguettes de métal, toile de jute, plâtre… Mais la voix de Theo attirait sans cesse son attention. Il avait interrompu le flirt entre Larry et Charlotte et discutait à présent de l'incendie avec elle.

« Ma foi, de toute évidence, déclara-t-il de son ton le plus autoritaire, le fait qu'un type ait brûlé une tente n'aura pas le moindre effet sur notre projet. Nous n'allons pas nous laisser intimider par des individus pareils.

— Absolument, acquiesça Charlotte. Sinon, où cela finirait-il ? »

Kitty s'éloigna pour ne plus les entendre. Elle se trouvait à présent face au vent et la fumée lui fit venir les larmes aux yeux. Quand elle les ferma, l'air lui parut encore plus brûlant, comme si ses autres sens s'étaient aiguisés pour compenser cette cécité temporaire. Des gouttes de sueur perlèrent sur sa peau, puis se mirent à ruisseler. Elle sentit le désespoir grandir en elle. Elle aurait voulu s'enfuir, aller se cacher quelque part, loin de Theo et de tous les autres. Mais cela aurait provoqué une scène et elle ne se sentait pas la force d'y faire face.

Elle se contraignit à reporter ses pensées sur un sujet plus réconfortant – la statue. Ce serait une vaste entreprise. D'abord, elle devrait choisir un modèle parmi tous les enfants du village, et faire une grande quantité de croquis. Elle prendrait soigneusement les mesures, afin que toutes les proportions soient justes. Suivrait la construction de l'armature – le squelette de la statue, qu'elle fabriquerait au moyen de baguettes de métal forgées sur une enclume. Puis elle façonnerait, au moyen de chiffons et de corde, une forme grossière qu'elle recouvrirait d'argile. Enfin viendrait la partie du travail qu'elle aimait le plus : elle réaliserait la sculpture elle-même, modelant l'argile avec ses doigts et des outils précis. Le défi consisterait à capturer l'essence même de l'enfant – sa vie, sa personnalité, son caractère. De minute en minute, la statue deviendrait plus vivante.

En se représentant la tâche qui l'attendait, elle sentit renaître en elle l'ardeur créatrice d'autrefois. L'œuvre lui demanderait des mois, elle remplirait ses journées. C'était ainsi qu'elle survivrait. Elle se perdrait dans son travail, oublierait Theo et tous ses chagrins. Quand elle aurait terminé la statue de l'enfant, elle en commencerait une autre. Elle pourrait peut-être même former un assistant, transmettre les connaissances que lui avait enseignées Yuri. Dans le calme de son atelier, là-bas, à la mission, elle se consacrerait de nouveau à ce qui avait été son but dans la vie, quand elle était partie pour l'Angleterre. À cette époque, elle n'avait nullement l'intention de devenir l'épouse de qui que ce soit. Elle voulait seulement être une artiste.

Elle se détourna des vestiges calcinés du chapiteau. Sa peau était grise de cendre, elle avait dans la bouche un goût âcre de suie. Mais c'était à peine si elle s'en apercevait. Un immense soulagement l'avait envahie. Elle avait choisi sa voie. Une partie d'elle continuerait à être l'épouse de Theo, mais l'autre poursuivrait la quête qui était devenue la raison de vivre de Yuri après la mort de sa bien-aimée Katya. Comme lui, elle vouerait son existence à la recherche de la sincérité, de la pureté, de la perfection. À tenter de capturer ce qui faisait l'essence même de la vie, ce qui transcendait la souffrance humaine et l'échec – sa beauté et sa vérité éternelles.

18

L'odeur du chlore se mélangeait au parfum huileux de la crème solaire à la noix de coco. Kitty était allongée au bord de la piscine, son chapeau sur le visage pour se protéger du soleil. Autour d'elle, les autres femmes échangeaient des propos oiseux, leurs voix montant et descendant tour à tour. L'effervescence qui avait régné pendant la semaine de Noël était retombée. Il avait beaucoup été question, en début de matinée, du poids pris pendant les fêtes et de la nécessité de faire de l'exercice, mais ces sujets étaient maintenant épuisés. Pippa lisait à voix haute une liste de conseils aux maîtresses de maison ; Alice l'interrompait constamment pour mettre en doute leur efficacité. Audrey se plaignait que ses épaules brûlées commençaient à peler.

Kitty se demandait comment elle allait pouvoir supporter cela sans Diana. Celle-ci n'était partie que depuis quelques jours et, déjà, elle lui manquait. Elle n'avait personne à qui parler des événements survenus à la mission, ou simplement du dernier problème qu'elle avait eu avec ses domestiques. Si Diana était là, elle aurait peut-être même abordé avec elle la question de Taylor. Elle savait que son amie avait remarqué qu'ils s'arrangeaient pour se rencontrer fréquemment durant leur travail et qu'ils s'asseyaient toujours l'un à côté de l'autre à l'heure du thé. Pourtant, elles n'en avaient jamais parlé ni l'une ni l'autre. Leurs confidences mutuelles avaient créé entre elles des relations plus franches mais, depuis le jour de l'incendie, elles n'avaient guère eu le temps de se voir en tête à tête. Diana avait été occupée à préparer son voyage, et puis, il y avait eu les fêtes. Peut-être était-ce aussi bien, songea Kitty. Si elles avaient commencé à parler de Taylor, elle ne savait pas très bien ce qu'elle aurait pu dire…

Tournant ses pensées vers un sujet moins périlleux, elle se remémora le départ des Armstrong. Elle était allée à l'aérodrome pour leur dire au revoir. Diana était époustouflante dans son nouvel ensemble que le tailleur indien avait terminé juste à temps. L'imprimé orange vif et brun était ravissant et l'étoffe moulait son corps à la perfection. Richard était vêtu de façon plus décontractée, son veston jeté sur l'épaule. Quelles que soient ses appréhensions concernant ce voyage, il devait au moins être soulagé que l'auteur de l'incendie ait été identifié. Apparemment, c'était un employé du club qui avait été renvoyé pour avoir volé de la nourriture et voulait se venger.

Ni Richard ni Diana n'avaient fait allusion à l'absence de Theo, même si le protocole aurait exigé qu'il assiste au départ de son supérieur. Theo avait demandé à Kitty de transmettre ses excuses aux Armstrong, prétextant qu'il avait trop de travail en raison de ses nouvelles responsabilités de directeur général intérimaire. Mais la vérité, c'était qu'il ne se rendait jamais à l'aérodrome à moins d'y être absolument obligé. Il disait qu'il n'aimait pas le bruit, la poussière et l'odeur du kérosène.

Sur la piste, l'avion derrière eux, prêt à décoller, Kitty, Diana et Richard avaient échangé des poignées de main à la façon solennelle des Anglais. Kitty leur avait souhaité bon voyage, puis elle avait attendu qu'ils s'éloignent – dans ce lieu public, les effusions ne semblaient pas de mise. Mais Diana lui avait de nouveau saisi la main et l'avait dévisagée d'un regard intense, ses yeux parfaitement maquillés brillants de larmes.

« Comment te remercier, Kitty, de tout ce que tu as fait pour moi ? »

Sa voix s'était brisée et, incapable d'en dire plus, elle avait agité sa main libre dans un geste d'impuissance. Pendant un instant, elles s'étaient regardées en silence, immobiles, partagées entre leur émotion et leur sens des convenances. Puis elles s'étaient jetées dans les bras l'une de l'autre et s'étaient étreintes, joue contre joue.

Quand elles s'étaient finalement séparées, Diana s'était tamponné les yeux avec son mouchoir.

« Prends bien soin de toi, surtout.

— J'essaierai.

— Tu t'en sortiras », avait déclaré Diana d'une voix ferme. C'était son tour à présent de la rassurer. « Mais si tu n'y arrives pas, enfuis-toi de chez toi et réfugie-toi dans un couvent. »

Elle avait souri pour montrer qu'elle plaisantait. Mais ces mots, une fois prononcés, avaient paru prendre un autre sens. Kitty avait entrouvert la bouche. Elle s'était représenté les religieuses en robe bleue, la simplicité de leur vie quotidienne. Elle s'était imaginé ce que ce serait de ne pas avoir à quitter la mission à la fin de la journée. De ne pas avoir à rentrer chez elle pour jouer son rôle dans cette pénible relation triangulaire entre Theo, Charlotte et elle…

« Saluez Theo de notre part, voulez-vous, avait dit Richard, interrompant le cours de ses pensées.

— Je n'y manquerai pas », avait-elle répondu.

Elle avait décelé dans sa voix une note d'anxiété. Il n'avait pas choisi le moment le plus propice pour s'absenter ; la question de l'incendie avait été réglée, mais tous les problèmes étaient loin d'être résolus. Et le plan Arachide se heurtait constamment à de nouvelles difficultés.

Elle était restée en bordure de la piste, à l'écart des autres personnes venues accompagner les voyageurs. En regardant Diana et Richard gravir la passerelle et pénétrer dans un avion du même type que celui qui l'avait amenée ici, un bombardier reconverti, elle avait repensé à tous les mois écoulés depuis son arrivée. Tant de choses s'étaient passées, tant de choses avaient changé… Elle s'était rappelé comment, ce premier jour, Diana était venue l'accueillir à la place de Theo. À ce moment-là, ce n'était encore pour elle qu'une étrangère. Aujourd'hui, c'était son propre mari qui lui était devenu étranger.

Elle s'était dirigée vers sa voiture, impatiente soudain de retourner à Londoni, pour éviter d'être seule. Elle l'avait presque atteinte quand elle avait entendu le moteur de l'avion commencer à tourner ; puis le vrombissement familier des hélices se mettre en mouvement, et un rugissement emplir l'air. Le son avait traversé tout son corps, pénétré dans chacune de ses fibres. Sans personne autour d'elle, ni camions ni chariots à bagages pour détourner son attention, ce bruit désincarné l'avait ramenée aussitôt à l'aérodrome de Skellingthorpe. Elle avait senti, au creux de son estomac, ses anciennes peurs se raviver. Theo rentrerait-il sain et sauf ? Ou lui avait-elle fait ses derniers adieux ?

Elle avait été submergée par le remords : avant ce jour, elle n'avait jamais pris conscience de l'effet que ce bruit pouvait produire sur Theo. Sans parler de la forme reconnaissable entre toutes des Lancaster qui décollaient de Kongara ou qui y atterrissaient – ajouter des hublots n'avait guère modifié leur aspect. Il n'était pas étonnant que Theo évite de venir ici. Comment aurait-il pu ne pas revivre l'horreur de la guerre, face à ce spectacle ? Ne pas ressentir de nouveau la terreur d'être aux commandes d'un avion en flammes qu'on essaie désespérément de poser au sol ? Ne pas revoir la forme torturée de son copilote Bobby en train de brûler vif, ne pas être de nouveau taraudé par la douloureuse culpabilité du survivant ? Une vague de compassion avait balayé les sentiments de colère et de trahison qui ne la quittaient plus ces derniers temps.

Au fil des années, elle avait vu Theo s'efforcer de surmonter cette terrible expérience en recourant à une stratégie d'évitement. Il pouvait discuter de certains aspects de la guerre – il lui aurait été difficile de faire autrement à Kongara, où presque tous les hommes étaient d'anciens combattants des forces aériennes ou navales – mais pas des autres. Dès qu'on abordait un sujet qui dépassait les limites qu'il s'était fixées, il se retranchait derrière un mur de silence. Elle ne pouvait s'empêcher de le comparer à Taylor, qui avait été littéralement enfermé seul avec ses peurs et forcé de les affronter. Et parce qu'il avait surmonté cette épreuve, il paraissait fort, libre, heureux.

Même si cet aveu lui était pénible, elle devait reconnaître que, depuis l'arrivée de Charlotte, Theo était plus gai et plus détendu qu'il ne l'avait été depuis des années. Bien sûr, les tensions entre Theo et elle s'étaient encore accentuées, en raison de la relation qu'il entretenait avec la nouvelle venue et du refus qu'il opposait à ses aspirations artistiques. Il était devenu plus irritable et distant que jamais avec elle. En revanche, en présence de Charlotte, il se montrait enjoué, presque espiègle. Toutefois, son humeur avait changé récemment. Depuis qu'il avait vu le chapiteau brûler, les personnages en contreplaqué se consumer, ses vieux cauchemars étaient revenus. Plusieurs nuits de suite, elle avait été réveillée par ses cris : « Sors de là ! Sors de là, pour l'amour de Dieu, Bobby ! » hurlait-il à son copilote. Ou alors il poussait des gémissements incompréhensibles. Elle restait près de lui jusqu'à ce qu'il se calme, puis elle retournait dans la chambre principale. Se blottir contre lui pour le réconforter, caresser ses cheveux et sa peau, lui était désormais impossible.

Elle ne savait pas si cette rechute était seulement due à l'incendie, ou si Charlotte n'en était pas aussi en partie responsable. L'apicultrice ne décolérait pas depuis que son projet avait été suspendu. Quand elle venait chez eux, soit elle marchait de long en large en se murant dans un silence glacial, soit elle passait son temps à railler la stupidité de l'OFC. Theo essayait toujours de l'apaiser. Les problèmes finiraient par se résoudre. Il suffirait de faire semblant de tenir compte des récriminations des chefs tribaux, affirmait-il. Tout rentrerait bientôt dans l'ordre. Mais Charlotte ne se départait pas de son air outragé.

Le repas de Noël avait été un désastre. Ils n'avaient été que trois à table, comme tous les jours. La plupart des autres résidents de la rue des Millionnaires avaient invité des amis pour le réveillon, puisque personne n'avait de famille ici. Mais Charlotte était trop fâchée contre les gens de l'OFC, et surtout Richard, pour accepter de dîner en leur compagnie. En hôtesse consciencieuse, Kitty avait tenté d'alléger l'atmosphère en disposant sur la table des crackers[1] achetés à la *duka* d'Ahmed. Ils étaient faits de papier crépon rouge et vert décoré de flocons de neige argentés. Ils les avaient ouverts chacun à leur tour, mais aucun d'eux n'avait mis sur sa tête les ridicules petits chapeaux, ni lu les blagues à voix haute. Les babioles enfermées dans les papillotes étaient restées abandonnées sur la table, à côté des couverts. Un silence pesant régnait dans la pièce quand Gabriel avait apporté les plats chargés de dinde rôtie et de tous les accompagnements. Eustace s'était surpassé, et Cynthia aurait sûrement été fière de lui, mais personne n'avait beaucoup d'appétit.

Kitty s'était remémoré avec nostalgie les repas de Noël à la ferme. Toute la famille Miller allait chez tante Josie, où l'on avait dressé une table de fortune sur la véranda – de longues planches posées sur des chevalets. Les femmes entraient et sortaient de la cuisine enfumée, portant des platées de victuailles, pendant que les hommes roulaient leurs manches sur leurs avant-bras et buvaient de la bière. Tout un bout de la

1. Papillotes munies d'un mécanisme déclenchant un craquement à l'ouverture, d'où leur nom. Elles contiennent des friandises ou de petits cadeaux. En Angleterre, on en offre traditionnellement à chaque convive lors du repas de Noël.

longue table était occupé par sa tribu de cousins. Tout le monde était en pleine forme, détendu et d'humeur joyeuse. Depuis qu'elle était partie de chez elle, tous les ans, à cette période, le souvenir de ces temps heureux revenait la hanter. Et l'atmosphère lugubre du dernier Noël avait rendu le contraste entre le passé et le présent plus douloureux encore que d'habitude.

Devant le plum-pudding et la sauce au cognac, Charlotte avait commencé à se plaindre que le retard dans la mise en œuvre du projet affectait gravement ses abeilles. Les insectes étaient sensibles, avait-elle expliqué ; ils percevaient les émotions négatives. Ce que leur faisait l'OFC était un crime. Theo n'avait pu que compatir avec elle, mais elle l'avait sèchement rabroué. Kitty avait été heureuse de constater que les choses commençaient à se gâter entre eux – et, en même temps, saisie d'une incompréhensible envie de le défendre. Elle avait failli rire d'elle-même : elle s'apitoyait sur son mari parce que sa maîtresse le traitait avec rudesse ! C'était insensé. D'ailleurs, que faisait-elle ici, attablée avec eux, comme s'il n'y avait rien de plus normal ? Pourquoi ne partait-elle pas en claquant la porte ? En moins d'une heure, elle pouvait être à la mission et retrouver les pères autour d'un festin italien. Il y aurait à leur table une foule de convives : Tesfa, sœur Clara et quelques autres religieuses. Un prêtre novice venu du Kenya. Amosi quitterait sa cuisine pour se joindre à eux, de même que tous les employés. Taylor serait là aussi. Et Gili, bien sûr, gambadant comme un enfant au milieu d'eux… Oh, comme elle aurait voulu être là-bas ! Elle ne savait pas ce qui la retenait de monter dans sa voiture et de partir. Le manque de courage ? Ou la loyauté conjugale ? Était-ce une preuve de force, ou de faiblesse ? Elle ignorait la réponse. Mais elle ne pouvait rien faire d'autre que rester assise à cette table, calme et silencieuse, et attendre la fin de cet interminable repas.

Le 27 décembre, après le Boxing Day[1], tout le personnel de l'OFC avait repris le travail. Le directeur de l'agriculture avait poursuivi ses discussions avec les chefs locaux. Mais les résultats n'avaient rien de rassurant pour Charlotte ; jusqu'à présent, le projet apicole n'avait recueilli aucun avis favorable. Les Wagogo réagissaient exactement comme Taylor l'avait prédit.

Charlotte avait menacé de faire ses bagages et de rentrer chez elle. Elle avait commencé à passer ses journées au club, désertant le local aménagé spécialement pour elle au bureau central. Un soir, Kitty l'avait entendue déclarer à Theo qu'elle avait le droit de déjeuner au club avec qui bon lui semblait, y compris Larry Green. Theo avait paru au bord du désespoir. En plus de ses difficultés avec Charlotte, il était surchargé de travail à cause de ses nouvelles responsabilités de directeur général. Kitty craignait qu'il ne parvienne plus à faire face. Mais il y avait maintenant un tel gouffre entre eux qu'elle n'avait même pas essayé de lui faire part de ses inquiétudes. Il refuserait de l'écouter, et la conversation serait terminée avant d'avoir commencé.

Des éclats de rire firent irruption dans ses pensées. Pippa était en train de lire à voix haute une histoire drôle – quelque chose au sujet d'un homme qui avait confondu sa femme avec une voiture. Même Alice riait.

1. Le 26 décembre, ou Boxing Day, est un jour férié en Grande-Bretagne.

Brusquement, Kitty ne put en supporter davantage. Elle était venue ici ce matin, conformément aux instructions de Theo, pour tenir sa place de première memsahib par intérim. Elle avait fait une apparition symbolique, maintenant, elle pouvait s'en aller.

Elle se leva et commença à plier sa serviette de bain. Pippa leva les yeux de son magazine et la contempla par-dessus la monture rose de ses lunettes de soleil.

« Tu nous quittes déjà ?

— J'ai des choses à faire à la mission.

— Mais Diana n'est pas là, objecta Alice.

— Cela ne m'empêche pas d'y aller. »

Elle vit ses compagnes échanger des regards intrigués. Depuis que la rumeur sur la liaison entre Theo et Charlotte s'était répandue, elles l'observaient avec avidité, comme si sa vie était aussi intéressante qu'un feuilleton radiophonique.

« J'aimerais venir avec toi, dit Evelyn, une nuance de regret dans la voix.

— Pour quoi faire ? s'enquit Audrey d'un ton étonné.

— Pour voir à quoi ça ressemble.

— Tu peux venir quand tu veux, répondit Kitty en souriant. Mais parle-m'en à l'avance.

— Mon mari ne m'y autorisera pas, soupira Evelyn en secouant la tête.

— Non, probablement pas, acquiesça Kitty, d'une voix remplie de compassion : le mari d'Evelyn était encore plus strict que la plupart des autres.

— Si tu ne sais pas quoi faire de ton temps, Evelyn, claironna Alice, tu pourrais peut-être nous aider à préparer la soirée devinettes. Nous sommes loin d'avoir un nombre suffisant de questions. »

Kitty fourra sa serviette dans son sac et se dirigea en hâte vers le vestiaire.

Dans la pièce sombre et humide, elle enfila rapidement sa robe rouge à pois blancs, sans prendre la peine de se doucher pour chasser l'odeur de chlore. Elle ne pensait déjà plus qu'à son atelier. Elle comptait faire une nouvelle série de dessins de la petite fille qui lui servirait de modèle. Tulia s'était révélée être le sujet idéal. Elle restait complètement immobile sans jamais se plaindre, pendant beaucoup plus de temps qu'un enfant européen ne l'aurait sans doute supporté. À la fin de chaque séance, Kitty lui donnait une bouteille de Fanta pour la récompenser ; elle mettait une bonne demi-heure à la boire, en la dégustant avec ravissement par petites gorgées. Kitty avait proposé de la payer, mais le père Remi avait déclaré que c'était un grand honneur pour la petite de poser pour la statue qui serait installée dans la grotte, et qu'il ne fallait pas y mêler des questions d'argent.

Certains des prisonniers avaient été chargés de collecter de l'argile à proximité de la source ; elle était presque aussi lisse et pâle que le kaolin que Yuri achetait à son fournisseur à Londres. Tandis qu'elle séchait ses cheveux au moyen de sa serviette, puis enfilait ses chaussures, elle sourit en se rappelant avec quelle fierté Taylor lui avait montré une boulette de cette terre : elle était si fine que les empreintes digitales s'y imprimaient, avait-il souligné en l'écrasant entre ses doigts pour en donner la preuve.

Elle s'apprêtait à sortir du vestiaire quand elle entendit des voix masculines de l'autre côté du mur.

« *Umesikia habari ?* (As-tu entendu la nouvelle ?)

— Non, dis-la-moi vite, mon frère. Je dois retourner à la cuisine. »

Elle tendit l'oreille, se demandant pourquoi les deux hommes se trouvaient là : la parcelle de terrain à l'arrière du bâtiment avait été entièrement plantée de buissons épineux depuis que l'un des employés de la piscine avait été surpris en train d'épier les femmes par une fissure du mur.

Le premier reprit la parole, mais il avait baissé la voix et elle ne put capter que des fragments de l'échange.

« … *nyuki kutoka mbali…* » (… des abeilles d'un pays lointain…)

« *Yuli mwenye nywele nyekunu.* » (La femme aux cheveux rouges.)

« *Mchawi.* » (Celle qui a des pouvoirs magiques.)

Puis elle entendit des mots qui lui coupèrent le souffle :

« *Itauawa. Itafanyikiwa leo hii.* » (Elle doit mourir. Aujourd'hui même.)

Incrédule, elle fixa le mur comme si elle pouvait le transpercer du regard et voir qui avait prononcé ces paroles terribles. Ce n'était pas possible, elle avait sûrement mal entendu ou mal compris… Mais depuis qu'elle travaillait à la mission, elle avait fait d'énormes progrès en swahili, et le sens des mots était très clair.

Elle colla son oreille contre le mur pour mieux entendre. L'homme poursuivit :

« Ils sont partis ce matin vers le grand *shamba*. C'est l'employé d'Ahmed qui me l'a dit. Il leur a vendu du pétrole. Elle allait accrocher ses maisons maléfiques aux arbres ! ajouta-t-il d'une voix étranglée d'indignation. Elle a déjà choisi l'endroit par lequel elle commencerait – les *buyu* jumeaux !

— Elle mérite de mourir.

— Peut-être est-elle déjà morte. »

Une troisième voix s'éleva alors, en provenance de la piscine :

« Que faites-vous là-bas, vous deux ? Vous cherchez des ennuis ? Retournez au travail ! »

Elle perçut des bruissements et des exclamations de douleur étouffées, et comprit que les hommes se frayaient un passage à travers les buissons. Elle se rua vers la porte et la franchit juste à temps pour les voir détaler. Ils étaient vêtus d'un short et d'une chemisette et portaient des sandales fabriquées dans des pneus, comme un grand nombre de gens à Londoni. Elle les suivit des yeux, indécise. Devait-elle crier aux gardes de les attraper ? Ils se contenteraient de nier avoir tenu ces propos. De toute façon, ceux-ci n'avaient aucun sens. Comment Charlotte aurait-elle pu accrocher ses ruches aujourd'hui ? Alice venait justement de se plaindre que son mari devait encore rencontrer des chefs toute la semaine pour discuter du projet, et qu'il n'aurait pas le temps de rentrer déjeuner.

Elle courut vers sa voiture, ignorant les regards curieux des autres clients. Elle fonça droit vers le bureau central, en roulant si vite qu'elle manqua écraser un poulet qui s'était aventuré sur la route. Quand elle se gara sur le parking, elle n'y vit pas le Land Rover de Theo. Et l'askari qui surveillait normalement les lieux n'était nulle part en vue. La dactylo de Theo lui confirma que le directeur général par intérim était parti tôt dans la matinée en compagnie de lady Welmingham. En prononçant ce nom, elle réprima un sourire entendu.

« Où sont-ils allés ?

— Aux unités d'exploitation. Ils ont emporté les ruches, enfin ! J'habite près du terrain de football, expliqua-t-elle avec un frémissement théâtral. Je suis heureuse de les voir partir. »

Remontant dans sa voiture, Kitty se dirigea vers Scotland Inch, l'estomac noué par la peur. Les sentiments complexes qu'elle nourrissait à l'égard de son mari étaient à présent dominés par l'anxiété. En cet instant, elle ne désirait plus qu'une seule chose – s'assurer qu'il était sain et sauf.

À son grand soulagement, elle trouva le commissaire à l'extérieur de la tente principale ; il s'apprêtait à grimper dans une Jeep remplie d'askaris. Il écouta son récit d'un air impatient ; elle traduisit *mchawi* par « sorcière », faute d'un terme mieux adapté.

Quand elle eut terminé, il garda le silence pendant quelques secondes, et elle se tordit les mains sous l'effet de la frustration.

« On m'a confirmé au bureau central qu'ils ont emporté les ruches pour les installer là-bas, insista-t-elle.

— Je sais, répondit-il calmement. Theo s'est arrêté ici en chemin pour en discuter avec moi. Je lui ai fourni une escorte armée. Je pense qu'il n'y aura pas de problème. Et j'ai beaucoup à faire, ajouta-t-il avec un geste de la tête en direction de la Jeep. Il y a eu un cambriolage à l'atelier de réparation. »

Elle le dévisagea avec incrédulité.

« Vous ne m'avez pas écoutée ! Ces hommes ont dit qu'elle allait être tuée, aujourd'hui même !

— Parce qu'elle est une sorcière, pas moins, répliqua-t-il en lui lançant un regard condescendant. Madame Hamilton, si je prêtais attention à toutes les rumeurs qui me parviennent sur de prétendus complots, je passerais mon temps à courir en tous sens. Chaque jour, il y en a une nouvelle. Mais une "sorcière", sérieusement..., acheva-t-il avec un ricanement.

— Vous ne comprenez pas. Les abeilles sont sacrées pour les Wagogo. À leurs yeux, quelqu'un qui leur porte atteinte ne peut être qu'un *mchawi* – c'est le mot qu'ils emploient. »

Le terme swahili n'avait pas la même connotation que celui de « sorcière », évocateur des chapeaux pointus et des chaudrons bouillonnants des contes pour enfants. Les *mchawi* formaient une caste puissante au sein de la société locale. Tesfa lui avait cité des cas où ils avaient utilisé leurs pouvoirs à des fins bénéfiques ; mais quand ils étaient décidés à faire du mal, ils étaient terrifiants. C'était pour rompre un sortilège, avait-il rappelé à Kitty, que l'ami de Taylor était allé récupérer sa lance. S'il n'y était pas parvenu, il serait sans doute mort. Pour un *mchawi*, être accusé d'avoir usé de sa magie contre son prochain était une chose grave. S'il n'était pas suffisamment craint par sa communauté, il risquait d'être chassé du village ou même tué. Très souvent, les prétendues « sorcières » n'étaient que de vieilles femmes sans époux ni fils pour les protéger ; elles faisaient fonction de boucs émissaires quand survenaient une épidémie, une vague de sécheresse ou autre calamité. Apparemment, des missionnaires passionistes avaient fondé dans le nord du pays un refuge pour ces proscrites, mais ils n'avaient jamais assez de place pour les héberger toutes. Toutefois, en dehors de ces cas affligeants, il existait d'authentiques *mchawi* capables des plus grands maléfices. Quelle que soit la catégorie à laquelle appartenait Charlotte, elle courait un grave danger.

Le commissaire soupira avant de reprendre :

« Écoutez, s'il y a le moindre problème, les askaris interviendront. Vous n'avez donc aucune raison de vous inquiéter. Je crois que vous vous laissez un peu trop emporter par votre imagination. Peut-être, poursuivit-il avec un petit sourire de commisération, avez-vous des raisons personnelles de souhaiter que lady Welmingham soit vue comme une sorcière. Et qui pourrait vous le reprocher ? »

Muette de rage, Kitty le dévisagea pendant un long moment. Les seuls mots qui lui vinrent à l'esprit étaient de ceux qu'elle avait entendus jadis dans les hangars de tonte et que ses parents lui interdisaient de répéter. Il lui fallut faire appel à tout son sang-froid pour tourner les talons et s'éloigner.

Rebondissant d'une bosse à l'autre, la Hillman fonçait à toute allure sur la route menant aux unités d'exploitation. Agrippée au volant, Kitty parvenait tout juste à conserver le contrôle du véhicule. Elle s'efforçait de garder les yeux fixés droit devant elle, mais quand les plantations apparurent, elle ne put s'empêcher d'y jeter de brefs regards. Les pousses d'arachides étaient devenues des plantes bien développées formant des taches vert vif sur la terre rouge. Leurs rangées rectilignes lui évoquèrent les coiffures des femmes indigènes, leurs tresses dessinant sur leur crâne des quadrillages symétriques. Mais elle put également constater que le sol n'était pas uniformément couvert. À certains endroits, les plants étaient clairsemés ; un peu plus loin, on apercevait une vaste surface entièrement dénudée.

La traversée des plantations lui parut prendre

un temps interminable, mais elle finit par atteindre la lisière du campement. À voir l'état de celui-ci, elle comprit qu'il s'agissait du camp de travail indigène. À l'origine, on y avait installé des tentes militaires identiques à celles de Londoni, mais le campement avait vite été surpeuplé ; des abris rudimentaires, faits de bouts de tôle, de contreplaqué ou même de carton, avaient été adossés aux parois de toile. Des tas de détritus à demi calcinés accentuaient encore l'aspect sordide des lieux. Le camp avait l'air désert ; les ouvriers devaient être dans les champs ou dans les ateliers, à cette heure.

Elle continua sa route. Les tentes firent place à de longs baraquements et des réfectoires. Il y avait également un bâtiment préfabriqué – une version réduite de celui du Kongara Club. À l'extérieur s'entassait toute une collection d'immenses bobines en bois qui avaient autrefois servi à enrouler des câbles d'acier. On les avait couchées sur le flanc pour en faire des tables ; en guise de sièges, on avait disposé des caisses tout autour. Quelques ouvriers européens en short et maillot de corps crasseux étaient assis à l'une d'elles, en train de boire de la bière. En arrivant à leur hauteur, Kitty freina et abaissa sa vitre.

« Où est le bureau de l'administration ?

— Bonjour à vous aussi, rétorqua l'un des hommes d'un ton sarcastique, avec un épais accent irlandais.

— Excusez-moi, je ne voulais pas me montrer impolie, mais il s'agit d'une urgence. »

L'Irlandais lui décocha un regard sceptique, puis pointa le doigt devant lui.

« C'est tout droit. Vous ne pouvez pas le rater. »

Elle redémarra et accéléra, en déglutissant pour

tenter de chasser la boule d'angoisse qui lui obstruait la gorge. Theo était quelque part à proximité, ainsi que Charlotte et ses abeilles. Elle devait les trouver et les arrêter avant qu'il soit trop tard. Le commentaire surpris dans le vestiaire lui revint en mémoire, la glaçant d'effroi.

Peut-être est-elle déjà morte.

Elle se sentit prise de nausée. Rien de ce que Charlotte avait pu faire – y compris coucher avec son mari – ne justifiait pareil châtiment. Mais Theo et elle étaient escortés par des askaris, se rappela-t-elle. Des policiers munis de fusils devaient être en mesure de tenir en respect une foule armée seulement de lances et de couteaux, si furieuse fût-elle.

Finalement, un agglomérat de vastes hangars et de citernes apparut à sa vue. En se rapprochant, elle se pencha sur le volant, cherchant à repérer le Land Rover de Theo. Une rangée de véhicules était alignée devant le bâtiment principal, mais c'étaient tous des tracteurs, des camions ou des moissonneuses.

Coupant le moteur, elle se rua vers la porte, espérant qu'il ne s'agissait pas de l'unité dirigée par Larry Green, car cela n'aurait fait qu'ajouter à la complexité de la situation. Mentalement, elle prépara ses arguments. Devant le commissaire, elle s'en rendait compte maintenant, elle avait parlé avec trop de hâte, sous l'emprise de la panique. Elle devait faire en sorte que son nouvel interlocuteur la prenne au sérieux. Le directeur de l'unité n'avait aucune autorité sur Theo, mais au moins pourrait-il l'aider à le retrouver. Et ensuite… Elle ralentit le pas. Theo refusait toujours de l'écouter. Pourquoi en serait-il autrement aujourd'hui ? Elle devait en tout cas faire tout son possible pour le convaincre.

À l'intérieur du bâtiment, l'air était chaud, étouffant. Rapidement, elle inspecta les lieux du regard. Deux ou trois Africains étaient occupés à bricoler un moteur gisant en pièces détachées sur le sol. Sur un bureau voisin étaient posés un radiateur électrique et un crayon cassé. Le fauteuil derrière lui était vide.

« *Wapi bwana ?* (Où est le patron ?) demanda-t-elle aux Africains.

— Il n'est pas là, memsahib. Vous le trouverez peut-être dehors », répondit l'un d'eux avec un geste vague.

Elle ressortit précipitamment – et faillit heurter quelqu'un qui entrait au même moment. Avant même de voir son visage, elle reconnut sa silhouette, son maintien.

« Kitty ! Que faites-vous ici ? » s'exclama Taylor.

Sa frayeur devait se lire sur son visage, car il prit un air alarmé.

« Que vous arrive-t-il ? »

Avec lui, elle n'avait pas besoin de peser soigneusement chacun de ses mots ; elle savait qu'il la croirait. D'une voix entrecoupée, elle lui raconta tout. Quand elle mentionna les *buyu* jumeaux, il l'interrompit.

« Ils se trouvent à l'unité numéro trois. Prenons votre voiture. »

Ils coururent vers la Hillman, Gili sur leurs talons.

Elle s'attendait à ce qu'il prenne le volant d'autorité, mais il s'installa sur le siège du passager, repliant ses longues jambes dans l'espace étroit. Excité par ce nouveau décor, Gili cabriola autour de lui avant de s'asseoir sur la lunette arrière.

« Regagnez la route principale, lui indiqua-t-il, puis tournez à gauche. »

En chemin, elle lui donna davantage de détails. Quand elle émit l'hypothèse que les askaris réussiraient sans doute à protéger Charlotte contre toute attaque, quel que soit le nombre d'assaillants, il secoua la tête d'un air lugubre.

« Peut-être parviendront-ils à les protéger, Theo et elle, mais les conséquences n'en seront pas moins désastreuses. S'il y a une chose susceptible de déclencher une révolte chez les Wagogo, c'est bien d'accrocher des ruches d'abeilles étrangères dans les *buyu* jumeaux. Ce sont des arbres sacrés. Les femmes stériles vont y déposer des offrandes pour qu'ils les aident à concevoir. Les gens seront aussi mécontents que le seraient les Anglais si quelqu'un profanait l'abbaye de Westminster. »

Ils roulèrent ensuite dans un silence total, comme si le poids des mots aurait risqué de les ralentir. En dépit de son anxiété, Kitty était heureuse d'avoir Taylor près d'elle. Certes, lors de leurs précédentes confrontations, il n'avait jamais réussi à raisonner Theo, mais elle espérait que ce serait différent aujourd'hui. Loin du bureau central et de tous les symboles du pouvoir européen, peut-être Theo admettrait-il que Taylor avait une meilleure connaissance du pays et des hommes, et finirait-il par entendre raison ? Il le fallait à tout prix.

Un baobab solitaire se dressa en face d'eux, au beau milieu de la plantation. Les rangées de plants d'arachide décrivaient une courbe pour le contourner. Était-ce par respect pour l'arbre, ou parce qu'il était trop difficile à déraciner ? se demanda-t-elle. Un askari montait la garde devant le tronc.

« On dirait qu'ils sont déjà passés », dit Taylor en montrant une forme grisâtre suspendue à une branche.

Il lui fit signe de quitter la route, et elle prit soin

de ne pas ralentir en roulant sur la terre molle, pour éviter de s'embourber. Dans son rétroviseur, elle vit des plants mutilés voltiger dans leur sillage.

Sautant de la voiture avant même l'arrêt complet, Taylor s'élança vers l'askari. Kitty ne put entendre leur échange, mais elle vit que l'Africain paraissait contrarié et inquiet.

Taylor la rejoignit en hâte.

« Ils ont commencé par cet arbre. Il n'y a pas eu d'incident, mais ils ont laissé un garde ici, par mesure de précaution. Il n'a aucune envie d'y rester. Il pense que les abeilles sont ensorcelées. Il dit que les autres sont partis vers les *buyu* jumeaux il y a environ deux heures. Espérons que nous n'arriverons pas trop tard. »

La cime des deux baobabs leur apparut enfin, se dressant au-dessus d'un fourré sans doute trop épais pour les bulldozers. Comme la fois précédente, Kitty quitta la piste et roula droit à travers les plantations.

Les branches basses des arbres devinrent visibles, et elle retint son souffle. Des Africains étaient rassemblés en foule autour des troncs ; ils devaient être près d'une centaine. Le Land Rover était arrêté non loin de là. Taylor jura tout bas.

Kitty continua à rouler, concentrée sur la conduite et enregistrant la scène par fragments quand elle tournait brièvement les yeux. Les lignes obliques des javelots brandis dans l'air. Les tons ocre rouge des étoffes traditionnelles. Les reflets du soleil sur les vitres du Land Rover. Les askaris en tenue kaki serrés les uns contre les autres au milieu de la foule. Et, derrière ce fragile rempart, entre les deux arbres, l'éclat d'une chevelure rousse au-dessus d'un chemisier couleur miel. Le casque de Theo, une brève vision de son visage.

« Arrêtez-vous ici », ordonna Taylor quand ils ne furent plus qu'à une cinquantaine de mètres.

Quand elle coupa le moteur, ils entendirent un des askaris crier quelque chose à la foule. Un homme répondit par des vociférations, aussitôt imité par d'autres. Une sorte de chant commença à s'élever de la foule, se faisant plus sonore et plus farouche à mesure qu'il se propageait. Le bruit effraya Gili qui vint se blottir dans les bras de Kitty.

« Si les choses tournent mal, Kitty, fuyez, dit Taylor en plantant son regard dans le sien. Je parle sérieusement. Je ne veux pas qu'il vous arrive quoi que ce soit.

— Soyez prudent », lui lança-t-elle alors qu'il s'éloignait déjà.

Il s'avança d'un pas déterminé vers les Africains, les bras légèrement écartés – pour montrer qu'il n'était pas armé, comprit-elle. Quand il ne fut plus qu'à quelques mètres, une bousculade se produisit ; des hommes à l'arrière de la foule tentaient de se frayer un passage en brandissant leurs lances. Les askaris les repoussèrent à l'aide de leurs baïonnettes. Il y eut une mêlée ; des hommes hurlèrent et levèrent le poing, mais les soldats réussirent à les contenir, dégageant l'espace autour de Charlotte et Theo.

Kitty se redressa sur son siège pour essayer de les voir plus distinctement. Charlotte, tapie derrière Theo, tournait la tête d'un côté et de l'autre d'un air ahuri, comme si elle n'en croyait pas ses yeux. Theo, quant à lui, se tenait campé bien droit, les bras croisés. S'il avait peur, il n'en laissait rien voir. On eût dit un proviseur face à une assemblée d'élèves turbulents, attendant d'un air digne que le chahut s'apaise.

Un mouvement parcourut la foule des assaillants quand ils aperçurent Taylor. Ils s'écartèrent pour lui livrer passage et il se dirigea vers Charlotte et Theo. Certains l'apostrophèrent ; il leur répondait par un signe de tête pour montrer qu'il avait entendu. Il avançait d'un pas lent et régulier, comme quelqu'un qui s'approcherait d'un oiseau risquant à tout instant de prendre peur et de s'envoler.

Kitty observa Theo, se demandant comment il allait réagir en voyant Taylor. Mais, lorsque celui-ci se trouva devant lui, il l'ignora purement et simplement. Les Africains recommencèrent à s'agiter. L'un des askaris pointa sa baïonnette d'un geste menaçant. Taylor regardait tour à tour Theo et les Africains, en parlant calmement ; elle le voyait à ses gestes, même si elle était trop loin pour entendre.

Charlotte se mit alors à crier. Sa voix stridente et sa façon impolie de pointer le doigt en direction de la foule suscitèrent des murmures d'indignation. Taylor leva les mains en un geste apaisant.

Kitty tourna la tête en entendant un bruit de moteur. Une Jeep arrivait, roulant sur les traces qu'elle avait laissées à travers la plantation. Sans doute les mécaniciens avaient-ils entendu sa conversation avec Taylor et prévenu leur patron. Quand le véhicule se rapprocha, elle vit que Larry Green était au volant.

Sortant de sa voiture, elle fit quelques pas en direction de la foule. Theo demeurait aussi impassible qu'une figurine en bois, comme indifférent à ce qui l'entourait. Kitty s'alarma ; les symptômes étaient à peine visibles, mais elle avait l'impression qu'il n'était plus vraiment là. Il était perdu dans un autre lieu, une autre époque. Elle essaya de détacher les bras de Gili de son cou pour le ramener dans la Hillman, mais il ne voulait pas la lâcher. Plus elle tirait sur ses doigts, plus il s'accrochait à elle. Il avait l'air terrorisé. Peut-être cette scène lui rappelait-elle le moment où il avait été capturé, et les tortures qui avaient suivi.

L'enserrant dans ses bras pour le rassurer, elle s'avança vers l'attroupement, les yeux rivés sur Theo, le cœur palpitant d'inquiétude. Quand elle fut plus près, elle constata qu'il avait le regard vide, les traits dénués de toute expression.

Soudain, il se mit à hurler :

« Sors de là ! Sors de là ! »

Elle reconnut immédiatement ces mots – c'étaient ceux qu'elle l'avait si souvent entendu crier dans ses cauchemars, de ce même ton affolé. Elle se mit à courir, le singe se balançant contre sa poitrine, lui heurtant les côtes. Les Africains semblaient prendre les cris de Theo pour des menaces dirigées contre eux. De son côté, Taylor le contemplait d'un air déconcerté, ne comprenant visiblement rien à son comportement.

Puis Theo secoua la tête en criant :

« Non ! Non ! »

Kitty le vit enfoncer sa main dans sa poche. Comme au ralenti, elle le regarda en extraire un pistolet, libérer le cran de sûreté.

« Theo, non ! *Arrête !* »

Au son de sa voix, il parut sortir de sa transe. Il regarda dans sa direction, mais elle eut le sentiment qu'il ne la voyait pas vraiment.

« Laisse-moi te parler, implora-t-elle. Attends ! »

Il resta figé, le pistolet à la main. C'est alors que Charlotte se remit à hurler. Ses cris durent le paniquer : il pivota vers la droite, puis vers la gauche, comme s'il cherchait à repérer un ennemi invisible. Taylor courut vers lui, le suppliant de baisser son arme. Mais Theo ne lui accorda aucune attention. Levant son pistolet d'un geste gauche, sans même prendre le temps de viser, il ouvrit le feu.

Kitty contempla la scène, les yeux écarquillés d'incrédulité ; c'était impossible, cela ne pouvait pas être vrai… Mais, en face de Theo, un homme s'effondra. Puis un autre. Derrière elle, elle entendit une vitre de la voiture voler en éclats. Theo tirait frénétiquement dans toutes les directions. Elle se tapit au sol, faisant un bouclier de son corps à Gili. Partout, des gens hurlaient ; la panique était générale, les hommes se bousculaient en essayant de s'enfuir et ceux qui tombaient étaient piétinés.

À présent, Taylor se trouvait juste à côté de Theo, qui sembla brusquement émerger de sa transe. Il fronça les sourcils et secoua la tête, comme s'il essayait de reprendre ses esprits. Mais ce moment fut de courte durée. Son visage redevint un masque, son regard retrouva son opacité. Un cri se forma dans la gorge de Kitty en voyant le canon du pistolet, tel un éclair argenté, pointer vers la tête de Taylor.

Une nouvelle détonation, sèche et sonore, retentit à travers la plaine. Kitty se pétrifia. Autour d'elle, tout parut s'immobiliser, comme si le monde entier s'était arrêté. Puis Theo chancela et s'écroula au sol.

Horrifiée, elle vit le sang jaillir de la blessure dans son dos, la tache rouge vif s'élargir sur le tissu kaki. Un autre coup de feu résonna. Ce fut seulement alors qu'elle vit l'askari qui se tenait à sa gauche, le fusil à l'épaule, s'apprêtant à tirer de nouveau.

Taylor cria quelque chose au policier. Elle n'avait pas besoin de traduire pour savoir ce qu'il disait.

Cessez le feu ! Cessez le feu !

Il est déjà mort.

Elle s'élança vers Theo en hurlant son nom, s'agenouilla près de lui. Il était tombé sur le ventre mais son visage était tourné de côté. Du sang s'écoulait d'un trou dans sa tempe. Ses yeux étaient grands ouverts, ses sourcils arqués comme s'il essayait toujours de comprendre ce qui se passait. Kitty était comme paralysée. Son cerveau et son cœur refusaient d'accepter ce qu'elle avait sous les yeux.

Abasourdie par le choc, elle avait l'impression d'être vidée de tout sentiment, de toute pensée. Comme pour échapper à ce cauchemar, elle se concentra sur d'infimes sensations : le sol dur et rugueux sous ses tibias, l'odeur âcre de la cordite qui lui piquait les narines, le cri d'un oiseau au-dessus d'elle qui lui perçait les oreilles.

Des moments passèrent, informes et vides. Elle contemplait toujours le corps de Theo, ses yeux fixes. Ses cheveux blonds tachés de rouge. Elle avait vaguement conscience de la présence de Taylor à proximité. Des voix pressantes des askaris. Plus loin, elle entendit Charlotte gémir. Puis la voix de Larry, son ton effaré, ses paroles inintelligibles.

Avec effort, elle tourna la tête. Taylor était agenouillé près d'un Africain étendu sur le sol.

« *Wapi unasikia uchungu ?* (Où as-tu mal ? Montre-moi.) »

Après avoir rapidement examiné le blessé, il se

dirigea vers un autre, qui avait reçu une balle dans la jambe. Non loin de là, un askari était en train de panser un homme touché à l'épaule. Deux autres Africains semblaient légèrement blessés. Personne n'était mort, comprit-elle soudain, sauf Theo.

Theo. Mort.

Elle chassa ces mots de son esprit, comme pour nier leur réalité. Elle devait aider à secourir les blessés. Elle avait reçu la formation nécessaire, elle pouvait se rendre utile... Mais son corps paraissait de pierre. Elle ne pouvait pas bouger.

Taylor se redressa et s'avança vers elle.

« Oh, Kitty, dit-il en s'accroupissant à son côté, je suis profondément désolé. J'ai essayé de l'arrêter... »

Il s'interrompit, visiblement à court de mots.

Elle secoua la tête, incapable de parler. Il posa une main sur son épaule, d'un geste à la fois ferme et délicat. Elle eut envie de se laisser aller contre lui, d'enfouir son visage contre sa poitrine – mais elle savait que, si elle cédait à cette impulsion, elle s'effondrerait tout à fait. Elle se borna à serrer Gili plus fort dans ses bras.

« Kitty, écoutez-moi, reprit Taylor, d'une voix basse et déterminée. Nous devons partir d'ici. » Il leva les yeux et se rembrunit. Les Africains s'étaient regroupés juste derrière les baobabs ; ils agitaient leurs lances et l'on voyait les pointes étinceler sous le soleil ardent. « Le calme n'est pas encore rétabli. »

Kitty hocha la tête et leva une main pour repousser ses cheveux. Soudain, elle se figea. Sa paume était écarlate, ruisselante de sang.

Elle fixa sa main. Ce rouge brouillé par les larmes était pareil à une brume envahissant son esprit.

Elle essaya de se raisonner, de se dire que Theo n'avait pas tiré sur elle. Que c'était une balle perdue, comme celle qui avait fracassé une vitre de la voiture. Il n'avait visé personne distinctement, excepté peut-être les fantômes qui peuplaient ses visions. Elle se palpa, cherchant un endroit douloureux, mais tout son corps était engourdi. Gili n'émit aucune protestation quand Taylor voulut le prendre. Et c'est à ce moment, alors qu'elle le lui tendait, qu'elle comprit : ce n'était pas son sang qui lui tachait la main, mais celui du petit singe.

Ce nouveau choc la réveilla de sa torpeur. Elle reprit ses esprits et une force tranquille descendit en elle. Reprenant Gili, elle étendit sur le sol le petit corps flasque et colla une oreille contre son torse. Elle perçut un battement, faible mais régulier, et sentit sur sa joue un souffle léger. Levant les yeux vers Taylor, elle rencontra son regard éploré.

« Il est vivant. »

Inspectant le pelage ensanglanté, elle découvrit deux blessures, l'une superficielle, mais l'autre béante et saignant abondamment.

Taylor sortit un mouchoir de sa poche et le roula en boule. Kitty s'en saisit et s'en servit pour comprimer la plaie et arrêter l'écoulement du sang.

« C'est par là que la balle est ressortie, dit Taylor. Vous avez eu de la chance de ne pas avoir été atteinte. C'est sans doute dû à l'angle de tir, ou à la façon dont vous teniez Gili. »

Pendant qu'elle maintenait le tampon en place, il découpa une bande d'étoffe dans sa chemise au moyen d'un canif pour en faire un bandage qu'il noua solidement par-dessus la compresse.

Ils s'occupèrent ensuite de la seconde blessure, qu'ils pansèrent de la même façon. Quand ce fut fait, Kitty se releva, tenant Gili contre son corps. Taylor paraissait déchiré entre deux sentiments ; il tendit une main vers le singe, puis tourna brusquement les talons pour se diriger vers les askaris et les blessés.

Restée seule avec Gili, elle retourna près du corps de son mari. Des mouches commençaient à tourner autour de la blessure dans son dos. Sous le soleil brûlant, le sang s'était déjà coagulé.

Elle se força à détourner son regard. Une fois de plus, elle éprouva le sentiment que, si elle laissait la réalité parvenir jusqu'à elle, elle n'aurait pas la force d'y résister. Elle reporta son attention sur Taylor qui passait d'un groupe à l'autre pour donner des instructions aux askaris. Deux Africains gesticulant et parlant d'une voix forte le suivaient comme son ombre. Taylor leur répondait d'un ton calme, mais elle se rendit compte qu'il était inquiet.

Il se rendit ensuite près du policier qui avait tiré sur Theo. L'homme était assis par terre, la tête entre les mains, son fusil posé à ses pieds.

« *Umeamua vizuri* (Tu devais tirer. Tu as pris la bonne décision) », lui dit Taylor avec fermeté.

L'askari redressa la tête et le regarda. Au bout d'un instant, il acquiesça et ses épaules s'affaissèrent sous l'effet du soulagement.

Taylor chargea ensuite trois hommes de soulever le corps de Theo en le tenant par les jambes et les épaules. Lui-même lui soutint la tête et le petit groupe se dirigea vers la Hillman. Kitty demeura à l'endroit où son mari avait été étendu, fixant la flaque sombre sur le sol. À côté d'elle, les baobabs jumeaux semblaient veiller, présence attentive et silencieuse. En levant les yeux, elle aperçut, dans celui qui était le plus proche, des morceaux d'étoffe noués aux branches à l'écorce grise. Certains avaient été placés là récemment : les couleurs étaient encore éclatantes. D'autres étaient visiblement plus anciens – effilochés, leurs teintes délavées. On avait suspendu aussi de petites statuettes et des poches de cuir, pareilles à celles que confectionnaient les sorciers pour y enfermer des amulettes. Kitty fut tout à coup envahie par la sensation que ce lieu était habité par une puissance surnaturelle. Theo et Charlotte n'auraient pas dû venir ici. Les plantations n'étaient pas à leur place ici. Elle non plus.

Baissant les yeux, elle s'aperçut qu'un groupe d'Africains s'était rapproché et que plusieurs la regardaient d'un air de franche hostilité. D'autres paraissaient simplement curieux. Au premier rang se tenait une vieille femme. Kitty la dévisagea avec étonnement. Que faisait-elle parmi tous ces hommes ? Elle croisa le regard impassible de ses yeux étrangement limpides dans son visage desséché. La femme porta une main à son cœur, paume ouverte. Kitty comprit que c'était une façon de lui exprimer sa compassion, de femme à femme. Et cet échange muet lui rendit un peu de force, comme si la perte qu'elle venait de subir n'était qu'une infime partie de toutes les pertes que d'autres avaient endurées avant elle – et auxquelles elles avaient survécu. Elle hocha la tête, puis s'éloigna d'un pas chancelant.

En arrivant près de la Hillman, elle vit que Theo avait été couché sur le siège arrière. On avait dû replier ses jambes pour pouvoir fermer les portières. Quelqu'un l'avait recouvert d'un *kitenge*. L'imprimé rouge, jaune et vert semblait beaucoup trop gai, trop plein de vie.

Elle s'installa sur le siège du passager et Taylor prit le volant.

« Nous pouvons partir. Larry ramènera les autres. »

Avant de démarrer, il se pencha pour examiner Gili, qu'elle avait étendu sur ses genoux. Il caressa la petite tête et déglutit comme s'il s'efforçait de contrôler son émotion.

« *Mwanangu gwe* (Mon cher petit) », murmura-t-il.

Ces mots tendres brisèrent la carapace dont elle s'était jusque-là entourée et l'atteignirent en plein cœur. Le chagrin la submergea d'un coup. La douleur d'avoir perdu Theo se mêla à ses craintes pour Gili, sa sympathie pour Taylor. Toutes ces émotions devinrent brusquement trop fortes pour qu'elle puisse les contenir. Elle baissa la tête et contempla Gili – petite forme inerte gisant sur le tissu à pois de sa robe. Les larmes lui montèrent aux yeux et ne tardèrent pas à déborder. Elle leur laissa libre cours, et elles ruisselèrent le long de ses joues pour tomber sur la douce fourrure grise.

Gili avait les yeux fermés ; ses petites mains étaient ouvertes et un filet de salive coulait de sa bouche. L'afflux de sang s'était ralenti mais n'avait pas cessé ; le mouchoir en était imbibé. Kitty n'osait pas tâter le pouls du petit animal. Il s'était écoulé au moins une demi-heure depuis qu'elle avait écouté son cœur, près des baobabs, et dans ce laps de temps il n'avait ni bougé ni émis le moindre son. Elle savait qu'il était peut-être en train de mourir sous ses yeux. Elle aurait voulu que Taylor roule plus vite. Mais elle se rendait compte qu'il était partagé entre l'envie d'appuyer sur l'accélérateur et la peur de secouer Gili en roulant sur une bosse à grande vitesse.

Et, tandis qu'elle surveillait le singe, une partie de son esprit revenait sans cesse à ce qui s'était passé, là-bas, sous les arbres. Elle revoyait Theo en train de tirer, le viseur du pistolet, le canon court et droit… Les cris, les hurlements. Puis cette unique détonation, plus forte, et Theo s'écroulant. Tout était extrêmement clair dans sa mémoire, chaque geste, chaque mot prononcé. La réalité la frappait alors de plein fouet, évidente et brutale – mais, l'instant d'après, elle n'arrivait pas à croire que Theo soit vraiment mort, même en se représentant le corps sur le siège arrière, juste derrière elle.

« J'aperçois les autres. »

La voix de Taylor fit soudain irruption dans ses pensées. Elle se retourna pour regarder par la vitre arrière. La Jeep découverte de Larry les suivait à distance, pour éviter le nuage de poussière soulevée par la Hillman. Charlotte était assise sur le siège du passager, sa chevelure rousse volant au vent. Derrière elle, Kitty discerna les têtes sombres des Africains blessés. Elle ne vit pas les fez rouges des askaris ; sans doute ceux-ci se trouvaient-ils dans le Land Rover. Elle s'apprêtait à tourner les yeux – en évitant de les poser sur la forme étendue sur la banquette – lorsque quelque chose attira son attention. Le bras de Theo pendait par-dessus le bord du siège. Cette vue lui tordit le cœur. La main aux doigts gracieusement recourbés paraissait si fragile, son poignet mince, si vulnérable… Sa montre était trop grosse et trop lourde. Elle contempla le cadran de nacre serti d'or blanc ; un cadeau de son père pour son vingt et unième anniversaire, lui avait raconté Theo. Il attachait beaucoup d'importance au fait que la montre ait été choisie par l'amiral et non par Louisa. Elle eut un élan de pitié pour le vieux couple qui apprendrait bientôt la terrible nouvelle. Mais elle ne pouvait pas penser à eux maintenant ; elle avait déjà trop à faire avec ses propres émotions. Elle détacha ses yeux de la montre et remarqua alors un autre détail : une petite cicatrice sur l'avant-bras de Theo – conséquence d'un accident remontant à l'enfance, un coup de canif maladroit. Ce fut cette minuscule marque blanche qui transperça enfin la brume qui emplissait son esprit et vint à bout du sentiment d'irréalité. Ce corps étendu sur la banquette, cette forme immobile et silencieuse, c'était réellement Theo. L'homme qu'elle avait tant aimé autrefois. Le seul amant qu'elle ait jamais eu.

Le Theo des dernières années s'effaça de son esprit et il lui apparut tel qu'il était au début de leur idylle, plein de rêves et d'espoirs. Avant que la guerre le brise, avant qu'il rentre docilement dans le giron familial. Elle le revit avec ses lunettes et son blouson d'aviateur civil, debout près de son avion rouge vif. Comme il aimait voler dans les airs, le monde à ses pieds…

Se détournant, elle regarda fixement la route devant elle. Elle sentait une masse de pensées et d'émotions confuses s'accumuler en elle, prêtes à l'engloutir de nouveau, mais elle les repoussa pour ne plus penser qu'à Theo. Il était libre à présent, délivré de ses cauchemars. Elle imagina son âme s'élevant dans le bleu du ciel africain, laissant derrière elle tous les conflits, toutes les souffrances et planant tel un aigle au-dessus du pays.

19

Taylor s'arrêta devant Scotland Inch et klaxonna en laissant tourner le moteur. Quelques secondes plus tard, le commissaire sortit, offensé et furieux. Reconnaissant Kitty, il s'avança vers elle, fronçant ses sourcils broussailleux d'un air menaçant. Quand il fut tout près du véhicule, Taylor lui fit signe de venir de son côté.

« Je suppose que vous allez me fournir une explication à ce comportement d'une incroyable grossièreté ? s'enquit le commissaire, hargneux.

— Hamilton a été tué, répondit Taylor, d'une voix étouffée. Il est sur le siège arrière.

— Quoi ? » fit le policier en tournant vivement la tête.

Quand il aperçut la forme étendue sur la banquette, il écarquilla les yeux de stupéfaction.

« Green conduit trois blessés à l'hôpital, reprit Taylor. Et nous allons chez le vétérinaire, ajouta-t-il en montrant Gili. Je reviendrai ici dès que je le pourrai.

— Non, non... C'est hors de question ! » Le commissaire posa une main sur la voiture comme pour l'empêcher de partir. « Garez-vous ici, ordonna-t-il en désignant un emplacement délimité par une bordure de pierre blanche.

— Pas maintenant », déclara Taylor en secouant la tête.

Sans laisser au policier le temps de réagir, il redémarra. La dernière image que Kitty emporta du commissaire fut son visage congestionné par la stupeur et l'incrédulité. L'homme lui inspirait une profonde aversion, en raison de la désinvolture avec laquelle il l'avait traitée tout à l'heure et de son refus de l'aider. Elle avait l'impression qu'il ne se préoccupait pas vraiment de ce qui s'était passé dans la plaine : il voulait simplement affirmer son autorité.

Brusquement, un faible son interrompit le cours de ses pensées et tout son corps se tendit. Se penchant vers Gili, elle écouta avec attention.

« Que se passe-t-il ? » demanda Taylor.

Elle ne répondit pas et continua à tendre l'oreille. Au bout de ce qui lui parut une éternité, elle perçut un petit gémissement. Puis, alors qu'elle scrutait anxieusement la petite face rose, elle vit le singe battre des paupières.

« Je crois qu'il reprend connaissance ! » dit-elle en se tournant vers Taylor.

Un bref sourire de soulagement apparut sur son visage et s'effaça aussitôt. Il le savait aussi bien qu'elle : cela ne signifiait pas pour autant que l'animal était sauvé.

Elle caressa doucement le dos de Gili, ses doigts effleurant à peine son pelage doux. Elle s'absorba dans cette sensation pour éviter de penser.

Quand ils s'approchèrent du petit bâtiment de brique abritant le cabinet du vétérinaire, elle chercha à repérer le camion d'Alan Carr. Il y avait de fortes chances que le vétérinaire soit parti travailler sur le terrain : il se passionnait pour le programme expérimental d'élevage – un autre projet pour la région, encore à l'étude – et on le voyait souvent circuler dans Londoni avec une ou deux vaches dans sa remorque. Elle fut soulagée d'apercevoir le véhicule garé sous un arbre. Sur le côté du bâtiment, en dessous du panneau ENTRÉE, une porte était entrouverte.

Taylor coupa le contact. Dans le silence soudain, de petits bruits résonnèrent – le chant d'un coq au loin, le cliquetis du moteur en train de refroidir, le grincement des ressorts – pendant que Kitty contemplait le petit corps inerte en souhaitant de toutes ses forces le voir bouger un bras, une jambe, une main... Mais son immobilité était telle qu'il aurait pu être mort.

Taylor ouvrit sa portière, et une nuée de poussière s'engouffra à l'intérieur de la voiture.

« Je l'emmène, dit-il à Kitty. Je reviens dès que possible.

— Non, attendez », répondit-elle.

Elle n'avait pas envie de rester seule ici. D'un autre côté, elle ne voulait pas abandonner le corps de Theo. Elle hésitait encore sur la conduite à tenir quand, dans un nuage de poussière et un rugissement de moteur, deux Jeep apparurent l'une derrière l'autre. Le commissaire était au volant de la première ; la deuxième était chargée d'askaris.

Sitôt son véhicule arrêté, le commissaire sauta à terre, son carnet à la main. Kitty se recroquevilla sur son siège à son approche. L'affronter en cet instant lui paraissait au-dessus de ses forces.

« Ne vous inquiétez pas, dit Taylor. Je me charge de lui. Emmenez Gili chez le vétérinaire. »

Il descendit pour lui ouvrir la portière et elle sortit,

tenant Gili de manière à le garder bien à plat et à n'exercer aucune pression sur ses blessures.

« Je n'en ai pas pour longtemps », reprit Taylor.

Elle ne bougea pas, brusquement paralysée par la peur. Ils allaient perdre Gili, comme elle avait perdu Theo. Elle voulut prendre une profonde inspiration, mais le son qu'elle émit ressemblait davantage à un sanglot.

Taylor avança une main vers elle et repoussa doucement une mèche de cheveux qui lui balayait la joue. Il lui adressa un petit signe de tête, et elle comprit ce qu'il voulait dire. *Soyez forte. Tenez bon encore un moment. Vous pouvez y arriver.* Il la regarda dans les yeux et elle sentit sa force s'insinuer en elle. Relevant le menton, elle acquiesça en silence.

« Que puis-je pour vous, madame Hamilton ? »

Le vétérinaire leva à peine les yeux de son microscope lorsqu'elle entra dans le cabinet. Elle le connaissait très peu – ils ne s'étaient rencontrés qu'une ou deux fois, au club. Alan ne fréquentait guère les réunions mondaines. (Les dames du club ne savaient pas si c'était à cause du scandale entourant la liaison de sa femme avec l'infortuné mari de Cynthia, ou s'il consacrait simplement tout son temps à son travail.) Aujourd'hui, elle ne pouvait que se réjouir de ce manque de sociabilité. Elle n'était pas d'humeur à bavarder ni à échanger des politesses. Et elle ne voulait pas être obligée de lui raconter ce qui s'était passé, d'expliquer pourquoi elle avait les yeux rouges et gonflés. Si elle laissait la réalité envahir son esprit, elle risquait de s'effondrer sur le sol et de ne pas pouvoir se relever.

« J'ai un singe, annonça-t-elle sans préambule. Il est gravement blessé.

— Pour l'amour de Dieu, posez donc cet animal avant qu'il vous morde ! »

Elle le regarda avec étonnement. Puis elle se souvint, pour avoir pu le constater autrefois à la ferme, que même le plus doux des animaux pouvait se montrer agressif quand il avait mal. Alan ne pouvait pas savoir que Gili ne réagirait pas ainsi. Elle déposa précautionneusement le singe sur la table d'examen. Il paraissait minuscule sur cette surface en inox assez large pour contenir un gros chien ou même un mouton. Quand elle retira ses mains, Gili poussa un geignement et tourna la tête de côté, comme pour se soustraire à la lumière aveuglante du plafonnier.

« Vous avez vu ? s'exclama-t-elle. Il a bougé ! »

Le vétérinaire ne répondit pas. S'écartant de la table, il observa le singe, l'expression neutre. Au bout d'un instant, il soupira.

« Écoutez... C'est charitable de votre part d'amener cette pauvre créature ici. Mais, ajouta-t-il en posant son regard sur la robe ensanglantée de Kitty, vous avez abîmé votre robe pour rien, j'en ai peur. Dans des cas comme celui-ci, il n'y a qu'une chose à faire. Abréger ses souffrances. Une petite piqûre, et ce sera terminé. »

Elle déglutit. Sa gorge était si serrée qu'elle se sentait incapable de parler.

« Je vois bien que ça vous bouleverse, mais vous ne devez pas vous sentir coupable, reprit Alan. Ça arrive tous les jours. Les voitures et les animaux sauvages ne sont pas compatibles, voilà tout. »

Elle mit quelques secondes à saisir ce qu'il voulait dire.

« Non, vous ne comprenez pas. Ce n'est pas un animal sauvage. Il n'a pas été renversé par une voiture.

— Ah, un singe apprivoisé, alors, dit-il en pinçant

les lèvres. Madame Hamilton, je vais être franc. Je crois qu'il vaut mieux laisser la faune locale où elle est. Si vous voulez un animal de compagnie, prenez un chat ou un chien. Un singe est un bien mauvais choix. Ces bestioles peuvent infliger des morsures redoutables, et vous courez un sérieux risque d'attraper la rage – contre laquelle nous n'avons pas de traitement, comme vous le savez peut-être. »

Des larmes de désespoir montèrent aux yeux de Kitty. Dans son esprit encore embrumé par le choc, le sort de Gili était lié à la mort de Theo. C'était un peu comme si elle croyait qu'en sauvant le petit singe, elle pourrait ramener son mari à la vie – si absurde que ce soit.

« Je vous en prie, faites quelque chose !

— Bon, bon, marmonna le vétérinaire en levant les mains dans un geste défensif, comme si elle l'avait menacé. Je vais l'examiner. »

Il enfila des gants de cuir avant de s'approcher prudemment de Gili et de défaire les pansements. Ainsi que Taylor l'avait fait un peu plus tôt, il palpa la fourrure poissée de sang.

« Que lui est-il arrivé ?

— On lui a tiré dessus. C'était un accident.

— Les gens ont la gâchette facile ici, dit Alan en relevant les yeux. Ils ont l'air de penser que, parce qu'ils sont en Afrique, ils doivent passer leur temps à chasser. » Reportant son attention sur le singe, il poursuivit son examen. « De toute évidence, il y a des blessures internes. Les intestins ont peut-être été perforés. Il se peut également que l'épine dorsale ait été touchée. Mon avis reste le même, je le crains. Il faut le piquer.

— Ne pourriez-vous pas essayer de le soigner ? implora Kitty.

— Bien sûr, je le pourrais, répondit-il d'un ton patient. Je pourrais faire des radios, tenter une intervention chirurgicale compliquée. Je pourrais mettre en attente mes autres tâches et consacrer tout mon temps à de longs soins postopératoires. Et l'animal mourrait quand même, très probablement.

— Je vous en supplie, sauvez-le. Je le soignerai. Je ferai n'importe quoi. »

La voix d'Alan s'adoucit.

« Madame Hamilton, la vérité, c'est qu'il vaut mieux achever cette pauvre bête. Si vous souhaitez que j'explique ma décision à votre époux, j'y suis tout à fait disposé. »

Instinctivement, elle se pencha sur Gili pour le protéger. Elle jeta un regard en direction de la porte, en souhaitant de toutes ses forces voir apparaître Taylor. Mais que pourrait-il faire ? Si peu doué que puisse être Alan dans d'autres domaines, et notamment sa vie privée, elle n'avait aucune raison de douter de ses compétences professionnelles.

« Dans une situation comme celle-ci, mieux vaut agir vite, poursuivit Alan. Hésiter ne changera rien. Ça ne fera que rendre les choses plus pénibles. »

Il se dirigea vers une armoire métallique et l'ouvrit. Tout en fouillant à l'intérieur, il lui lança par-dessus son épaule :

« Si vous préférez tenir l'animal, je n'y vois pas d'inconvénient. Ou bien vous pouvez me le laisser. »

Elle remua les lèvres, incapable de trouver ses mots. Tout se passait trop vite. Elle n'arrivait pas à réfléchir.

« Vous pouvez emporter le corps pour l'enterrer vous-même, ou bien je m'en chargerai. »

Quand le vétérinaire se retourna, il tenait une seringue dans sa main. Il s'avança vers la table.

« Ne le touchez pas ! cria Kitty, s'interposant entre Gili et lui.

— Madame Hamilton, vous vous conduisez en égoïste, le comprenez-vous ? répliqua Alan d'un ton autoritaire, comme s'il s'adressait à une enfant. Pensez un peu à lui.

— Je pense à lui, justement, rétorqua-t-elle en prenant le singe dans ses bras. S'il doit mourir, je ne veux pas que ce soit ici.

— La décision vous appartient. Je puis seulement vous indiquer ce que je crois être la meilleure solution. »

Sans l'écouter davantage, elle sortit en courant.

Elle avait à peine fait quelques pas que Taylor tourna l'angle du bâtiment. À sa vue, il s'immobilisa.

« Il a refusé de le soigner, s'écria-t-elle en le rejoignant. Il voulait… » Elle dut faire un effort pour terminer sa phrase. « Il voulait le piquer. »

Les épaules de Taylor s'affaissèrent. Un silence épais les enveloppait. Elle chercha des paroles de consolation, mais n'en trouva aucune. Finalement, il poussa un long soupir.

« Ils ont emmené Theo à la morgue de l'hôpital. Ils ont dit que vous pourrez y aller dès que vous serez prête. »

Elle porta son regard en direction des bâtiments de l'hôpital, puis secoua la tête. Elle n'était pas prête à se retrouver de nouveau face au corps sans vie de Theo. Et elle n'avait pas envie de quitter Taylor et Gili. Pendant un long moment, elle demeura plantée là sans bouger. Elle sentait contre sa poitrine la chaleur du petit animal, le mouvement presque imperceptible de ses côtes quand il respirait. Seul un miracle pouvait le sauver. Bientôt, son cœur s'arrêterait de battre, son souffle s'éteindrait, et il cesserait de vivre.

Elle leva les yeux vers le ciel comme pour chercher un réconfort. Dans la vaste étendue azurée, aucun oiseau ne volait, aucun nuage ne flottait. Le soleil dardait impitoyablement ses rayons de plomb. Elle se sentait désemparée. Puis quelque chose surgit à son esprit – une sensation plutôt qu'une pensée. Une vision de paix. D'air frais et immobile, d'ombre accueillante. Un refuge, où le cauchemar qui la poursuivait depuis quelques heures ne pourrait pas l'atteindre. Et où, par un insondable mystère, il était possible, parfois, de trouver la guérison alors que tout espoir semblait perdu.

Quand la voiture s'arrêta à l'entrée de la cour, les deux prêtres se tenaient dans l'ombre du clocher, penchés l'un vers l'autre, profondément absorbés dans une conversation. L'arrivée inattendue de Kitty et Taylor, ou peut-être l'expression qu'il lut sur leurs visages, incita le père Remi à se précipiter vers eux en relevant le bas de sa soutane. Le père Paulo courut derrière lui, le sentiment d'urgence rendant quelque vigueur à ses vieux membres.

« Que se passe-t-il ? »

Tendant Gili au père Paulo par la vitre ouverte, Taylor leur fit le récit des événements. En l'entendant relater les faits, Kitty fut de nouveau touchée de plein fouet par leur réalité. Elle cacha son visage dans ses mains. Durant le trajet, elle avait eu le sentiment que son existence même était en suspens jusqu'à ce qu'ils atteignent la mission. Maintenant qu'ils étaient là, toutes les émotions qu'elle avait refoulées affluaient d'un coup. La panique monta en elle, une vague d'horreur la submergea. Cette fois, elle le savait, le flot allait l'emporter, l'engloutir dans sa noirceur.

La soulevant dans ses bras, le père Remi la sortit du véhicule et la serra contre sa large poitrine. Elle avait l'impression d'être aussi faible qu'un petit enfant, aussi inerte qu'une poupée de chiffon. Enfouissant son visage dans le coton rugueux de sa soutane, elle sentit les contours du blason brodé s'enfoncer dans sa joue. Le cœur, symbole d'amour et d'espoir. Elle entendit le murmure de la voix de Taylor, mêlé au timbre plus grave du père Paulo. Les sons s'affaiblirent, puis s'éteignirent tout à fait.

Combien de temps demeura-t-elle ainsi, entre les bras du prêtre ? Quand elle se sentit mieux, il la conduisit vers le bâtiment à arcades. Là, dans la pièce qui leur servait de dispensaire, le père Paulo était déjà occupé à nettoyer les blessures de Gili avec de l'eau bouillie. L'expression sévère et tendue, il s'écarta pour céder la place au père Remi.

Celui-ci fit signe à Kitty de rejoindre Taylor qui se tenait près de la table d'examen.

« De la teinture d'iode, Kitty, et mon onguent », dit-il du même ton brusque qu'il employait habituellement quand elle l'aidait à soigner les prisonniers.

Elle se mit au travail, se glissant avec gratitude dans son rôle d'infirmière. La routine l'apaisait, lui permettait de reprendre contact avec la normalité.

Quand le prêtre passa la teinture d'iode sur les plaies, Gili poussa un gémissement de protestation. Puis, faiblement, il commença à se débattre, agitant bras et jambes.

Kitty et Taylor échangèrent un regard chargé d'espoir.

« Tenez-le bien, Taylor, lança le père Remi. Et vous, Kitty, prenez-le par les épaules. » Il appliqua son onguent dont l'odeur musquée se répandit dans l'air, et déclara : « Cela calmera la douleur. »

Il fixa ensuite un large bandage autour des blessures. La blancheur du coton ressortait avec netteté sur le pelage gris.

L'onguent agit vite, et le petit singe ne tarda pas à s'apaiser. Kitty se demanda s'il était retombé dans l'inconscience ; elle savait que la fatigue extrême était un des symptômes d'un choc traumatique.

Ce fut alors que le père Paulo prit la parole.

« Emportons-le dans le salon, dit-il en swahili, le seul langage qu'ils avaient en commun. Ce sera plus confortable pour tout le monde. La soirée sera longue. »

La brise légère entrant par les fenêtres ouvertes était chargée d'un parfum d'encens qui venait se mêler à l'odeur piquante du désinfectant et celle, plus douce, de l'onguent du père Remi. La voix du père Paulo, psalmodiant une prière en latin, semblait elle aussi flotter dans l'air. Il était assis dans son fauteuil préféré ; tout près de lui, Gili était étendu sur un coussin de velours vert que l'on avait posé sur le sol. Autour de la petite forme inanimée, quatre autres personnes étaient regroupées : Taylor et Kitty, côte à côte, le père Remi et sœur Clara à ses pieds. Tous étaient assis sur des tabourets bas, apportés par Tesfa. Le vieil Africain se tenait à présent en retrait, au fond de la pièce, prêt à répondre à tous leurs besoins – servir le thé, offrir des verres d'eau ou trouver des allumettes pour les bougies en cire d'abeille du père Paulo.

Plusieurs heures s'étaient écoulées depuis qu'ils

s'étaient installés dans la pièce. Les cloches avaient déjà retenti à deux reprises pour annoncer les prières de milieu et de fin de journée. Le soleil, bas dans le ciel, s'infiltrait obliquement à travers les vitres.

Kitty abaissa son regard vers Gili, contemplant la petite face sans vie. Ses yeux ronds et brillants étaient dissimulés derrière ses paupières pâles ; la peau plissée autour de son nez et de sa bouche lui donnait l'air d'un vieillard plein de sagesse, mais évoquait en même temps le visage fripé d'un bébé innocent.

« Ne pensez-vous pas qu'il respire mieux ? »

Bien qu'assourdie, la voix de Taylor résonna dans le silence ambiant.

Kitty observa avec attention la poitrine de Gili, souhaitant avec ardeur pouvoir confirmer cette remarque. Au bout d'un instant, elle releva la tête.

« Peut-être, oui. Un peu. »

Les yeux de Taylor étaient des puits noirs, le pli vertical entre ses sourcils s'était profondément creusé. Ses lèvres s'entrouvrirent comme s'il était sur le point de dire quelque chose. Il tendit une main vers celle de Kitty. Quand ses doigts se refermèrent sur les siens, elle perçut son besoin d'être touché, réconforté, réchauffé, et elle les serra avec force.

« Je suis content que vous soyez là, murmura-t-il.

— Moi aussi », répondit-elle.

Elle tenta d'imaginer ce qui se passerait en ce moment même, si elle n'était pas venue à la mission. Elle se vit dans la maison de la rue des Millionnaires, ses voisins défilant pour lui présenter leurs condoléances et se répétant avec délectation tous les détails de la tragédie. En l'absence de Diana, les autres femmes se seraient disputé le titre de « meilleure amie », afin de pouvoir jouer un petit rôle dans le drame. Charlotte elle-même serait peut-être venue, pour occuper elle aussi une place sur la scène. Et si Kitty n'était pas parvenue à garder son calme, on aurait appelé le médecin qui lui aurait prescrit des sédatifs. Elle se vit, étendue sur son lit, écoutant les murmures étouffés arrivant du salon, le tintement des glaçons dans les verres, le claquement des talons hauts sur le sol. Il n'y aurait rien eu, ni personne, pour la protéger de la complexité de ses sentiments. Si elle avait été une épouse ordinaire, aimant son mari et aimée de lui en retour, elle aurait éprouvé un chagrin immense, mais tout aurait été simple et clair. Or ce qu'elle ressentait pour Theo était confus, embrouillé. À la douleur s'ajoutaient la culpabilité, la jalousie et la colère. Et les autres ne manqueraient pas de s'en apercevoir. Dans le petit monde de Londoni, chacun de ses mots, de ses gestes serait disséqué, commenté et réexaminé…

Promenant son regard autour d'elle, elle se réjouit de se trouver ici et non là-bas. En choisissant de se réfugier à la mission avec Taylor, elle n'avait pas mesuré les conséquences de sa décision. Mais lorsqu'elle y réfléchissait à présent, elle comprenait que ce choix aurait d'énormes répercussions. Elle avait tourné le dos à la société anglaise, abandonnant les siens en faveur de ce petit groupe hétéroclite. Elle avait irrémédiablement franchi les limites du monde où elle avait vécu jusque-là. Et il lui serait impossible d'y retourner. Elle essaya d'analyser ce qu'elle ressentait, cherchant à y déceler de l'appréhension, du regret, ou même l'ombre d'un doute. Mais ce fut en vain.

La nuit finit par obscurcir les fenêtres et l'air devint plus frais – seuls signes que le temps ne s'était pas arrêté.

La flamme des bougies projetait dans la pièce des ombres dansantes. Le père Paulo somnolait par intermittence dans son fauteuil, la tête inclinée, sa barbe effleurant sa poitrine. Le père Remi s'était allongé sur un des canapés, de même que Tesfa. Sœur Clara s'était retirée dans sa chambre. Kitty et Taylor étaient étendus de chaque côté de Gili, sur des matelas pris dans les chambres destinées aux visiteurs de passage.

Taylor s'était finalement endormi, recroquevillé sur le flanc, face au coussin de velours vert, comme si, d'une seconde à l'autre, il allait ouvrir les yeux pour voir comment allait son petit compagnon. Kitty demeura parfaitement éveillée, l'adrénaline bouillonnant encore dans son sang. Son esprit aussi était en effervescence, submergé par un torrent continu d'images et de pensées. Dès qu'elle cessait de se concentrer sur Taylor et Gili, elle pensait à Theo. Il lui était impossible de l'imaginer à la morgue – elle n'avait aucune idée de ce à quoi ressemblait cet endroit. À un cabinet de médecin, avec une civière et un paravent ? Ou à un lieu sinistre, tout de béton nu et d'acier ? Dans tous les cas, elle frémissait à l'idée qu'il était là-bas tout seul. Elle tenta de se dire que ce n'était pas vraiment son mari, seulement son cadavre. La personne qu'avait été Theo avait disparu. Cette pensée fit naître en elle un nouveau flot d'interrogations. S'était-il tout simplement éteint, comme l'une des bougies du père Paulo ? Ou avait-il accédé à l'état immatériel ? La vision de l'aigle prenant son essor traversa de nouveau son esprit. Theo était-il déjà très loin de cette terre ? Ou était-il toujours présent ici, veillant sur elle ? Elle regarda Gili qui gisait sur son coussin, les cierges et l'encensoir, les livres de prières, les prêtres, le crucifix sur le mur… De son vivant, Theo aurait trouvé la scène bizarre, incongrue. Mais qu'en penserait-il à présent, en la contemplant de l'autre rive ? Elle secoua la tête, étonnée de ses propres pensées – elle qui, il y a peu de temps encore, était persuadée de partager la conviction de Yuri, selon lequel la mort était la fin de tout.

Elle reporta son attention sur Gili. La partie inférieure de son corps, enveloppée de bandages, lui faisait penser aux momies égyptiennes qu'elle avait vues au British Museum. Mais la moitié supérieure n'avait pas changé – c'était toujours la même petite créature espiègle qui quémandait constamment des caresses. Elle se rappela soudain comment il s'amusait à lui mettre les mains sur les yeux quand elle le portait dans ses bras. Elle crut presque sentir le contact rugueux de sa peau sur la sienne.

Ne meurs pas, petit Gili.

Elle répéta ces mots en elle-même. Elle avait perdu Theo. Elle avait perdu Yuri. Et sa famille aurait aussi bien pu être morte.

Je t'en supplie, ne me quitte pas !

Elle posa son regard sur le père Paulo, qui ronflait doucement dans son fauteuil. Son visage était gris d'épuisement. Il se réveillait à intervalles réguliers, ouvrait un de ses livres et lisait un texte en latin, ou improvisait une prière. Il jeûnait également – il avait accepté l'eau apportée par Tesfa, mais s'était contenté de regarder les autres manger du pain et des fruits et boire du thé sucré au miel. Le vieux prêtre paraissait prendre la situation aussi sérieusement que s'il s'était agi d'un enfant et non d'un animal. Après tout, c'était lui qui avait accroché l'image de saint François d'Assise à la place d'honneur dans la salle à manger, à côté de la photo du suaire de Turin. Sur ce tableau, saint François était entouré d'animaux ordinaires : un lapin, un agneau, deux cerfs. Un oiseau était perché sur son épaule. Dans l'herbe verte sous ses pieds était inscrite une de ses sentences les plus célèbres : « Toute la Création forme une seule et même famille. »

Elle aurait aimé pouvoir suivre son exemple et prier elle aussi. Mais elle ne possédait pas la foi nécessaire. D'un autre côté, elle était totalement persuadée de l'honnêteté du vieux prêtre. Et elle sentait l'affection que tous ici avaient pour Gili – particulièrement Taylor, qui avait noué des liens très forts avec le singe durant les jours sombres de son emprisonnement. Elle leva les yeux vers la gravure accrochée au mur, au-dessus de la tête du père Paulo – une image de Jésus, le cœur flamboyant dans sa poitrine. Des traits de lumière jaillissaient de ses mains tendues, tels des signes visibles de son pouvoir. Elle les imagina descendant sur Gili, réparant les chairs, lui restituant sa force. Elle garda son regard fixé sur la gravure pendant un temps infini, comme si la survie du petit animal dépendait de sa persévérance. Mais à la fin, ses paupières se fermèrent, sa tête s'inclina. Elle s'étendit sur le matelas et sombra dans le sommeil.

L'aube entrait par les fenêtres, baignant la pièce d'une lumière dorée. Kitty s'agita et ouvrit les yeux d'un coup en se rappelant où elle était et pourquoi elle était ici. Pendant quelques instants, elle resta immobile, son esprit s'efforçant d'assimiler la mort de Theo. Elle se sentait plus perdue et désorientée qu'accablée de chagrin – les événements de la veille lui apparaissaient encore comme un rêve terrifiant.

Mais sa présence dans ce lieu était la preuve que ce cauchemar était réel.

Ses pensées se tournèrent vers Gili. Elle garda les yeux rivés au plafond, partagée entre le désir de vérifier comment il allait et la peur de ce qu'elle risquait de découvrir. Elle se rappelait les nombreuses fois où, dans son enfance, elle avait dit bonne nuit à des animaux vivants – agneaux orphelins, oiseaux, opossums – et les avait retrouvés froids et raides au matin.

Retenant son souffle, elle tourna lentement la tête.

Gili la regardait, les yeux grands ouverts, ronds et brillants.

« Taylor ! haleta-t-elle. Réveillez-vous ! »

Les mots, même s'ils n'étaient qu'un murmure, parurent se répercuter à travers la pièce. Les membres s'étirèrent, les paupières s'ouvrirent. Bientôt, tout le monde fit cercle autour de Gili, excepté le père Paulo, qui se pencha simplement en avant sur son fauteuil.

« Laissons-lui un peu d'air », conseilla Taylor.

Gili les contempla tour à tour en écarquillant ses yeux d'un vert mordoré, comme s'il s'étonnait d'être l'objet d'une telle attention.

« Il doit avoir soif », dit le père Remi.

Il alla chercher une pipette dans l'armoire du dispensaire et remplit un bol d'eau bouillie. S'agenouillant près du singe, il lui soutint la tête d'une main et, plaçant la pipette contre sa bouche, il laissa tomber quelques gouttes sur ses lèvres. Tous attendirent en retenant leur souffle. Puis une langue rose apparut et lécha les gouttelettes. Quelques secondes plus tard, Gili tendit la main pour s'emparer de la pipette. Des rires de soulagement fusèrent, dissipant la tension qui alourdissait l'atmosphère.

Quand les rires se turent, un silence profond s'installa dans la pièce. Nul ne posa la question, nul ne souffla même le mot. Mais l'idée qu'il s'était produit un miracle chatoyait dans l'air à la manière d'un halo. L'espoir et la joie qui émanaient de Taylor étaient presque palpables ; Kitty, elle aussi, avait l'impression d'avoir été soulagée d'un poids écrasant. Il était possible, elle le comprenait à présent, que la lumière et l'obscurité se fondent, et qu'on puisse éprouver à la fois de la douleur et du bonheur.

Comme pour signaler le retour à la vie normale, le père Paulo se leva avec raideur de son fauteuil. Ignorant ceux qui lui conseillaient de rester assis jusqu'à ce qu'il ait pris son petit déjeuner, il se dirigea vers la cuisine. Taylor et le père Remi demeurèrent accroupis à côté de Gili, discutant de son traitement. Kitty se leva et étira ses bras au-dessus de sa tête. Puis elle sortit, attirée par la lumière dorée et la fraîcheur du petit matin.

Des oiseaux voletaient entre les branches du baobab. L'arbre vénérable était à présent couvert de feuilles et la verdure donnait un aspect plus riant à sa ramure noueuse. Le dépassant, Kitty marcha jusqu'à la lisière de la cour et contempla les plaines en dessous d'elle. Les *shamba* formaient un patchwork de différents tons de vert, de brun et de jaune. L'herbe était drue. Les premières pluies avaient fait germer les graines, les plantes commençaient à pousser. Ce jaillissement de vie se fondait sur l'espoir que les grandes pluies ne tarderaient pas à suivre et alimenteraient les cultures jusqu'à ce qu'elles produisent des fruits et des grains pour la récolte. Parfois, les pluies n'étaient pas assez abondantes ou ne venaient pas du tout, et c'était alors la famine, le désespoir. Mais, à la saison des pluies suivante, l'espoir renaissait. Face à ce paysage, Kitty ressentit toute la puissance de la nature – le cycle de la vie et de la mort, puis à nouveau la vie. Elle prit conscience que son propre parcours était gouverné par ces mêmes forces. Et qu'elle devait avoir la même foi en l'avenir. Fermant les yeux, elle leva son visage vers le soleil, s'imprégnant de sa chaleur réconfortante.

Un bruit de pas résonna derrière elle. Se retournant, elle vit Taylor, qui lui tendait une tasse en fer-blanc et une tranche de papaye. Quand il fut plus près, elle sentit le parfum du fruit et l'odeur d'épices montant du thé fumant. Levant les yeux, elle rencontra son regard. Lui aussi était empli de chaleur et de force. Elle savait que, lorsqu'elle serait prête à parler de Theo, à exprimer son chagrin, sa souffrance et son désarroi, Taylor serait là pour l'écouter et l'aider de son mieux. Le lien qui existait entre eux était maintenant plus profond, plus solide. Chacun d'eux avait vécu des expériences que bien peu de gens avaient connues. Quoi qu'il se passe par la suite, rien ne pourrait défaire ce qui les unissait.

En silence, ils burent le thé, mordirent dans la chair ferme de la papaye, léchant le jus sur leurs lèvres. Non loin d'eux, un coq se pavanait, déployant son plumage pourpre et orangé. Levant la tête, il poussa un cocorico sonore et arrogant. Un autre coq lui répondit au loin, puis un deuxième. Le chant se propagea tout le long de la colline, comme pour transmettre la bonne nouvelle de l'arrivée du matin, de ferme en ferme, jusqu'au village le plus éloigné.

20

Kitty longea le couloir sur la pointe des pieds. Eustace et Gabriel attendaient sa visite, mais elle ne voulait pas les avertir tout de suite de sa présence. Elle entendait, en provenance de la cuisine, le bourdonnement familier de leurs voix, les éclats de rire dont ils étaient coutumiers. Manquaient le tintement des casseroles qui s'entrechoquent, l'odeur de la nourriture en train de cuire : le personnel était pour ainsi dire au chômage, en charge d'une maison vide d'occupants.

Près de trois semaines s'étaient écoulées depuis la mort de Theo. Durant ce laps de temps, elle avait vécu comme dans un brouillard. Tout lui avait paru irréel, incohérent. Les activités les plus ordinaires, manger, dormir, parler, lui apparaissaient comme de vagues échos d'expériences lointaines. La seule chose qui semblait réelle, c'était la disparition de son mari et tout ce qu'elle impliquait. Et juste après, il y avait son anxiété au sujet de Gili. L'état du petit singe s'améliorait de jour en jour, mais il était encore très faible.

Elle était retournée à Londoni le lendemain de la fusillade. Elle devait faire sa déposition au commissariat, et elle voulait aussi aller voir le corps de Theo à la morgue. Taylor lui avait proposé de l'accompagner. Elle avait été touchée par cette offre – la sollicitude qu'elle avait lue dans son regard, la douceur de sa voix. Mais elle l'avait déclinée : c'était une chose qu'elle devait accomplir seule.

En chemin, elle avait fait un détour par la maison de la rue des Millionnaires afin d'y prendre des vêtements. Elle n'y était restée que quelques minutes, tant la demeure semblait hantée par des souvenirs douloureux. Eustace et Gabriel n'étaient nulle part en vue ; peut-être se trouvaient-ils dans la buanderie ou dans le jardin, mais elle ne les avait pas cherchés. Elle avait été soulagée au contraire de ne pas avoir à leur faire face, de ne pas devoir affronter leurs questions, leur effarement, leur détresse. Elle avait simplement rempli son sac de voyage et elle était repartie.

Son entrevue avec le commissaire avait été étonnamment brève. Apparemment, Larry Green avait déjà donné une relation circonstanciée des événements et, ainsi que le chef de la police le lui avait fait clairement comprendre, il ne la considérait pas comme un témoin fiable, vu le choc émotionnel qu'elle avait subi. Visiblement, il était pressé de refermer le dossier ; sans doute n'avait-il pas envie que quelqu'un relève le fait qu'elle était venue lui faire part des menaces proférées contre Charlotte et qu'il les avait ignorées. Refermant sèchement son calepin après y avoir griffonné quelques lignes, il était sorti avec elle de son bureau et l'avait escortée jusqu'à la morgue, à l'arrière de l'hôpital.

L'endroit lui avait fait penser à un abri antiaérien – la même odeur de béton nu, la même absence de lumière naturelle. Au centre de la pièce était placée une table, également en béton, avec une rigole d'écoulement sur le pourtour. Une longue forme enveloppée d'une toile vert sombre y était allongée. Le commissaire était resté à côté de Kitty quand elle s'était approchée de la table et avait attendu, rassemblant son courage, que l'auxiliaire africain soulève la toile.

Elle avait assimilé par bribes ce qu'elle avait sous les yeux ; affronter la vision d'ensemble était au-dessus de ses forces. D'abord le visage de Theo, d'un blanc livide, les yeux clos. La blessure causée par la balle, à présent lavée de son sang et réduite à un petit trou ; la peau recroquevillée sur les bords de l'orifice. Les narines bourrées de coton, le bandage passé sous son menton et noué sur le dessus de la tête pour maintenir la bouche fermée.

L'auxiliaire avait tiré la toile un peu plus bas. De gros blocs de glace étaient disposés autour de Theo, s'enfonçant dans sa chair. C'était étrange de penser que, sous cette peau blême, il n'y avait plus que des nerfs morts, incapables de réagir à la morsure du froid. Il avait été dépouillé de ses vêtements mais, par décence, on avait posé une serviette de toilette sur son bas-ventre. Autour de son poignet, on avait attaché une étiquette en carton avec son nom, tracé d'une écriture bien nette : *M. Theodore Hamilton*. En dessous étaient inscrits les mots : *Numéro d'unité, Saison, Poids.*

« C'est ce que vous avez trouvé de mieux ? avait demandé le commissaire à l'employé. Une étiquette de sac de cacahuètes ?

— C'est ce qu'il y a de mieux, avait répondu l'Africain sans sourciller. Le carton est très solide. Il ne risque pas de se déchirer ni de se perdre. »

Ce qui avait ému Kitty par-dessus tout, c'étaient les marques de bronzage sur la peau de Theo : le triangle cuivré correspondant à l'échancrure de sa chemise, le brun des avant-bras dénudés par les manches s'arrêtant au coude. Elles témoignaient du cycle de la vie, du passage des saisons, le bronzage tantôt s'accentuant, tantôt pâlissant. Et maintenant, plus jamais il ne connaîtrait cela.

Elle était restée là à le contempler, la vue brouillée par les larmes. Le commissaire avait posé une main sur son épaule, en un geste de réconfort maladroit. Puis il s'était écarté, en traînant les pieds et en faisant bruire son calepin, pour lui signifier qu'il était temps de partir.

Elle était ensuite allée voir l'assistant de Theo, Toby Carmichael. Le commissaire lui avait dit que cela pouvait attendre quelques jours, mais elle avait préféré s'acquitter de cette tâche tout de suite. De cette façon, une fois qu'elle aurait regagné la mission, elle n'aurait plus à en ressortir. À l'intérieur de ces vieux bâtiments robustes, où lui parvenaient les sons apaisants des cloches annonçant l'heure de la prière et des pigeons roucoulant dans le clocher, elle se sentait très loin de ce qui avait été sa vie à Londoni. La mission était son refuge. Son havre. Elle n'avait aucune envie d'être ailleurs.

Après lui avoir exprimé ses condoléances et offert du thé et des biscuits, Toby était passé directement aux choses sérieuses. Il s'était efforcé de faire preuve de diplomatie, éludant les détails gênants de « l'incident de l'unité trois » tout en laissant entendre que lui, pour sa part, avait perçu chez Theo les signes annonciateurs d'une dépression nerveuse. À demi-mot, il avait même suggéré qu'il avait tenté de faire part de ses inquiétudes à son patron, même si ce n'était guère crédible.

Il s'était montré sensible et compatissant. Mais, avait-il enchaîné, il devait traiter avec elle de certaines questions urgentes... Richard étant toujours absent, les deux postes occupés par Theo, directeur général par intérim et directeur administratif, devaient être pourvus au plus vite. Une fois de plus, des écueils étaient en vue, menaçant de faire échouer le Plan, et il fallait un nouveau capitaine à la barre. Il avait abordé avec tact le problème de la maison de la rue des Millionnaires. De toute évidence, Mme Hamilton allait devoir déménager, et le plus rapidement possible. Heureusement, la Boîte à chaussures était libre. Lady Welmingham, encore ébranlée par la terrifiante expérience qu'elle avait vécue, avait quitté Kongara par le premier avion. Par conséquent, le cottage pouvait être mis à la disposition de Kitty pendant tout le temps dont elle aurait besoin pour organiser son retour en Angleterre.

Son discours terminé, il l'avait dévisagée dans l'attente d'une réaction de sa part. Mais elle s'était contentée de lui renvoyer son regard. Se rendait-il compte qu'il lui proposait d'habiter dans le logement anciennement occupé par la maîtresse de Theo ? Sûrement... Interprétant son silence de manière erronée, Toby s'était empressé d'ajouter qu'il était infiniment regrettable qu'elle se voie privée de sa maison en même temps que de son mari. Il aurait souhaité qu'elle puisse continuer à y résider, mais c'était malheureusement impossible...

Elle avait été obligée de l'interrompre pour arrêter ce flot de platitudes.

« Je compte m'installer à la mission catholique. »

De surprise, Toby avait tressailli. Ses yeux s'étaient élargis et il l'avait contemplée avec une curiosité ouverte qui masquait mal son soulagement. Elle s'était demandé ce qu'il avait entendu dire au sujet de la mission. Il savait probablement que Diana et elle travaillaient là-bas ; peut-être même était-il au courant de son amitié avec l'ennemi juré de l'OFC, bwana Taylor.

« Je n'aurai donc pas besoin de votre aide, avait-elle conclu. Merci quand même. »

Elle s'était levée, mettant fin à l'entrevue. Toby lui avait serré la main comme pour la congratuler, mais elle avait lu le scepticisme dans ses yeux. Peut-être pour l'empêcher de changer d'avis, il avait déclaré qu'il veillerait à ce que leurs effets, à Theo et à elle, soient rangés et emballés en vue du déménagement – ce qui ne prendrait pas longtemps, avait-il fait remarquer, étant donné que tous les meubles étaient la propriété du gouvernement britannique.

Elle repensait à ces paroles en promenant son regard autour d'elle. Comme promis, les quelques articles appartenant aux Hamilton – une photo encadrée de la façade grandiose de la demeure ancestrale de Theo, un vase qui avait orné la bibliothèque encastrée, un petit tapis persan – avaient tous été retirés. Une grande boîte en carton fermée par du ruban adhésif trônait au fond du couloir.

Elle arriva devant la porte de la chambre, la poussa. À l'intérieur, elle découvrit sa valise, avec ses étiquettes aux couleurs fanées, posée au milieu de la pièce, ainsi que sa malle de voyage cloutée de cuivre. À côté se trouvait son sac à main soigneusement fermé, dont les poignées semblaient attendre qu'elle les passe à son bras.

Portant son regard vers la fenêtre, elle contempla la maison voisine, par-dessus la haie de *manyara*, et pensa à Diana. Si seulement elle avait pu être ici, en ce moment où elle avait tellement besoin d'une amie ! Elle savait que, sitôt que Diana serait rentrée et aurait appris ce qui s'était passé, elle accourrait à la mission. Mais elle ne reviendrait que dans deux semaines et, en cet instant même, cela lui paraissait une éternité.

Elle s'approcha de l'armoire et ouvrit les portes ; hormis les cintres accrochés à la tringle, elle était complètement vide. Tendant la main vers le fond du meuble, elle glissa ses doigts dans un interstice entre la paroi et le socle et en extirpa un objet rond et plat.

Elle regarda le poudrier en écaille de tortue au creux de sa main. En suivant du doigt les volutes ornementées des initiales, elle se remémora le jour où elle avait pris la décision de cacher ce précieux souvenir, au cas où Theo aurait établi le lien avec Katya et en aurait été fâché ou bouleversé. Comme il paraissait loin, le temps où elle ne désirait rien de plus que se comporter comme une épouse modèle !

Elle respira profondément. L'air dans la pièce avait déjà changé, le parfum fleuri de son talc avait été remplacé par l'odeur de caoutchouc du matelas nu. Le dessus de la coiffeuse avait un aspect terne, poussiéreux. Au coin du miroir, une araignée avait commencé à tisser sa toile. Il était difficile de croire que trois semaines seulement avaient passé depuis le jour où elle avait enfilé sa robe à pois et était partie pour le club. Et comment imaginer, alors, les terribles événements qui allaient suivre ?…

Elle promena une dernière fois son regard autour de la chambre, puis ressortit pour se rendre dans le salon. Elle s'arrêta près du chariot à liqueurs, à présent vide d'alcool – les carafes rincées, les bouteilles disparues. Elle ferma brièvement les yeux pour repousser les images sombres qui l'assaillaient. Theo se resservant un verre, ou hurlant contre Gabriel d'une voix empâtée par le whisky. Et elle, obligée de rester là, recroquevillée en elle-même, essayant de se soustraire par la pensée à ce spectacle affligeant.

Dans la salle à manger, elle inspecta le service de porcelaine Royal Doulton légué par Cynthia. Combien de temps faudrait-il aux nouveaux locataires pour s'apercevoir qu'il était incomplet ? Bien sûr, il était probable que l'épouse arriverait avec sa propre vaisselle, quelque chose de décoratif, de délicat, bien différent du service en faïence grossière qu'elle avait apporté elle-même.

S'approchant de la table, elle passa une main sur la surface polie, puis releva la tête en entendant des pas derrière elle.

« Bonjour, memsahib, dirent Eustace et Gabriel, presque à l'unisson.

— Bonjour, répondit-elle. Je suis venue chercher mes affaires.

— Oui, memsahib », acquiescèrent-ils en chœur.

Un silence gêné suivit. C'était comme s'ils savaient tous que, s'ils commençaient à parler de ce qui s'était passé, ils n'arriveraient plus à s'arrêter.

« Vos bagages sont dans la chambre, dit enfin Eustace.

— J'ai vu. Merci.

— Les vêtements du bwana et ses objets personnels ont été transportés à l'aérodrome », poursuivit Eustace. En raison sans doute de la gravité de la situation, il prononça tous les mots correctement, sans ajouter de voyelle à la fin de chaque mot. « Les choses qui vous appartenaient à tous deux ont été entreposées au bureau central, pour que vous les répartissiez selon vos coutumes.

— C'est parfait. Vous avez bien fait. »

Elle aurait voulu avoir l'énergie de les remercier comme elle l'aurait dû, de leur montrer qu'elle appréciait tout ce qu'ils avaient fait pour elle depuis son arrivée. Ils n'étaient certes pas exempts de reproches, mais ils les avaient bien servis, Theo et elle.

« Je reviendrai vous voir, ajouta-t-elle, incapable d'en dire davantage.

— Y a-t-il autre chose que nous pourrions faire pour vous ? »

La voix de Gabriel s'était teintée d'un nouveau respect, et il baissait même les yeux. Peut-être par égard pour son statut de veuve ? se dit-elle. Puis elle songea que ce pouvait être aussi parce qu'elle n'était pas rentrée chez elle depuis tout ce temps et qu'elle avait cherché refuge à la mission catholique plutôt qu'auprès des autres dames du club. Un comportement inhabituel et qui paraissait sans doute incompréhensible au domestique. Dans l'incertitude, il préférait se montrer prudent.

« Ils ont déjà ramené le corps du bwana en Angleterre », dit Eustace.

À son expression, Kitty comprit que c'était plus une question qu'une constatation.

« Oui, vendredi dernier », lui confirma-t-elle.

Le commissaire lui avait fait porter un message à la mission pour l'informer que le corps allait être « rapatrié » – c'était le terme qu'il avait employé.

« Il a dû être enterré, à présent », ajouta-t-elle.

Les deux hommes la dévisagèrent avec attention,

attendant visiblement qu'elle leur fournisse davantage de détails.

« Sa tombe se trouve dans le village proche de la propriété de ses parents. Il repose près de ses ancêtres. »

Les deux Africains hochèrent la tête d'un air approbateur ; cela leur semblait parfaitement approprié. Mais qu'auraient-ils pensé, se demanda-t-elle, du service funèbre qui avait dû être célébré à St. Luke in the Fields ? Là-bas, personne n'avait gémi ni déchiré ses vêtements comme elle l'avait vu faire à la mission lors des messes d'enterrement. La mère de Theo ne s'était pas jetée sur le cercueil, ne s'était pas abandonnée à sa douleur. Non, Louisa était sûrement demeurée calme et digne. Et l'amiral aussi. Elle repensa à ce que Theo lui avait dit, le matin où, pour la première fois, il lui avait raconté son cauchemar, en déclarant qu'il n'était pas nécessaire de reparler davantage de ce qu'il avait vécu durant la guerre. Il avait utilisé l'une des expressions favorites de sa mère : *Il ne sert à rien de pleurer sur ce qui est fait.* Inutile de ressasser les souffrances ou les traumatismes. Mieux valait garder son flegme et se comporter en bon petit soldat.

Elle savait que Louisa avait dû être dévastée par la mort de son fils. Sa première réaction avait sûrement été d'en rejeter la faute sur sa belle-fille : si celle-ci n'avait pas déclenché un intolérable scandale, il n'aurait pas été obligé de partir pour le Tanganyika. Sans doute blâmait-elle aussi l'OFC. Le ministère des Colonies. L'Afrique. Une chose était sûre : ni Louisa ni l'amiral ne comprendraient jamais le rôle crucial qu'eux-mêmes et leurs principes surannés – version britannique des lois tribales – avaient joué dans cette tragédie qu'avait été la vie de Theo.

« Une nouvelle famille va arriver, l'informa Eustace. Le bwana s'appelle le major Marsden. Ils ont trois enfants. On a déjà livré un lit spécial. Deux en un, expliqua-t-il en secouant la tête d'un air incrédule, superposant les mains pour montrer comment les enfants dormiraient empilés l'un au-dessus de l'autre.

— Vous allez avoir beaucoup de travail, fit-elle observer.

— Je montrerai à la memsahib la recette pour l'encaustique, déclara Gabriel.

— Et moi, j'ai recopié les menus sur du papier propre », renchérit Eustace.

Elle se rendit compte que leur esprit s'était déjà tourné vers ce nouveau chapitre de la vie de cette maison de la rue des Millionnaires. Elle se demanda comment cela se passerait pour les Marsden, quels espoirs, quels rêves et quels secrets ils apporteraient dans leurs bagages.

« Voulez-vous que nous portions vos affaires jusqu'à la voiture ? proposa Gabriel.

— Oui, merci », répondit-elle en souriant.

Les deux hommes s'éloignèrent en hâte, la laissant seule. Elle tourna lentement sur elle-même pour contempler la pièce. Puis elle se rendit dans le salon et l'inspecta, lui aussi. Déjà, ces lieux lui semblaient étrangers. Elle se sentait comme une intruse. Et tout à coup, elle éprouva un urgent besoin de sortir de cette maison. En fermant la porte pour la dernière fois, elle eut l'impression que c'était le passé qui se refermait derrière elle. Cédant à l'appel irrésistible du futur, elle se dirigea d'un pas pressé vers sa voiture.

Épilogue

Kitty s'approcha d'une des tables qui se trouvaient encore près de la piscine. Comme il n'y avait plus de chaises, elle se hissa sur la solide surface en terrazo. Tout en ôtant ses sandales d'un coup de pied, elle contempla le bassin de béton vide. Difficile d'imaginer qu'elle y avait autrefois nagé dans une eau profonde et fraîche, parcourant plusieurs longueurs d'affilée. Un phasme plus grand que sa main marchait sur le fond poussiéreux. Il y avait des années que la piscine avait été vidée. Les parasols vert et blanc avaient disparu, de même que les employés en uniforme. La clôture avait été abattue. Le bar et le vestiaire, comme le bâtiment abritant le club lui-même, étaient fermés et déserts.

Se protégeant les yeux d'une main, elle regarda en direction du terrain de jeu. Les équipements étaient toujours d'un rouge brillant, contrastant avec l'impression générale de délabrement. Des enfants africains poussaient des cris aigus en dévalant le toboggan, leurs jambes nues au contact direct du métal chauffé par le soleil. Ils se laissaient glisser tête la première ou étendus de travers : il n'y avait pas d'*ayah* pour les surveiller et les obliger à la prudence. En haut de l'échelle, sur le point de s'asseoir sur la rampe, se tenait le seul enfant blanc de cette joyeuse troupe, une fillette. Elle cria quelque chose en swahili à un petit garçon qui s'attardait au pied du toboggan, en lui faisant signe de dégager le passage.

Kitty sourit en regardant sa fille s'accrocher des deux mains aux rebords de la rampe. Ella portait une robe bleue très simple, élimée à l'ourlet. Ses cheveux châtain clair, aussi indisciplinés que ceux de son père, flottaient sur ses épaules hâlées. La couleur de sa peau et de ses cheveux était tout ce qui la différenciait des autres enfants. À quatre ans, elle était sans doute la plus jeune, mais elle était visiblement considérée comme un membre à part entière de la petite bande. Elle paraissait pleine d'assurance, détendue, heureuse.

Parfois, en la contemplant, Kitty avait du mal à croire que cette enfant était la sienne, qu'elle avait désormais une famille à elle. Elle étendit sa main gauche devant elle, faisant miroiter l'étroit anneau d'or à son annulaire. Et ses pensées se reportèrent à ce jour où Taylor lui avait pour la première fois déclaré son amour.

Elle s'était rendue à la ferme pour lui apporter un message de la part du père Remi. Un des villageois aurait pu aisément y aller à bicyclette, mais elle avait saisi le prétexte au vol. Elle était curieuse de découvrir l'intérieur de la maison perchée au flanc de la colline. Et puis, bien sûr, elle avait envie de voir Taylor. Elle avait toujours envie de le voir…

Arrivée devant sa porte, elle avait essayé d'adopter un air décontracté, comme une voisine venue faire une petite visite à l'improviste. Ainsi que le voulait la coutume locale, elle avait appelé au lieu de frapper.

« *Hodi, hodi !* (Quelqu'un est là !) »

N'obtenant pas de réponse, elle avait poussé la

porte. Quand celle-ci s'était ouverte, elle avait aperçu une vaste pièce où alternaient des recoins d'ombre fraîche et des flaques de lumière, des taches de couleurs vives et des coloris plus reposants. Son regard avait aussitôt été attiré par une rangée de larges fenêtres. Il n'y avait pratiquement pas de frontière entre l'intérieur et l'extérieur – l'extrémité de la pièce se fondait à l'immense étendue de terre et de ciel s'étirant jusqu'à l'horizon.

Elle avait appelé de nouveau, sans plus de résultat. Elle savait qu'elle aurait dû attendre sur le seuil, mais la maison semblait l'inviter à entrer.

Au milieu de la vaste pièce, elle avait lentement pivoté sur elle-même. Il y avait là un canapé et trois fauteuils, du mobilier simple et robuste comme celui des pères à la mission. Sur le tissu uni qui les recouvrait étaient posés des coussins en *kitenge* de différents motifs. Des nattes en paille tressée dessinaient des cercles pâles sur le sol de pierre. Elle avait vu également des tabourets bas, identiques à ceux qu'utilisaient les Wagogo, et des tambours en peau de vache. Une peau de zèbre gansée de feutre vert ornait le mur du fond, et une collection de statuettes en ébène – des guerriers aux membres longs et déliés alternant avec des animaux sauvages – était alignée sur le rebord d'une fenêtre.

Parmi les meubles africains, elle avait aperçu aussi quelques superbes pièces anciennes qui n'auraient pas détonné à Hamilton Hall. Son regard s'était attardé sur une table aux pieds recourbés terminés par des pattes de lion. Une moitié de sa surface était nue, comme si on l'avait dégagée pour servir un repas, mais l'autre était jonchée de livres, de papiers et de crayons. Au milieu de ce fatras trônait une photo dans un cadre. Kitty s'était approchée pour la contempler. L'image décolorée représentait un homme et une femme bras dessus bras dessous riant joyeusement face à l'objectif. Elle avait su immédiatement que c'étaient les parents de Taylor ; chacun d'eux avait transmis à leur fils des traits de leur physionomie.

Elle s'était forcée à détacher son regard de la photo ; il lui paraissait incorrect d'examiner un objet aussi personnel sans y avoir été invitée. Elle s'était tournée vers une peinture accrochée au mur proche : une aquarelle préimpressionniste dans le style de Turner. Le peintre avait rendu à la perfection le jeu de la pluie et de la brume anglaises sur un fleuve gris ardoise. Absorbée dans l'étude de la technique qu'il avait employée, elle n'avait entendu le bruit de pas que lorsqu'il avait été tout proche. Elle s'était retournée d'un mouvement vif, des excuses aux lèvres.

Et elle l'avait vu, debout dans une flaque de lumière, une expression d'agréable surprise sur le visage. Elle avait retenu sa respiration. Le temps avait paru s'arrêter, l'air s'était chargé de tension. C'était comme si, depuis leur première rencontre, le courant qui circulait entre eux n'avait fait que s'intensifier, alimenté par chaque regard échangé, chaque mot et chaque sourire, et encore renforcé par les épreuves traversées. Endiguer cette énergie n'avait servi qu'à augmenter sa puissance. Et à présent, il n'était plus nécessaire de la contenir. Plus rien ne les séparait.

D'un même mouvement, ils s'étaient avancés l'un vers l'autre. Pendant quelques secondes, ils étaient restés immobiles, face à face, les yeux dans les yeux. Puis leurs lèvres s'étaient rencontrées – de manière d'abord hésitante, interrogatrice, puis avec avidité. Leurs bras s'étaient enlacés, leurs corps s'étaient pressés l'un contre l'autre. Le moment avait paru durer une éternité, et pourtant il s'était terminé trop vite.

Taylor s'était écarté, en gardant les mains posées sur ses épaules.

« Je t'aime, Kitty.

— Moi aussi, je t'aime », avait-elle répondu, inondée de joie.

Ils n'avaient pas eu besoin d'échanger d'autres mots. Devant eux s'ouvrait la perspective d'un avenir commun, aussi radieux et infini que le paysage de la plaine à travers les fenêtres.

Pour son mariage, elle avait revêtu une robe faite d'une fine étoffe éthiopienne – un cadeau de Tesfa, qui se vantait de les avoir réunis, Taylor et elle. La cérémonie avait été célébrée à l'église de la mission ; le père Paulo avait uni leurs deux mains droites et le père Remi avait recueilli leur serment mutuel de soutien et de fidélité. Le jour même, Kitty avait quitté la mission pour aller vivre avec son mari, dans la maison sur la colline.

C'était là, dans la chambre même où Taylor avait vu le jour, qu'elle avait donné naissance à Ella, deux ans plus tard. Sœur Barbara avait procédé à l'accouchement, avec l'aide d'une sage-femme africaine. L'hôpital de Kongara n'était pas trop éloigné, au cas où un problème serait survenu, mais, fort heureusement, elle n'avait pas eu besoin de s'y rendre. À la maison, Taylor avait été autorisé à assister à la naissance ; sœur Barbara l'y avait même vivement encouragé. Kitty avait souri en imaginant la réaction de Pippa. Aux yeux de celle-ci, le spectacle d'une femme en train d'accoucher devait manquer totalement de dignité ! Et certes, ç'avait été douloureux et sanglant, mais le seul souci de Taylor avait été de réconforter sa femme et de voir apparaître leur enfant.

Il avait été le premier, après sœur Barbara, à tenir dans ses bras la petite Ella. Kitty se rappelait encore l'instant où il avait enfin réussi à détacher son regard de ce minuscule paquet enveloppé de linge qui était leur fille pour rencontrer le sien, épuisé mais débordant de joie. L'amour et l'émerveillement qu'ils avaient partagés alors étaient si intenses que, aujourd'hui encore, ce souvenir lui faisait monter les larmes aux yeux.

« Regarde-moi, maman ! cria Ella du haut du toboggan.

— Je te regarde ! » répondit-elle.

Elle observa Ella dévaler la rampe, un large sourire aux lèvres. Lorsqu'elle applaudit, la fillette lui lança un regard triomphant avant de retourner se mêler à la bousculade au pied de l'échelle pour pouvoir renouveler son exploit.

Au son de la voix de Kitty, Gili émergea de la cohue de corps enfantins et se précipita vers elle. Il boitait légèrement, mais cela ne le ralentissait en rien et ne rendait ses cabrioles que plus comiques. Bondissant sur la table, il tendit une main vers la poche de Kitty.

« Non, tu ne peux pas la prendre, dit-elle en posant ses doigts sur la lettre qui y était rangée. C'est à moi. »

Chassant le petit singe d'un geste affectueux, elle sortit l'enveloppe. Lorsqu'elle avait appris qu'une lettre l'attendait à la *duka*, elle avait supposé que c'était Diana qui la lui avait envoyée, elle qui lui écrivait régulièrement de Dar es Salam, où Richard occupait un poste gouvernemental. Mais l'enveloppe remise par Ahmed ce matin même portait un timbre imprimé du mot AUSTRALIE sous l'effigie de la toute nouvelle reine Elizabeth. Et l'adresse était rédigée de l'écriture soigneuse de sa mère.

Elle inséra un doigt sous le rabat de l'enveloppe et le déchira, en proie, comme toujours, à une impatience mêlée d'anxiété. Elle avait hâte de lire les dernières nouvelles en provenance des Sept Gommiers, mais elle savait que celles-ci ne seraient pas forcément bonnes. Son père se rétablissait à peine d'une pneumonie qu'il avait contractée en travaillant dehors alors qu'il était grippé. La saison dernière, un tondeur négligent avait provoqué un incendie dans les hangars de tonte, et ils avaient eu de la chance de ne perdre aucun mouton. On craint toujours pour ceux qu'on aime. C'était cela, faire partie d'une famille – et, plus il y avait de gens dans ce cercle, plus il y avait de raisons de s'inquiéter autant que de se réjouir. Mais c'était un prix qu'elle était heureuse de payer.

Elle lut la lettre deux fois de suite, pour mieux se pénétrer de chacun des mots qu'elle contenait. Le poulain de Hero était né fort et plein de santé. Le nouvel ouvrier agricole commençait à travailler suffisamment bien pour mériter enfin son salaire, et les Miller avaient, comme d'habitude, remporté une collection de récompenses à la foire agricole. Jason sortait avec la plus jeune des filles Elwood, et Tim avait entrepris de dresser un chien de troupeau des plus prometteurs répondant au nom de Bailey. La lettre se terminait par un conseil émanant de son père, sur l'élagage des arbres fruitiers.

Le regard de Kitty s'attarda sur les deux derniers mots.

Affectueusement, Maman.

Des mots simples et banals, mais infiniment précieux à ses yeux. Même si elle était à présent habituée à recevoir des lettres des Sept Gommiers, elle n'arrivait toujours pas à les considérer comme allant de soi. Elle avait vécu trop longtemps sans aucune nouvelle de sa famille, et le souvenir de ce long silence lui était encore douloureux.

Après la mort de Theo, elle avait écrit à ses parents pour leur raconter ce qui s'était passé, mais elle n'avait jamais reçu de réponse. Quand elle avait épousé Taylor, elle avait de nouveau tenté de renouer le contact, avec l'espoir que le temps aurait fini par avoir raison de leur obstination. Mais, cette fois-là encore, ils l'avaient ignorée. Elle ne savait même pas si sa mère avait lu ses lettres. C'était son père qui allait chercher le courrier, et elle l'imaginait très bien déchirer les enveloppes en mille morceaux sans même les avoir ouvertes. Il semblait que le choix qu'elle avait fait, tant d'années auparavant, les avait enfermés dans un cycle infernal de colère et de rancœur que rien n'interromprait jamais.

En y repensant à présent, elle comprenait la souffrance qu'elle leur avait causée, et combien elle avait dû leur paraître égoïste. Mais elle ne pouvait pas dire qu'elle regrettait d'avoir pris l'argent de sa grand-mère pour partir vers l'Angleterre. Cette décision avait changé sa vie et, si elle avait enduré des épreuves, elle avait également connu de grands bonheurs. Il y avait eu Yuri, et tout ce qu'il lui avait appris. Puis l'amour qu'elle avait partagé, du moins pendant quelque temps, avec Theo. Il y avait eu l'Afrique, les pères, Diana et ses autres amis. Mais surtout, il y avait eu Taylor et Ella. Il lui était impossible de dire qu'elle aurait dû choisir une autre voie, car seule celle qu'elle avait suivie pouvait les mener à eux. Néanmoins, se couper de sa famille en Australie avait été un lourd prix à payer.

À la naissance d'Ella, elle avait décidé d'envoyer une dernière lettre. Plus que jamais, elle souhaitait communiquer avec sa mère – elles avaient tant de choses en commun désormais ! Taylor avait fait toute une série de photos de leur petite fille au cours des premières semaines de sa vie. Quand les tirages en noir et blanc étaient arrivés de Dar es Salam, Kitty les avait soigneusement étudiés avant d'opérer son choix.

Elle avait été tentée par une photo où l'on voyait également Gili, mais elle lui avait finalement préféré celle qui montrait Ella enveloppée dans un *kitenge*, sa petite main délicatement posée contre sa joue. Sur l'image entourée d'un cadre blanc aux bords festonnés, le bébé avait l'air encore plus adorable que dans la réalité.

Au verso, Kitty avait écrit au crayon : *Eleanor Miller Taylor, 3 kg 250 g.* Au lieu d'envoyer la lettre au bureau de poste de Wattle Creek, elle l'avait adressée à sa tante Josie qui habitait tout près des Sept Gommiers. Dans la lettre d'accompagnement, elle la suppliait de remettre la photo à sa mère en mains propres, sans l'enveloppe. Ainsi, sa mère se retrouverait face à face avec son premier petit-enfant, elle plongerait son regard dans ses grands yeux clairs et lumineux…

Après avoir expédié la lettre, elle s'était efforcée de ne plus y penser. Elle s'était interdit de se rendre plus souvent que nécessaire à la *duka* d'Ahmed, qui, en raison du ralentissement économique, faisait désormais fonction de bureau de poste et de pharmacie en même temps que d'épicerie. Ella changeait de jour en jour, et Kitty regrettait de ne pas pouvoir décrire à sa grand-mère ses progrès quotidiens, qui lui apparaissaient comme autant de miracles. Et puis, soudain, alors qu'Ella commençait déjà à s'asseoir, une réponse était arrivée. Kitty avait conservé la lettre dans le tiroir de sa table de chevet, mais elle n'avait pas besoin de la relire pour se rappeler son contenu. Tous les mots étaient restés gravés dans son esprit, chaque boucle, chaque point, et jusqu'à la minuscule tache d'encre au milieu de la page. C'était une lettre courte, simple et réservée. Elle ne faisait aucune allusion aux multiples tentatives effectuées par Kitty au fil des années pour reprendre contact ; son ton circonspect pouvait s'expliquer par la surprise, l'embarras, la peine, ou ces trois sentiments à la fois. Elle contenait des nouvelles de la famille, quelques informations sur la ferme et des commentaires sur le temps. Mais il y avait cependant une phrase qui avait particulièrement ému Kitty.

Quel diminutif allez-vous lui donner ?

C'était une question. Un commencement de dialogue.

Au début, l'échange s'était déroulé uniquement entre sa mère et elle. Puis, lorsqu'elle avait parlé de Taylor et de la ferme, son père s'était mis à lui transmettre des remarques par l'intermédiaire de sa mère. Elle avait alors commencé à lui écrire directement. Ses réponses lui parvenaient sous la forme de quelques lignes ajoutées au bas des lettres de sa mère. Avec le temps, elles étaient devenues plus longues et plus chaleureuses. Son père s'était adouci en prenant de l'âge, ou il était simplement moins occupé, moins tendu. L'exploitation connaissait une certaine prospérité – de bonnes récoltes vendues à bon prix – et ses fils se chargeaient désormais du plus gros du travail. Ou peut-être se repentait-il sincèrement de sa dureté et du long silence qu'il leur avait imposé ? Avait-elle eu raison de le soupçonner d'avoir détruit ses lettres antérieures ? Elle ne lui poserait jamais la question, évidemment. Elle n'était même pas sûre de vouloir connaître la réponse.

Elle lui avait expliqué comment Taylor canalisait l'eau de source pour irriguer ses cultures, et que ce système permettait d'obtenir trois récoltes par an. Elle lui avait raconté que, en plus du vin, ils produisaient aussi des raisins secs, en faisant sécher les grains au soleil, et qu'ils avaient une vaste quantité de main-d'œuvre pour les aider – pour la plupart, d'anciens détenus désireux de changer de vie. La ferme n'avait plus besoin de recourir comme autrefois à des équipes de prisonniers, et ceux-ci n'avaient d'ailleurs plus de raisons de venir. Les services pénitentiaires de Sa Majesté avaient construit un nouvel établissement de l'autre côté des montagnes de Kongara, et y avaient attaché une exploitation agricole où les conditions de travail étaient à peu près identiques. Les prêtres pouvaient désormais se consacrer davantage aux Wagogo des villages voisins, ce qui était leur mission initiale.

Kitty avait relaté à son père l'échec du plan Arachide. En tant que fermier, il s'était montré très intéressé et avait voulu connaître tous les détails. Il n'avait pas été surpris que l'OFC ait été finalement forcée de reconnaître que le sol des plaines de Kongara ne convenait pas à la culture des arachides et qu'il était trop aléatoire de compter sur les pluies pour les arroser. L'affaire avait suscité des débats houleux au Parlement et des articles enflammés dans la presse. Pourquoi n'avait-on pas procédé à des essais avant d'entamer les travaux ? Pourquoi l'OFC avait-elle fait appel à des soldats et non à des agriculteurs ? Pourquoi avait-on gaspillé tant d'argent pour un résultat si catastrophique ? La seule explication semblait être que l'idéalisme l'avait emporté sur le sens pratique. Le désir de faire le bien avait obscurci le raisonnement. Et puis, il y avait toujours eu un gouffre entre les responsables, qu'ils soient à Londres ou à Londoni, et les hommes travaillant sur le terrain, les cheveux poussiéreux et les mains sales.

L'effondrement avait été brutal. En quelques mois, la majorité des employés de l'OFC avait été évacuée de Kongara. Toutes les familles de Londoni étaient rentrées dans la mère patrie. Seuls Richard et Diana avaient décidé de rester en Afrique. Leur voyage en Angleterre s'était bien passé – ils avaient pu panser leurs blessures et renouer les liens familiaux –, mais ils s'étaient également rendu compte à quel point ils aimaient vivre au Tanganyika. Ils habitaient désormais à Dar es Salam – assez près pour pouvoir leur rendre visite pendant les vacances. Richard avait obtenu un poste dans l'administration coloniale. Diana avait travaillé un temps comme bénévole dans un orphelinat, mais s'était à présent lancée dans son propre projet : un centre où l'on donnerait des soins d'urgence aux bébés dont les mères étaient mortes en couches.

C'était extraordinaire de voir, au bout de quelques années seulement, le peu de traces qu'il restait de la ville et des plantations. En bas, dans la plaine, les herbes sauvages avaient repoussé, masquant les sillons et les andains. Les éléphants y broutaient de nouveau – leurs formes massives et grises formant un contraste singulier avec les carcasses rouillées des tracteurs tombés en panne et abandonnés sur place. À Londoni et dans les unités d'exploitation, tout ce qui pouvait être déplacé avait été vendu aux enchères et emporté. Le ministère du Ravitaillement tenait absolument à récupérer autant d'argent que possible, après avoir perdu une telle fortune aux dépens des contribuables britanniques. Les générateurs, les véhicules et même les petits bâtiments préfabriqués, comme les Cabanes à outils, avaient été chargés sur des camions et transportés vers des missions, des casernes ou des fermes privées. Les maisons de la rue des Millionnaires étaient mentionnées dans le catalogue comme « matériaux de construction ». Les lavabos, les baignoires, les toits et les murs avaient été démontés. Tout ce qui restait, c'étaient les sols en terrazo et les allées de béton, que les Wagogo considéraient comme des surfaces idéales pour piler le mil ou étendre leur lessive.

La vie à Kongara avait repris son cours ancestral, celui qui était le sien avant l'arrivée des premiers Européens. Les missionnaires catholiques et anglicans travaillaient en étroite collaboration – rivaux mais cependant compagnons d'armes dans le combat spirituel qu'ils livraient. Le ministère des Colonies continuait à préparer le terrain en vue d'une future indépendance du Tanganyika. Et les Wagogo naviguaient habilement entre ces différents groupes, prenant ce qui leur paraissait bon dans la modernité tout en conservant leurs techniques traditionnelles et éprouvées. C'était comme si le plan Arachide et l'OFC n'avaient été qu'une brise éphémère passant sur ce coin reculé du Tanganyika.

Tout récemment, Kitty avait entendu dire qu'on projetait de transformer certains des bâtiments de l'OFC rescapés en une pension pour les enfants des missionnaires et des fonctionnaires de l'administration coloniale. Et on lui avait suggéré, si le projet se réalisait, d'y inscrire Ella comme demi-pensionnaire. Mais elle pourrait aussi aller, avec ses petits camarades africains, à l'école que sœur Clara venait d'ouvrir. Kitty n'était pas pressée de choisir. Dans l'immédiat, Ella était suffisamment occupée du matin au soir sans avoir à suivre des cours ou apprendre à lire. Elle savait déjà traire une chèvre, planter des haricots en rangées bien droites et à la bonne profondeur. (Elle avait perdu l'habitude de déterrer les arachides pour voir comment elles poussaient, ou de forcer les boutons de fleurs à éclore plus vite en écartant les sépales.) Elle ne s'ennuyait jamais, bien qu'elle n'eût pratiquement pas de jouets. Ceux qu'elle possédait lui avaient presque tous été offerts par Diana. Ils étaient alignés sur une étagère ; elle les chérissait, mais y touchait rarement. Pour Ella, la vie quotidienne était une source constante d'amusement. Elle adorait participer aux travaux de la ferme, aider les prêtres à la mission ou jouer avec de la pâte à pain à la maison. Elle avait un coin à elle dans le nouvel atelier de Kitty et s'y distrayait avec des peintures, des crayons de couleur et de l'argile. Partout où elle allait, Gili l'accompagnait.

Kitty s'installa plus confortablement sur le dessus de la table afin que le petit singe puisse se nicher sur ses genoux. Au même moment, un bruit de moteur attira son attention. En regardant vers l'endroit où se dressait autrefois la clôture, elle vit un camion rempli de passagers – des hommes, des femmes et des enfants en vêtements traditionnels, mais sans lances ni boucliers. Une fumée noire jaillit du tuyau d'échappement quand le conducteur accéléra. Le véhicule se dirigeait vers la sortie de la ville ; sans doute se rendait-il à la mission. Aujourd'hui, c'était la Saint-Paul-de-la-Croix et, dans l'après-midi, une messe spéciale serait célébrée dans l'église. Ensuite, il y aurait une grande fête dans la cour. Les gens venaient généralement des heures à l'avance pour mieux profiter de la journée. Amosi était sans doute déjà au travail, préparant d'énormes marmites de thé épicé que les religieuses distribueraient ensuite aux visiteurs.

Kitty, Taylor et Ella comptaient y aller juste avant l'heure de la messe. Pour y avoir assisté les années précédentes, Kitty savait comment se déroulerait la cérémonie. Comme toujours, le centre d'attention serait le père Paulo, l'aîné des deux prêtres. Malgré tous les discours que le père Remi avait pu leur délivrer sur la vie et l'œuvre de saint Paul, les Wagogo ne s'intéressaient guère au fondateur de l'ordre passioniste. Le saint italien avait vécu à une époque bien trop reculée, dans un lieu bien trop éloigné. Ils préféraient honorer le leur, dont le nom était presque identique. Le jour de la fête, ils se rendaient toujours à la grotte avant d'entrer dans l'église, afin de le remercier pour les guérisons miraculeuses obtenues grâce à son don.

À l'heure dite, le père Paulo serait transporté jusqu'à la grotte dans sa chaise à porteurs. Il n'arrivait pratiquement plus à marcher, ces derniers temps, et les pneus étroits du fauteuil roulant commandé à Dar es Salam s'enfonçaient dans la terre meuble. Ses amis avaient donc pris l'habitude de le transporter dans une chaise ordinaire sur les côtés de laquelle on avait fixé des sortes de brancards. Deux hommes auraient suffi à soulever le frêle vieillard, mais le porter était considéré comme un honneur, et il n'y avait jamais moins de quatre personnes pour remplir cette tâche.

La grotte serait remplie de fleurs, leur parfum ainsi que celui des bougies de cire d'abeille et celui de l'encens embaumeraient l'air. Les fidèles recevraient la bénédiction du père Paulo, puis s'agenouilleraient un instant devant l'autel pour prier.

Kitty se représenta la statue sur son piédestal. Il y avait maintenant cinq ans qu'elle avait été mise en place. Sitôt après avoir quitté la rue des Millionnaires et emménagé à la mission, elle avait commencé à travailler sur la sculpture. Après son mariage avec Taylor, elle était revenue chaque jour dans son atelier. Elle avait mis près d'un an à achever son œuvre.

Tandis qu'elle façonnait la statue de la fillette, elle songeait à l'enfant qu'elle aurait tellement désiré avoir. Même si sœur Barbara lui avait dit qu'il fallait environ un an à la plupart des couples pour concevoir, plus les mois passaient et plus elle craignait que son vœu ne se réalise jamais. Mais, à peu près au même moment que la statue avait été terminée, Ella avait été conçue. Pour Kitty, cela ressemblait à un miracle, et elle s'était souvent rendue dans la grotte, emplie de gratitude à l'idée de devenir enfin mère. En silence, elle contemplait la statue, oubliant presque que c'était elle qui l'avait créée. La petite fille avait l'air tellement réelle ! Sa peau était d'un brun profond, ses cheveux noirs une masse de boucles. Elle était vêtue d'une simple robe de couleur ocre, comme en portaient tous les enfants du village. Elle levait une main dans un geste de bénédiction, mais il n'y avait en elle rien de solennel. Ses yeux brillaient de joie et d'espièglerie. De vitalité.

Du coin de l'œil, elle entrevit un éclair de peau claire et de cheveux volant au vent. Ella s'était écartée de ses amis et courait vers le parking. À l'expression sur son visage, Kitty devina qui elle avait aperçu. Un instant plus tard, Taylor apparut. Il avait l'air préoccupé – un pli profond creusait son front. Ils étaient venus en ville parce qu'il espérait trouver une pièce détachée pour l'une des pompes ; sans doute n'y était-il pas parvenu. Mais, en voyant Ella accourir vers lui, il changea immédiatement d'attitude. Il s'accroupit pour la recevoir dans ses bras et la soulever du sol. Kitty vit leurs visages s'illuminer du même sourire ; bien qu'Ella fût un peu plus blonde, ils se ressemblaient beaucoup.

Désireux de prendre part à ces démonstrations

d'affection, Gili les rejoignit. Taylor fit passer Ella sur son autre bras et se pencha pour caresser la tête du petit singe. Il se redressa et adressa un petit signe de la main à Kitty, puis s'avança vers elle, levant les yeux vers le ciel pour vérifier la position du soleil.

« Ce doit être l'heure de rentrer, non ? dit-il. Nous devons nous changer, ajouta-t-il en regardant ses vêtements tachés de boue – il avait passé la matinée à tenter de réparer la pompe cassée.

— Oui, acquiesça-t-elle. Et j'ai encore un peu de cuisine à faire. »

Après la messe, ils se joindraient aux prêtres pour le repas du soir. Quand ils étaient ainsi assemblés autour de la longue table, c'était un peu comme une réunion familiale. Le père Remi leur servait toujours ses délicieuses spécialités maison – prosciutto, olives, fromage, salami. Les hommes faisaient semblant de se disputer pour savoir qui produisait le meilleur vin. Tout le monde gâtait Ella et elle mangeait beaucoup trop de loukoums achetés chez Ahmed. Le crumble aux fruits de Kitty faisait désormais partie du menu habituel de ces dîners. Elle avait élaboré sa propre version du dessert, à base de mangues cuites et de fruits de la passion, aromatisés de citron vert, de noix de coco et de gingembre. Elle avait déjà préparé les fruits et la pâte, il ne lui restait plus qu'à mettre le tout au four.

Rangeant la lettre dans sa poche, elle se laissa glisser à bas de la table et enfila ses sandales.

« Nous allons mettre nos jolies robes, annonça Ella. N'est-ce pas, maman ?

— Mais oui », acquiesça-t-elle.

Les deux robes étaient déjà disposées côte à côte sur le lit. Le tailleur indien les avait confectionnées dans le coupon qu'elle avait gardé depuis si longtemps – la soie orange qui lui évoquait Katya. Quand elle était allée au premier essayage, M. Singh l'avait informée que c'était le dernier cri à Londres, pour les mères et les filles, de porter des tenues identiques. L'idée lui avait paru saugrenue, mais elle avait ravi Ella, qui n'avait rien perdu de la conversation. Le tailleur avait uni ses efforts à ceux de la petite pour vaincre sa résistance, et elle avait fini par s'incliner. La fête d'aujourd'hui serait pour elles l'occasion d'étrenner leurs nouvelles robes couleur de crépuscule africain.

« J'ai hâte de vous voir dans votre tenue de gala », dit Taylor.

Il déposa un baiser sur la tête d'Ella, puis se pencha vers Kitty et enfouit son visage dans ses cheveux. Elle huma son odeur de jus de raisin et de terre, sentit sur sa peau la chaleur du soleil.

« Mes deux jolies filles… », murmura-t-il en lui effleurant la joue de ses lèvres.

Levant les bras, elle enlaça son mari et sa fille. La peau d'Ella était lisse et douce comme du velours ; le corps de Taylor, ferme et robuste sous ses mains. Elle appuya la tête sur son épaule, ferma les yeux. Ce qui habitait son esprit en cet instant ressemblait plus à une sensation qu'à une pensée – une sorte de courant traversant tout son être. Les mots aptes à décrire ce sentiment jaillirent de son cœur, familiers et magiques à la fois.

Hali ya kuwa na furaha. L'état de celui qui est empli de joie.

Le bonheur, tout simplement.

Note de l'auteur

Ce roman s'inspire d'événements survenus au Tanganyika (la Tanzanie actuelle) entre 1947 et 1951, lors de la mise en œuvre du plan Arachide par le gouvernement britannique. Différents lieux avaient été choisis pour l'application de ce projet, le principal étant la ville de Kongwa, dans le centre du pays. Kongara, où se situe l'action de ce récit, est un endroit fictif présentant certaines ressemblances avec Kongwa, mais possédant des caractéristiques et une histoire bien distinctes.

Pour ma documentation, je me suis fondée en grande partie sur l'essai d'Alan Wood, *The Groundnut Affair*, publié en 1950. J'ai également utilisé comme sources les comptes rendus de personnes ayant vécu dans les établissements destinés aux employés britanniques et à leurs familles, pendant et après le développement du projet. Glynn Ford et Jean Young, en particulier, m'ont aimablement fourni des informations très utiles. Et j'ai pu avoir accès à diverses collections de photos d'archives, notamment celles appartenant à Edward Bunting, Valeria Gatti, Paul Jackson, Charlie MacDonald, Ray Mullin, Tony Murphy et Jean Young, à qui j'exprime ici ma gratitude.

Pour me faire une idée générale de la vie au Tanganyika, j'ai lu les mémoires de David Read, *Beating about the Bush*, et ceux de Joan Smith, *A Patch of Africa*, et y ai pris le plus grand plaisir.

Comme toujours, j'ai également puisé dans des souvenirs familiaux. C'est mon père, Robin Smith, qui m'a le premier suggéré de prendre le plan Arachide comme thème d'un roman. Il a travaillé au Tanganyika à la fin des années 1950, et il s'était rendu à Kongwa pour acheter un générateur diesel vendu aux enchères par l'OFC. En 2011, nous sommes retournés là-bas en compagnie de ma mère, de ma sœur et de mon fils, pour voir les vestiges de Londoni et recueillir les éléments nécessaires à l'élaboration de ce livre.

Mon père se rappelait également avoir visité la mission catholique de Bihawana près de Dodoma (aujourd'hui capitale désignée de la Tanzanie), où les prêtres essayaient de faire pousser des vignes à partir de boutures rapportées d'Italie. Nous sommes allés sur place et avons trouvé l'ancienne installation viticole toujours en activité, et une nouvelle en construction à proximité. C'est ce lieu qui m'a servi de modèle pour la mission catholique décrite dans le roman. À Bihawana, les vignes sont entièrement alimentées par irrigation et produisent trois récoltes par an. Quelques-unes des premières exploitations viticoles d'Afrique de l'Est ont vu le jour dans la région de Dodoma, et elles employaient des détenus comme main-d'œuvre.

Ma mère, Elizabeth Smith, a étudié à la Slade School of Art à Londres et je me suis servie de certaines de ses expériences pour bâtir l'histoire de Kitty. Un sculpteur célèbre, qui était aussi un prince russe, avait demandé à maman de poser pour lui, et elle avait passé plusieurs week-ends dans sa résidence campagnarde. Il avait fui la Terreur rouge en emportant ses biens de famille dans un sac en tapisserie, et c'est lui qui m'a inspiré le personnage de Yuri. Du plus loin que je me souvienne, j'ai toujours vu ma mère travailler quotidiennement devant son chevalet. Ses représentations des paysages où nous avons vécu ont amplement contribué à façonner ma vision du monde.

Pour en savoir plus, visitez mon site :
www.katherinescholes.com

Remerciements

Merci du fond du cœur à tous ceux qui m'ont aidée et soutenue tout au long de l'écriture de ce roman :

Ali Watts, une éditrice aussi chaleureuse et encourageante que perspicace.

Le reste de l'équipe Penguin Australie, et en particulier Louise Ryan, Sally Bateman, Anyez Lindop, Deb McGowan, Belinda Byrne et Caro Cooper. Merci aussi à Saskia Adams.

Fiona Inglis, Annabel Blay, Grace Heifetz et tous les autres collaborateurs de Curtis Brown en Australie.

Kate Cooper de Curtis Brown à Londres et tous mes éditeurs et agents à l'étranger.

Robin et Elizabeth Smith, pour m'avoir une fois de plus fait profiter des expériences accumulées au cours de leur vie, et pour leurs méticuleuses traductions en langue swahilie, ainsi que leurs commentaires sur le contenu du récit.

Hilary Smith et Clare Smith, pour avoir lu le manuscrit et m'avoir donné leurs impressions en même temps que leurs encouragements.

Andrew et Vanessa Smith, pour m'avoir approvisionnée en anecdotes passionnantes sur le Tanganyika.

Jonny Scholes, pour m'avoir aidée à créer mon site web ; ses patients conseils m'ont permis d'entrer dans le XXIe siècle.

Hugh Prentice, pour l'intérêt qu'il a toujours porté à mes romans africains.

Mes compagnons de safari en Tanzanie : Alison Talbert, Phil et Barbara Wigg, Hilary Smith, Elizabeth et Robin Smith, et plus particulièrement mon fils, Linden Scholes, dont la présence a rendu ce voyage inoubliable.

Les prêtres et les autres membres de la mission catholique de Bihawana, pour nous avoir fait visiter les bâtiments historiques, y compris les cellules secrètes, la grotte en attente d'une statue et même le placard où les pères italiens faisaient sécher leur prosciutto.

Janet Allen du séminaire de St. Phillips, pour son accueil chaleureux durant notre séjour au Westgate Hostel à Kongwa. (C'est de cet édifice, construit en 1914, que je me suis inspirée pour décrire le bâtiment abritant les missionnaires italiens.)

Ned Kemp, pour sa généreuse hospitalité à Mvumi ; merci aussi à la Fondation pour l'école de Mvumi.

Maura Kerr, pour m'avoir fait partager ses connaissances sur les traditions catholiques.

Mes amis chers, y compris les loyales Curry Girls, et tous les membres de ma famille élargie, qui me tiennent compagnie dans une profession parfois bien solitaire.

Enfin, mon mari, Roger, qui a comme toujours apporté une contribution précieuse à la rédaction de ce livre, depuis sa conception jusqu'à sa version définitive. Une fois encore, un grand merci.

Cet ouvrage a été composé et mis en page
par Nord Compo

POCKET – 12, avenue d'Italie – 75627 Paris Cedex 13

N° d'impression : 240716
Dépôt légal : AVRIL 2017
Suite du premier tirage : janvier 2018
S30928/61